JACQUES BREL
une vie

DU MÊME AUTEUR

Romans

Une demi-campagne, Julliard, 1957.
La Traversée de la Manche, Julliard, 1960.
L'Année du Crabe, Laffont, 1972.
Les Canards de Ca Mao, Laffont, 1975.
Un cannibale très convenable, Grasset, 1982.

Reportages

Des trous dans le jardin, Julliard, 1969.
Portraits, Moreau, 1979.

Biographie

La Marelle de Giscard, Laffont, 1977.

Récit

Un fils rebelle, Grasset, 1981, Prix Cazes.

Essai

Une légère gueule de bois, Grasset, 1983.

OLIVIER TODD

JACQUES BREL

une vie

ÉDITIONS ROBERT LAFFONT
PARIS

pour Vous

Pourquoi Jacques Brel ?

Avant tout, j'aime l'interprète. Un chanteur de variétés aujour-
d'hui — comme un réalisateur de films hier, un cosmonaute avant
demain — exprime la société, la culture et l'imagination du XXᵉ siècle.
L'homme Brel mena plusieurs vies professionnelles et privées. Avec
une prodigieuse et tumultueuse énergie, il imposa sa personnalité
hors du commun.

Grâce à la télévision, le chanteur devint vite un sujet de
légendes. Elles risquent de passer à l'histoire, petite ou grande, en
mythifiant Brel sans l'humaniser.

Brel fut une vedette du show-business, univers à haute densité
névrotique. Le chanteur y échappa. Il aurait pu se figer en acteur de
cinéma. Ambition moins courante dans le monde du music-hall, il
souhaita devenir cinéaste. Il échoua en partie et se réfugia sur une île
du Pacifique. Talent intact, de nouveau parolier, chanteur et mélodiste, il se reconstruisit.

Majorité du « grand public » consommateur de disques et de
cassettes, les femmes dénoncées et la jeunesse sermonnée par Brel se
reconnaissaient et se retrouvent toujours en lui. Communions
modernes, identification et projection lient ce public aux héros ou
anti-héros de la scène et de l'écran. Mais Brel ne fut pas une star
préfabriquée. Jamais il n'accepta de patronner un club d'admirateurs,
un savon ou un fromage. Au-delà de ses proclamations libertaires, il
façonna sa morale et ses valeurs, souvent d'une pérennité traditiona-
liste.

Je ne voulais pas cerner la vie privée d'une vedette déchirée, pas plus que composer une apologie édifiante de saint Jacques Brel. Face à un homme qui chanta tant l'amour, conquête désirable et défaite inévitable selon lui, je ne pouvais ignorer ses passions et ses aventures, pas plus que ses durables amitiés.

Les noms de cette biographie sont réels, sauf ceux de deux femmes importantes de la vie de Brel, « Sophie » et « Marianne », qui ont demandé à rester anonymes.

Le lecteur trouvera ici des fragments de nouvelles, des poèmes ou des chansons de jeunesse, ébauches ou fragments inédits encore lorsque parut l'*Œuvre intégrale*[1]. Que Brel se serve du mot, de la musique, de la caméra ou du maquillage, sa vie explique en partie ses créations. Pour un chanteur comme pour un romancier ou un peintre, tout s'imbrique à travers les souvenirs revécus et l'alchimie de la création.

Je me sers aussi de nombreuses lettres, matériaux jamais utilisés à ce jour. Je n'ai pas disposé de toute la correspondance dispersée de Jacques Brel. Comme celle de Jacques Chardonne ou de Francis Scott Fitzgerald, son orthographe n'est pas exemplaire, sa ponctuation non plus. Elles ne sont pas corrigées. Le rythme typographique d'un épistolier, les cadences, souvent chantées, de ses lettres exigent le respect. Comme les œuvres publiques, la correspondance privée aide à replacer l'homme et l'artiste dans son époque, les pays, les milieux qu'il traversa, rejeta, marqua — ou rêva.

Déployant ses panoplies de voyages, d'évasions, d'amour et de mort, ivre de lui-même et des autres, Brel prit aussi le temps de vivre. Il poursuivit la quête de son enfance. Sans pourrir de cynisme, il mûrit quand même. Le bateau et l'avion chez lui furent parfois l'équivalent de la moto et de la Porsche de James Dean. De la promenade quotidienne de Kant, de la robe de chambre de Diderot, peut-être.

Brel fut le metteur en scène de sa vie. L'individu réchappa de la vedette. Enthousiaste et sceptique, généreux ou odieux, Brel fut un champion du trop célèbre mentir-vrai et du plat mensonge. Il paraît plus sincère que rusé.

« Je ne veux pas tricher », répétait ce joueur qui fut, avant tout, un créateur.

---

1. Jacques Brel, *Œuvre intégrale*, Robert Laffont, 1982.

I.

Un « ketje » de Bruxelles

Le 8 avril 1929, 11 heures à Bruxelles : casqué, auréolé de popularité, Albert Ier passe en revue les troupes de la garnison. Le roi entre dans sa cinquantième année.

17 h 30 : TSF-Radio Belgique diffuse du Massenet, deux doigts de Chopin, quelques mesures de Messager, et à 20 h 30, dans une salle de la commune d'Ixelles, truffée de ravissantes maisons Art nouveau, Mme Corbett-Ashby défend avec fougue les mouvements féministes.

Ce 8 avril, dans un quartier résidentiel à l'époque, près de la chaussée de Louvain et du boulevard Auguste Reyers, à l'étage d'une maison de pierre blanche, 138, avenue du Diamant, naît Jacques Romain Georges Brel, vers trois heures du matin. L'après-midi du jour précédent, pendant les longues douleurs de sa femme, Romain, père de Jacques, arpentait les gradins du vélodrome. Octave Hombroeckx remportait le Tour de Flandre « indépendants ». Quels muscles ces Flamands !

Le 8 au soir, le théâtre de la Monnaie donne *Siegfried*, le théâtre du Parc *Ces dames au chapeau vert*.

Francophone de souche flamande, Romain Brel naquit en 1883 dans une ferme à Zandvoorde, village d'un millier d'habitants de l'arrondissement d'Ypres, dans le sud des Flandres à cinq kilomètres de la frontière française. S'en réclamant, Jacques Brel ne liquidera jamais cet héritage de Bruxellois bâtard. Sa mère est née en 1896, à Schaerbeek, commune de Bruxelles, comme Jacques.

Un généalogiste fougueux traque les Brel jusqu'aux croisades[1]. Jacques Brel, gouailleur, sourit en apprenant qu'un de ses probables ancêtres, anobli, jouissait du droit d'entrer à cheval dans les églises. Jusqu'à sa mort, Jacques caracolera autour de Dieu. Il s'amuserait aussi de se voir rattaché à Georget de Brelles, maître de chapelle à Cambrai au XVe siècle, musicien de l'école polyphonique flamande. Quelques variations consonantiques aidant, le nom de Brel rejoint Breel, Brijl ou Bruegel. Les portraits comme les paysages de Jacques Brel évoquent plus la Flandre baroque que la Wallonie paisible.

Louis, le père de Romain Brel, exploitait un séchoir à chicorée et une boulangerie à Zandvoorde. Catholiques, les Flamands prolifèrent plus encore que les Polynésiens.

Benjamin de dix frères et sœurs, Romain parle d'abord le français. A douze ans, il apprend bien le flamand. Il ne termine pas ses études d'ingénieur chimiste à l'université de Louvain. Jacques affirmera que, blessé pendant une bagarre linguistique, Romain passa quelques jours à l'hôpital. Son frère Pierre n'a jamais entendu parler de cette héroïque anecdote. Dans sa tête comme dans sa maison, Romain affiche un principe : les Flamands raisonnables : *ja*, les extrémistes : *nee*. Pour lui, on ne saurait imposer ou interdire une langue avec des pavés ou des lois. Aussi sociale et économique que culturelle, la question linguistique frémit, bouillonne ou explose en Belgique. A travers elle, en 1984 comme déjà en 1884, on parle de crise d'identité nationale.

Sans fortune ni diplôme, Romain Brel s'embarque en 1911 pour le Congo comme agent de la Cominex. Sous les tropiques, on se perd dans l'absinthe, ou, entre l'aventure et le confort, on se taille une situation dans l'import-export. Persévérant — bien flamand là —, Romain vend des conserves, de la bière, des casseroles. Il achète du café, de l'huile de palme, un peu d'ivoire, beaucoup de caoutchouc. Trois années à Popocabaca trempent sa solitude et perfectionnent ses réussites aux cartes. A pied, en *tip poy*, Romain monte des expéditions commerciales de cinq ou six jours. Parfois, il attend deux semaines un confrère lent, un sous-traitant rusé, un administrateur flegmatique. Parcourant des journaux moisis, vieux de deux mois, il surveille boys et porteurs. Au solide Romain Brel, la Cominex confie un territoire entre Léopoldville et l'Angola. Il voit des lions, traverse de longues saisons sèches comme de lourdes saisons des pluies. Ses allusions à son épopée africaine, au curieux Congo belge, colonie longtemps propriété personnelle du roi, seront rares. Colonialiste, Romain ? « Un Noir, c'est gentil, mais ça reste un Noir. »

---

1. Franz Van Helleputte, *Pour toi Jacques Brel*, polycopié, Houdens-Aimeries, 1980.

La Belgique est occupée. En 1915, Romain Brel, benjamin d'une famille nombreuse, n'est pas mobilisable. Il prend son congé européen à Londres. Ce tranquille célibataire peaufine son anglais, déguste les rubriques financières des quotidiens. Il *guindaille*, bref, s'amuse.

De retour en Afrique, il consolide sa réputation. Il revient à Bruxelles en 1919 et décide de se caser. Même à Léopoldville, la jeune épousable n'abonde pas. A Bruxelles, on entraîne Romain chez Mme Van Adorp, veuve d'un artisan sur vitrail qui avait aussi fait beaucoup d'enfants à sa femme. Romain redécouvre l'Europe.

Les troupes françaises et belges occupent Düsseldorf, Duisburg. On veut contraindre Berlin à accepter le plan de paiement des dommages de guerre. Amère victoire. Ravagée, la Belgique se relève. Dans la région natale de Romain Brel, des cimetières militaires coupent partout les champs de pommes de terre, de chicorée, de tabac comme les prairies. Des rangées blanches de tombes britanniques jouxtent la ferme où Romain est né. Alors, cette partie des Flandres est bilingue. Aujourd'hui, elle est flamandisée. A Zandvoorde, les Brel étaient du parti des « bleus » : ils votaient libéral. La francophilie de Romain sera renforcée par l'alliance défensive franco-belge.

« Lisette, M. Romain Brel souhaite t'épouser. » En Belgique à cette époque, une jeune fille modeste et bien élevée ne refuse pas un parti si séduisant. Romain obtient la main de « Lisette », Élisabeth Lambertine, surnommée Mouky lorsqu'elle deviendra grand-mère. Ce mariage de raison tiendra, sans inspirer à ses enfants une admiration illimitée pour cette institution. Noces, le 3 décembre 1921. Bel homme, moustache vite transformée en barbe, superbe sous un chapeau melon, le mari a trente-huit ans. Brune, menue, vive, jolie, la mariée, en a vingt-trois. Ils partent ensemble pour le Congo. Là, le 13 août 1922 naissent des jumeaux inattendus, Pierre et Nelly. Le père et le médecin trinquent à la santé du premier enfant Éberlué, un domestique vient annoncer que Lisette a accouché d'un deuxième enfant. Les deux bébés meurent d'une typhoïde, la fille deux heures avant le garçon.

Une femme guérit d'une femme, un homme d'un homme, un vivant d'un mort. 19 octobre 1923 : autre bébé, né à Bruxelles, prénommé Pierre aussi, avec un entêtement un peu morbide mais traditionnel.

En 1926, le couple s'installe définitivement à Bruxelles. Romain monte dans la hiérarchie de la Cominex. Après la naissance de Jacques en 1929, sa mère l'appelle quelque temps « Nelly ». Il a de si jolies boucles.

Krach financier en 1929, année de la naissance de Jacques Brel. La famille s'installe au 55, avenue des Cerisiers, dans une maison cossue que Romain Brel fait construire. En 1931, déménagement pour raisons économiques. La famille se retrouve 66, boulevard d'Ypres au quatrième étage d'un bloc d'appartements. Souvenir peu agréable : les rez-de-chaussée regorgent de halles fruitières bruyantes et encombrées à l'aube. En 1935, la famille habite au 26, boulevard Belgica, à plus d'un kilomètre de la basilique nationale de Koekelberg, qui deviendra un hideux monument de brique, de pierre et de béton. En comparaison, le Sacré-Cœur de Paris est un joyau de l'art roman.

Romain quitte l'import-export et s'associe en 1931 avec son beau-frère, Amand Vanneste, pour agrandir une cartonnerie fondée par Amand en 1921. Ce dernier a repris l'entreprise Bichon, créée en 1877. Les Vanneste posséderont toujours soixante-quinze pour cent des parts. « Vanneste et Brel », pas « Brel et Vanneste ». Cette raison sociale compte et pèse.

Romain fume, même dans les ateliers.

— Qu'il fume, c'est son droit, mais ce qui est dommage, c'est qu'avec l'odeur de son bon tabac, il nous fasse envie, disent les ouvriers.

En principe, on ne fume pas dans une cartonnerie. Un patron devrait donner l'exemple. Les employés des services que Romain gouverne travaillent souvent debout, registres posés sur de hauts pupitres. Ils respectent cet homme calme, ponctuel, d'une transparente opacité. Parolier, Jacques Brel aimera travailler debout.

A l'usine comme chez lui, Romain, *taiseux,* ne bavarde guère. Romain lit plus volontiers Simenon que Plisnier. Toujours libéral en politique, il défend un conservatisme ferme dans sa modération. Catholique presque incroyant, il ne pratique pas. Romain accepte la religion sans la foi. Ces Brel ne ressemblent pas aux Vanneste qui ne doutent jamais de Dieu, de la monarchie, de l'ordre. Quand le chanteur Jacques Brel croque du bourgeois, des « adultes déserteurs », des « oncles repus », des « fausses révérences », des bigotes et des dames patronnesses, il songe plus à ces Vanneste qu'aux Brel, même si le conformisme sans ostentation de son père le gêne.

Romain n'explique pas les problèmes de la cartonnerie à Lisette. En Belgique, les femmes ne votent pas encore. Leur domaine, c'est la maison, les enfants, le ménage. Adulte, Jacques Brel pratiquera, plus gaiement, cette forme de machisme. Règle absolue : si Romain Brel part de l'usine, rue Verheyden, à 17 h 20, il l'oublie boulevard Belgica à 17 h 50. Pour cloisonner sa vie, Jacques tient de son père. Si le grave Romain éprouve des passions au-delà des cours du papier ou en deçà de sa famille, il les cache. Sa femme aura un amant. Devant tous, parents, amis, servantes, la frêle Lisette semble spontanée, et son mari très réservé. Sa vivacité, Jacques la tient de sa mère, l'énergie et son goût du silence de son père.

Le petit Brel vit dans un monde de femmes tendres et d'hommes silencieux :

> ... Les hommes au fromage
> S'enveloppaient de tabac
> Flamands taiseux et sages
> Et ne me savaient pas.
> Moi qui toutes les nuits
> Agenouillé pour rien
> Arpégeais mon chagrin
> Au pied du trop grand lit [1]...

Jacques Brel répétera qu'il vécut avec des grands-parents plus qu'avec des parents, ce qui semble faux pour sa mère et un rien exagéré quant à son père. D'ailleurs, quel grand-père garderait autant ses distances que le taciturne Romain ?

Le petit Brel, Jacky, ne se sent pas malheureux mais esseulé dans une enfance bornée par les bonnes intentions des vertus acceptées, sous les lumières d'une religion laïcisée. Il sent que rien ne le rapproche des hommes de sa proche famille. Son frère Pierre a cinq ans et demi de plus que lui. Pierre lit déjà lorsque Jacques balbutie. Les deux frères se parlent peu. Il n'y a pas d'hostilité entre eux. Tous les cousins sont plus âgés que Jacky. Câlin câline, ce petiot adore sa mère. Il aime ses tantes, l'odeur de la soupe aux choux chez lui, le parfum des confitures dans l'appartement de sa grand-mère maternelle.

Jacky tourne en rond, se réfugie sous les tables. Après une bronchite, emmitouflé de ouate thermogène, il s'assoit près du poêle. En famille, il refuse de se laisser photographier, se présente souvent de dos sur les albums des Brel. On accepte ses lubies.

> ... Mon enfance passa
> De servante en servante
> Je m'étonnais déjà
> Qu'elles ne fussent point plantes
> Je m'étonnais encore
> De ces ronds de famille

---

1 *Mon enfance*

> Flânant de mort en mort...
> Je m'étonnais surtout
> D'être de ce troupeau[1]...

Brel simplifie. Sa mère est tendre, attentive, active. Elle organise des tombolas, des fêtes. La Belgique est la patrie de la bande dessinée. Jacky lit *Les Exploits de Quick et Flupke,* les aventures de deux garnements taquineurs de gendarmes. Quick, sous son béret, a la tête du futur Tintin. Créé par Hergé, il croise souvent un policier qui ressemble, casque en plus, à Dupont et à Dupond. Entre un verre pris au Métropole et l'animation autour de la place de Brouckère, la vie n'est pas sinistre, mais il est vrai que Romain Brel ne rit pas autant que la plupart des Bruxellois qui adorent se moquer d'eux-mêmes et de leurs accents — comme les juifs.

Convenances et bourgeoisie obligent, Romain confie ses fils à l'enseignement privé. Longues jambes dans ses culottes courtes, raie nette sur sa tête ronde, Jacky se montre toujours poli, propre, au cours de ses classes primaires à l'école Saint-Viateur. Bonnes notes en lecture et en orthographe, moins glorieuses en chant et solfège. Sur une page d'un carnet scolaire brillent des rangées de 10 sur 10, dans toutes les matières. Un affreux 4,5 scintille en langue flamande.

Jacky, c'est l'usage, rédige ou plutôt contresigne des compliments : « Cher papa, douce maman, si ma plume allait aussi vite que mon cœur et même ma langue, quelle longue lettre vous recevriez de votre cher petit Jacky... »

Pour les fêtes, prêtres et religieuses dictent ou font recopier des vers à leurs élèves. Le 25 décembre 1936, Jacky, sept ans, signe une lettre surmontée d'un angelot joufflu :

> Je vous dirai ce qu'à l'oreille
> Un ange m'a dit cette nuit :
> « Enfant, dans l'ombre tout sommeille...
>   ... Maître suprême
> Exaucez-moi du haut des cieux
> Le bonheur pour tous ceux que j'aime
> Voilà l'étrenne que je veux... »

Un enfant sensible peut détester ces hypocrites et mécaniques compliments.

Jacky profite aussi d'échappées belles. Louveteau catholique, il sourit à grandes dents sur les photos de sa meute. Pendant les sorties, autour des feux de camp, farceur, exubérant, il se dépense.

Il passe ses vacances sur la côte de la mer du Nord. Au long

---

1. *Mon enfance.*

d'une soixantaine de kilomètres, de La Panne à Knokke-Heist se suivent les ports, Ostende et Zeebruge, les stations balnéaires de Haan ou Blankenberge. De quoi émerveiller un enfant curieux et, plus tard, une mémoire d'adulte songeur à la recherche de son enfance, imaginaire ou réelle. Peupliers, saules, dunes, canaux, beffrois, clochers, champs de houblon et de chicorée s'alignent sous le soleil ou la pluie. A l'automne, les pieds des vaches disparaissent dans une brume tiède. En toutes saisons, des mouettes planent sur les marécages, piquent sur les estacades de bois ou les brise-lames de pierre. Sur les plages, immenses, le sable se prête à tous les dessins du vent, à toutes les constructions des enfants, ou des adultes qui font aussi des concours de châteaux. Mêlés à l'horizon, beiges, gris, bleus, les cieux et la mer exigent des peintres le pastel ou l'huile. Devant les cargos noirs, si trapus au loin, et les voiliers blancs, plus fragiles, qui serrent la côte, tout enfant rêve. Dans les rues et les avenues venteuses, ça sent le chocolat et la cannelle et, devant les cafés ou les restaurants, la bière, les moules et les frites. Comme tant de Belges, Jacky adore le cramique, pain au lait, aux œufs et raisins secs.

Très malheureuses, les enfances révèlent une histoire aux arêtes vives quand elles ne s'engloutissent pas dans des oublis profonds. La petite enfance de Jacky Brel paraît terne, trop ronronnante et pendulée à ses yeux. Il clamera qu'elle fut morne, solitaire. Au prisme de ses nostalgies, ses souvenirs transforment le brun en gris, et le gris vire au noir. Il s'ennuyait :

> J'aimais les fées et les princesses
> Qu'on me disait n'exister pas
> J'aimais le feu et la tendresse[1]...

Il cherchait la frontière qui *devait* séparer le monde des grands et celui des petits. Comme Quick et Flupke, Jacky joue aux cow-boys et aux Indiens.

On lui mitonne une enfance classique, mais, il en restera persuadé, on la lui vole. Déformante, avide, sa mémoire soulignera plus les mélancolies que les plaisirs de son enfance. Ses adultes l'ont laissé en paix. Trop ?

Il leur livrera une guerre sans fin.

Le 10 mai 1940, les Allemands envahissent la Belgique. Les six cent mille soldats de Léopold III tiennent jusqu'au 28. Aussi tenaces, les armées françaises auraient au moins résisté jusqu'en octobre 1940.

---

1. *J'aimais.*

Les Brel restent à Bruxelles, ne grossissent pas les rangs des pitoyables réfugiés qui traversent la capitale.

Trente-cinq ans plus tard, proche de la mort, qui le ramène à son adolescence, comme un vieillard retrouve son enfance, Jacques s'attendrira sur les femmes éplorées, les réformés, les désarmés. Pour la première fois de sa vie, il imprime alors le mot *belgitude*.

> ... Moi de mes onze ans d'altitude.
> Je découvrais éberlué
> Des soldatesques fatiguées
> Qui ramenaient ma belgitude
> Les hommes devenaient des hommes,
> Les gares avalaient des soldats
> Qui faisaient ceux qui ne s'en vont pas
> Et les femmes,
> Les femmes s'accrochaient à leurs hommes[1]...

Dans les années vingt et trente, surtout dans les années quarante, on ne ressasse aucun doute chez les Brel : la Belgique, pays, État et nation, s'incarne dans son unité. Chez les Brel, Bruxellois établis, on n'accepte pas les termes de la lettre ouverte envoyée à Albert Ier : « Sire, laissez-moi vous dire la vérité, la grande et horrifiante vérité. Il n'y a pas de Belges. J'entends par là que la Belgique est un État politique assez artificiellement composé, mais qu'elle n'est pas une nationalité... Vous régnez sur deux peuples. Il y a en Belgique des Wallons et des Flamands, il n'y a pas de Belges. » L'auteur de cette lettre était Jules Destrée, animateur du Mouvement wallon. En Belgique le séparatisme centrifuge fut aussi wallon. Mais le sentiment national belge est fort pendant la Seconde Guerre mondiale.

De ses « onze ans d'altitude », Jacky regarde la Wehrmacht disciplinée, donnant des concerts et dévalisant les magasins de lingerie féminine. Dès octobre 1940, les chiens courants de la Gestapo traquent les juifs, surtout à Anvers. Dans la tribu Brel et Vanneste, point de héros, aucun grand résistant, nul collaborateur non plus. Ici, les Brel sont moyens, comme les Vanneste. Pour Jacques Brel, la moyenne passera toujours pour de la médiocrité.

Bruxelles ne bruxelle pas. Plus de café au Métropole, au mieux de la chicorée ou de l'avoine grillée. Les pâtisseries sont vides. Anglophile, Romain écoute les informations et les messages de la BBC. Il ne condamne pas Léopold III, qui ne s'est pas exilé à Londres. Romain s'interroge. Léopold aurait-il dû éviter de rendre visite à Hitler dans son nid d'aigle de Berchtesgaden ? Romain lit *Le*

---

1. *Mai 40.*

Soir, contrôlé par l'occupant, beaucoup moins virulent que *La Nouvelle Gazette* ou *Le Pays réel.* Vanneste et Brel fournissent aussi des emballages à des usines coupant des uniformes vert-de-gris. On doit bien faire vivre ses ouvriers et employés. Les firmes qui n'acceptent pas de passer par les exigences des Allemands sont fermées. Le personnel est alors inscrit sur les listes des travailleurs destinés à l'Allemagne. Amand Vanneste père préside le Secours d'hiver, qui aide les civils belges défavorisés.

Pierre Brel, le grand frère, entre dans la cartonnerie comme contremaître. Menacé par le Service du travail obligatoire qui recrute à travers toute l'Europe occupée des ouvriers pour l'industrie du Reich, il se réfugie un temps chez Georges Dessart, parrain de Jacques. A l'usine, pendant la guerre, on ne remarque pas les tensions entre ouvriers flamands et employés francophones. Les Allemands courtisent les Flamands. Germains, unissons-nous ! Un enfant comme Jacky capte les rumeurs de l'histoire simplifiée. Proche de la cinquantaine, Jacques Brel se souviendra plus vite de la légion SS Vlaanderen, flamande, que de la non moins nazie, et francophone, légion wallonne commandée par cette grande gueule rexiste, Léon Degrelle.

Le 8 avril 1941, douzième anniversaire de Jacky : la ration de viande hebdomadaire tombe à trente-cinq grammes par personne Sur quinze Belges jugés pour aide à des soldats anglais, la Kommandantur en condamne deux à mort. Joyeux anniversaire ! Comment cette enfance rêverait-elle ? Humour bureaucratique involontaire, la Kommandantur annonce aussi que « les détenteurs de pigeons voyageurs doivent établir en trois exemplaires la liste de leurs oiseaux ». Et les convoyeurs — de pigeons bien sûr — attendent !

Les Brel ne souffrent guère des restrictions alimentaires. Fanas du vélo, Pierre et Jacques pédalent dans les campagnes à la recherche d'œufs, de beurre ou de pommes de terre, quand leur mère ne peut en acheter au marché noir. Sur des cartes fléchées, Romain et Pierre suivent les reculs des bolchevistes, comme dit *Le Soir,* puis les avances de l'Armée rouge. Pour la génération de Jacky, les Russes seront souvent et longtemps de lointains libérateurs.

D'oreille, sans formation musicale, le petit Brel pianote beaucoup, avec un faible pour *La Lettre à Élise.* Il lit Jack London, Fenimore Cooper, Jules Verne, se fabrique un Far West et s'invente des départs.

> ... Je voulais prendre un train
> Que je n'ai jamais pris [1]...

---

1 *Mon enfance*

Rien de nouveau sur les fonts de l'Est ou de l'Ouest :

Mon enfance passa
De grisailles en silences [1]...

A la rentrée scolaire de 1941, Jacky passe au collège de l'institut Saint-Louis, où enseignent des prêtres et des laïcs. Cet établissement privé surveille ses élèves avec plus de souplesse que le collège Saint-Michel tenu par les jésuites. Un bourgeois bruxellois envoie ses enfants dans ces écoles ou à Saint-Jean Berckmans. Les filles vont au Parnasse et chez les Dames de Marie. Pour former ses fils, Romain ne mise pas sur les athénées — lycées d'État —, moins prestigieux à cette époque en Belgique qu'en France.

Jacques, pas plus que Pierre, n'est formable ou déformable. Mauvais élève, sans devenir un cancre, il redouble sa sixième, s'engouffre de justesse en cinquième, refait une quatrième, évite de tripler sa troisième. Les registres de Saint-Louis démontrent qu'il flemmarde, lézarde. « Pourrait mieux faire, devrait faire mieux... » A des facilités en histoire, des difficultés dans cette matière bizarre, le flamand, en vérité du néerlandais assez académique. En français, il se classe souvent premier. Pour la diction et l'élocution, peut-être plus innées qu'acquises, il coiffe les forts en thème. On se souvient encore d'un de ses prix de français, une traduction raccourcie de *Don Quichotte,* seul roman comique qu'il ait jamais lu, prétendra Brel. L'abbé Jean Dechamps, petit homme mince et rieur sous son béret, flottant dans sa soutane, professeur de français en classe de cinquième, se rappelle toujours avec la même émotion une narration superbe. Jacques y décrit sa chambre, sa petite lampe, une mouche. Le bon abbé récite volontiers aussi une ligne d'un poème de Jacky à l'adverbe brélien, « la mer est belle et longue infiniment ». Dechamps déplore une orthographe incurable. Ce prêtre maintient que Verhaeren a « fort marqué Brel ». Au mur de la classe dans laquelle enseigne l'abbé, une affiche représente toutes les églises de Flandre, avec, jaune sur noir, un alexandrin : « C'est la Flandre pourtant qui retient tout mon cœur. »

L'élève Brel chahute, se retrouve souvent à la porte de sa classe. Tôt, Jacques raille les curés et les religieuses, premiers représentants pour lui d'institutions suspectes et fascinantes. En retenue ou chez lui, il versifie ses punitions. Comment ne pas se laisser charmer ? Ces prêtres, enseignants toujours disponibles, prêts à écouter leurs élèves, ne sont pas insensibles, même à l'ironie. Jacques Brel fait signer une punition par ses parents, par le chien et le chat En classe,

---

1 *Mon enfance.*

Brel Jacques laisse sonner un réveil sous son veston. Sommé de le remettre, solennel, il dépose les pièces détachées d'un autre réveil sur le bureau de l'abbé Guy Reinhard. Farceur, paresseux, rêveur mais bon camarade, ce Brel dégingandé. Très grand pour son âge, et quel cran ! L'avez-vous vu se battre contre des élèves de seconde pour défendre son copain Alain Lavianne ?

1942. Jacky Brel ébauche un journal rudimentaire. On en retient que son père, Romain le compassé, entre et sort de sa maison avec une terrifiante régularité — et, pour le père, c'est tout. Le mouvement devient immobilité :

« Jacques est parti à 2 heures chez Tante est revenu avec elle pour la foire (elle est allée sur le cyclone) Gouter à 5 h avec du cacao puis nous sommes allé à la Basilique à pied (moi en patin à roullettes et nous sommes revenus en tram)

Avons attendu Papa et Pierre jusqu'à 8 h

Souper (donner un " bon " pour la fête de tante.

Lire coucher à 9 h (tante dans mon lit et moi sur le divan)

Dormi

[Le chat] Sorti a 9 h ne veut plus rentrer (J'aimerais bien d'une fois mettre autre chose mais lui [le chat] ne veut pas).

Le temps

Splendide »

Journal silencieux, qui ne rapporte aucun propos du père, du frère ou de la mère aimante. Jacky soigne la calligraphie, agrémente son journal de dessins et de collages.

A la maison, les hommes ne se livrent vraiment pas. Jacky non plus. On plante la pudeur de bonne heure chez les Brel. De plus, l'époque regorge d'étonnements sombres. Les Allemands arrêtent deux prêtres résistants que Jacky connaît, l'abbé Jean Schoorman et l'abbé Pierre Vandergoten.

Comme au collège, Jacques devient un boute-en-train attendu chez les scouts. Il imite si bien Chaplin ou Hitler ! La troupe Albert-Ier, 41e Bruxelles, circule en civil sous une façade de patronage, comme le scoutisme dans toute l'Europe occupée. Scout aussi, puis routier, Pierre Brel est totémisé « Morse Flegmatique ». Conteur étincelant, Jacques Brel s'appelle maintenant « Phoque Hilarant ». La 41e campe dans les collines boisées des Ardennes, la vallée de la Meuse ou, près de Bruxelles, sur le domaine de la Fresnaye au cœur des bois. A la patrouille des Cerfs, Phoque Hilarant se lie d'amitié avec Élan Cocasse, Robert Kaufmann. Juif, d'origine allemande, Robert, deux ans de plus que Jacques, fréquente l'athénée et la résistance. Ces deux garçons adorent *ziverer*, rivaliser dans la couillonnade. Jacques possède un répertoire à base de Courteline et de Tristan Bernard.

Fraternels mais bourgeois francophones, ces scouts. Un fils de cafetier ou de camionneur fait long feu chez eux. Ces scouts bruxellois se frottent à deux cultures. Leur français empruntent des mots flamands et même des tournures traduites : *ça ne va pas rester continuer durer,* ça ne va pas continuer, cette guerre, cette pénurie, ces Boches. *Ils sont quinze ans mariés,* les Louvet, les Vincken. Scouts ou pas, ces jeunes Bruxellois ont peu de contacts avec des Flamands, sinon pendant les vacances ou quand ils croisent des commerçants, des domestiques, des conducteurs de tram. Kaufmann ne se rappelle pas que Jacques ait été attentif à ces problèmes. Jacques Brel se sent belge et bruxellois, bon enfant, enfant d'un pays sans fêlure, un *ketje,* un gosse de la capitale. Quelques mauvais Belges, souvent flamands, fraternisent avec les chleuhs. Les Allemands libèrent plus tôt les prisonniers flamands. Pourquoi ? A Bruges, Gand ou Anvers, on voit plus de filles en compagnie des boches qu'à Bruxelles, Mons ou Charleroi. Pourquoi ?

Pitoyable en flamand-néerlandais au collège, Phoque Hilarant adore pourtant l'argot et le bruxellois fruité, dialectal, mélange de français, de bourgonche et de flamand, doux aux infractions fleurant le terroir. Heureux, ce parler bruxellois savoureux lorsqu'on cherche à exprimer une sensibilité. Malheureux, quand on veut d'abord se moquer d'elle. Jacques verse tôt dans le folklore parodique. Plaisantant l'accent bruxellois, meilleur élève en flamand, aurait-il plus souvent évité la facile truculence, la méchante dérision ? Bon élève puis excellent étudiant, un Jacques Brel nuancé face aux problèmes politiques et linguistiques aurait peut-être châtré le chanteur. Souvent le talent se nourrit d'offensantes outrances.

Très âgé, le père de Robert Kaufmann échappe au port de l'étoile jaune. Sa femme a plaidé sa cause devant les hommes de la Gestapo. Les Brel sont maintenant installés dans une maison, 7, rue Jacques-Manne. Le jeudi après-midi, les deux scouts se rendent souvent au cinéma Pax, quand il n'y a pas d'alertes. Ah ! *Paradis perdu* avec Micheline Presle, Elvire Popesco qui roule si bien le *r,* Fernand Gravey, acteur belge. Oh ! revoir ce film d'Abel Gance ! A quinze ou quarante-cinq ans, Brel ne sera jamais cinéphile, mais, Robert le constate, le cinéma l'intéresse.

Robert est étonné quand Jacques annonce qu'il lit Platon. Est-ce vrai ? Plus tard, Brel fera de la même manière des allusions pointues à Teilhard de Chardin ou Proudhon. En 1944, les fringales de Phoque Hilarant sont plus cinématographiques que philosophiques ou religieuses.

L'abbé Dechamps reste persuadé qu'en troisième Jacques traverse une crise mystique. A l'institut Saint-Louis, la messe de 8 heures est facultative. Croix de bois, croix de fer, l'abbé a vu le jeune Brel assister à cet office chaque matin pendant deux trimestres. Cette assiduité échappe aux copains de Brel, comme Alain Lavianne, aux amis comme Robert Stallenberg. L'abbé Dechamps admet que, face à des résultats scolaires dangereux, maître Jacques peut vouloir placer Dieu dans son jeu. Seigneur, accordez-moi la moyenne en maths et pas d'examen de passage en flamand. Jésus, aidez-moi à combattre les pratiques solitaires. Ce mysticisme sent le pragmatisme. Qui sait ? Derrière sa jovialité et ses railleries anticléricales, Jacky cachait-il ses élans spirituels ? La puberté pousse parfois vers Dieu.

A la sortie des cours, les collégiens regardent avec gourmandise les filles déambulant sur le boulevard du Jardin Botanique, à deux pas de l'institut Saint-Louis, sans oser pourtant parler de ces choses-là. En tout cas, pas Brel. Qui fut sa première fille, sa première gentille ?

> ... Il y a le Jardin botanique
> Qui fait la nique
> Aux garçons de Saint-Louis
> Qui attendent sous la pluie
> Les filles dont ils ont rêvé
> Devant le phare du Bon Marché
> Qui ne cesse, qui ne cesse de tourner [2]...

Pendant l'occupation allemande, certaines zones militaires sont interdites à la majorité des Belges. Comment se distraire ? Robert Stallenberg et Jacques Brel supplient le serviable Dechamps de monter une troupe théâtrale. A la Dramatique Saint-Louis, déchaîné, Jacques le réservé, le timide souvent, devient chef de bande théâtrale. Il s'amuse. Le répertoire ne vole pas plus haut que le délicieux Labiche. Les œuvres de Marcel Dubois et Henri Ghéon paraissent biodégradables. Ce grand Brel tonitrue dans le personnage du commandant Crochard, vole des répliques aux copains, improvise, traîne un uniforme de mousquetaire jusque dans un tramway.

> Le soir à Bruxelles, les étincelles
> Des trams se voient de loin
> Comme se voient les éclairs
> Quand on coupe les foins [1]..

---

1. *Bruxelles* (inédite, 1953).
2. *Ibid.*

A Jean Dechamps, aussi ravi qu'irrité, l'abbé Eugène de Coster, assistant à une répétition, lâche :

— Ton Brel exagère.

Dans son jeu, Jacques en remet par son manque de mesure. Il ne sait pas très bien *qui* il est. Footballeur ou cycliste acharné le dimanche, c'est sûr. Les autres jours, acteur, Arlequin, marquis de Kerhoz, monsieur Poitrine, il pourrait donc remplir un rôle sur scène ? Son public n'exige pas du Ghelderode.

La libération arrive avec les troupes britanniques. Comme sa famille et l'écrasante majorité des Belges à Bruxelles et en Wallonie, Jacques fête l'avenir. Avec Robert Kaufmann, il donne un coup de main à un boulanger dont le fils fait son service militaire. Jacques livre les « pistolets », porte ces petits pains le dimanche matin, gagne son argent de poche, méthode préconisée par Romain Brel pour se faire une idée de la valeur de l'argent.

... Comment voulez-vous bonnes gens que nos bonnes bonnes
Et que nos petits épargnants aient le sens des valeurs [1]...

Adolescent, Jacques Brel couve un secret. Jamais il ne l'a livré au public. Il a laissé entendre qu'il esquissa sa première chanson à quinze ans. Souvent, il a déclaré : « Quand j'étais petit, je me racontais des histoires. » Il n'a pas confié qu'il écrivait des histoires
Trois nouvelles survivent [2].

La première a dix-neuf pages, terminées le 3 décembre 1944 L'auteur y tient assez pour la dactylographier. Il la relie sous une couverture illustrée d'une pyramide et de deux palmiers. Jacky, qui devient Jacques, traverse une difficile quinzième année.

Sur un ton grandiose et sépulcral, en cinq parties cette nouvelle, *Kho-Barim*, raconte le viol d'une pyramide par l'Anglais lord Byrthon (parfois Byrlton). Sa caravane avance « sans bruit dans le sable vers l'infini »... Un vieillard psalmodie :

« — ... Et depuis tous les hommes qui tentèrent de violer le tombeau de Kho-Barim moururent frappés par l'esprit vengeur de ce dernier roi. »

Le vieillard jette au Blanc, comme à Vibard (ou Vibar), jeune porteur :

« — C'est pour quoi la mort nous attend tous. »

Jacques aime les rythmes litaniques :

« Dans le desert, desert sans fin, desert sans eau, des hommes dorment avec sur eux un peu de sable et des étoiles. »

---

1. *Grand-Mère.*
2 Fonds Mme Jacques Brel.

Sur des chameaux, cherchant les « trois pyramides de Keops, Képhrem et Mikérinos », lord Byrthon n'est qu'un « malheureux petit fantoche », malgré ses « vingt-cinq ans de travail ». Le porteur Vibar plonge sa main dans du sable ou de l'or. « Vibar rève, et ses rèves sont merveilleux comme tous les rèves d'enfants. »

A quinze ans, Brel décrète que tous les enfants sont des poètes. A trente-six ans, il chante :

> Un enfant
> Ça vous décroche un rêve
> Ça le porte à ses lèvres
> Et ça part en chantant
> Un enfant
> Avec un peu de chance
> Ça entend le silence
> Et ça pleure des diamants[1]...

Et à trente-huit :

> ... Tous les enfants sont des poètes
> Ils sont bergers ils sont rois mages
> Ils ont des nuages pour mieux voler[2]...

Vibar soulève une dalle, descend « dans le tombau. Mais, bien sur, à peine avait-il fait quelques pas que la dalle bascula à nouveau et, avec un claquement sec referma l'ouverture de la sepulture sacrée ».

Un dessin : la main de Vibar filtre du sable entre ses doigts. Au poignet, il porte une plaque d'identification métallique comme celles des militaires du xxe siècle. Ses compagnons recherchent Vibar qui « sous quatre pieds de sable, sous douze pouce de pierre, dans une obscurité opaque... assis a meme le sol, la tête entre les mains, pleure en silence ».

Vibar n'échappe pas à son destin :
« les dieux se vengent, ah, ah, ah. »

Lord Byrthon meurt aussi. Visitez à « Londre le club des EXPLORATEURS BRITANNIQUES. Il ya trois mois, si jamais l'envie vous avait pris de vous y assoir, un laquais serait penche sur
vous,
et vous aurait dit d'un ton poli,
excusez moi monsieur mais se fauteuil est réservé
a Lord Byrton.
Aujourd'hui n'importe qui peut s'y asoir. »

---

1. *Un enfant.*
2 *Fils de..*

Une tonne de drame, cent grammes d'humour et la mort.

Du 13 septembre à la fin décembre 1945, Jacques Brel couvre quarante-sept pages d'un nouveau cahier. Plus intéressantes que celles de *Kho-Barim,* elles font songer à des nouvelles ébauchées ou à un début de roman. L'ensemble se serait appelé *Le Chemineau* ou *Le Premier Jour.* Alors en 4ᵉ B, Jacques a une forte chance de doubler cette classe-là aussi.

Le personnage central est flou : « Un chemineau : tout un roman, toute une tragédie puisque les hommes sont des tragédiens et de bons tragédiens. »

« Le metteur en scène c'est la vie. »

Le chemineau et son chien Zoulou traversent une foire, « endroit où plus qu'ailleurs s'exprime la bêtise humaine... un royaume de la bêtise... »

Dans une foire

> ... Ça sent la graisse où dansent les frites
> Ça sent les frites dans les papiers
> Ça sent les beignets qu'on mange vite
> Ça sent les hommes qui les ont mangés [1]...

Ce chemineau morose « n'était pas un pessimiste, c'était un dégoûté... ».

Changement de décor et de héros. On entre dans la Grande Épicerie Moderne. Le fils de l'épicier, Didi, rencontre Madeleine.

Ils montent sur les balançoires d'une foire :

« ... le vent qui soufflait dans ses cheveux et ses grands yeux d'enfant gaté lui donnait l'air le plus délicieux du monde. Il la connaissait à peine... Autrefois au catéchisme...

Soudain, il s'aperçut que les gens le regardaient. il rougit

— Pourquoi es-tu si rouge ?

— Moi ben...

— Tu ne trouves pas qu'on va un peu haut...

— C'est gai hein ? »

Dans la bouche d'un belge, le mot « gai » est coloré, plus joyeux et prenant que dans celle d'un Français. Il qualifie les bonnes choses de la vie, la fête, la *ducasse* de Lille ou Valenciennes, la cavalcade, la complicité autour des verres de bière.

« ... il lui sembla que c'était la plus belle phrase qu'il eut jamais prononcée.

Et elle répondit

" Hé oui "

---

1 *La Foire*

Et il lui sembla que c'était la plus belle réponse qu'il eut jamais entendue... »

Le garçon et la fille descendent de la balançoire. Perplexe, Didi — Jacques ? — note :

« ... C'est bizarre les filles n'ont jamais l'air de se rendre compte de l'état dans lequel elles mettent les garçons quand elles leurs parlent.

Ils se quittent. »

> ... Non les filles que l'on aime
> Ne comprendront jamais
> Qu'elles sont à chaque fois
> Notre dernier muguet
> Notre dernière chance [1]...

Le deuxième chapitre du *Chemineau* devient chaotique. Pourtant un rythme chanté s'impose. « Il voulait voir dans le brouillard la première fleur qui s'ouvrirait car il était poète il voulait voir dans le brouillard le premier rayon du soleil parce qu'il avait froid au cœur, il voulait voir toute la nature il voulait voir valser les feuilles... Il voulait voir le jour s'avancer dans la nuit il voulait voir le jour s'incruster dans l'herbe... »

Des cadences et, des refrains, comme dans une chanson reviennent :

« ... si vous êtes un poète...
qui vit comme César le chemineau
alors vous fermerez les yeux et vous entendrez des mots qui vous diront du bien, qui vous diront du mal.
C'est une roue, c'est une roue qui tourne...
les pauvres entendrons
« oui » parcequ'ils en ont besoin
les riches
entendrons « non » parcequ'ils
n'y croient pas
C'est une roue, c'est une roue qui tourne
C'est le temps qui passe peut-être...
Les jeunes entendrons « oui »
car ils ne font qu'attendre
Les Vieux entendrons « non »
parcequ'ils veulent l'arrêter.
C'est une roue, c'est une roue
qui tourne. »

---

1. *Dors ma Mie*

Chez Brel chanteur, le pauvre sera bon, le riche méchant et le temps lancinant.

La lecture de ce manuscrit à voix haute montre comment ce garçon de seize ans cherche une forme, un moule, un rythme. Après, le récit devient incompréhensible. Le poète — Jacques? — rentre chez lui, amorce le portrait d'un père commerçant qui triche et une scène de famille.

Avec des copains de son quartier, Jean Meerts et Jacques Seguin, Jacques Brel publie le 16 mai et le 16 juin 1947 deux numéros d'un journal de quatre pages baptisé *Le Grand Feu* [1]. A dix-sept ans donc, Jacques se nomme directeur de la publication.

Rédigé par Seguin, l'éditorial reconnaît la maladresse de l'équipe. Elle veut rassembler les jeunes du quartier de Molenbeek, à côté d'Anderlecht, dans « la fraternité, la solidarité » et contre « le matérialisme ambiant ». L'équipe en appelle à Claudel, Rivière, Alain-Fournier et Malraux « pour jouer sa vie sur un jeu plus grand que soi ». Elle souhaite « remplacer le goût bourgeois du confort et du luxe par le désir que sa vie soit quand même utile à quelque chose ».

Jacques Brel signe une nouvelle, *Frédéric,* d'un nom farfelu : Raoul de Signac. Un moribond conseille à son petit-fils de partir tandis que sa famille discute des avantages et des inconvénients d'un enterrement de seconde classe. Adulte, Brel dira que s'il avait eu un fils, il l'aurait prénommé Frédéric.

Ce récit file vite. Raoul de Signac penche vers des rythmes chantés :

« — " Il est plus mal ".
Et ce " il " c'était sa vieille carcasse.
Ce " il " c'était son premier cri, c'était sa première valse et son premier amour.
Ce " il " était la cloche d'une égliise au jour de son mariage,
c'était un garçon et une fille, c'était beaucoup de joie, c'était beaucoup d'amour, c'était beaucoup de peine... »

Jacques Brel joue avec des vers très libres.

Dans ce premier numéro du *Grand Feu,* il publie encore *Pluie,* poème verlainien, sous un autre pseudonyme, Raphaël Boisseret :

> Il pleut tous les sanglots du monde
> et la ronde
> Des grands mots fous berce mon cœur
> et mon malheur.

---

1. Communiqué par Jean Meerts.

La triste ballade des vieux tuyaux de plomb
    qui vont le long
    des maisons
emporte vers l'infini
    le doux bruit
    de l'eau de pluie.
J'aimerais que ma peine partît aux vents nouveaux
Dans une goutte d'eau
Mais si tout mon chagrin pouvait entrer dedans
De cette goutte d'eau je ferais un océan.

Du même Boisseret, lecteur de Baudelaire, qui accepte les rimes pauvres devant lesquelles Brel chanteur n'hésitera pas, *Spleen :*

Il est des soirs sans fond où ne brillent que tes yeux,
Il est des yeux sans fond où tout est merveilleux,
Même les grandes routes où je ne marche pas,
Seigneur que suis-je las.
Pourquoi ne pas aimer ?
Pourquoi ?
Mon Dieu qu'il a changé
en moi ?
Je vais partir loin des idées, loin des amis, loin d'une amie
Chantez donc, les nuages !
Pour une âme meurtrie
Qui fait un long voyage...
J'irai dans une étoile d'où je verrai briller
la nuit.
De bruns cheveux qu'aimait baiser
l'homme qui fuit.

Avec superbe, la rédaction en chef du *Grand Feu* annonce que le journal ne paraîtra pas pendant les grandes vacances. Ses fidèles lecteurs, deux cents au moins, le retrouveront avec une « formule améliorée » en septembre. Ce deuxième et dernier numéro ne comporte aucun texte de Brel. L'équipe rédactionnelle mitraille la « perspective d'une morne et repliée vie bourgeoise », recommande la recherche d'une « oasis loin de la médiocrité, loin de tout ce qui risquait d'abimer nos rêves ». On sent la patte de Jacques. Il est déjà persuadé que :

... Les bourgeois c'est comme les cochons
Plus ça devient vieux plus ça devient bête
Les bourgeois c'est comme les cochons
Plus ça devient vieux plus ça devient[1]...

---

1. *Les Bourgeois.*

En 1947, la seule « perspective » de Signac-Boisseret-Brel, c'est un peu flatteur départ du collège. « A paressé puisqu'il va quitter » : d'une épaisse plume rageuse, un père commente ainsi l'ultime trimestre de Jacques Brel en 3ᵉ A. Il rejoindra la cartonnerie Vanneste et Brel. Un plan de carrière « morne », assez médiocre en effet, fort bourgeois aux yeux des collaborateurs du *Grand Feu*.

Romain Brel, soixante-quatre ans, est devenu « bon papa ». Une attaque le laisse diminué. Alors, en effet, il ressemble plus au grand-père qu'au père.

Dans l'usine, les rapports de forces familiaux sont délicats. Amand Vanneste fils s'installe dans l'administration de la firme. René Mossoux, gendre Vanneste en puissance, règne sur la production du carton plat, Pierre Brel sur celle du carton ondulé. Donc la place de Jacques se réchauffe au fond des bureaux de l'administration.

Pour participer à la direction d'une entreprise bruxelloise, on se doit d'être bilingue. Tous les Vanneste parlent flamand. Pierre prend la parole en public dans cette langue. Jacques s'installe quelques semaines à Tessenderloo, en Campine, pour polir un flamand qu'il ne maîtrise pas mieux que sa mère.

Libéré du collège, avant d'être mis à la porte, Jacques ne se plaint pas. Plus tard, en privé et en chanson, Brel exprimera ses regrets de ne pas avoir achevé des études classiques. C'était :

> ... le tango du temps des zéros
> J'en avais tant des minces des gros
> Que j'en faisais des tunnels pour Charlot
> Des auréoles pour Saint François
> C'est le tango des récompenses
> Qui allaient à ceux qui ont la chance
> D'apprendre dès leur enfance
> Tout ce qui ne leur servira pas
> Mais c'est le tango que l'on regrette
> Une fois que le temps s'achète
> Et que l'on s'aperçoit tout bête
> Qu'il y a des épines aux Rosa[1]...

Un soir de Noël, en compagnie de copains, Robert Martin et Lucien Costermans, Jacques Brel, surgit chez Hector Bruyndonckx, s'assoit sur le tapis et mange du cramique. Il blague, parle haut, au milieu d'une cinquantaine de jeunes gens et de jeunes filles. Quel

---

1. *Rosa.*

abattage, ce Brel, quand il agite ses bras et ses mains! Ses gestes parlent autant que sa voix.

Le cheveu grisonnant au-dessus d'un large front, lunettes à fine monture métallique, l'hôte, Hector Bruyndonckx, seul adulte de la soirée avec sa femme Jeanne, est chaleureux, tendre même. Romain Brel, lui, paraît si distant!

Bruyndonckx n'a pas terminé des études en sciences économiques, ce qui rassure Jacques Brel. Bruyndonckx a repris l'entreprise d'huile et de graisse pour voitures fondée par son père à Anderlecht. Cette commune enclave une partie de la cartonnerie. Chrétien militant, pas bondieusard ou ultra, Hector aura douze enfants. Il respecte l'Évêque et le Roi. Il discute sans contester. Original, sermonneur jusqu'au prêchi-prêcha, ce Bruyndonckx rayonnant se dit de droite, PSC, partisan du Parti social-chrétien. Catholique original, il accueille chez lui des prêtres défroqués. L'Église catholique, apostolique, romaine et monarchiste, puissante en Belgique, peut s'offrir quelques déviants sentimentaux et coléreux, tel ce Bruyndonckx, curieux progressiste de droite. Jacques trouve en Hector un guide spirituel. Ils vont construire une amitié presque filiale et paternelle, avec tous ses élans et ses malentendus.

A la demande d'un curé, convaincu que les jeunes dérivaient, Hector et sa femme ont créé un mouvement de jeunesse, la Franche Cordée. Audace, la FC devient vite mixte. En septembre 1941, Hector réunit ses premiers adhérents. Ses jeunes passent de la « formation dans l'agrément » au « cercle d'études ». Hector croit plus à l'éducation qu'à l'instruction. Jacques Brel aussi. Les membres de la FC exigent la suppression des jeux d'argent, la sévérité dans le choix des invités aux réunions. Les styles « swing » et « bigot », proclame-t-on à la FC, sont incompatibles avec le projet général, qui exige l'équilibre harmonieux des facultés, l'attention au corps, à la sensibilité, l'intelligence, la volonté.

Cette morale pourrait dériver vers un pétainisme belge, mais Hector est antiallemand et patriote. A Bruges, sur le fronton de l'hôtel de Gruuthuse flambe un principe, *Plus est en vous*. La Franche Cordée l'adapte. *Plus est en toi* sera sa devise, la couronne du Christ-Roi son emblème. Jacques Brel cherchera toujours le *plus* en lui-même. Pompeux, Hector insiste sur la perfectibilité de l'homme. Manger, boire, jouir, travailler ne constituent pas un programme de vie. Discipline et persévérance, voilà des vérités certaines. Jacques Brel sera persévérant jusqu'à l'épuisement. Tennis, natation, canoë, marche, ping-pong, explique-t-on à la FC, doivent aider au relèvement moral, intellectuel, matériel des « classes les moins favorisées aussi ». Hector apprécie les formules :

— L'aumône est la morphine de la société, déclare-t-il.

Ou encore, après 1945 :

— Le patriotisme s'est mué en partiotisme.

« La Belgique, écrit Hector, est au centre de l'Occident, et l'Occident jusqu'à présent est toujours le centre du monde. La Belgique est le nombril de la terre[1]... »

Alors, Jacques sourit devant ces professions de foi. Après, il réagira, rugira. Hector déteste les querelles entre Wallons et Flamands séparatistes. Pourquoi disputer des nominations de six fonctionnaires flamands blonds contre celles de cinq wallons bruns ? Hector se montre aussi allergique aux Flamingants de Bruges et de Gand qu'aux Wallingants de Liège ou de Charleroi.

Autocrate débonnaire et autodidacte, Hector encourage ses jeunes à « faire du social ». Les filles doivent participer aux discussions de la FC. Avec sérieux et candeur, on dissèque tous les problèmes. Avant la guerre, constate-t-on, les salariés ont bénéficié de « gros efforts ». Et les petits commerçants, et les classes moyennes ? Faut-il que certains magasins restent ouverts tard le dimanche ? Anticipation astucieuse. Le mariage ? Sacré. Honneur et hommage aux familles nombreuses ! Parlons cependant du statut des enfants naturels. Hector est sans pitié pour l'adultère, « atteinte à l'ordre social donc un crime », puni seulement d'une amende de 25 francs belges. Hector ne veut pas supprimer le divorce. Mais qu'on le rende plus difficile ! Adultère, Jacques le sera. Jamais il ne divorcera. A Bruxelles, à Liège comme à Amsterdam, les putains sont en vitrine. Pour le patron-gourou de la FC, on ne peut se débarrasser de la prostitution. Comment la réglementer ? Hector proclame le non-sens du suffrage universel. Il penche pour le vote familial. A l'institut Saint-Louis ou chez les Brel, on n'agite pas ce genre de questions. La personnalité d'Hector, sa maison ouverte et accueillante fascinent Jacques, même s'il prend du champ face à la religiosité ambiante.

A la FC, on accepte les incroyants. Ivan Elskens, un des chefs de cordée, bavard, entraînant, rationaliste, très « libre exaministe », quand on lui confie Jacques, le trouve justement porté au libre examen. « Brel n'est pas calotin », conclut Elskens. Pour lui, Jacques alors est croyant mais renâcle devant tous les dogmes.

Avec Hector, Brel participe aux retraites de la Trappe. Pendant une excursion de la FC à Ligneuville, Brel s'adresse à Jeanne Bruyndonckx :

---

1. Communiqué par Mᵐᵉ Hector Bruyndonckx.

— Quand j'ouvre mes yeux, dit-il, Dieu, le sens de la vie, ça me vient toujours à l'esprit.

Plus panthéiste que catholique, ce grand Jacques ? Aux Bruyndonckx, Brel déclare qu'il ne pratique pas. A Jacques Zwick, solide, l'œil goguenard, membre d'une autre cordée, Brel affirme qu'il se rend à la messe en semaine :

— ... Parce que c'est triste un curé seul dans une église.

Le grand Jacques participe avec entrain aux sorties de la FC. Le dimanche, il emprunte une camionnette de la cartonnerie pour présenter avec ses amis les spectacles des adhérents de la Franche Cordée devant des malades ou des handicapés.

Meneur, Brel devient président de la FC en 1949.

Plus qu'à la Dramatique Saint-Louis, il impose ses goûts. Il présente *Le Petit Prince* en lecture dramatisée. D'une chanson perdue de Jacques, seul reste le refrain :

> Saint-Exupéry dans la profonde nuit
> Le ciel lumineux le soir accroche l'étoile...
> Accroche tes ailes à l'étoile qui luit [1]

Brel adapte aussi *La Ballade des pendus* de Villon, *Le Silence de la mer* de Vercors. Il compose un *Jeu de l'homme,* disparu et, semble-t-il, assez confus. Il participe au cabaret littéraire, tradition de la FC. Brel s'occupera aussi des enfants du quartier pauvre des Marolles, les menant en vacances à la campagne avec les confitures de sa mère. Il se déguise en saint Nicolas, conduit sa voiture en mitre, descend, règle la circulation avec sa crosse entre les tramways jaunes, les tractions avant noires, les Oldsmobile mauves.

A la FC, on dénonce les derniers zazous, leurs cheveux longs, les grosses semelles, les passants de pantalons courts. Un des treize commandements de ce que Hector baptise le *style* de la FC déclare : « Sois simple et sobre. Dépouille ton cœur et ton esprit d'inutiles bagages. Choisis et garde l'essentiel. »

Jacques utilise l'énorme Studebaker de Romain Brel. La nuit, les adhérents de la FC se lancent dans des marches ou des virées en voiture. Si l'on allait prendre un pot à Anvers, sur le Meir ? Fils de bourgeois, payant les bières et l'essence, Jacques a et aura toujours le billet facile.

Ces jeunes gens glissent des considérations sociales et spirituelles à la plaisanterie grasse. Jacques montre volontiers son derrière :

> ... Et moi, moi qui restais le plus fier
> Moi j'étais presque aussi saoul que moi

---

1. Communiqué par Jacques Zwick.

> Et quand vers minuit passaient les notaires
> Qui sortaient de l'hôtel des « Trois Faisans »
> On leur montrait notre cul et nos bonnes manières[1]...

Brel et Elskens fument une cigarette près de l'autel pendant une messe de minuit à Bruxelles :

— La Sainte Cigarette ! murmurent-ils.

Jacques et Hector s'accrochent parfois. Dans la querelle nationale à propos de la monarchie et de Léopold III, Hector choisit son camp. Dans les textes de la FC, il écrit : « Léopold le Douloureux veillait », victime de « jugements téméraires » ou de « méchantes calomnies. Que serait la Belgique sans ses quatre rois ? » Le onzième commandement de la FC : « Sois, sans uniforme, le soldat vigilant de ta Nation et de ton Roi », fait rire Jacques ou l'exaspère. Il se sent plus républicain que royaliste.

Pour l'essentiel, le grand Jacques est influencé par Antoine de Saint-Exupéry. Chez les catho-sociaux, Saint-Ex se porte bien Malraux pue le soufre politique, Camus l'humanisme athée. Sartre, n'en parlons pas ! Le cher Hector pourrait paraphraser Saint-Ex pour dire : en Belgique, « nous avons failli crever de l'intelligence sans substance ». Chez Saint-Ex, on trouve ces notions molles ou lyriques qui excitent Hector et Jacques : devenir plutôt que vaincre, savourer l'héroïsme du travail fini dans l'effort, la conviction que la tête doit suivre les mains et les pieds, que l'instinct juge et entraîne l'intelligence. L'image du pilote professionnel civil de *Vol de nuit* poursuit Jacques. Il ne sera pas un petit prince mélancolique, ni Hector un roi. Hector et Saint-Ex persuadent Jacques qu'il faut chercher avec le cœur et qu'il est plus difficile de se juger soi-même qu'autrui. Moins littéraire, plus simpliste, Saint-Exupéry aurait accepté les deuxième et troisième commandements d'Hector Bruyndonckx : « Prends la vie de face. Fais de ta volonté un soc d'acier qui mord la terre et trace un droit sillon... Aie soif et faim de beauté, de grandeur, de silence. Ne te replie pas sur la médiocrité. » Sur le grandiose, Hector ne lésine pas.

En Belgique, l'enseignement secondaire ne comporte pas de classe terminale avec cours poussés de philosophie obligatoire. La littérature exaltante et boursouflée peut engluer des garçons et des filles qui sont comme Brel, assoiffés d'action, d'altruisme, de transcendance même ou d'ersatz métaphysique.

Sorti de sa famille, de Saint-Louis, du scoutisme, encouragé et soutenu par Hector, ce Grand Jacques est aussi enthousiaste que naïf ! *Niaiseux*, dirait un Québécois.

---

1. *Les Bourgeois.*

— Un peu con, conclura plus tard Jacques Brel, jugeant la fin de son interminable adolescence.

A la Franche Cordée, jeunes gens et jeunes filles bavardent, s'aiment, flirtent, rompent. Souvent ils se marient. Dans une cordée, une jeune fille, Thérèse Michielsen, « Miche », n'apprécie pas Brel, ce long type d'un mètre quatre-vingt-deux. Trop fatigant, même à regarder, ce tranche-montagnes.

Blonde, ronde, mignonne, un mètre cinquante-neuf, yeux très bleus, malicieux, nez retroussé, active, *spitante,* née le 30 décembre 1926 dans la commune d'Etterbeek à Bruxelles, Miche est la fille d'un représentant de commerce, qui a aussi deux fils. Élevée par les religieuses du Sacré-Cœur, elle a accumulé une vingtaine de badges chez les guides. Études de secrétaire de direction achevées — dactylographie, sténographie, comptabilité, droit commercial, études de marché —, elle apprend l'allemand. Miche parle bien l'anglais et travaille chez Saks. Cette entreprise achète, torréfie et empaquette le café. Miche ne participe pas aux activités théâtrales de la Franche Cordée. Organisatrice en coulisse, elle se sait bonne suivante, intendante.

Miche et les adhérents de la Franche Cordée entendent Jacques Brel interpréter certaines de ses premières chansons, s'accompagnant à la guitare. Sa main droite est agile, sa gauche, celle des accords, plus engourdie. Plusieurs chansons sont mièvres ou mignardes :

> … Je voudrais un joli bateau
> Pour m'amuser
> Un beau bateau de bois doré
> Pour faire la pêche à la morue
>
> Je voudrais une jolie calèche
> Pour me promener
> Et pour éclabousser les filles
> Qui dansent dans les avenues [1]…

D'autres tiennent du folklore de patronage :

> Je suis un vieux troubadour
> Qui a conté beaucoup d'histoires
> Histoires gaies, histoires d'amour
> Et sans jamais beaucoup y croire [2]…

Certaines touchent par leur réalisme :

> J'ai retrouvé deux fauteuils verts
> Dans mon grenier tout dégoûtants,

---

1. *Ballade.*
2. *Le Troubadour.*

C'est le fauteuil de mon grand-père
Et le fauteuil de grand-maman[1]...

L'influence de la Franche Cordée se fait longtemps sentir. Brel restera empêtré plusieurs années dans une imagerie chrétienne superficielle :

Il y a longtemps de cela
Au fond du ciel, le bon saint Pierre
Comme un collégien se troubla
Pour une étoile au cœur de pierre
Sitôt conquise, elle s'envole
En embrasant de son regard
Le cœur, la barbe et l'auréole
Du bon saint Pierre au désespoir
Qui criait et pleurait
Dans les rues du Paradis
Qui criait et pleurait
Et tout le ciel avec lui[2]...

Entré par la grande porte chez Vanneste et Brel, Jacques se morfond dans les bureaux de la cartonnerie. Les Vanneste ont encastré une vierge sur le mur extérieur de l'usine.

8 h 30-12 heures, 13 h 30-18 heures. Jacques travaille au service commercial « Carton ondulé ». Il établit des prix, prend contact avec la clientèle. Amand Vanneste fils, son cousin, douze ans de plus que Jacques, promu directeur général, cultivé et guindé, arbore une licence en sciences commerciales. Il trouve le cousin Jacques sympathique, « léger sur le plan de la pensée ». Comme Amand père, Amand fils est un sujet soumis de l'Église. Vanneste le jeune préside l'Action catholique des hommes. Aujourd'hui, il dit encore :

— Très tôt, j'ai été influencé par sainte Thérèse de Lisieux.

Jacques fait vite savoir à sa mère que son travail est insipide. Romain se rend toujours à l'usine, ouvre une lettre de temps à autre. On veille à ce qu'il ne l'égare pas. Depuis son attaque, il vit dans le passé. Aux conducteurs de taxi, il donne 25 centimes de pourboire au lieu des dix francs habituels. On lui cache le prix des choses pour l'épargner. Jacques Brel pense-t-il beaucoup à son père ces années-là ?

---

1. *Les Deux Fauteuils.*
2. *Saint Pierre.*

... Les gens qui ont bonne conscience dans les rues, le soir
Les gens qui ont bonne conscience ont souvent mauvaise mémoire[1]...

Depuis 1931, la cartonnerie s'agrandit. Implantée aux 18-20 et 20 A, rue Verheyden, elle s'étend maintenant jusqu'au 22. Les Vanneste achètent les terrains avoisinants et réinvestissent une solide partie des bénéfices.

Sauf lorsqu'il joue comme extérieur gauche dans l'équipe de foot de l'usine, la Gondole, Jacques fréquente moins les ouvriers que son frère Pierre à la fabrication. Ces ouvriers, une centaine — il y en aura trois cent cinquante avant que l'automatisation ne ramène les effectifs à cent quatre-vingt-dix —, sont souvent flamands. Ouvriers-paysans, prolétaires-laboureurs, ils viennent de loin quelquefois, de Ninove, de Muizen, de Aalst. Souvent, Jacques voit des corps usés, « en laisse[2] ».

On présente une nouvelle machine à Jacques :
— Deux types au chômage, dit-il à Pierre.

Vanneste et Brel produisent tout à façon. Une fiche, cinquante mille boîtes... Carton compact, carton ondulé... Dans les bureaux, les employés, manches de lustrine, ne folâtrent pas. La camaraderie affleure moins qu'à l'atelier. La messe n'est pas obligatoire dans la maison, mais bien vue. Triste présent et avenir fermé, Jacques, quoi qu'il arrive, ne sera jamais le chef ici. Soixante-quinze pour cent des parts de la cartonnerie aux mains des Vanneste ! Le papier et le carton, comme le latin ou les maths, manquent de poésie aux yeux de Jacques Brel.

Pour en finir avec son service militaire et comme pour échapper à la cartonnerie, à dix-neuf ans il devance l'appel. Le contingent en Belgique est convoqué à vingt ans.

Jacques Brel, matricule A 48-2567, fait ses classes dans le Limbourg à partir du 1er juin 1948. Puis, sans piston, il est affecté au 15e Wing (le belglais existe autant que le franglais) de Transports et de Communications. Unité de défense des aérodromes, caserne Groenveld, à Zellik, dans la grande banlieue au nord-ouest de Bruxelles, à moins de huit kilomètres de Vanneste et Brel. Quelle chance ! Brel Jacques, aviateur au sol, est un rampant prosaïque. Il compte ou distribue des chemises et des caleçons.

Le chauffeur de son père le ramène à la caserne. Un lieutenant demande si quelquefois, voyez ce que je veux dire, Brel ?, il pourrait profiter de la Studebaker. Volontiers, mon lieutenant. Le soldat Brel,

1. *Les Gens.*
2. *Jaurès.*

qui passe caporal, fournit chauffeur et voiture. Quelques tours de garde, un séjour pour bronchite à l'hôpital militaire, des permissions fréquentes : pas de quoi vous transformer en antimilitariste farouche. De son temps, de sa classe d'âge, le A 48-2567 ne voit pas la nécessité d'une armée belge. Il ne la dénonce pas avec virulence. Le chanteur daubera et étrillera les militaires dans *Le Caporal Casse-Pompon*, *Le Colonel*, *Au suivant*, *La Colombe*.

Note de conduite sur le livret militaire de Jacques Brel : « très bonne », pas « exemplaire ». Souple, point fayot, le caporal. On mène les trouffions vers Gand, à une cinquantaine de kilomètres. On s'assure qu'ils n'ont pas d'argent sur eux. Revenez par vos propres moyens. Brel hèle un taxi. Arrivé chez ses parents, il demande à sa mère, ravie, de payer la course. Elle trouve que son cadet, visage encore enfantin, le teint frais, souriant sous son béret, a belle allure dans son blouson militaire à l'anglaise.

Brel énergique, gai, sort beaucoup ses amis de la FC. Avec Jacques Zwick, il prend un verre à *La Bécasse*. Deux soldats des commandos en béret rouge bousculent Brel, le font tomber à terre. Neuvième commandement de la FC appliqué : « Garde toujours et en tous lieux une correction parfaite. » Brel déteste se battre.

La chair n'est pas triste et le grand Jacques n'a pas lu tellement de livres. Il grattouille sa guitare, pianote, flirte avec quelques jeunes filles. Il aime une certaine Suzanne. Il regarde Miche Michielsen et joue du piano chez elle :

— Je quitte la Franche Cordée, déclare-t-il, sombre.

Jacques cultive le mélo :

— Pourquoi ? demande Miche.

Il continue de pianoter :

— Parce que je t'aime.

Ne sachant si l'impassible Miche répond à ses sentiments, il ne veut pas souffrir, explique-t-il. Au Nouvel An 1949, dansant avec Miche, il lui demande de l'épouser. Telle qu'en elle-même toujours, Miche ne s'emballe pas :

— Je vais réfléchir.

Elle a deux ans et quelques de plus que lui. Le surlendemain, sous une porte cochère, devant l'arrêt du tram, Miche accepte.

> ... Je voudrais que dans les tramways
> On soit gentils
> Qu'on dise merci et s'il vous plaît
> Sur les plates-formes des tramways [1]...

---

1 *Ballade*

Elle voulait réfléchir trois jours. Jacques n'a pu attendre. Il est venu lui demander sa réponse.

Engagé auprès de la blonde Miche, Jacques ne verra plus la brune Suzanne. Le 3 janvier 1949, il écrit à Hector, son guide spirituel, pas à Romain Brel ou à un ami plus jeune.

« Cher Père Hector,
Je viens de rompre avec Suzanne. J'ai demandé à Jean Deblaer de prendre la direction de FC pour un petit temps.
Je suis malheureux
tres.
Bien à vous,
J. Brel
PS Voulez-vous demander à un de vos fils (au plus petit au mieux) de réciter un ave pour moi.
                    merci »

Pierre Brel a vu son frère avec Suzanne. La décision de Jacques le surprend. Pierre apprécie Miche, Lisette aussi. Au départ, la mère de Jacques penchait pour Suzanne.

Le 1er juin 1949, le caporal Brel est libéré de ses obligations militaires. Jacques fera à nouveau un « rappel » de quarante-deux jours en 1951.

Brel envisage de se lancer dans la cordonnerie ou l'élevage de poulets, achète des manuels, en discute avec Miche. Mais il revient chez Vanneste et Brel. Parfois, il se rend au tribunal de commerce pour affronter des débiteurs insolvables. Il croise Jacques Zwick, devenu avocat.

Jacques écrit encore des chansonnettes et des chansons. Selon Ivan Elskens, l'une d'elles s'inspire d'un accrochage avec Romain :

> Il pleut
> C'est pas ma faute à moi
> Il pleut
> Les carreaux de l'usine
> Sont toujours mal lavés
> Il pleut
> Les carreaux de l'usine
> Y'en a beaucoup de cassés [1]...

Le jeune parolier veut s'échapper de l'usine :

> ... Les escaliers qui montent ils sont toujours pour moi
> Les corridors crasseux sont les seuls que je vois
> Mais quand je suis seul sous les toits

---

1. *Il pleut.*

Avec le soleil, avec les nuages
J'entends la rue pleurer
Je vois les cheminées de la ville fumer
Doucement
Dans mon ciel à moi
La lune danse pour moi le soir[1]...

Jacques propose son aide financière à un ouvrier. Le père maugrée :

— Si c'est pour partager ton salaire, je peux te payer moins.

A cheval sur deux communes, Molenbeek et Anderlecht, Vanneste et Brel se situe parmi les importantes sociétés du secteur « papier carton ».

Grâce au Salon de l'emballage, Jacques excursionne à Paris pour la première fois de sa vie.

C'est donc ça, la vie ? Papier kraft. Résistant. Quel grammage ? L'odeur de silicate. Deux, trois embrochages. Cannelure. Cuisson à 120 °C. Les ouvriers disposent leur café et leurs gamelles sur les tables chauffantes. Boîtes pour biscuiterie, chocolaterie, produits laitiers, clous, l'électroménager. Nos délais ? Trois semaines, monsieur Van Luden. Très urgent ? Voyons, nous sommes mardi...

Quelle existence ! Une infinie monotonie défilant comme ces rouleaux, deux tonnes de papier, à travers les ateliers où volent les poussières du carton et du charbon. A l'horizon ? Rien. Rien de rien. Même plus l'indolente parenthèse du service militaire. Heureusement, à côté de Jacques veille la raisonnable et piquante Miche. Ils se fiancent et, à la fin de l'année, font ce que Hector Bruyndonckx aurait condamné et toléré.

Mariage le 1ᵉʳ juin 1950, avec contrat. Cérémonie civile à la Maison communale. Messe huit jours après, en présence de toute la tribu. Romain Brel, souffrant, ne peut assister à l'événement. Au cours du repas, un cousin, assomptionniste, discourt :

— Chère cousine, cher monsieur Jacques, l'histoire se renouvelle. La loi de Dieu le veut ainsi... Joie... Grâce au sacrement... Qualités personnelles. Dieu, qui institua l'institution, n'en a pas fait une source d'amertumes ou de crève-cœur, mais bien de beauté et de grandeur[2]...

Le marié tripote sa moustache. Changeant de registre, l'assomptionniste chante :

— Qui sait faire des niches ?

... c'est Mimiche...

---

1. *Il pleut.*
2. Fonds Mᵐᵉ Jacques Brel.

D'un côté comme de l'autre, les parents, malgré les vingt et un ans de Jacques et les vingt-trois ans de Miche, acceptent ce mariage, assez respectueux des lois de l'endogamie sociale. Seul le frère aîné de la mariée, René Michielsen, pense que la vie ne sera pas facile avec ce Jacques.

Pour le voyage de noces, Romain prête la Studebaker. C'est bête de perdre deux places ! Miche et Jacques invitent un agent de change, Pierre Rens, et sa femme Denise à les accompagner sur la Côte d'Azur. On traverse Reims, Saint-Flour, Salon-de-Provence. Le voyage finit à l'hôtel Beau-Rivage de Nice. On remonte par Barcelonnette, Briançon, Annecy. Le marié conduit très bien. Il ne traîne jamais devant des cathédrales ou des paysages.

A Bruxelles, les Jacques Brel s'installent 29, avenue Brigade-Piron, à Molenbeek. L'appartement est au rez-de-chaussée : une salle de séjour, une chambre, une cuisine, une salle de bains. Pour 4 000 francs belges par mois, Miche travaille dans une firme de moteurs électriques et de transformateurs. A la cartonnerie, Jacques gagne 3 000 francs. L'appartement des jeunes Brel ouvre ses portes aux amis, comme les Bruyndonckx. Pendant les week-ends, on pousse les meubles contre les murs. Miche prépare des sandwichs. Le grand Jacques a besoin d'animation autour de lui. Il peste contre son travail chez Vanneste et Brel. Que peut-on inventer dans une cartonnerie ? Le grand Jacques n'est pas un manager de l'ère des organisateurs.

Il écrit sur ses carnets, sur des morceaux de nappe en papier, au dos d'un prospectus.

Miche et Jacques, toujours prêts, toujours FC, animent des camps de vacances pour enfants. Le dimanche, ils se rendent chez Lisette, dégustent la *moambe,* poulet à la congolaise. Pétillante, Lisette raconte son Congo :

— Nous avions la deuxième voiture de Léopoldville.

Romain reste silencieux. Parfois, Brel père et fils se rendent dans une des innombrables et exquises pâtisseries de Bruxelles pour avaler des marie-josé. Jacques raffole des petits gâteaux.

Le 8 août 1951, Jacques écrit à sa mère en voyage :

« ... Je ne poserai pas les questions idiotes et rituelles concernant le temps, la santé, l'hôtel, les repas, et la chiotte.

Ici tout est pour le mieux dans le meilleur des monde (et ceci n'a aucun rapport avec ton départ !

Papa va bien...
Pierre va bien
Tante va bien.
Romain va bien

Bertha (*la bonne*) va bien

Miche va bien

Et votre serviteur de même

Te voilà donc, je pense, complê-êtement rassurée à notre indigne et pauvre sujet.

Samedi René *[le frère de Miche]* se marie (triste chose en un monde où les fleurs coutent... et je vais chercher Miche vendredi pour assister aux Festivités de l'esprit que seront quelques heures ridicules et barbares.

Le ventre de Miche commence à être très drôle, il fait penser à l'avant de la nouvelle Studebaker...

Votre fils cadet respectueux et obéissant. »

La première fille de Jacques et Miche Brel, Chantal, naît le 6 décembre 1951. Grave ou blagueur, Jacques déclare au cousin Amand qu'il veut avoir dix enfants. Ce père ne lave pas les biberons, ne change pas les couches. Il s'étonne de cet animal, un bébé. Pourtant l'enfance compte beaucoup à ses yeux.

Lorsqu'il boit une bière avec Alain Lavianne ou Robert Stallenberg, le grand Jacques, sans être malheureux, donne l'impression de rêver au journalisme, au théâtre sans doute, au spectacle sûrement. Il veut s'exprimer. Lavianne fera de la psychologie, Stallenberg de la médecine.

En 1952, Claire Mossoux, de la branche Vanneste, épouse de René, insiste pour qu'une de ses amies, Angèle Guller, femme de caractère amorçant une carrière de musicologue, rencontre un jeune homme qui joue de la guitare. Épouvante d'Angèle : affreuse, l'idée de rencontrer le cousin qui chante ! Sa fille Chantal sous le bras, Jacques Brel arrive avec Miche chez les Mossoux. Angèle remarque ces yeux gris-vert et le ton convaincu, fervent même, sur lequel chante Jacques. Angèle l'encourage. Ça ravigore. Après tout, Mme Guller anime à la radio « la Vitrine aux chansons ». Cette émission sera aux variétés en Belgique ce que le Petit Conservatoire de Mireille fut à la télévision en France. On entend Jacques Brel dans la Vitrine, francophone.

En tournée de conférences, Angèle met Brel dans ses bagages. Il fait sagement tourner les disques qui illustrent l'exposé, puis il chante. Des Flamands invitent Jacques. Un directeur de banque d'Anvers organise une soirée Brel. Le chanteur s'y rend dans la Rosengart de l'abbé Dechamps, émerveillé. Angèle Guller suggère à Jacques de se présenter à un concours de la radio francophone.

Grippée, Angèle n'est hélas pas membre du jury ce jour-là. On recale Jacques :

— Angèle, pourquoi s'emballer pour ce boy-scout ? Surtout avec cet accent ! Aucun intérêt.

Ces juges belges furent-ils vraiment aveugles ? Jacques affirmera qu'il n'était pas bon.

Avec courage et fierté, il ne présente que ses chansons. Quand il prend pour thèmes, après les fauteuils de ses grands-parents, une foire, les grands boulevards, son époque, lorsque ses sujets sont précis et ses personnages cadrés, il est touchant. En revanche, il verse souvent encore dans un Moyen Âge de carton-pâte. Il étale de bons sentiments, du sentimentalisme. Il se dilue dans les « soleils de demain », les « vols d'hirondelles », les « prières d'enfants », les « berceuses de mères ». Il délaie l'« amour d'une reine », les « châteaux d'autrefois », les bossus, les pendus, les beaux contes. le diable féroce.

Jacques cherche un ton, *son* style. Quand il le trouve pour quelques lignes, il les supprime vite parce qu'elles détonnent avec les autres strophes. Il annule :

> ... La morale de cette histoire
> C'est qu'il n'a pas fallu qu'on poirote!
> Après Gide ou après Cocteau
> Pour avoir des histoires idiotes[1].

Qui cherche Dieu, tombe parfois sur le Diable. Brel, au ravissement des militants de la Franche Cordée, mêle le récitatif et les strophes chantées :

Prologue
Un jour le Diable vint sur terre, un jour le Diable vint sur terre pour surveiller ses intérêts, il a tout vu le Diable, il a tout entendu, et après avoir tout vu, après avoir tout entendu, il est retourné chez lui, là-bas. Et là-bas, on avait fait un grand banquet, à la fin du banquet, il s'est levé le Diable, il a prononcé un discours et en substance il a dit ceci, il a dit :

> Il y a toujours un peu partout
> Des feux illuminant la terre
> Ça va
> Les hommes s'amusent comme des fous
> Aux dangereux jeux de la guerrre
> Ça va
> Les trains déraillent avec fracas

---

1. *Le Fou du roi*

Parce que les gars pleins d'idéal
Mettent des bombes sur les voies
Ça fait des morts originales
Ça fait des morts sans confession
Des confessions sans rémission
Ça va

Rien ne se vend mais tout s'achète
L'honneur et même la sainteté[1].

L'Ange déchu, chanson inédite encore, révèle assez bien l'état d'esprit de Jacques Brel à cette époque indécise. Ça ne « va pas », visiblement !

Amour de la nuit
Brasier sans lumière
Amour qui espère
L'espoir qu'on attend
Tu avais dans les yeux un bouquet de prières
Je t'ai dit demain, j'ai pensé je mens

Car tous les chemins qui mènent à Rome
Portent les amours de mon cœur déçu
Car tous les chemins qui mènent à Rome
N'ont pu faire de moi qu'un ange déchu[2].

Jacques commence à labourer son sillon des amours tristes et condamnés. Il ébauche un portrait de fille qui faute dans *Belle Jeannette*. Jolie trouvaille, Brel dénonce la « majuscule colère » de ceux qui se prétendent heureux « parce qu'ils sont des bigots ».

Entraînant, quand il pastiche Charles Trénet avec *Il peut pleuvoir,* Brel n'a pas encore découvert son univers propre, ses paumés, ses salauds, la guerre civile des mots et des idées qu'il mène contre lui-même. Il s'égare vers les siècles passés, s'accroche à des femmes désincarnées, « ma mie, ma mie, ma mie ». Musicalement, il flotte sur trois ou quatre accords de guitare. Sa voix, timbre net mais sans ampleur, est celle d'un gentil amateur doué. Son accent n'est pas tout à fait bruxellois. Il a plutôt les consonances du nord de la France, entre Lille et Tourcoing.

Brel veut devenir chanteur professionnel. Il passe au Coup de Lune, puis à La Rose Noire, rue des Bouchers, au vieux cœur de Bruxelles. Hommage à La Rose Rouge de Paris, cabaret de jazz au rez-de-chaussée, au premier étage, une sorte de grenier pour une

---

1. *Le Diable (Ça va).*
2. Avec l'autorisation de Mme Jacques Brel. Voir cinq chansons inédites, p. 413.

trentaine de spectateurs, La Rose Noire est animée par Louis Laydu, frère de l'acteur Claude et du chef d'orchestre de jazz, Jean-Jacques. Avalant leur bière et leur gin, les spectateurs prêtent tout juste attention au chanteur. Jacques Nellens, un des fils du directeur du casino de Knokke, voit un Brel gauche et tendu qui présente une sébile au public.

On se doit d'avoir une raison sociale. Jacques Brel commande du papier à lettres à sa nouvelle adresse :

Jacques Bérel
Fantaisiste
21, avenue de la Peinture, Dilbeek, Bruxelles.

Fantaisiste donc à La Rose Noire, il raconte aussi des histoires :
— Un train officiel arrive tous les jours en gare. Le dernier wagon manque. Tous les jours. On s'est penché sur la question avec des détectives. Avec l'armée. Chaque fois, quand le train arrive, le dernier wagon manque. Toujours. Alors le ministre des Communications, il a eu une idée extraordinaire. Il a supprimé le dernier wagon !

A La Rose Noire, un fantaisiste français, Édouard Caillau, méridional, amateur de rugby, débite ses blagues. Dans ce cabaret, Brel rencontre également Franz Jacobs, barman. Ce dur a combattu en Corée. Caillau, Jacobs et Brel fraternisent. A La Rose Noire, Jacques Brel se sent optimiste quand le public suit, pessimiste lorsque le brouhaha recouvre sa voix.

La vie se traîne, Brel traîne sa vie, ses chansons, sa guitare, ses espoirs, ses déceptions. Il écrit beaucoup, toujours sur du papier quadrillé maintenant. Il admire le Québécois Félix Leclerc.

Bérel redevient Brel en se posant la question d'un départ de Bruxelles.

Clément Dailly, mari d'Angèle Guller, travaille pour la firme de disques Philips à Bruxelles. Il présente Jacques Brel. Le 17 février 1953, Jacques enregistre un disque en soixante-dix-huit tours avec deux chansons, *La Foire* et *Il y a*. Il se rend seul au studio. Un médecin ou un avocat travaille-t-il avec son épouse ? Ici, Brel n'a pas besoin de sa femme. Un disque, deux chansons, deux cents exemplaires vendus : le sort d'une première plaquette de poésie à compte d'auteur.

> Il y a tant de brouillard dans les ports, au matin
> Qu'il n'y a de filles dans le cœur des marins
> Il y a tant de nuages qui voyagent là-haut
> Qu'il n'y a d'oiseaux
> Il y a tant de labours il y a tant de semences

Qu'il n'y a de joie d'espérance
Il y a tant de ruisseaux il y a tant de rivières
Qu'il n'y a de cimetières [1]...

Il y a surtout une crème fouettée de clichés sur un pudding de platitudes néoréalistes.

Un exemplaire du disque parvient à Paris chez Jacques Canetti, découvreur de talents, et frère d'Élias, écrivain, futur prix Nobel. Aujourd'hui, Canetti reste convaincu qu'il fut conquis d'emblée. Il prend contact avec Brel par l'intermédiaire de Guller. Jacques va tenter sa chance à Paris. Romain Brel ne s'y oppose pas. Le départ de Jacques signifie qu'il y aura un pion Brel en moins sur l'échiquier de la cartonnerie et, pour Romain, c'est fâcheux. Jacques pourra revenir. Laissons-lui un an. On lui versera douze mois de salaire, remboursables, à dix pour cent d'intérêts. Jacques fait part de sa décision à Robert Stallenberg :

— Même si ton père te met à la porte, dit son ami, même si tu dois rentrer la queue entre les jambes, qu'importe ? Tu reviendras piteux, c'est tout.

Au fils prodigue, on ne coupe ni les vivres ni la route du retour. Lisette et Miche sont très compréhensives. Elles acceptent son départ.

Jacques pense qu'il ne peut percer à Bruxelles. Il a présenté son premier disque à l'Institut national de radiodiffusion. La réponse claque :

— Ça ne va pas.

Concours de chansons sur la côte, à Knokke, peu après. Vingt-huit candidats : Jacques Brel sort bon avant-dernier, talonné par René-Louis Lafforgue. Un juré, Mme Samuel, roucoule :

— Ridicule, ce garçon !

Il faut réussir à Paris. Acteurs, chanteurs, peintres et écrivains belges émigrent. Comme Brest, Lyon ou Marseille, Bruxelles semble alors une ville de province face à la capitale française. Ce mouvement se ralentira trente ans plus tard. Le manque de succès, le bon sens, la sagesse devraient encourager Jacques à se cramponner aux établissements Vanneste et Brel. Chanteur du soir et du dimanche ? Non. « Plus est en moi. »

Défauts et qualités mêlés, n'évitant aucun risque, Jacques Brel ne sera jamais prudent.

---

1. *Il y a.*

II.

L'âge d'homme

Jacques quitte la cartonnerie le 1er juin 1953.

Quelques jours plus tard, il prend le train pour Paris, en troisième classe.

> ... Sur les quais des gares
> Tous les « au revoir »
> Et tous les adieux
> Nous rendent l'espoir
> Nous rendent plus vieux [1]...

Entre les gares aux noms durs et doux, Ruisbroek, Lot, Mons, défilent les maisons de brique proprettes, les dépotoirs de voitures, les carrières du Hainaut. Il pleut. Au revoir Belgique ! Le chanteur fantaisiste se rend en France. Il ne sait pas encore s'il va s'installer à Paris. Il a une seule carte de visite en poche, son rendez-vous le 20 juin avec Jacques Canetti.

Ce dernier occupe une position stratégique, d'abord en tant que directeur du théâtre Les Trois-Baudets, tremplin qui peut mener à Bobino et à l'Olympia, cinéma transformé depuis peu en music-hall. Canetti porte deux autres titres impressionnants, directeur artistique chez Philips et patron de « Radio-Programmes ». Il organise des tournées d'été et d'hiver. Brel ne connaît personne dans ce monde parisien. On ne l'attend pas comme Félix Leclerc en 1950. Le Québécois, lui, est arrivé en France avec un contrat signé par Canetti qui impose Leclerc au Canada et à la France.

---

1. *Départs.*

Le 19 juin, Brel assiste au spectacle des Trois-Baudets : Mouloudji, Vaillard, Aglaé... La scène a cinq mètres de long sur trois. Excellente, l'acoustique paraît très supérieure à celle de La Rose Noire. Entre Pigalle et la place Blanche, les spectacles des Trois-Baudets attirent des spectateurs et beaucoup d'artistes, paroliers, musiciens, chansonniers. Brel trouve le show « très bien »[1]. Il rentre à l'hôtel Picardie, 9, rue de Dunkerque, se lave les cheveux et achète une chemise « car la nylon est en morceaux », écrit-il à Miche. Sa correspondance comptabilise ses démarches, ses espérances, ses découragements. Avec sa mère Jacques badine : « Tout va bien, explique-t-il, le temps est splendide. » Avec Miche, plus sincère, il laisse paraître son découragement.

A l'audition, Canetti se montre moins admiratif qu'au téléphone :

— Il y a des choses intéressantes dans ce que vous chantez. Vous ne comptez tout de même pas les interpréter avec votre physique ?

Jacques Brel est blessé par des remarques répétées concernant sa tête, son corps, ses bras. Est-elle aussi moche que ça, ma gueule ?

Brel téléphone, rappelle, attend, téléphone de nouveau aux directeurs des cabarets, aux producteurs d'émissions de radio. Jacques *qui* ? Le présentateur est absent. Retéléphonez demain. Comment ? En voyage. Ce n'est pas lui le responsable. Il se présente partout, chez Gilles, à La Fontaine des Quatre Saisons, dirigée par Pierre Prévert, à La Villa d'Este, au College Inn. « Chez Gilles ? Presque pas d'espoir, extrêmement snob », écrit Jacques Brel. L'Écluse ? Tout petit, soixante-dix places, « mais un des hauts lieux de la chanson française ».

Brel souffre de rages de dents. Solitaire, connaissant quelques Belges amis de sa famille à Paris, il s'interroge. Continuer à écrire des chansons ? Sûrement. Doit-il les interpréter ou les faire chanter par d'autres — qui n'en veulent pas ?

Brel assiste aux récitals de ses futurs confrères et les juge dans ses lettres. Gilbert Bécaud, « bien sans plus ; à mon avis trop à l'aise, trop sûr de lui ». Suzy Solidor, « elle avait une bien belle robe ». Montand, « encore plus fort qu'il y a deux ans. Jamais on ne pourra présenter des chansons comme il les présente. Mais aussi c'est une force énorme que de pouvoir utiliser les mains. Cela m'a décidé à écrire quelques poèmes, à réciter sans guitare »... Une belle tête, un corps en mouvement, une technique aussi précise qu'une pièce d'horlogerie ce Montand. A Brel, on répète qu'il n'est pas beau, qu'il sue la maladresse.

---

1. Lettres à Mme Jacques Brel.

Il rencontre Georges Brassens, lancé par Patachou depuis 1952. « Il est extrêmement gentil », ce gros Georges. Il écoute une chanson de Brel. Pas le temps d'aller plus loin, il passe à Bobino dans deux heures. Par Canetti, Brassens fait savoir qu'il aime cette chanson. Ce serait plus convaincant s'il avait complimenté Jacques face à face. Entre le gros Georges impressionniste et le grand Jacques expressionniste, les rapports seront sinueux.

En août, Jacques enregistre vingt-trois chansons au studio régional du Limbourg de la BRT-Hasselt[1]. La Flandre lui tend les bras, lui accorde ses ondes.

> Vieux musicien
> Fais-moi rêver
> Jusqu'au matin
> Reste courbé
> Sur ton accordéon
> Ton accordéon
> Tout blanc
> Fait rêver, fait valser
> Fait tourner mes vingt ans
> Vieux musicien
> Fais-moi rêver
> Aux quatre coins de la vie
> Et pour qu'on lui pardonne
> La vie met ses cheveux gris
> Et pour nous accordéonne[2]...

En septembre, Canetti, flair réputé, engage Brel aux Trois-Baudets. Jacques y passera six fois en cinq ans. Pour sa première apparition, il endosse une chasuble ridicule et une chemise mal coupée. Loin d'être sophistiqué et dans le coup, ce provincial !

Paterne, condescendant, encourageant pourtant, Brassens remet à Brel une lettre de recommandation pour Suzy Lebrun. Cette petite femme nerveuse, au parler populaire, règne sur L'Échelle de Jacob, à trois cents mètres de l'église Saint-Germain-des-Prés.

Suzy materne Jacques. Avec son maître d'hôtel, Raoul, elle prête vingt mille francs — français et anciens — à Brel parce qu'on lui a volé sa guitare. Il cafarde, elle le console. Sa boîte marche bien. Parfois plus de deux cents personnes s'y enfournent, sirotent un whisky ou une orangeade pour cent francs, debout ou assis. Le cachet de Jacques ? Cent francs pour trois ou quatre chansons par

---

1. Voir Annexes, p. 419.
2. *L'Accordéon de la vie*. Chanson inédite.

soirée. En 1953, un litre de vin rouge moyen coûte soixante francs.

Tard dans la nuit, Suzy entraîne chez elle quelques artistes, dont Jacques, pour manger une omelette ou des avocats au thon. Quand ils sont en fonds, ils soupent à L'Échaudé. Suzy conseille au chanteur de s'offrir une bonne coupe de cheveux. La gomina ne s'impose pas. Et cette moustache, tout de même ! Rase-moi ça.

Certaines nuits, de Montparnasse à Montmartre, Jacques passe dans cinq, six, sept boîtes. A son frère Pierre, passionné de voiture et de moto, Jacques, sourire amer, lance :

— Des rallyes ? Moi, j'en fais toutes les nuits.

En Belgique, sa famille, ses « petites pommes » comme il dit dans ses lettres, n'a pas trop de problèmes financiers. Au cours d'un aller-retour Paris-Bruxelles, Brel embrasse sa deuxième fille, France, née le 12 juillet 1953.

Il ne couchera jamais huit jours sur un banc, contrairement à ce qu'il affirmera devant quelques échotiers. Jamais l'abbé Pierre, qui défend et fait travailler les miséreux du quart-monde en collectant vieux habits et meubles des caves et des greniers, ne proposera à Brel de l'héberger. Jacques Brel, survivant au jour le jour, connaît la pauvreté choisie, pas la misère. Un Belge murmurerait : Jacques a eu difficile.

Quand elle lui rend visite, Miche apporte un peu d'argent. A l'Hôtel Idéal, 3, rue des Trois-Frères, dans le XVIIIᵉ arrondissement où Brel s'installe en septembre, il bataille avec les puces.

Jacques attend les appels de Patachou, de Paris-Inter, de tous ceux qu'il sollicite. Il n'y a pas de téléphone dans les chambres de l'Hôtel Idéal. Jacques dévale l'escalier quand on l'appelle à MONtmartre 63-63.

Il s'organise, avec l'aide de Miche, attentive de près ou de loin. Jacques lui écrit beaucoup :

« ... De toute façon, tu devrais en avoir pour toi [de l'argent, bien sûr] lorsque tu viens. Après de nombreux calcul, j'ai décidé de faire ma cuisine moi m̂ et je te demanderai de bien vouloir m'envoyer un colis avec ceci (je pense que tout ce que je te demande se trouve dans la caisse au grenier) : une poêle à frire..., une assiette (fer), couverts, pot sel, pot poivre, (les deux remplis s.v.p.), un tire-bouchon-ouvre-boîte. »

Son frère Pierre passe à Paris :

« ... Comme j'irai voir Pierre dimanche (il y a relâche), il lui sera peut-être possible de prendre le colis, sans quoi envoie-le par la poste. Demande donc à Pierre s'il n'a pas un vieux réchaud (à alcool pas d'essence. A joindre si possible, et une boîte de Nescafé.

Je suis bien content de savoir que les 2 pommes vont bien et qu'elles sont bien sages.

... Merci mon amour »

Invité à déjeuner par Pierre, Jacques, parvenu au dessert, dit à son frère :

— Tu veux bien : je recommence aux hors-d'œuvre...

Miche pressent, sans toujours les comprendre ou les suivre, les complexités de cet homme encore simple, hésitant mais ambitieux, à l'orgueil peu vaniteux. Épouse, mère, Miche devient intendante et première confidente. Lorsqu'ils sont séparés, Jacques fait part de ses demi-projets dans des lettres presque quotidiennes. Il a un contact, peut-être, avec l'ami, sans doute, d'une relation d'un Suisse. Ça vaut la peine de se rendre à Genève.

Les moments de dépression ne tuent pas l'humour chez Brel :

« ... Dans la rue une dame m'a abordé pour me demander comment s'intitule la 3e chanson que je chantais " aux 3 B ".

— Vous savez bien ?... celle de Brassens !

(C'est charmant !) »

Brel ne sait pas encore s'il est d'abord parolier ou chanteur. Maintenant, il est convaincu qu'il a quitté la Belgique. Il est ravi de voir son pays qualifié pour un championnat de tennis aux États-Unis, en dépit de ses déboires à Bruxelles. La Belgique malgré tout ! Les Français chauvins, ces Parisiens insulaires, si souvent méprisants envers les Belges ou les Suisses, sont étranges, peu hospitaliers. Jacques s'accroche pourtant à la capitale française. « Il faut que je reste à Paris car c'est ici que tout se joue. »

En tête à tête, Brassens radouci n'a-t-il pas dit de son tour de chant : « C'est excellent » ? Brel demande à Miche qui a cessé de travailler de reprendre un emploi à Bruxelles. Elle dactylographie des thèses.

Moral à la hausse, Jacques Brel frappe ses formules. « Des défaites, mais pas de capitulation ! »

Marié, père, esseulé, pas perdu, éperdu, à la conquête de Paris et de lui-même, Jacques tient dans ses lettres un journal de bord. Son rythme rend celui de sa vie. Novembre 1953 :

« Dimanche 24 h 30

Mes chéries,

Je rentre à l'instant de l'Écluse où cela a fort bien marché ? Ce soir il faisait très froid et j'ai mon nez un peu bouché. Demain matin je dois téléphoner à Léo Noël (Patron de l'Écluse) qui me donnera un jour pour " Radio Luxembourg ". A 3 h j'ai audition chez Francis Claude et je profiterai de la soirée pour travailler un peu les nouvelles chansons. Demain matin j'espère avoir une lettre de mes trois petites pommes que j'aime très fort et auxquelles je pense bien souvent dans ma petite chambre — et surtout lorsque je suis tout seul le soir. A demain mes chéries. »

« Lundi 17 h

... Chez Francis Claude cela a bien marché mais il ne change de programme qu'au mois de mai ! Cependant il va me faire faire de la radio je dois lui téléphoner demain pour prendre rendez-vous et il m'a donné son adresse (quand un directeur donne son adresse, c'est toujours un bon signe). »

« 18 h 30

L'émission de l'INR [Institut national de la radiodiffusion belge[1]] vient sans doute de passer et comme cela tu auras pu avoir un peu de mes nouvelles. Moi, je n'ai pas pu l'écouter. Je viens de téléphoner à Gilles, il m'a dit qu'aucune décision n'était encore prise car il y a une troisième audition jeudi prochain, mais il m'a dit que j'étais très bien placé mais que le programme ne changeait sûrement pas avant janvier-février. C'est le cas de presque tous les cabarets et j'ai bien peur pour la fin de cette année ! Enfin courage. »

« mardi 15 h

Je suis bien content de pouvoir travailler ce soir car les jours de repos sont très déprimants. »

Jacques, boulimique du labeur, déteste une pause, un arrêt, une vacance.

« ... Les nouvelles chansons que j'écris avancent doucement et j'espère en avoir 3 de terminées à la fin de la semaine — " les gens qui ont bonne conscience, faut l'amitié ", " si tous les grains de blé ".

Je t'envoi les textes dès qu'ils seront finis.

J'ai téléphoné à Francis Claude et je lui envoie maintenant les textes des chansons.

Je dois lui retéléphoner dans quelques jours pour voir celles qui l'intéresse pour ses émissions.

Et voilà, comme tu le vois la vie ici se résume à attendre, à téléphoner et à espérer.

Il y a de quoi remplir fort convenablement mes journées. »

Toujours, Jacques Brel aura peur du temps qu'il doit meubler.

« J'espère que tout va toujours bien au 21 rue de la Peinture dans une gentille petite maison où il y a 3 petites pommes que j'aime très fort.

Petit Papa Pitouche »
XXX
xxx
xxx

―――――――
1. Devenu la RTB.

Ces croix, des baisers, suivent presque toujours son nouveau surnom.

Jacques Brel passe le 1ᵉʳ janvier 1954 seul. Il déménage. Rencontré chez Patachou, un professeur de danse lui propose de s'installer dans sa salle pour cinq cents francs par mois. Brel accepte. Brassens suggère à Brel de tâter du cinéma. Le projet s'ensable.

Ce 1ᵉʳ janvier, Jacques fait ses comptes. En décembre, il a empoché 50 900 anciens francs. En 1953, un instituteur français gagne au maximum 65 487 par mois, un facteur parisien 32 997, un professeur de faculté en fin de carrière 154 681. Le kilo de pain est à 56 francs.

Pierre Brel repasse par Paris en décembre. Il a aussi le « grain » Brel, l'originalité dans l'endurance flamande. Pierre a décidé de rallier Kinshasa avec sa femme en moto et side-car, une randonnée de neuf mois, plus de trente mille kilomètres dont vingt-cinq sur pistes.

Chez Geneviève — animatrice de cabaret à Montmartre —, Jacques Brel et Charles Aznavour font la plonge. Dans la mouvance des Trois-Baudets, Brel rencontre d'autres artistes, Raymond Devos, Francis Lemarque, Catherine Sauvage, une bonne copine. Elle trouve les chansons de Brel atroces. Sa musique ? Élémentaire. Catherine chante du Léo Ferré. Chassé-croisé : Brel aimerait que Sauvage interprète ses chansons. Elle prend celles de Jean-Claude Darnal que Juliette Gréco devait mettre à son répertoire. Gréco choisit plutôt un texte de Brel. Jacques ne l'oubliera pas.

Surprenant les sceptiques de la firme Philips à Paris, l'imprévisible, l'autoritaire et sensible Canetti décide d'enregistrer, en février 1954, huit chansons de Brel[1]. Jacques estime que son disque n'est « pas fameux ». Ventes limitées.

La chanson plus marquante est sans doute *Sur la place*.

> ... Sur la place vibrante d'air chaud
> Où pas même ne paraît un chien
> Ondulante comme un roseau
> La fille bondit s'en va s'en vient
> Ni guitare ni tambourin
> Pour accompagner sa danse
> Elle frappe dans ses mains
> Pour se donner la cadence...

La plus entraînante, *Il peut pleuvoir* est très influencée par Charles Trénet, surtout au refrain.

---

1. *La Haine, Grand Jacques, Il pleut, Ça va, C'est comme ça, Il peut pleuvoir. Le Fou du roi, Sur la place.*

Il peut pleuvoir sur les trottoirs
Des grands boulevards
Moi, je m'en fiche
J'ai ma mie auprès de moi
Il peut pleuvoir sur les trottoirs
Des grands boulevards
Moi je m'en fiche
Car ma mie c'est toi...

Ce disque c'est la Franche Cordée vue de Paris. Jacques « traque » pendant les enregistrements. Pour la première fois il affronte un orchestre et accède au studio d'une grande firme de disque.

Dans la presse, Brel se fait éreinter. Un critique du quotidien *France-Soir* lui rappelle qu'il existe des trains pour Bruxelles.

Au fond de Jacques Brel se durcit un noyau incassable, la « froideur de l'artiste véritable », selon Bernard Shaw, à égale distance de l'égoïsme et de l'égocentrisme. Brel songe surtout à son travail.

Il se plaint à Miche :

« Paris le 18/5/54
22 h

Mes chéries,

Je ne sais que vous dire, je suis tellement las... il y a chez moi un ressort qui est brisé. Si tu savais à quel point je désire parfois entrer dans une église et prier. Si tu savais à quel point je désire par moment mettre mon sort entre les mains de n'importe qui... »

Il ne désire pas entrer dans une église seulement pour se réchauffer. Il veut prier.

« Souffrir pour " arriver dans la vie " est une chose bien dure mais souffrir pour défendre quelques idées, est, crois-moi, bien épouvantable, surtout lorsque l'on sent secrètement que l'on croit de moins en moins.

Depuis 7 mois je n'ai plus écrit une chanson, depuis 7 mois je me dessèche lentement.

L'homme et surtout le poète (excusez-moi, mais je me crois poète) a besoin de sources et je n'en ai plus, elles sont à 350 kls de moi. Elles s'appellent : Miche Chantal France. Quelques amis (2 ou 3) et quelques lieux que l'on embellit parce qu'on y a rit ou pleuré. La seule source qui me reste est moi m̂ et l'eau qui en écoule est à présent imbuvable : elle est devenue trop amère. »

Dix ans après, on lui demande de publier un choix de ses textes dans la collection Seghers « Poésie et chanson », sœur de celle où figurent Aragon, Eluard, Senghor avant Léo Ferré, Eddy Mitchell, Alain Souchon. Modeste, Brel répétera : « Je ne suis pas un poète, je ne suis qu'un chanteur de variétés. »

« ... Je serais heureux de ne pas pleinement penser ce que j'écris mais malheureusement, je le pense », dit-il en 1954.

« Je crois que c'est Morgan qui a écrit " sur les sommets l'air est trop rare pour qu'on y puisse vivre". Notre vanité nous pousse à poser des actes qui sont au dessus de notre pensée et au dessus de mes forces, a ce régime, l'on tire la force réele de notre pensée et l'on épuise bien rapidement ses forces. La lancée de l'idéal est chose bien dangeureuse car si le vice a ses limites l'idéal, lui, n'en a pas et courir après lui est une course sans fin qui nous essoufle. Que ne suis-je une crapule ! je n'aurais plus à devenir crapuleux. »

Le jeune Bruxellois se transforme et abandonne son idéalisme béat.

« La solution ? il y a des mois que je la cherche.

Ha que j'aimerais pouvoir pleurer — ou devenir vraiment fou et ne plus arriver à penser. »

Quelques heures de bon sommeil, ça vous répare un homme de vingt-cinq ans :

« Mercredi midi
J'ai bien dormi, cela va mieux.
Je te propose ceci : essaye de venir à Paris avec Brassens (je crois qu'il rentre vendredi) et reste ici quelques jours durant lesquels nous pourrons examiner à l'aise la situation — et éventuellement chercher un logement pour l'avenir. Je crois qu'il et temps que nous revivions ensemble. écris-moi vite pour me dire quand tu arrives que je cherche une chambre d'hotel. Si tu as un peu d'argent prends-le (mais ce ne sera pas nécessaire, c'est en réserve). Je n'ai toujours pas de nouvelles du permis de travail... »

De l'introspection anxieuse ou angoissée, jamais contemplative, Jacques passe au mouvement. Brel n'est pas un agité incohérent mais un frénétique de l'action. Pour être, il faut bouger.

En juin, Jacques refait ses comptes. Il voudrait que Miche, Chantal et France s'installent à Paris et il donne ses instructions. Que sa femme vende les meubles de la maison à Bruxelles ou que Romain vende un petit terrain qu'il possède. Brel pourrait acheter un trois-pièces à Paris ou en banlieue, malgré la crise du logement, plus sévère en France qu'en Belgique. A Paris, estime-t-il, une famille de quatre personnes doit vivre avec soixante-quinze mille francs par mois. Il peut aussi vendre ses actions de la cartonnerie. Bon sang, son père et sa mère doivent les aider : « Le voyage de Pierre leur a assez coûté. » Sa mère expédie de l'argent à Jacques, souvent des colis et jusqu'à des rideaux.

Canetti l'engage pour une tournée du 25 juillet au 31 août. Quatre mille francs par jour, six mille s'il y a une matinée.

Brel goûte à la tournée d'été, ne sachant pas encore qu'il s'agit d'une drogue.

A Troyes, le premier jour, il travaille dans un cirque. A Divonne, de la scène d'un petit théâtre, la salle paraît affreuse, étriquée. Dieu merci, à Aix-les-Bains la troupe Canetti dispose d'un théâtre de verdure et quarante mètres séparent la scène du public. A Lausanne, à Annecy, on se contente d'un grand cinéma et à Évian du hall du casino. A Grenoble, d'un autre théâtre spacieux, à Megève d'une salle de restaurant. Ici, la clientèle « énerve foutrement » Jacques. En Savoie, tout est hors de prix, un repas coûte deux mille francs ! Le spectacle est bien accueilli. Jacques constate que les « gros succès vont » à d'autres chanteurs, Philippe Clay et Dario Moreno.

Une tournée paraît pénible s'il y a des conflits entre les artistes mais tout le monde a l'air de bien s'entendre « et m̂ Clay est devenu très très gentil ». « Je suis dans la voiture de Catherine [*Sauvage*], une Aronde grand large et nous nous entendons fort bien. » La troupe Canetti avale cinq cents kilomètres de montagne dans la journée pour jouer le soir à Nice, étape épuisante. Que Miche n'en veuille pas trop à Jacques s'il n'écrit guère. Il enverra surtout des cartes postales, en déjeunant ou en soupant, promet-il.

— En bagnole avec Catherine, j'ai appris à prier Dieu, s'exclame Jacques Brel.

Cette Sauvage accélère trop dans les virages. D'abord copains, ils bavardent. Catherine Sauvage se moque de lui, du parolier d'abord. Brel chante *Il nous faut regarder* :

> Derrière la saleté
> S'étalant devant nous
> Derrière les yeux plissés
> Et les visages mous
> Au-delà de ces mains
> Ouvertes ou fermées
> Qui se tendent en vain
> Ou qui sont poings levés
> Plus loin que les frontières
> Qui sont de barbelés
> Plus loin que la misère...

— « Derrière la saleté s'étalant devant nous », c'est du belge, dit Catherine.

Et sa musique ! Prendre une guitare pour faire do majeur et sol septième ! Mots et musique sont toujours au premier degré chez ce Brel, Catherine Sauvage, longtemps, n'en démordra pas.

— Enfin, écoute, Jacques. Lorsque Lemarque écrit *Quand un soldat,* il dit : « Il est parti avec son bâton de maréchal dans sa giberne, il est revenu avec un peu de linge sale et puis voilà. » Bon, voilà une image. C'est frappant, évident. Toi, tu chantes : « Quand on n'a que l'amour à offrir aux canons... » Le jour où tu me montreras un mec qui va offrir de l'amour à un canon, je te paye des prunes.

Catherine cite Pierre Mac Orlan : « Une chanson procède par images qu'on peut peindre. » Darnal aussi chante ces malheureux soldats : « Dans le canon de son fusil il a mis une rose, et dans sa cartouchière des photos... » Du linge sale, des photos, des cartouchières pourraient être peints. Mais de l'amour offert à un canon !

Brel cherche un ton juste — et son public :

> Y en a qui ont le cœur si large
> Qu'on y entre sans frapper
> Y en a qui ont le cœur si large
> Qu'on n'en voit que la moitié [1]...

Catherine n'insiste pas sur le costume carré bleu marine de Jacques, plus seyant que la grotesque chasuble. Jacques se méfie de l'auteur préféré de Catherine, Léo Ferré. Grand musicien, d'accord, mais comment dire ? précieux, recherché comme parolier. Catherine Sauvage n'imagine pas une seconde que Jacques pourrait devenir un prodigieux interprète. Les rengaines de Brel sur la charité, la fraternité l'assomment. Mal dégrossi, cet éternel boy-scout, si loin du dur et séduisant Gainsbourg. Alors, pour Catherine Sauvage et tant d'autres, il y a le grand Léo, le grand Georges et le petit Brel. Déjà vedette, Catherine vient d'obtenir le Grand Prix du disque pour *Paris canaille,* encore une chanson de ce satané Ferré. Catherine Sauvage adore parler de littérature, de poésie, Jacques n'aborde jamais ces sujets avec elle. Sur ces terrains, il ne se sent pas à l'aise.

Sorti de scène, il paraît s'ennuyer. Au fond, lui, le Belge, l'inconnu, est très impressionné par Catherine déjà célèbre. Une brève liaison se noue comme une rapide série d'aventures au fil des étapes. Malentendu : Catherine vient de quitter un Italien dont elle fut éprise deux ans. Elle laisse Jacques lui faire la cour presque par inadvertance. « Après tout, ça me changera peut-être les idées. »

---

1. *Les Cœurs tendres,* du film *Un idiot à Paris.*

Pour elle, Jacques n'est qu'une distraction. Il se montre vite amoureux, trop vite possessif, jaloux. Cette aventure aurait-elle duré s'ils en étaient restés à l'amitié complice ? Stupéfait, Jacques apprend désormais qu'on peut aimer sans être payé en retour.

Catherine et Jacques passent par Bruxelles. Réflexe classique de la mauvaise conscience, Jacques est odieux avec sa femme. Pas dupe, Miche reste aimable avec Catherine.

Jacques traverse la Méditerranée en octobre 1954 et découvre l'Algérie. Brel est le numéro 3 à l'affiche. Selon lui, presque chaque jour il obtient « un triomphe ». L'ambiance de la tournée, cette fois, est abominable. Jacques se demande à quoi il joue au milieu d'une telle « bande de c... ». Il met quelques années à écrire, ou à prononcer en scène, le mot « con ». Jacques trouve Sydney Bechet et ses musiciens « vulgaires ». Le magicien, sa femme et la danseuse sont « gentils, mais d'une rare stupidité ». Dario Moreno et la présentatrice se querellent pour des questions de préséance dans le programme. Race étrange, ces artistes qui se parlent à peine. Jacques éprouve la solitude du chanteur de fond. Catherine n'est plus qu'une copine.

> Pardon pour cette fille
> Que l'on a fait pleurer
> Pardon pour ce regard
> Que l'on quitte en riant
> Pardon pour ce visage
> Qu'une larme a changé
> Pardon pour ces maisons
> Où quelqu'un nous attend
> Et puis pour tous ces mots
> Que l'on dit mots d'amour
> Et que nous employons
> En guise de monnaie
> Et pour tous les serments
> Qui meurent au petit jour
> Pardon pour les jamais
> Pardon pour les toujours[1]...

De Sfax, Brel — culpabilité et remords — fait son mea culpa. A Miche :

« ... je te demande pardon bien humblement pour le mal que je t'ai fait et plus encore pour le doute que j'ai pu créer en toi. Je te demande pardon pour le mal moral que je t'ai fait et tel que tu me

---

1. *Pardons*.

connais tu dois comprendre que je suis vraiment honteux que pour avoir le courage d'écrire une chose pareille. J'attends avec impatience le retour pour pouvoir recommencer a t'aimer. Je te ferai la cours comme un collégien et n'en serai pas gêné car tu le mérites et toi j'espère que tu m'aideras.

Car vois-tu, sans toi (et il y a longtemps que j'ai réalisé la chose) je perds toute solidité et il m'en faut pour faire proprement mon métier d'homme qui essaie d'être bien et mon métier d'homme bien qui essaie de chanter.

Ma chérie (et ce mot je le pense) je reviens de très loin et je n'ai a t'offrir que mon amour mes élans et aussi peut-être un peu, les rires de Chantal et de France — mais je suis plus que certain que notre vie pourra être formidable et pour nous et pour notre entourage Je crois qu'une longue nuit va finir, mais les nuits ne sont pas tellement importantes. Ce qui est important, est que l'aurore nous trouve la main dans la main au moral et au physique.

A bientôt mes chéries je vous embrasse très très fort.

le nouveau fiancé de Madame Brel... »

Touchant, sincère, retors et cœur d'artichaut. En famille comme à la ville maintenant, Jacques se découvre un don presque khâgneux de la formule. Savourez ce « métier d'homme qui essaie d'être bien » et « mon métier d'homme bien ». D'ailleurs, c'est exact. La vérité ne masque pas la complaisance. Jacques brandit les fanions du pathétique, du drame, de l'autoflagellation. Pour le moment, à ses yeux, le coupable c'est lui, pas les femmes ou *la* femme. Tout cela n'est pas grave. Les hommes sont les hommes, et les artistes de variétés une espèce particulière, constate Miche. Se marie-t-on impunément à vingt et un ans ? René Char écrit que le corps n'est pas fidèle. D'autres fidélités, du cœur et de l'esprit, comptent autant et durent plus, pense Miche. La carrière de Jacques, avec la sécurité de la tribu, voilà l'essentiel pour elle. Elle l'encourage, le protège, tient sa comptabilité. Parfois, elle semble plus croire en Brel que Brel lui-même. Car ça ne *marche* pas toujours. La première apparition de Jacques Brel à l'Olympia, en juillet 1954, en supplément au programme, avant la tournée en Afrique du Nord, n'a vraiment pas été un « triomphe ».

Pour se réconcilier avec sa femme, Jacques lui offre des vacances au Maroc. Homme du Nord et des ciels gris, Brel est ébloui par le soleil éclatant. Il n'aime guère la nature. Elle le touche quand elle semble excessive de beauté, de douceur ou d'âpreté, enrobée d'air vibrant et chaud. Depuis ses premières chansons, Brel promène l'image d'une femme au soleil :

> Sur la place chauffée au soleil
> Une fille s'est mise à danser
> Elle tourne toujours pareille
> Aux danseuses d'antiquités
> Sur la ville il fait trop chaud
> Hommes et femmes sont assoupis
> Et regardent par le carreau
> Cette fille qui danse à midi [1]...

Fragile souvent, Jacques. Faible ? Jamais. Doué d'une énergie physique inouïe, résolu, travailleur, il sait partir, récupérer, reprendre la route ou la journée.

Avec Miche, il veut un nouveau départ. On peut s'aimer mais pas se posséder à distance. La famille va donc émigrer à Paris, c'est décidé. Une infidélité, cette aventure avec Catherine — deux, avec cette passade à La Rose Noire —, ne casse pas un couple. Jacques a fait l'amour pour la première fois de sa vie avec Miche. Les souvenirs du corps, du cœur et de l'esprit forgent des attachements tenaces, parfois impossibles à briser. Jacques éprouve une immense reconnaissance pour Miche qui l'a laissé partir de Bruxelles. De plus, elle se charge des formalités qui l'exaspèrent. Il ne parvient pas à ramasser ses additions dans les restaurants, les reçus des hôtels, toutes ces pièces que les percepteurs exigent. Quel ennui, cette civilisation de la note de frais !

— Sans Miche, je serais devenu clochard, dit-il souvent.

En Brel, le romantique sentimental et le réaliste lyrique se combattent. Ce dernier l'emporte pour le moment.

A Paris, Miche démarche les agences et finit par trouver une maison, une baraque plutôt, en banlieue, à Montreuil-sous-Bois, 71, rue du Moulin-à-Vent. On doit la racheter avec ses vieux meubles à un Allemand. Tout en enfilade, ce logement : une petite pièce, la cuisine, la salle à manger, deux chambres, pas de salle de bains. On se lave dans l'évier de la cuisine ou dans la rue, à la pompe qui gèle en hiver. La famille de Jacques prête de l'argent. Montreuil-sous-Bois n'est pas gai. Miche préfère l'atmosphère de Bruxelles. Cette baraque est moins confortable que la maison avenue de la Peinture à Dilbeek.

Il faut aussi payer les traites d'une première voiture, une 4 CV Renault, invention du siècle, premier cloporte automobile. Jacques doit auditionner, chanter, tourner. La famille à peine installée, Jacques a une mémorable rage de dents. Un phlegmon menace sous sa langue, la mâchoire est enflammée et il doit cesser de chanter pendant trois semaines.

---

1. *Sur la place.*

Raté ou vainqueur, un chanteur de variétés ne peut mener cette vie qu'on appelle normale. Il se couche et se lève tard. Le matin Miche accompagne ses filles à l'école maternelle. Chantal et France ne font qu'apercevoir leur père. A Guy Bruyndonckx, fils d'Hector, étudiant en lettres, de passage à Paris, Jacques déclare :

— Quand j'ai voyagé et que j'ai eu la vie dure, j'aime m'installer chez moi dans un fauteuil et le confort. J'aime être le roi chez moi. Au bout de trois jours, ça m'emmerde. Il faut que je parte, que je puisse bouger.

Brel veut tous les avantages et aucun des inconvénients de la vie de famille. Le confort dont il parle ne sera jamais le luxe qu'il ne recherche pas et dont il se méfie.

Jacques joue le jeu, remporte des succès. Les fins de mois sont un peu pénibles. La famille achète un poste de télévision parce que Jacques passe « à la télé ». Ce n'est pas la bohème. Robert Kaufmann visite Montreuil. Jacques paraît tendu mais content.

— Je sais qu'à Bruxelles, ils croient tous que je jette ma gourme, dit-il.

Lui, il sait qu'il ne retournera jamais à la cartonnerie. Il travaille, écrit, lit, rattrape vingt ou trente ans de retard sur la sensibilité de l'époque.

L'année 1955 n'est pas mauvaise, avec des engagements en dents de scie dans les cabarets parisiens et belges. Canetti assure une tournée d'été à travers la France.

A certains artistes, Brel paraît hautain. Il est réservé, sur ses gardes, et ne prête guère attention aux confrères et aux consœurs. Il décide d'en séduire un seul, Brassens. Les figures de la séduction ne sont pas sommaires. A Angers, Jacques chante pour les jocistes de la Jeunesse ouvrière chrétienne. Brassens passe au théâtre de la ville, Brel dans une autre salle. Les deux chanteurs se rencontrent dans un restaurant, en présence de Danièle Heymann, jeune journaliste, et de Jacques Canetti qui décroche pour Jacques ces très utiles contrats de la JOC et de la JEC, organisation des étudiants chrétiens. Brassens répète volontiers ses plaisanteries :

— Salut, l'abbé Brel !

Un convive en remet :

— Tu veux une Bénédictine ?

Un autre :

— Mais non, une Chartreuse !

Jacques quitte la salle. Sans y voir malice, Brassens lui a parlé de haut. Jacques sent que la mise en question de son répertoire est justifiée. En effet, il parle trop de Dieu. Un long malentendu s'installe entre lui, ses publics et ses critiques, entre Jacques et Brel aussi.

A cette époque, ses amis le trouvent moins maladroit en Belgique qu'en France. Brel n'a pas de rival en Belgique. Il connaît les codes du terrain familier. Là-haut, en privé, il traite les Belges de « cons » ou de « bourgeois ».

Dans un café de Liège il rencontre Jean-Pierre Grafé, à l'époque encore étudiant en droit, jeune avocat libéralisant, de droite ou conservateur, selon la terminologie politique classique.

Jacques se fait prier pour paraître à Bruxelles. Les braves Bruyndonckx voudraient que Miche et leur grand Jacques participent à une réunion de la Franche Cordée pendant un week-end. Au créneau, Miche arrondit les angles, explique, et c'est vrai, que Jacques débute dans un nouveau cabaret le 1ᵉʳ janvier. Impossible de caser ce week-end. Le 25 décembre, Miche propose une solution aux Bruyndonckx navrés : « ... Si vous aviez un magnétophone, il pourrait envoyer une bande enregistrée ici. Nous avons aussi pensé que je pourrais y aller à sa place et lire un texte qu'il aurait préparé. Mais je ne pense pas que cette solution serait heureuse... » Belle invention, le magnétophone, que Jacques utilise pour essayer ses chansons.

Miche pousse Brel à prendre des vacances en **avril** ou mai. Elle ne désespère pas d'y parvenir et offre un prix de consolation aux Bruyndonckx : « ... Que diriez-vous de quinze jours aux Baléares au printemps ? Vous devez croire que je ne pense qu'aux vacances, mais je sais que mon époux en a vraiment besoin pour continuer ce métier de chanteur de charme. »

Dans le monde des Trois-Baudets, Jacques Brel rencontre l'homme de sa vie, Georges Pasquier, « Jojo ». Un mètre quatre-vingts, soixante-dix-huit kilos, né à Arras en 1924, élevé en Bretagne, trapu, long nez, malicieux yeux bruns, pommettes hautes, Jojo n'a pas terminé ses études d'ingénieur. Il est bruiteur dans le trio des Milsons.

Pas d'avenir dans les Milsons ! Jojo entre à l'Institut français des pétroles à Rueil-Malmaison. On l'enverra installer des pipe-lines à Hassi-Messaoud. Ça n'empêche pas les deux amis de se voir et de devenir intimes.

Jacques et Jojo, qui se sont croisés en Algérie, se revoient à Paris. Jojo écrit aussi des textes de chansons mais n'y croit guère. Célibataire, il habite un minuscule hôtel, 18, rue de Tournon, près des jardins du Luxembourg. Dans sa chambre s'entassent des collections du *Monde* et les pneus de sa Tatra tchèque, abonnée aux pannes. Jojo s'attache à Jacques et Jacques ne peut se passer de Jojo.

Ils ne travaillent pas ensemble. Pour Jacques, Jojo devient la récréation, la grande détente.

Georges Pasquier surgit à Montreuil avec une dame, puis une autre. Les deux compères adorent se retrouver seuls, « entre mecs ». Jojo ne fait jamais peur à Jacques. Ils boivent sec. Jojo ne jure que par la Kronenbourg, Jacques par les bières belges. A Paris, ça se termine d'habitude dans la Kronenbourg. Jojo crève d'admiration pour Jacques. Cependant il ne perd pas tout sens critique. C'est un des rares proches à pouvoir expliquer pourquoi, selon lui, telle chanson est mauvaise ou mal ficelée :

> ...Dis-le-toi désormais
> Même s'il est sincère
> Aucun rêve jamais
> Ne mérite une guerre
>
> *refrain :*
> On a détruit la Bastille
> Et ça n'a rien arrangé
> On a détruit la Bastille
> Quand il fallait nous aimer [1]...

— C'est con, Jacques, de prétendre que ça n'a rien arrangé de détruire la Bastille !

Jojo dévore les quotidiens et des hebdomadaires dont sa bible, *France-Observateur*. Ses sympathies vont à Pierre Mendès France, à la nouvelle gauche, plus tard au PSA et au PSU, petit parti de gauche alors très connu, rempli de progressistes, chrétiens ou athées, Michel Rocard, Gilles Martinet, Charles Hernu. Jojo amorce l'éducation politique française de Jacques Brel. Il résume ou découpe les articles de presse.

Ils aiment rire ensemble. Jojo lance des boutades, Jacques les gonfle. Jojo raconte sa jeunesse d'écolier à Saint-Cast, ses classes secondaires chez les cordeliers. Souvent grave, Jojo est un sage.

Jacques débarque chez lui :

— Salut ! Le moral est bon, les troupes sont fraîches ?

Ils bouffent du curé, reconstruisent le monde, Jacques avec plus de passion et moins de connaissances que Jojo.

Lorsque Jojo, athée comme seuls savent l'être d'anciens élèves des bons pères, devient trop didactique. Brel le coupe :

— Toi, le Breton, ça suffit comme ça... Fils de corsaire !

Brel commence à le savoir : une femme passe, un ami dure et endure tout. On se demande souvent pourquoi on adora cette femme.

---

1. *La Bastille.*

L'indifférence d'un ami marque. Brel s'éloigne pourtant de ses amis de jeunesse, Robert Kaufmann, Alain Lavianne : il vit surtout la nuit, et eux ils travaillent le jour, ailleurs. Insatiable besoin d'amitié partagée, de confiance, de tendresse masculine, Brel s'accroche à Georges Pasquier, chaleureux et dévoué.

Jacques est plutôt joyeux. Il paraît anxieux quand il ne parvient pas à terminer une chanson, rate un engagement ou souffre d'une rage de dents ou de migraines. En France, dans ce milieu parisien du spectacle, il se sent *métèque* au sens propre, étranger dans la cité. Dans n'importe quelle cité ? Il cherche, tâtonne, sans se mettre à l'écoute des modes.

En somme, Brel est écouté dans la chanson. Brassens attend dix ans avant d'être reconnu, Ferré quinze. Jacques part d'un principe : il n'y a pas de génie. Le vrai succès, celui qu'on s'accorde, avant de devenir une valeur commerciale, s'enracine dans le travail. L'acquis, prétend Brel, l'emporte toujours sur l'inné. Les dons ? Si l'on veut... D'abord, la peine et l'ouvrage et la sueur.

Brel *tourne* bien, en France comme à l'étranger. Il accepte tous les contrats. L'Afrique du Nord de nouveau. En Algérie, Brel voit la guerre pour la première fois avec des yeux d'adulte. A Miche et à Jojo, il déclare :

— Les Français doivent partir.

L'orbite des tournées n'est pas large : les Pays-Bas avec Amsterdam, la Suisse avec Lausanne, toute la Belgique. On redemande Brel au casino d'Ostende ou à Namur. Brel s'internationalise petit à petit avec ces cercles d'engagements qui s'élargissent. Il devrait être content sinon satisfait. A vingt-sept ans, Jacques Brel peut se dire professionnel depuis trois ans à peine. Il tombe quelquefois dans un découragement que seuls ses intimes ressentent. Ces Belges sont des « connards » et ses vieux amis bruxellois ne le comprennent plus ! Le cordon ombilical n'est pourtant pas coupé avec les Bruyndonckx.

De Genève, le 3 octobre 1955, Jacques, déprimé, envoie à Hector un poème en prose :

« Mon cher PSC. [Parti Social-Chrétien]
J'ai connu autrefois un beau voilier tout blanc qui transportait de par le monde, les idées qui font que des hommes, parfois, ne vieillissent pas.

Un jour, c'était avant de partir pour son dernier voyage, le voilier prit à son bord un jeune mousse auquel les membres de l'équipage entreprirent d'apprendre le métier de marin.

Et il l'apprit au cours de cette croisière.

Lorsque le navire revint le mousse avait grandi : il était presque un homme et savait naviguer.

Le voilier était vieux

On le vendit.

Les membres de l'équipage, alors, achetèrent d'autres petits voiliers.

Et par groupe de 3 ou 4 ils repartirent riches de l'enseignement reçu.

Le mousse aussi repartit

Mais seul.

Il voyagea deux ans, partout il s'en alla débarquer les grandes caisses d'idéal entreposées dans la calle de son petit voilier

Mais autrefois, avec les autres, ils débarquaient toujours en des ports connus où l'on était sûr le soir, de rencontrer quelques vieux camarades.

Des ports ou des hommes souvent venaient demander de transporter au loin quelques caisses, quelques livres.

Mais le petit voilier voulait aller plus loin.

En des ports sales et tristes où nul ne vous connaît où nul ne vous propose quelque marchandise.

Il traversa des mers où l'eau est couverte de nappes d'huile qui salisent un voilier comme rien au monde.

Des mers pleines de récifs

Cela dura deux ans.

Et un jour il heurta un récif. Tout près de la côte, en un pays inconnu

Sur le pont le mousse attendait que vienne du secours

Il arriva.

Trop tard.

Le voilier, balloté par les vagues était dans un bien triste état.

Il était à bout de course.

Lorsqu'après avoir remorqué le navire en un port voisin, le mousse remercia ses sauveteurs et se mit à réparer son bateau.

Des hommes l'aidèrent.

Des inconnus.

Ils dirigèrent les travaux et au mousse étonné, ils disaient " Non ainsi ce sera mieux "

Ce jour le voilier navigue à nouveau

Mais il a bien changé

Ce n'est plus un voilier.

C'est une sorte de bateau marchand qui vend des chansons

C'est une sorte de bateau marchand

C'est une sorte de marchand.

Parfois il passe en votre port.
Vous savez bien, le port où l'on vendit le vieux navire
Et tant pis si cette histoire est véridique.

Amicalement

Jacques »

Ni un soir de cafard dans un hôtel ni le besoin d'écrire un texte assez littéraire n'expliquent cette missive. Les chansons de Brel dépassent l'anecdote, une situation, une personne, un sentiment. D'instinct, Jacques le sent de mieux en mieux, une chanson réussie décroche de l'événementiel, glisse du particulier au général, sans se désincarner. Dans les versions successives de ses chansons, Brel épure, passe souvent du *Je* au *Il*.

Cette lettre à Hector, elle, est autobiographique.

Ce petit voilier, c'est Brel. Il voyagea deux ans, de 1953 à 1955. Pourquoi ces ports sales et tristes ? Quels récifs a-t-il heurtés ? Ceux que rencontre tout parolier, tout chanteur, tout interprète ? « Et cette histoire est véridique. » Jacques se dit « marchand de chansons », comme il pourrait traiter un autre de marchand de canons. Déjà il a des doutes sur ce métier qu'il a choisi. Il faut se le rappeler pour comprendre la décision stupéfiante que Brel prendra onze ans plus tard, en 1966.

Le cher Hector veut voler au secours de Jacques pour le réconforter. Malade, Hector ne peut se déplacer ni prendre la plume. Persuadé que Jacques s'interroge avant tout sur son métier, Hector dicte une longue réponse à sa femme :

« ... Mon ange gardien me souffle à l'oreille " dis-lui qu'il plaque sa Patachou et autres Gilles... " Où peut-on être mieux qu'au sein de sa famille. Ne fût-ce qu'un week-end [1]... »

Épuisé, notre Jacques :

« ... Sentir la vanité d'une vie fatigante, poursuit Hector, qu'aucune lumière céleste ne ressource, avoir soif du beau, du grand, des apports de l'intelligence et de la spiritualité. Être conscient de son évolution, de son assagissement, même de ses erreurs et défauts, sont-ce là des raisons de douter de soi ? Que non... »

Remontons le moral du soldat de Dieu : « ... On ne voit malheureusement dans tes cabarets quotidiens et nocturnes qu'un public qui t'applaudit sans doute mais peu disposé à tirer profit de tes sermons chantés... Aujourd'hui tu sembles refouler le marchand de chansons au niveau du marchand de carton... »

Canon, carton, chanson. Hector écoute Jacques, mais n'entend

---

1. Communiqué par Mme Bruyndonckx.

pas tout ce que Brel ne parvient pas à dire clairement, en se réfugiant dans l'allégorie. Avec bon sens, Hector continue : « ... La chanson, le carton, l'huile, etc. sont tous des éléments indispensables au fonctionnement de la cité de Dieu... »

Sermon pour sermon, Hector ne pratique pas l'homéopathie : « ... Le maître n'est pas loin de toi... Écoute sa voix, et ne romps pas le dialogue... »

Jacques ne se livre pas. Hector le remercie de sa confiance : « ... Je ne suis pas le troubadour, qui sait en des images saisissantes exprimer ses sentiments. Je suis, bien davantage, ce vieux marin muet, mais au cœur sensible... »

Hector reste dans sa bulle à l'ombre de sa basilique. Le chanteur n'est plus le troubadour du Moyen Âge entiché d'anges, de fleurs, de nuages.

Au-delà des symboles et de la mise en scène poétisée, le désarroi de Brel est profond. Jacques s'en est ouvert à un autre Bruxellois, Jacques Zwick. Se consacrant à son métier, Jacques s'interroge sur sa vie. Les chansons du grand Jacques sont autobiographiques qu'il s'agisse de dérision ou de transposition. Certaines résument presque ses rapports avec ceux qui l'aiment, l'entourent et le perdent

On imagine Jacques disant à Hector :

C'est trop facile d'entrer aux églises
De déverser toutes ses saletés
Face au curé qui dans la lumière grise
Ferme les yeux pour mieux nous pardonner[1]...

Plus averti, Hector répondrait :

... Tais-toi donc, grand Jacques
Que connais-tu du Bon Dieu
Un cantique, une image
Tu n'en connais rien de mieux[2]..

L'homme de foi en Bruyndonckx regrettera l'évolution du parolier qui chantera encore des images simplifiées de l'Évangile Brel s'apostrophe :

.. Et dis-toi donc grand Jacques
Dis-le toi bien souvent
C'est trop facile,
De faire semblant[3].

---

1. *Grand Jacques (C'est trop facile)*
2. *Ibid.*
3. *Ibid.*

Autre cause du trouble dans cette longue lettre à Hector : Jacques Brel, depuis l'été, a une maîtresse qui va prendre dans sa vie plus de place que Catherine Sauvage ou que de brèves rencontres après un spectacle en province.

Suzanne Gabriello est la deuxième femme qui compte beaucoup dans la vie de Brel. Leur passion ravageuse dure cinq ans. Suzanne, Zizou, fille d'un chansonnier dont elle a l'esprit montmartrois, vingt-trois ans, cheveux noirs et courts, yeux sombres, pétille d'impertinence. Sans être célèbre, plus connue que Brel, elle a entrevu le chanteur débutant, ce faux et pas beau ténébreux. Presque toutes ses femmes, en somme, trouvent Brel antipathique à première vue.

Présentatrice, raconteuse, chanteuse, Suzanne Gabriello forme un trio, Les Filles à Papa, avec Françoise Dorin et Perrette Souplex. Filles de chansonniers, elles se font un prénom. A la fin de leur numéro, chacune recouvre son visage d'un masque de son père. Canetti engage Les Filles à Papa et Brel, pour la tournée de l'été 1955. Zizou quitte la voiture décapotable des Filles à Papa, si pratique pour bronzer entre les étapes et voyage dans la 4 CV de Jacques, repérable à sa plaque minéralogique belge.

Copain-copain. A Saint-Valéry-en-Caux, Zizou se dirige vers la table de Jacques :

— Tu veux danser ?

Puis ils vont regarder la mer. Puis ils passent la nuit ensemble. Suzanne amuse Jacques. Échaudé par Catherine Sauvage, Jacques précise sa position :

— Moi, quand je rentre à Paris, c'est fini.

Suzanne connaît la situation de Jacques, la famille, le père malade, la Belgique. Entendu ! On s'offre des vacances pendant la tournée. A La Bourboule, Jacques déclare qu'il est amoureux de Zizou. Mais à Paris on ne se reverra pas.

— Moi, je tiendrai parole, dit Zizou.

Le petit bateau de l'épître à Hector retournera au port. Ils rentrent à Paris, Jacques à Montreuil, Zizou chez sa mère, rue Junot. Oui, c'est fini. Juré. Adieu. Je t'aime. Pas au revoir, adieu. Ils se rencontrent en venant toucher leur cachet dans les bureaux de Canetti, salle Pleyel. Jacques guette Suzanne.

— Comment ça va ? demande Zizou.

Brel, lugubre :

— Très mal.

— Moi aussi.

Bien sûr, la liaison reprend. Jacques est marié. Assez libre, Suzanne a pourtant une maman et un papa qui ne plaisantent pas

Qui le croirait, Jacques Gabriello fait une scène — pas à Jacques, à Miche, au téléphone — menaçant de faire supprimer la carte de travail du chanteur. On peut débiter des gaudrioles en artiste montmartrois et mal supporter que sa fille fréquente un homme marié.

Miche n'aime guère la banlieue parisienne. Elle s'y sent isolée et les Brel sont mal logés. De nouveau enceinte, Miche veut accoucher à Bruxelles. Jacques en convient : sa famille sera plus entourée en Belgique. En février 1958, Miche, Chantal et France s'installent dans un appartement 71, avenue du Duc-Jean, près de la basilique. La troisième fille, Isabelle, naît en août. A des amis, Jacques dit qu'il aurait aimé un garçon, ce qu'il n'admet jamais en public.

Les amours de Jacques Brel et de Suzanne Gabriello sont alors plus faciles. Brel quitte Montreuil pour une chambre cité Lemercier, à deux pas de la place Clichy. Avec ses maisons 1830, recouvertes de lierre, et ses cages de canaris aux fenêtres, la cité Lemercier est charmante. La chambre de Jacques ne dispose pas d'une douche. Ce n'est qu'un pied-à-terre pour nomade. La propriétaire, Marie, règne avec vigilance sur son immeuble.

Attendri, Jacques Gabriello offre un appartement à Zizou, *cosy-corner* compris, rue Versini, près de la mairie du XVIIIᵉ.

Comme Catherine Sauvage, Zizou trouve le répertoire de Jacques ennuyeux :

— Les prêtres ouvriers, on en a ras la frange. Tu devrais chanter des chansons d'amour.

Il en a déjà composé, douceâtres, bêlantes. Encore un effort ! Du réalisme, moins de bonheurs, plus de déchirements. Brel écrit bien ce qu'il vit. Les déchirures ne manquent pas, ni les séparations. Jacques a des crises de culpabilité.

— Ma femme, mes enfants... Il faut que je m'en aille.

Je pars, je dois, je ne peux pas, il ne faut plus qu'on se voie, je reviens, je pars vraiment cette fois. Une dizaine de fausses sépara-tions unissent Brel et Zizou. Chaque fois, Jacques tient quinze jours, non sans rédiger des lettres de rupture « superbes » qu'elle a « brûlées », dit Suzanne : « Le long et merveilleux voyage est terminé, voilà que tu vas souffrir et que je vais souffrir aussi », écrivait Brel. La souffrance, l'amour et le voyage s'associent déjà dans l'œuvre et la vie de Jacques Brel.

A Suzanne, Jacques parle de divorcer ; pas à Miche. On a les intentions de ses actes. Jacques et Suzanne sont épris. Ils se retrouvent rue Versini, cité Lemercier, dans les aérogares.

A ce jour, Gabriello demeure persuadée qu'elle inspira une des plus célèbres chansons de Jacques :

> Ne me quitte pas
> Il faut oublier
> Tout peut s'oublier
> Qui s'enfuit déjà [1]...

Brel l'a chantée chez Zizou devant Danièle Heymann et le futur mari de celle-ci, Jean Bertola. Plus tard, Brel affirmera :

— C'est l'histoire d'un con et d'un raté. Ça n'a rien à voir avec une femme.

Suzanne se souvient de Brel déclarant :

— J'ai écrit une chanson pour toi et je vais te la chanter.

Suzanne se met en tête de faire passer Brel en vedette à l'Olympia.

— Pas question ! rétorque le directeur, Bruno Coquatrix. Brel m'emmerde.

Poussé par Zizou, Jean-Michel Boris, assistant de Coquatrix, accepte de prendre Brel avec Philippe Clay. Brel obtient plus de succès que Clay. En collant noir, Suzanne présente les chanteurs. Jacques et Zizou sont dans une quinzaine de rupture. Avant que Brel ne surgisse sur scène, Suzanne lance au public :

— En sport comme en chanson, la qualité gagne tous les jours et la discographie française ne s'est pas trompée il y a deux ans en prédisant le succès des chansons de Jacques Brel [2].

Jacques remercie Suzanne pour l'annonce. Il attendait une vacherie. L'amour c'est l'amour et le boulot le boulot. Tous des « pros ».

Brel, ce soir-là, est la vedette « américaine ».

La cote, la reconnaissance d'un chanteur, est mesurable à sa place dans le spectacle. Sur la première marche de la profession, il — ou elle — commence en « lever de rideau » ou « lever de torchon » : ses premières trois ou quatre chansons doivent « chauffer » la salle, parfois dans le murmure de l'arrivée des derniers spectateurs. Puis déboulent des acrobates ou un jongleur. Suit la vedette « en anglaise » qui chante quatre ou cinq airs. On brise de nouveau le rythme du spectacle avec un prestidigitateur, un petit orchestre, avant que ne surgisse « l'américaine », le chanteur ou la chanteuse qui doit s'imposer avec cinq ou six chansons.

Les spectateurs s'ébrouent, vont boire, fumer, bavarder. L'entracte prélude au silence épais qui s'installe dans la salle avant que ne surgisse, seule pour toute la deuxième partie du spectacle, *la* vedette. Son nom flambe en grandes lettres sur les affiches, les néons et les

---

1. *Ne me quitte pas.*
2. Archives Suzanne Gabriello.

placards publicitaires de la ville. Que de discussions, souvent, à propos de la taille des caractères employés ! La vedette, elle, a eu droit aux courtes ou longues interviews dans la presse nationale ou locale. Le « lever de rideau » et « l'anglaise » se contentent parfois de quelques échos ou ragots. Le spectacle est construit pour l'apothéose solitaire du dernier chanteur.

Repartant dans la nuit, satisfait ou irrité, c'est l'image de la vedette, sa présence, ses mélodies que le public emporte avec lui. De la vedette, pour la louer ou la critiquer, parleront d'abord les chroniqueurs des journaux et des postes de radio. Ils écriront leur billet une demi-heure après la fin du spectacle, s'ils n'ont pas assisté à une répétition.

Dès qu'il porte cette deuxième partie, Jacques Brel va vite, plus rapidement que d'autres, se poser une question : comment monter plus haut que ce dernier pic ? Comment aller plus loin et « ailleurs », surtout quand il se rend compte que ses plus grands succès ne sont pas toujours ses meilleurs textes. Belle, douce et dure, cette ascension, ce passage de « l'américaine » à *la* vedette. Mais que faire de cette gloire lorsqu'on porte en soi d'autres aspirations avec l'étonnement d'être parvenu là — après l'entracte — et, aussi, chez Brel une insatisfaction permanente ?

A Paris, beaucoup de gens ignorent que Brel est marié et père de famille. Certains connaissent sa tempétueuse liaison avec Suzanne. Aucun échotier ne s'empare de la tentative de suicide de Zizou.

En revanche, la presse, comme le public, commence à très bien connaître le chanteur Jacques Brel dont le troisième 33 tours sera enfin bien accueilli.

Désormais chaque 21 mars, les radios françaises programmeront le matin *Au printemps,* comme la RTBF éveille chaque jour la Belgique avec *la Brabançonne,* comme la BBC endort ses auditeurs le soir avec *God save the Queen.*

> Au printemps au printemps
> Et mon cœur et ton cœur sont repeints au vin blanc
> Au printemps au printemps
> Les amants vont prier Notre Dame du bon temps
> Au printemps...

Occupé par son métier, l'enregistrement de ses disques, pris par ses passions et ses remords, Jacques, malgré les vitupérations de Jojo, qui vomit les militaires et un prétendu fascisme rampant, ne prête guère attention à la prise du pouvoir à Paris par le général de Gaulle en mai 1958. Brel décide qu'il n'aime pas ce militaire, concédant malgré tout que le bonhomme a du style. Jojo et Jacques ont d'abord le culte de Pierre Mendès France. Vivant, P. M. F. fut adulé par ceux qui connaissaient à peine ses doctrines. Mort, ses plus vindicatifs ennemis l'admirèrent. Il avait un ton. Jacques Brel aime le ton et l'allure, bref le style.

Jacques cache fort bien ses vies privées. Ernest Blondel, directeur de la télévision belge, rencontre Suzanne Gabriello :

— Tu sais que Jacques a eu une fille ?

D'abord, Zizou ne saisit pas le sens de cette remarque. Bah ! s'offrir une femme au passage, pourquoi pas ?

Puis elle comprend. Il s'agit d'un enfant, une troisième fille ! Cette fois, Zizou rompt d'une manière définitivement provisoire. Dans le grandiloquent, Gabriello n'est pas mauvaise non plus :

— J'espère, Jacques, qu'Isabelle ne saura jamais à quel point son père est lâche.

Brel possède et entretient l'art du drame. En aurait-il besoin pour vivre, pour écrire, pour chanter ?

Suzanne l'a congédié. Brel rallonge le même scénario. Elle passe dans un cabaret de Montmartre. Sinistre, Jacques arrive tard, s'assoit, commande un whisky, repart. Un soir, enfin, il parle à Suzanne :

— Viens, je te raccompagne.

Pas plus forte ou faible que Brel, Zizou ne se séparera vraiment de Jacques qu'en 1961. Elle apprend alors que Brel a rencontré la mystérieuse Sophie, qui ne sera jamais photographiée avec lui, même si sa liaison avec le chanteur est connue.

III.

La création dans le mouvement

Le 23 juillet 1956, Jacques a rencontré François Rauber à Grenoble sous le kiosque à musique.

Pianiste, Rauber participe à une tournée Canetti avec, entre autres, Pierre-Jean Vaillard, Nicole Louvier, Les Trois Ménestrels. Brel rejoint cette tournée le quatrième jour. Les trois premiers, il était à Bruxelles. Un certain Guy Béart l'a remplacé à Clermont-Ferrand, Dieulefit et Besançon. Rauber dit à Brel :

— Vous êtes tout de même moins mauvais que celui d'hier.

Le courant passe entre Rauber et Brel, si différents. Lorrain de Neufchâteau, né en 1933, vif, des yeux verts sarcastiques, élève au conservatoire en classe de fugue, François Rauber s'étonne : Brel ne sait pas déchiffrer une partition. Jacques se montre pourtant fin musicien. Dans la voiture qu'ils partagent, Brel et Rauber écoutent les postes de radio diffusant de la musique classique, font des concours pour reconnaître les compositeurs. La mémoire de Jacques stupéfie François.

— Ça c'est Stravinski... Ravel... Debussy.

Rauber initie Brel à Fauré et à Wagner.

François gagne sa vie dans les variétés. Lorsqu'il écrit des orchestrations, il retrouve des impressions, recherche la couleur descriptive, variée, modulée. Il apprécie la voix de Jacques Brel, un baryton qui contrôle assez de graves et d'aigus : le baryton Martin, voix solide dans l'ensemble de la tessiture. Certains barytons s'appuient mal sur les graves, d'autres peinent à travers l'aigu. Dans la parodie, Jacques peut même colorer le grave d'opéra :

Mère des gens sans inquiétude
Mère de ceux que l'on dit forts
Mère des saintes habitudes
Princesse des gens sans remords
Salut à toi Dame Bêtise
Toi dont le règne est méconnu
Salut à toi Dame Bêtise
Mais dis-le-moi comment fais-tu [1] ?...

Brel est en quête d'un enrichissement et d'un mentor musical qui ne l'écrase pas. François peut l'aider à dépasser ce que Brel tire de sa guitare. Jacques retient la leçon de Montand : le corps parle aussi sur scène. Félix Leclerc et Georges Brassens travaillent avec leur guitare. Dans ses premières années de chanteur professionnel, Jacques ne pense pas avoir un talent comparable.

— Qui dira le mal que la guitare fait au métier de la variété ! soupire Rauber. On en tire cinq harmonies, en mettant les choses au mieux.

Moins on a d'accords, moins on module. Les modulations, pour Rauber, sont l'essence de la musique, sa respiration, son souffle. La guitare, n'importe qui se croit capable d'en jouer. On oublie les grands ancêtres, Charles Trenet, Mireille, Jean Nohain.

François devient l'accompagnateur de Jacques au piano, puis son orchestrateur.

Rauber surgit dans la vie de Jacques à une période charnière. Ils fabriquent ensemble — fabriquer au grand sens du mot — quelques chansons, Jacques à la guitare, François au piano.

A Paris, ils tournent entre Patachou, L'Échelle de Jacob, La Villa d'Este, Le Drap d'Or. Ils composent avant et entre les spectacles.

Chanter ce n'est pas que recevoir la pluie tiède des applaudissements.

— Le jour où l'on arrive à se faire écouter au moment des crêpes flambées, c'est qu'on est déjà meilleur, dit Jacques, sortant de La Villa d'Este.

Rauber s'adapte à cet étrange Brel. Jacques observe François ·
— Tu pourrais peut-être rajouter des trucs au piano, *là*.

Jacques baisse les cordes de sa guitare d'un demi-ton. Quand il joue l'accord de do, l'accord de si sonne. Donc Rauber au piano démarre en si majeur.

Étudiant en musique de chambre et fugue, François élabore de

---

1. *L'Air de la bêtise.*

vrais petits contrepoints derrière les chansons écrites par Jacques. Certaines sont très classiques, d'autres frôlent encore la rengaine scoute. Quelques-unes, de plus en plus nombreuses, sont des chefs-d'œuvre et deviennent des succès.

Dans quelques œuvres faibles, Brel hésite au bord d'un christianisme délavé :

> ... La lumière jaillira
> Parsemant mes silences
> De sourires de joie
> Qui meurent et recommencent
> La lumière jaillira
> Qu'éternel voyageur
> Mon cœur en vain chercha
> Et qui était en mon cœur
> La lumière jaillira
> Reculant l'horizon
> La lumière jaillira
> Et portera ton nom [1].

Dans d'autres chansons, il est fort et franc, juste de ton, même si, alors, ses amis et collaborateurs ne sentent pas toujours sa sincérité :

> ... Moi qui ai trompé mes amis
> De faux serment en faux serment
> Moi qui ai trompé mes amis
> Du jour de l'An au jour de l'An
> Moi qui ai trompé mes maîtresses
> De sentiment en sentiment
> Moi qui ai trompé mes maîtresses
> Du printemps jusques au printemps
> Ah, cet enfant de Marie je l'aimerais là [2].

Rauber classe ses chanteurs :

— Il y a ceux pour lesquels on ne peut concevoir un accompagnement et une orchestration si l'on n'a pas lu le texte, et certains pour lesquels il ne faut surtout pas lire le texte. Avec Jacques, le moteur est dans le texte. On l'a lu. On sait de quoi il s'agit. Pas question de dérouler une musique de dessin animé. Avec ses mots écrits, par son interprétation, avec ses temps d'arrêt, ses reprises, Brel impose ce qu'il cherche.

----

1. *La Lumière jaillira.*
2. *La Statue.*

— On va faire une chanson, dit Jacques. Ce sera une fugue. Les trois premières entrées, des instruments, la quatrième, ma voix.

François n'a jamais vu quelqu'un capable de s'atteler à cette tâche. Ils enregistrent *Voici* avec des orgues dans une église. Le produit n'est pas commercial.

Pour son concours de composition au Conservatoire national supérieur de musique à Paris, François demande à Jacques de lui écrire un triptyque : *Les Trois Histoires de Jean de Bruges*. Chaque candidat dispose de quinze minutes et de l'orchestre symphonique du conservatoire. Jacques ne peut pas chanter ça. Jean-Christophe Benoît, baryton d'opéra, interprète cette œuvre. Pour la musique, Rauber essaie de freiner le goût brélien du paroxysme.

Les foucades et les passions de Jacques agacent François. Catholique, plus croyant que pratiquant, il reproche à Jacques son désordre sentimental trop bien organisé. Jacques se rebiffe :

— Toi, le chleuh, fous-moi la paix.

François déteste certaines missions ou commissions dont Jacques veut le charger. Ainsi, faire savoir à Suzanne Gabriello qu'après cette soirée à Bobino, en 1957, Brel ne pourra pas retrouver Zizou comme convenu puisque Miche est dans la salle.

La femme de François, Françoise, forte, physique généreux, perspicace, enthousiaste, ingénieur textile, présence vive et logique, paraît plus tolérante. Comme son mari, elle pense que Jacques joue avec le feu et se brûle. Grande lectrice, elle signale des livres à Brel. Françoise lui permet ainsi de citer avec brio des ouvrages qu'il n'a pas lus, tels ceux de Teilhard de Chardin. Françoise est une des femmes que Jacques traite à égalité, d'homme à homme.

François n'en démord pas : Jacques abîme sa santé, boit beaucoup, se couche trop tard. Pour Françoise, c'est la nature profonde de Jacques. Elle ne voit pas ce qui pourrait empêcher Brel de vivre ainsi, dans l'excès. Jacques se cultive mais ne sait pas mener une discussion rationnelle. Ses boutades, ses reparties, ses jeux de mots, ses pirouettes font la joie de Jojo. Ils ne sont pas acceptés aussi aisément par les Rauber. Si Jacques s'enferre, ils le lui démontrent.

Jacques décide que dans la vie tout est malentendu. Si les hommes et les femmes trouvaient le temps de s'accorder, de s'aimer, de mettre plus de tendresse et d'amour dans leurs rapports, beaucoup de problèmes disparaîtraient. Convictions naïves, à prendre au premier degré quand Brel s'emballe.

Les Rauber connaissent toutes les familles — disons la famille élargie de Jacques, Miche, ses filles, Mouky et Romain Brel, comme les maîtresses ou les compagnes du chanteur. A Bruxelles, le parrain de Jacques surnomme Rauber « le Français ». L'accompagnateurorchestrateur suit Jacques chez ses parents. Pour François, la mère de Jacques, Mouky, c'est les neuf dixièmes de Jacques. La mère et le fils se parlent peu mais se comprennent. Aux yeux de François, Mouky accepte tout du fils prodige. Elle est disponible en permanence, c'est aussi Jacques, moins l'intransigeance, assure François. De santé fragile, Mouky subit plusieurs opérations de l'estomac. Romain continue de mener sa vie au rythme d'une horloge, lents battements, oublis, petits pas.

François devient le parrain d'Isabelle. Pour sa troisième fille, Jacques compose une trop exquise berceuse :

> Quand Isabelle dort plus rien ne bouge
> Quand Isabelle dort au berceau de sa joie
> Sais-tu qu'elle vole la coquine
> Les oasis du Sahara
> Les poissons dorés de la Chine
> Et les jardins de l'Alhambra
> Quand Isabelle dort plus rien ne bouge
> Quand Isabelle dort au berceau de sa joie
> Elle vole les rêves et les jeux
> D'une rose et d'un bouton d'or
> Pour se les poser dans les yeux
> Belle Isabelle quand elle dort [1]...

Il la joue au piano à Bruxelles. L'aînée, Chantal, huit ans, n'y prête guère attention. France, six ans, enrage. Pourquoi une chanson pour ce bébé et pas pour moi ? Isabelle braille au berceau de sa joie, France boude.

Brel explique à François les sons qui roulent dans sa tête, comment il faut illustrer ses mots, les encadrer avec le piano basse, la batterie ou l'accordéon. Jacques lance des suggestions. Il a écouté *Jeanne au bûcher* d'Arthur Honegger :

— Tiens, cet instrument-là, il faut s'en servir. Ça glisse. Qu'est-ce ?

— Les ondes Martenot, dit Rauber. Prenons Sylvette Allart.

Allart joue superbement Darius Milhaud, Jolivet, Messiaen...

François proteste ou serre les dents de temps en temps quand Jacques estime que « ça n'éclate pas assez » :

— Non, c'est pas ça, François ! Il faut que ça pète, les cuivres !

Deux caractères, deux tempéraments complémentaires se soutiennent et créent. Rauber arrache Brel aux *glan-glan, gli-gli, glan-gli* de sa guitare trop primaire. Tout le monde n'est pas Django

---

1. *Isabelle.*

Reinhardt. Le chanteur découvre que le plus difficile c'est la simplicité. Pour saisir l'apport de François Rauber, il suffit de comparer une cassette de travail que Jacques fait écouter à ses proches collaborateurs et, après, un disque fini. Le brut du texte, déjà riche d'éléments mélodiques, ensuite le produit affiné, raffiné. Il ne s'agit pas de nier l'originalité de l'interprète et du parolier, mais de reconnaître des mérites que le grand public ignore souvent. Les professionnels sont au courant. Dans le spectacle surtout, certains métiers privilégient une fonction aux dépens des autres. Dans la variété, le public contemplant une vedette ne prête guère attention aux accompagnateurs et aux orchestrateurs.

Au début de sa carrière, Jacques Brel, sous l'autorité de Jacques Canetti, travaillait avec d'autres arrangeurs. Le distingué André Grassi, l'insolite André Popp ne retenaient pas Jacques dans ses excès, pas plus que Michel Legrand, tumultueux prodige.

A partir de la deuxième face de son deuxième 33 tours avec François Rauber, Jacques rencontre une sensibilité qui suit la sienne tout en la contenant. Un torrent a besoin de berges.

Il trouve sa veine. Pour son troisième disque qui est son deuxième 33 tours, enregistré à Paris en 1957, Brel a plusieurs orchestrateurs[1]. Sur une face André Popp et Michel Legrand. C'est l'envolée avec *Quand on n'a que l'amour*. Un Brel dur, cogneur, critique, agressif émerge, surtout dans *L'Air de la bêtise* :

> ... Mère de nos femmes fatales
> Mère des mariages de raison
> Mère des filles à succursales
> Princesse pâle du vison
> Salut à toi Dame Bêtise
> Toi dont le règne est méconnu
> Salut à toi Dame Bêtise
> Mais dis-le-moi comment fais-tu ?...

Avec Rauber, Brel compose la musique d'une dizaine de chansons dans plusieurs couleurs. La mélancolie rose, quand le parolier, à la Desnos ou comme Breton, égrène des mots simples :

---

1. *L'Air de la bêtise, Qu'avons-nous fait, bonnes gens, Pardon, Saint Pierre, Les Pieds dans le ruisseau, Quand on n'a que l'amour, J'en appelle, La Bourrée du célibataire, Heureux, Les Blés, Demain l'on se marie.*

... Ma voile ma vague mon guide ma voie
Mon sang ma force ma fièvre mon moi
Mon chant mon rire mon vin ma joie
Mon aube mon cri ma vie ma foi[1]...

La nostalgie grise, lorsque Brel regarde une faune parisienne :

... Les paumés du petit matin
Ils se racontent à minuit
Les poèmes qu'ils n'ont pas lus
Les romans qu'ils n'ont pas écrits
Les amours qu'ils n'ont pas vécues
Les vérités qui ne servent à rien[2]...

Les poèmes espoirs, les romans rêvés de Jacques Brel ? Rauber a une palette large. Il connaît bien l'homme derrière le chanteur qui, pensant à Zizou et Miche, frôle la biographie :

... J'aimerais que mes enfants ne me regardent pas[3]...

Pour Jacques, ses enfants sont des miroirs en puissance, comme ses femmes.

Même phénomène, heureux hasard et magnifique nécessité quand, en décembre 1958, le pianiste Jouannest travaille avec François et Jacques.

Lorsqu'il fait son service militaire au Maroc, au 401e régiment d'artillerie antiaérienne, Gérard Jouannest n'a jamais entendu parler du chanteur. Il l'a écouté à la radio croyant d'abord entendre Armand Mestral. Alors, Jacques a une voix plus grave. D'où sort ce Brel ? Comme en arabe, dans le jargon militaire français, une brêle, c'est un mulet.

Pour s'entretenir les doigts, au cours de ses derniers mois à Meknès, Gérard fréquente le conservatoire. Il commence à savoir qui est Jacques Brel.

Subtil musicien, lui aussi premier prix du conservatoire de Paris, né à Vanves en 1933, grand front rêveur, tête d'angelot avec des joues aussi lisses et roses que celles d'un bébé, peu bavard, l'accent parisien, titi même, Jouannest, démobilisé et de retour en France, accompagne au piano les Trois Ménestrels, ce qui n'est pas la plus profonde satisfaction de sa carrière.

François ne peut plus suivre Jacques dans ses déplacements.

---

1. *Litanies pour un retour.*
2. *Les Paumés du petit matin.*
3. *La Statue.*

Rauber doit terminer sa classe de composition au conservatoire et ces interminables balades en voiture lui secouent trop les vertèbres. Par ailleurs, François Rauber a trouvé son métier, arrangeur, orchestrateur, compositeur.

Jacques passe un soir aux Trois-Baudets. Le matin, il donne un gala, mal organisé, pour la JOC au Gaumont-Palace. Un pianiste des Trois-Baudets, Gilbert Leroy, demande un cachet que Jacques juge astronomique. Gérard Jouannest peut-il remplacer Leroy ? Oui, et sans imposer un prix. Accompagnant Jacques sur des partitions préparées par François, Gérard éprouve un réel plaisir. Il est pris par le chanteur, mais non par l'homme. Brel joue les chefs. Jouannest n'apprécie pas ce côté parfois gueulard chez lui. Jacques s'agite. Gérard est réservé. A première vue, c'est la méfiance, pas l'amitié. Brel ne laisse jamais indifférent, ni les femmes ni les hommes. Il enchante ou braque, charme ou glace, peut susciter la sympathie violente et l'antipathie immédiate. Pour vraiment trouver Brel, désarmé, séduisant, désarmant, il faut le tête-à-tête. Jacques décide de charmer Gérard. Jouannest le sait. Il ne veut pas se laisser *avoir*. Travaillons donc.

Jacques et Gérard vivent ensemble pendant des mois à travers les tournées. L'amitié vient. Quel plaisir pour Jouannest de voir se former Brel, cette force de la nature et de la chanson et du travail ! L'amitié, quelle merveille pour Brel. Il décrète qu'on pardonne tout à un ami. De lui, Jacques attend aussi la compréhension, la complicité.

Bras de fer, Brel, qui ne se livre pas, attend les confidences que Jouannest lui refuse. Fatigant quand même, ce chanteur ! Comme François, Gérard a des enfants et il veut les voir de temps en temps. Il ne souhaite pas se retrouver chaque nuit dans une chambre d'hôtel, chaque matin sur une route nationale. Brel n'éprouve pas ce sentiment, ce manque. Jacques ne sait pas — ne veut pas ? — se ménager le temps de retrouver les siens, de se retrouver.

Jacques et Gérard se séparent :

— Bon, maintenant on prend quinze jours de vacances, soupire Brel.

Le lendemain, la voix gourmande, il téléphone à Gérard :

— On repart dans trois jours.

En politique, Rauber tourne autour du centre et Jouannest s'affirme résolument communiste. Sur scène, Brel présente souvent Gérard :

— Au piano, Nikita Jouannest.

Gérard, avec François, partage les années les plus créatrices du Brel chanteur. Plus que quiconque, Gérard sait comment Jacques travaille ses textes. Il voit Brel écrire en voiture, au café, dans sa loge ou la chambre d'hôtel partagée. La chanson établie, Jacques demande à quelqu'un de la transcrire, ce qui donne au texte un côté arrêté et permet de déposer le copyright — qui ne correspond pas toujours au texte enregistré.

Au moment de la recherche comme de la finition musicale, devant ses collaborateurs, Jacques sort ces cahiers d'écolier sur lesquels il jette des idées. Il n'arriva jamais avec un texte flou quant au genre de musique attendue. Texte en tête, sans partition, il a une idée précise des rythmes correspondant au caractère de ses chansons. Musique et mélodie, texte et vers surgissent en même temps. Un premier ensemble fixé, disons trois couplets, le premier établi, le deuxième et le troisième viennent aisément, se coulent dans le même moule. Pendant les répétitions qui précèdent le spectacle, surtout quand Brel dispose de plusieurs musiciens et utilise l'accordéon, tout le monde y va de son improvisation. La chanson se construit. Souvent la musique donne à Jacques l'idée de la découpe du texte.

Julien Clerc rend bien le travail de tout auteur compositeur :

> Et moi penché sur mon piano
> Comme sur un établi magique
> J'essayais d'ajuster mes mots
> A ma musique [1].

En voiture, où ils passent tant d'heures, Brel essaie des mots, des phrases. La mélodie de quelques grands succès surgit ainsi au fil des paysages et des rêveries. Olivier Messiaen voit des couleurs en écoutant ses notes. Jacques Brel entend des mélodies à travers ses mouvements. Pour composer et pour vivre, Jacques doit bouger. Avalant les innombrables virages d'une route vers Tanger, il découvre l'accélération d'une valse.

Il commence doucement :

> Au premier temps de la valse
> Toute seule tu souris déjà
> Au premier temps de la valse
> Je suis seul mais je t'aperçois
> Et Paris qui bat la mesure
> Paris qui mesure notre émoi
> Et Paris qui bat la mesure
> Me murmure murmure tout bas [2]...

---

1. *Un assassin assassiné*, de Jean-Loup Dabadie.
2. *La Valse à mille temps*.

Il se hâte :

> ... Une valse à trois temps
> Qui s'offre encore le temps
> Qui s'offre encore le temps
> De s'offrir des détours
> Du côté de l'amour [1]...

Puis il se déchaîne, et son public trépigne :

> ... Une valse à vingt ans
> Une valse à cent temps
> Une valse à cent temps
> Une valse ça s'entend
> A chaque carrefour [2]...

La journée commence parfois avec la Suze-cassis au petit déjeuner. On connaît le décalage horaire des pilotes. Qui chantera celui des artistes de variétés ? Ce petit déjeuner à 10 heures, le déjeuner deux ou trois heures après, quelle habitude à prendre ! Gérard n'est pas aussi gourmet que Jacques. Pendant ses débuts à Paris, Jacques s'est mal nourri. Les Belges, Wallons ou Flamands, aiment la bonne cuisine. Brel souligne en rouge des restaurants du *Guide Michelin*. Viendra le moment où il se permettra de choisir ses galas dans des villes proches de certains restaurants :

— Très bien, ça. On accepte ce spectacle à Roanne et on passe chez Troisgros. Flattés, des restaurateurs resteront ouverts tard le soir pour accueillir Brel et sa bande.

Alors Jacques ne se croit pas obligé de fréquenter les grands restaurants. Il note ceux que conseillent les représentants de commerce. Parmi ses cent projets, un qu'il ne réalisera pas : compiler un guide des établissements ouverts la nuit.

Une manie de Brel, son incapacité de se coucher, épuise Jouannest. Pourquoi traîner, discuter, s'envoyer encore une bière, reprendre un whisky-Coca avant l'aube ? Gérard se couche dès que possible. Jacques lâche :

— Il manque de couilles, Gérard !

Parce qu'il refuse d'avoir des états d'âme en public ? Parce qu'il ne tient pas le coup jusqu'à 5 heures du mat', lui ?

Brel admire Jouannest comme Rauber. Entre Jacques le bavard et Gérard le taciturne, la collaboration est riche. Ils signent ensemble une quarantaine de chansons. Brel sent que Rauber et Jouannest

---

1. *La Valse à mille temps.*
2. *Ibid.*

lui doivent beaucoup mais il connaît aussi ses dettes à leur endroit.

Gérard ne veut pas se mêler de la vie privée de Jacques. Il sait néanmoins à quoi et à qui Brel fait allusion quand il chante :

> ... La gare où s'accomplit
> La dernière déchirure [1]

Lorsqu'il attend :

> ... une lettre de toi
> Une lettre qui dit oui [2]...

Gérard contribue à porter très loin certaines chansons de Jacques. Avec Jouannest, Brel trouve les mélodies qui habillent son enfance réelle ou imaginaire. Jouannest comme Rauber voit Brel abandonner ses oripeaux de barbare musical. Avec Jouannest, Brel vole de succès en succès.

Dans la dérision :

> Ah ! je les vois déjà
> Compassés et frileux
> Suivant comme des artistes
> Mon costume de bois [3]...

Dans la peur de la mort, du vieillissement, la passion de l'amitié personnifiée :

> ... Moi, si j'étais le bon Dieu
> Je crois que j'aurais des remords
> Dire que maintenant il pleut
> Dire que Fernand est mort [4]...

Partout, toujours, Dieu rôde. Athée, Jouannest décore une chanson de Brel comme Cocteau éclaire une chapelle.

Gérard comprend la femme fatale des chansons qui entraîne Jacques vers l'enfer :

> ... Mon cœur, mon cœur ne t'emballe pas
> Fais comme si tu ne savais pas
> Que la Mathilde est revenue [5]...

Une des premières chansons célèbres de Jacques Brel, *Ne me quitte pas*, fut composée par Jacques en compagnie de Gérard. Jouannest n'était pas encore inscrit à la SACEM [6]. Brel n'a pas

---

1. *Les Prénoms de Paris.*
2. *Ibid.*
3. *Le Tango funèbre.*
4. *Fernand.*
5. *Mathilde.*
6. Société des auteurs, compositeurs et éditeurs de musique.

« volé » Jouannest. Les circonstances ont joué. Gérard entre à la SACEM avec *On n'oublie rien* :

> ... Ni ces départs, ni ces navires
> Ni ces voyages qui nous chavirent
> De paysages en paysages
> Et de visages en visages
> Ni tous ces ports, ni tous ces bars
> Ni tous ces attrape-cafard
> Où l'on attend le matin gris
> Au cinéma de son whisky
> Ni tout cela, ni rien au monde...

Le piano de Gérard ! L'instrument roi, noble, est accepté par tous les habitués des concerts classiques, de Beethoven, Liszt, Ravel, Bartók, Debussy ou même aujourd'hui les admirateurs de Keith Jarrett. L'accordéon est souvent considéré comme vulgaire. Assez tôt, Brel s'en sert et pas seulement pour sacrifier à ses rondeurs populaires. Jacques aime les coups aux tripes de l'accordéon. Brel est un homme du Nord. En Belgique, l'accordéon possède une puissante résonance, peut-être comme en nulle autre région du monde, sinon en Union soviétique, comme l'orgue de Barbarie aux Pays-Bas. Après Roger Damin, avant Marcel Azzola, Jean Corti fait sentir à Jacques toutes les richesses de l'accordéon.

Années fastes pour les rendez-vous de la chance et du métier de Jacques : 1956 avec Rauber, 1958 avec Jouannest, 1960 avec Corti.

Tous les instruments comptent dans l'orchestre de Jacques, certains plus que d'autres. On ne peut oublier la batterie de Philippe Combelle, fils d'Alix. Pourtant, le piano et l'accordéon se remarquent plus.

— Corti, attention ! Ce soir nous avons Jacques Brel, dit Suzy, propriétaire du Suzy Bar, à Bandol pendant l'été 1960.

— Je vous connais de réputation par la radio, dit Corti quand il croise Jacques.

Brel n'aime guère parler métier après son spectacle ou en vacances, comme ce soir. Il passe plusieurs soirs au Suzy Bar et écoute Corti. Peu après, Canetti engage Corti pour accompagner la chanteuse Claude Sylvain. Puis Corti rejoint l'équipe Brel.

Rauber et Jouannest, un temps, jouent ensemble. Jacques exige alors deux pianos sur scène — pas toujours accordés —, ce qui pousse Brel, le spectacle terminé, à pisser dans un piano à Remoulins, au pays des cerises, pour exprimer son mécontentement.

D'origine italienne, comme Azzola, Corti, brun, mince, séduisant, est né en 1929 à Bergamo.

— Dans ton pays pourri, plaisante Jacques, il y a trois tarés, le pape, Gimondi, mauvais cycliste, et un accordéoniste épouvantable, Jean Corti !

Brel et Corti savent qu'avec un piano on résout des milliers de problèmes. Avec un accordéon, surtout lorsque Rauber écrit des contrepoints, on pose des centaines de questions, auxquelles répondent les cœurs des auditeurs. Corti utilise un accordéon moderne, avec un son basson qui va plus loin que l'accordéon musette. On plaque dessus une chambre d'écho, un peu de « reverbe ». Ces échos multiplient les émotions. Jacques sait ce qu'il souhaite en tirer. Bizarre situation pour Corti que ses goûts poussent vers Debussy et Ravel. Jacques veut qu'il exploite toute la gamme de l'accordéon, y compris l'entrain de la valse musette. Chauffe, Jean ! Chauffe Marcel ! Chauffez, les gars.

— Fais-moi un truc rythmique, dit Jacques à Corti.

Brel réussit toujours à se faire comprendre sans vocabulaire technique.

— Je veux le côté musique russe ici. Du langoureux. Tiens, là, un rythme à cinq temps.

Sans toujours l'approuver, Rauber et Jouannest, comprennent Jacques lorsque, soulignant son inspiration d'un grand geste du bras droit, il insiste :

— Jean, il faut que ça bastonne dur.

> Avant eux avant les culs pelés
> La fleur l'oiseau et nous étions en liberté
> Mais ils sont arrivés et la fleur est en pot
> Et l'oiseau est en cage et nous en numéro
> Car ils ont inventé prisons et condamnés
> Et casiers judiciaires et trous dans la serrure
> Et les langues coupées des premières censures
> Et c'est depuis lors qu'ils sont civilisés
> Les singes, les singes, les singes de mon quartier [1]...

Composant la musique des *Bourgeois* avec Corti, Brel, alliant accordéon et clavecin, donne, au refrain, une nouvelle vie à un air connu.

Pour tous ses musiciens, des grands aux moins grands, Brel possède un sixième sens, celui de l'image, entre l'oreille et la bouche Il lui permet de savoir et de faire saisir ce qu'il cherche musicalement Il peut jouer de la guitare sans être bon guitariste, du piano en petit amateur. Dans tous les domaines qu'il aborde, Jacques se montre

---

1. *Les Singes.*

curieux, il « va voir ». L'accordéon, il faut le prendre en main. Devant Marcel Azzola, Jacques s'amusera — sans plus — avec cet instrument. Pour ses musiciens, Brel peut mettre noir sur blanc ses idées sans remplir des partitions.

— Tenace ! Un monstre, ce type ! disent-ils avec une stupéfaction admirative.

Il est plus dur au cours des répétitions que pendant son tour de chant. Vous êtes venus, je me donne à vous, je vous suis, je vous entraîne, comprenez mes paroles et ce qui doit venir avec. Vous vous devez à moi.

Il peut être méchant, avant :

— Non ! Là t'es vraiment un con, tu n'as rien compris. C'est pas du tout ça que je veux. Laisse tomber, on verra demain.

Brel a une mélodie en tête, au bord de ses mots, au bout des lèvres. Il imagine un rythme lent et triste.

Corti :

— Ça ferait une très belle valse musette.

Brel :

— Fais voir comment.

Corti part. Concentré, Jacques écoute :

— C'est marrant, rigolo ton truc, mais c'est complètement *contre* ce que je veux. Fais-moi une boîte à musique. C'est des vieux, tu comprends ? La valse musette, c'est gai. Fais-moi des trucs tristes.

Avec Rauber et Corti, Jacques compose un chef-d'œuvre :

Les vieux ne parlent plus ou alors seulement parfois du bout des yeux
Même riches ils sont pauvres, ils n'ont plus d'illusions et n'ont qu'un
     cœur pour deux
Chez eux ça sent le thym, le propre, la lavande et le verbe d'antan
Que l'on vive à Paris on vit tous en province quand on vit trop
     longtemps [1]...

S'ils ont une heure entre le petit déjeuner et le repas de midi, vers Valence, Marseille ou Nice, à quelques kilomètres du restaurant prévu par l'itinéraire, les amis font une partie de boules. Personne n'est très bon joueur. Jacques pointe ou tire mais préfère tirer, c'est plus violent :

— Dégagez, les mecs !

Parfois Miche, ou une compagne, rejoint la bande à l'étape. Brel accepte mieux les femmes des autres que les siennes. Son sens de l'accueil est très personnel :

— Bonjour, madame Corti Vous tombez bien. Il faut le soigner

---

1 *Les Vieux.*

votre mari. Il a attrapé une chaude-pisse. Qu'est-ce qu'il dérouille !
On le pénicilline tous les jours.

La tournée, le départ, la partance sont pour Brel ses raisons de
vivre. Il peut dépenser sa stupéfiante énergie. Pendant des années, la
tournée sera sa vie, *la* vie. « On est en tournée comme on est en
automne ou en hiver, dit le chanteur québécois Gilles Vignault. On
est en tournée comme on serait de quart. C'est un état de vie
provisoire et, pour un temps du moins, c'est une manière d'être[1]. »

En tournée Jacques devient totalement Brel. Au fond de lui,
depuis qu'il faisait du vélo à quatorze ans, se développe, assez
monstrueuse, l'idée de l'éternel record à battre. Pour la quantité de
spectacles donnés, il les battra tous, Brassens, Bécaud, Aznavour,
Sauvage et Gréco. Marche et ne crève pas. Oui, tu es un monstre.
C'est vrai, je suis increvable. Tournée d'été, deux mois. Tournée
d'automne. Tournée d'hiver. Faisons Rome comme Paris, les trous
perdus et les grandes villes. Tournées, tournis toujours surmonté. Il
faut passer aux Trois-Baudets pour obtenir des contrats de tournées,
à l'Alhambra ou à Bobino afin de marquer le coup et se faire
reconnaître. L'Olympia, en tête d'affiche ! La légion d'honneur des
variétés.

Jacques tourne pour travailler. Brel travaille pour tourner, crée
en tournant. Il se saoule de tournées.

Un grand music-hall à Paris, quand « ça marche », permet de
vivre au moins un an à travers la province française. Succès honnête,
Brel passe à l'Alhambra en 1957, avec Zizi Jeanmaire et Michel
Legrand. Mouky, la mère de Jacques, écrit à Hector et Jeanne
Bruyndonckx au sujet du succès de leur « fils adoptif » : « Public de
choix. Salle comble de deux mille cinq cents personnes. Certainement
cinq cents vedettes et hautes personnalités — ambassadeurs et tout et
tout... » La mère note fièrement la présence de Maurice Chevalier,
Fernandel, Eddie Constantine, André Luguet, Arletty, Daniel Gélin.
Jacques ? « ... Le trac, la peur même et Miche le double trac. »

On veut ce Brel un peu partout.

La mode est déjà aux énormes sonos, aux projecteurs multico-
lores. Certains chanteurs traînent quasiment des cars de la NASA.
Les organisateurs voient débarquer Brel et quatre musiciens :

— Vous n'avez pas de micro ? Pas de sono ? Pas de lumières ?

— Non. On travaille comme ça. Vous avez un micro, vous ?

L'équipe garde tout de même en réserve un projecteur de
poursuite dans un coffre de voiture. On peut l'installer au dernier
moment dans les bourgs démunis.

---

1. Angèle Guller, *Le 9ᵉ Art*, Vokaer, 1978.

Jacques ne joue jamais la diva. Quel directeur de salle l'a vu arriver en retard ? Brel a la passion de l'exactitude, des pendules, des montres. Il est toujours sérieux, tendu même pendant la brève répétition, entre 17 et 18 heures, puis bien sûr pendant sa partie du spectacle. Dix, douze, quinze chansons. Jamais il n'accepte un rappel, une fausse sortie. Après la présentation des musiciens, aucun doute, c'est la dernière chanson :

— Vous avez vu un auteur de pièce de théâtre rajouter une scène ou un acte après la pièce ? Pour moi, c'est la même chose.

Voilà sa touche personnelle, une de ses fiertés. Le gros Georges, le grand Brassens, hésite beaucoup avant d'accepter des galas, mais il réapparaît quand le public le réclame : « Bras-sens ! Bras-sens ! Une-autre ! Une-aut' ! une-aut'. » Grand seigneur ce Jacques, avec sa conception du métier et du tour de chant.

— Brel ! Une-autre, Brel. La-valse ! La-valse !

Jacques salue, se plie, se laisse tomber, écarte les bras vers ses musiciens. A eux la peine, à eux les honneurs aussi. Brel ne chante pas un succès de plus. Dans le monde des variétés, on susurre qu'il n'est pas comme les autres. Publicité astucieuse, hein ? Ici la légende coïncide avec l'histoire. Il *est* différent de ses confrères et consœurs.

Ses chansons gaies, ironiques ou parodiques, sont rares. Parfois la comédie imprévue surgit pendant son tour de chant. Il se produit au cours d'une fête, une kermesse en plein air, à Roquevaire, près d'Aubagne, un « truc pourri ». Il faut tout faire. Quand Brel termine *Le Moribond,* chanson réaliste, et ce n'est pas la finale, le comité des fêtes propulse sur la scène Miss Roquevaire, un gros bouquet de fleurs à la main, sans chrysanthèmes au moins. Jacques prend la jeune fille dans ses bras. Que faire des fleurs ? Il les pose sur l'accordéon de Corti qui rit aux larmes. Pourquoi le comité n'a-t-il pas offert une couronne mortuaire ?

Une tournée, c'est aussi des incidents. A Tel-Aviv, mauvais spectacle. L'équipe joue avec des musiciens de la ville, *fait le bœuf.* Après, Israéliens et Français boivent, vers 6 heures du matin. Le patron décide d'arranger au plafond un staff avec des néons et des ampoules mortes. Il monte sur un escabeau. Le staff se décroche, éclate sur la piste de danse. Tonitruante, la voix de Jacques s'élève dans le brouillard d'une poussière de plâtre :

— Tournée générale !

En plein air, le vent monte. Jacques continue de chanter malgré les bourrasques de sable. Le couvercle du piano se retourne avec un bruit énorme. L'équipe enchaîne.

— On s'amusait terrible, dit Corti nostalgique.

— Il y avait de bons moments, ajoute Jouannest qui apprécie moins les gags.

Brel doit se casser un orteil pour s'arrêter quelques jours. Alors, il se trouve en manque — de performances, de fatigue, d'épuisement, d'étapes incroyables. Tunis, escale en Sardaigne, Marseille, Genève et de là en voiture pour Chamonix où l'équipe répète après quinze heures de voyage. Jacques y chante le soir. Comme il est heureux ! Ce spectacle à Bourg-en-Bresse est programmé depuis longtemps avec un détour par Montréal. Entre-temps, la bande est passée à Chicoutimi au Canada.

Jacques découvre le monde au-delà de l'Europe occidentale et de l'Afrique du Nord.

Il écrit à Miche :

> « Montréal le 28/Mai/58
> midi

Ma Petite Pitouche

Voilà enfin une journée calme (enfin une émission ce matin et 2 autres cet après-midi) et j'ai un peu de temps pour t'écrire.

Le voyage fut tout à fait normal... et nous avons fort bien dormi dans l'avion.

Tout ici (Québecq est parait-il fort différent) est totalement Américain et semble avoir une grande vitalité. Mais cela donne une impression de brutalité, de manque de classe, de force mal dirigée.

Au départ, je croyais que l'Américain avait 15 ans : c'est faux ; il en a 10. Et encore.

Ceci dit tout est propre, clair, calme, m̂ la cuisine qui est absolument inqualifiable.

Les gens sont extrêmement gentils, courtois et les invitations pleuvent (entre'autres : Félix Leclerq pour le 11).

On m'a proposé N.Y. mais je n'aurai pas, je crois, le temps d'y aller.

Ce qui est le plus étrange ici c'est que tout semble marcher a un rythme fantastique alors qu'en réalité tout est lent. bref rien ne ressemble plus au Canada qu'Anvers modernisé par des collégiens.

Je ne sais pas encore la date du retour mais je chante le 21 à Tournai et j'aimerais arriver à Bruxelles le ± 19 jusqu'au 26.

Pour mon métier je vais avoir ici le temps de réfléchir et d'examiner tout calmement et de loin.

Ma décision sera prise avant mon retour.

Je crois que vraiment je deviens un peu vieux.

Je vous embrasse bien fort toutes les 3.

Petit papa Pitouche

XXX xxx xxx ...

Miche assure la logistique familiale :

« PS 1/ Prière téléphoner au Touring pour savoir si actuellement je peux rentrer en Belgique avec la 203   domicile Belgique et voiture Française

    2/ Les Tapis ?

    3/ Dis à ceux de F.C. que ce sont de vieux C. dont je vais m'occuper

    4/ Vive la cuisine Française
          par Avion

Écrire réponse   Hôtel Laurentien
Pour Voiture   Montréal

                      Prov. Quebecq
                      Canada. »

Félix Leclerc a conquis la France, Jacques Brel veut s'imposer au Canada français.

Jacques évite le Québec l'hiver. Un froid intense, deux mètres de neige, c'est trop pour lui. Les brumes et brouillards belges l'impressionnent. Il les a dans la tête. Le soleil de Marrakech l'attire, il le prend dans le sang. Le vent glacial du nord de l'Amérique, brrr !.. Et puis toujours ces rages de dents et ses migraines.

Quelques aventures sans importance et quelques revenez-y avec Zizou mis à part, Jacques est de nouveau très amoureux de Miche. Il partage le lit de sa femme à Bruxelles. Il ne l'a jamais déserté. Chacun de ses retours est une fête.

D'un hôtel dans le centre des affaires de la ville de Montréal, le Manoir Charest, un Jacques joyeux écrit à Miche, fidèle au poste. Miche ou l'Ancre du petit bateau devenu grand. D'un commun accord, ils se sont donné leur liberté. *Our way of life,* disent-ils. Liens multiples et jeux dangereux permettent aussi les retrouvailles réussies. Québec, juin 1958, de Jacques à Miche :

« Je te veux belle et à moi ma pitouche.

Peut-être parce que je suis égoïste mais peut-être aussi parce que ce serait merveilleux.

Alors sois à moi belle et neuve.

Je veux te reprendre.

J'aimerais tant que tu me reprennes.

Tout entier, mon cœur, et mon corps. Surtout mon corps car c'est lui le plus perdu.

Il faut me tenir.

Vois-tu, il est malheureusement impossible de demander certaines choses. Cela est trop cru, trop sec. Et pourtant il faudrait que ces choses arrivent à nouveau, comme avant, ces choses, et puis d'autres. Qui sont la force d'une femme et font qu'elle devient reine.

Il te va falloir séduire encore, et chaque jour ce vieux bouc que je suis.

Par tous les moyens possibles.

Sois ma femme.

Sois à moi.

Sois belle.

    car je t'aime Pitouch chérie

et nous méritons mieux.

        je te téléph. samedi de Paris. »

Qui peut *tenir* ou retenir Jacques Brel ? Pas même lui.

Miche, c'est l'amour et la logistique.

L'Ancre et Brel se retrouvent, traversent les orages et tous les paysages de tant de couples. Une lettre n'est pas toujours sincère. Tant d'écrivains en rédigent pour la postérité ! Chez Brel, l'écrivain est refoulé, le parolier moins. Il a trouvé un autre moyen d'expression en dehors de la nouvelle amorcée ou du roman projeté à seize ans, la voix du parolier et du chanteur. Sa voie pour le moment, c'est sa voix. Rien ne laisse supposer qu'il ait jamais pensé à une publication de ses lettres. Elles révèlent au moins l'état d'esprit de Jacques Brel à certains moments de sa vie.

Que de hauts et de bas dans les rapports de ce couple, Miche et Jacques !

        ... Heureux les amants que nous sommes

        Et qui demain loin l'un de l'autre

        S'aimeront s'aimeront

        Par-dessus les hommes [1]...

Les femmes en général ? Comme à Miche, devant toutes celles qui voudront le tenir, Brel pourrait chanter :

        ... Ainsi demain déjà

        Serai seul à nouveau

        Et tu m'auras perdu

        Rien qu'en me voulant trop

        Tu m'auras gaspillé

        A te vouloir bâtir

        Un bonheur éternel

        Ennuyeux à périr [2]...

---

1. *Heureux*.

2 *Dors ma mie*

Engagé pour deux ans comme secrétaire, Georges Rovère est placé sur une voie de garage par Brel qui lui confie le soin d'aider Miche à décorer la nouvelle maison de Bruxelles. Jacques affiche de l'aversion pour les homosexuels. Malheureux Rovère, toujours taquiné :

— Eh ! Georgette...

Pédé ! Une des insultes favorites de Jacques, proférée doucement ou en souriant devant n'importe qui.

Brel décide d'embaucher son ami Georges Pasquier :

— Jojo, j'ai besoin, près de moi, en permanence, de quelqu'un en qui j'aie confiance. Un travail parfait pour toi. Tu es un homme sérieux.

Jojo rentre chez lui à Nanterre, banlieue proche de Rueil comme du quartier général de l'Institut français des pétroles, et consulte sa compagne, Alice, qui travaille dans une compagnie maritime.

— J'y vais, j'y vais pas ?

— Moi, répond Alice, je suis pour. Que risques-tu ? Ta situation dans les pétroles peut s'améliorer mais elle ne te passionne pas. Avec Jacques, ce sera merveilleux. Extraordinaire de vivre avec un homme comme lui !

Ainsi, le frère, le pote-à-vie, le compagnon des blagues et des bringues, le confident, l'interlocuteur des longues nuits à bâtons rompus devient secrétaire, chauffeur, conseiller, habilleur, garçon de courses, boîte aux lettres pour les correspondances compliquées de son ami patron, chien de garde fidèle. A Jacques, Jojo dit bien quatre-vingt-quinze pour cent de ce qu'il pense. Brel a une cour. Aux derniers rangs, des inconditionnels éperdus d'admiration, des sans-grades. Au premier rang, Jojo, ne verse pas dans le culte de la personnalité.

Pendant neuf ans, Jacques et Jojo, Ribouldingue et Filochard, ne se quittent pas. Vertu aux yeux de Jacques, Jojo peut tenir la nuit comme le jour, boire, discourir, écouter.

En tournée, Jojo conduit. Écoutant de la musique classique sur le poste de radio d'une DS noire, Jacques écrit, somnole ou dort, allongé sur la banquette arrière. Arrivés dans une ville française ou étrangère, après un repas dans un bon restaurant, l'équipe s'installe à l'hôtel. Jojo inspecte le cinéma, le théâtre, le casino où Jacques va chanter, s'assure que la sono, les éclairages sont bien réglés. Pendant le spectacle, planté en coulisses ou près des éclairagistes, d'un œil il surveille les machinistes, de l'autre le public et, du cœur, Jacques.

Après le spectacle, Jojo manipule les fans, nombreux. Aux portes de la loge, il faut trier, accepter les uns, refouler les autres.

Parfois la police intervient, mais moins qu'avec d'autres chanteurs. Son public ne cherche pas à recueillir la sueur et les mégots de Brel, à arracher ses cheveux et sa chemise. Brel ne veut pas mettre ses admirateurs en transe.

Jojo et Jacques soupent dans une brasserie, un bistrot repéré par Jojo. Les restaurants ferment tôt en province. La partie de rigolade commence. Jojo et Jacques sont d'accord : en tournée, le travail et l'après-travail, de préférence, excluent les « bonnes femmes ».

Jacques invite souvent ses musiciens, parfois des artistes qui participent à la soirée, les membres des Delta Rhythm Boys, Maurice Fanon, Jacques Martin...

Brel a décidé qu'il ne donnerait pas un récital. Depuis qu'il est en tête d'affiche, numéro 1, il tient à avoir une « première partie ». Un récital empêche les autres de travailler ou de débuter.

Des quatre coins de France, de Belgique, de Suisse, Jacques téléphone, écrit à ses femmes de Bruxelles et d'ailleurs, tard le soir. Increvable, ce noctambule, ce noctophage. Ayant fumé quatre paquets de cigarettes brunes, il se couche vers trois, quatre ou cinq heures du matin. Il doit souffler, dit-il après le spectacle. Il repart à huit, neuf ou dix heures pour atteindre l'étape suivante. Brève répétition dans l'après-midi. On enchaîne avec le gala. On redémarre.

Brel peut faire plus de trois cents tours de chant dans l'année. On vole le repos qu'on ne prend pas. Brel dort par épisodes. Dans sa loge, avant de passer en scène, il ferme les yeux, pose un journal sur son visage, somnole. Alors Jojo barre le passage et collectionne les ennemis.

Homme de main et homme de cœur du chanteur, Jojo sait presque tout de Jacques qui sait tout de Jojo. Ils se retrouvent chaque jour dans la blague. A Bourg-en-Bresse, Gérard et Jean sont à l'arrière de la DS, Jacques et Jojo devant. En hiver, vitres baissées, ils traversent la ville sans chemise. Les passants ne reconnaissent pas Brel. D'où sortent ces quatre fous ?

Jacques et Jojo fignolent un numéro dont ils ne se lassent jamais. S'ils aperçoivent une soutane ou une cornette, ils lèvent la main en forme de revolver.
— Pan !
Ils mitraillent :
— Ta-ta-ta-ta ! Une bonne sœur de moins !
— Un cureton au ciel !
A travers la ville suivante, ils recommencent :
— Quoi ? Il en existe encore ! On ne les a pas tous descendus ?

Dans les chambres d'hôtel, les copains se cachent au fond des armoires et des placards. On installe une fille dans le lit de Jacques avant qu'il n'ait repris sa clé à la réception.

Les compères entrent dans la chambre d'un musicien :

— Pas bien rangée, ta chambre !

Ils vident les armoires, les placards, les valises. La bande Brel adore dérouler le papier des WC ou se battre avec des gâteaux à la crème dans le style des films muets.

Gérard, Jean, d'autres, et même l'inconditionnel Jojo estiment que Jacques « pousse un peu ». Brel ne peut se passer des rires, de provocations.

Il a aussi ce que les copains appellent ses coups de bourdon. Affalé dans un fauteuil de sa loge, il soupire :

— Je vais tout plaquer.

— Tu as un abcès aux dents ?

— Non.

— Alors, qu'as-tu ?

— Ça me fait chier. Quelle vie de con ! J'ai des problèmes.

— Des emmerdes ? Lesquelles ?

— T'occupe pas.

Hors tournée, Brel disparaît deux ou trois jours.

Charley Marouani devient l'imprésario. D'abord relation professionnelle, ensuite ami, bel homme, sombre, brun, le cheveu ondulé, Charley a été photographe à Nice. Il appartient à la tribu des Marouani. Originaire de Sousse en Tunisie, cette grande famille juive surgit partout dans le show-biz. Une quarantaine de Marouani travaillent dans l'édition musicale, la télévision, dans tout ce qui touche à la chanson.

— Si vous avez des insomnies, comptez les Marouani, dit Brel.

Charley a d'abord travaillé avec Félix Marouani puis acquis son indépendance. Brel est une de ses premières grandes vedettes. Il lui sera très attaché. Jusqu'à ce que Brel quitte le tour de chant, ils se vouvoieront. Dans un bon moment, Brel dira :

— Jojo, c'est mon frère, Charley, mon cousin.

Marouani par alliance, Georges Olivier devient « tourneur » ; il organise les tournées. Souvent il suit le chanteur d'une ville à l'autre. Olivier, après le spectacle, entraîne Jacques :

— Allez, la vedette !

— Le rideau baissé, il n'y a plus de vedette, dit Brel.

Jacques donne souvent l'impression d'être direct, franc, simple et c'est vrai qu'il sait être gentil, chaleureux, prévenant.

Il adore les défis. A Olivier, il déclare que lui, Brel, veut donner cent spectacles d'affilée puisque personne ne l'a fait dans le show-biz. Il parvient à soixante et onze tours de chant. Record battu, mon beau monstre.

Bordeaux, dernier bastion, résiste à Brel qui n'y fait pas le plein. Olivier déclare qu'on n'y reviendra plus.

— Non. Regardez bien cette ville, dit Jacques. On y reviendra mais quand on aura fait un plein, on n'y repassera plus.

En 1966, ce sera plein. Le public se bat pour obtenir des billets. Le directeur de la salle est affolé. *Ils* vont tout casser. Olivier et le directeur se consultent.

— Jacques, dit Olivier, on va jouer à 9 heures et à minuit.

— D'accord pour les deux. Et on n'y remet plus les pieds, à Bordeaux.

A Rouen, Jojo et Jacques décident de saouler Olivier qui pourtant tient bien le coup lui aussi. Ils ont réservé une table dans un restaurant.

— On boit de la vodka ce soir, décrète Brel.

Les verres défilent. Olivier tangue. Il ne comprend pas comment Jojo et Jacques résistent. Pendant qu'Olivier avale ses rasades de vodka, les deux amis versent leur alcool sur des plantes en pot. Jacques passe sa nuit au chevet d'Olivier malade.

Brel adore autant qu'il déteste les chambres d'hôtel. Il les aime parce qu'il peut y travailler en paix mais elles lui paraissent lugubres aussi. Il y conçoit, souvent met au point, termine, peaufine certaines de ses meilleures chansons, *Amsterdam, Mathilde, Ces gens-là,* en période de suractivité. Puis il s'effondre, las.

Jojo ou Miche, Gérard, Jean, Charley s'inquiètent. Tout d'un coup, Jacques paraît déprimé. Il a une tête à se jeter dans le canal. Il accouche d'un petit chef-d'œuvre qui exprime son cafard :

> ... Non Jef t'es pas tout seul
> Mais arrête tes grimaces
> Soulève tes cent kilos
> Fais bouger ta carcasse
> Je sais que t'as le cœur gros
> Mais il faut le soulever
> Non Jef t'es pas tout seul
> Mais arrête de sangloter
> Arrête de te répandre
> Arrête de répéter
> Que t'es bon à te foutre à l'eau
> Que t'es bon à te pendre
> Non Jef t'es pas tout seul

> Mais c'est plus un trottoir
> Ça devient un cinéma
> Où les gens viennent te voir
> Allez viens Jef viens viens[1]...

Toutes proportions gardées, on pense à Sartre disant : « Chaque fois que j'ai été me mettre au vert, avec l'intention de travailler, à Saint-Tropez ou ailleurs, je n'ai pas réussi à écrire. »

Jacques écrit rarement une chanson du premier jet ou sur une seule impulsion. Tout est travaillé, retravaillé.

— Gérard, ton truc hier, entre le premier et le deuxième couplet, c'était formidable. On essaie de nouveau.

Ou, avec autant de gentillesse, à Corti, Brel déclare :

— C'était très bien.

Brel est demandé, reconnu. Il a des triomphes mais aussi des moments difficiles, des salles presque vides, de mauvaises soirées, au Havre ou à Beauvais. Imaginez un chanteur et son équipe devant cent personnes dans une salle de mille places.

Quand ça marche assez bien, Jacques commente :

— On a un petit bourré.

La salle est pleine :

— C'est un gros bourré.

Le vide, le « bide » total, l'ennuie. Il ne veut pas faire perdre de l'argent à l'organisateur. Quand il peut se le permettre, il refuse le cachet tout en dédommageant ses musiciens. Vraie honnêteté ou calcul intelligent ? S'il n'attire pas le public d'un casino une année, à Pornichet, La Baule ou Saint-Malo, ça n'empêche pas les directeurs de le réengager l'année suivante et de faire le plein.

Le créateur s'en va tout seul à Roquebrune-Cap-Martin où il a acheté un cabanon au bord de la mer en 1961. Il y écrit un de ses plus beaux textes, *Le Plat Pays,* si simple et puissant qu'on le retrouve dans les manuels des écoles primaires et secondaires. Superbe texte, écrit en dix jours. Même ceux qui détestent Brel, sa personne, son personnage, son style, sa musique, lui reconnaissent quelques mérites. Clairvoyant, un directeur artistique de la firme Philips le reçoit mal :

— Vraiment, c'est un truc pas possible. Trop long !

> Avec la mer du Nord pour dernier terrain vague
> Et des vagues de dunes pour arrêter les vagues
> Et de vagues rochers que les marées dépassent
> Et qui ont à jamais le cœur à marée basse

---

1. *Jef.*

> Avec infiniment de brumes à venir
> Avec le vent de l'est écoutez-le tenir
> Le plat pays qui est le mien...

Trop long, quatre strophes ?

Ce vent de l'Est qui *tient,* c'est Brel : Jacques tient, vient, veut, s'écartèle, craque et chante.

Le Plat Pays, François Rauber le fait mettre sur un disque Barclay — pour boucher un trou.

Miche voit les Bruyndonckx. Pour leur faire plaisir, Jacques suggère de leur offrir des vacances. Adhérences, peaux mortes... Ils ne font plus vraiment partie du monde de Brel.

Jacques provoque sur le ton de la blague un incident à Bruxelles, dans un style de tournée, qui irrite le bourgeois belge. D'une fenêtre, il apostrophe Guy qui sort de la maison des Brel :

— Hé, le fils de monsieur Bruyndonckx ! Hors d'ici ! En mon absence vous venez courtiser ma femme. Je ne le tolérerai point. Cette fois vous êtes pris en flagrant délit !

Guy rit, raconte l'affaire à son père. Le soir même, Hector prend sa plume :

> « Mon cher Jacques,
> Je crois avoir le droit de ne point goûter l'influence éducative de certaines de tes fantaisies !
> En effet, je reste convaincu qu'il n'est guère utile de heurter — sans raisons supérieures — certaines règles, qui constituent un des tests d'une vie sociale raffinée.
> Logique, je prends les dispositions pour éviter que ceux qui me sont chers échappent à des scénarios, tel celui auquel Guy participa, malgré lui, dimanche dernier.
>
> Plus est en toi !
>
> Sans rancune pourtant. »

Hector n'est pas impressionné par Brel. Terminées les longues épîtres au « Cher PSC » ou à « Monsieur » Bruyndonckx. Jacques répond par quelques lignes sèches. Le fils adoptif se rebelle et dépose sa carte dans la boîte aux lettres.

> « Cher Hector,
> Navré de n'y rien comprendre.
> Navré de constater que le mot chrétien est tristement séparé du mot : humour... Navré surtout de ne plus trop aimer les sermons. »

Pour Jacques, le cher Hector manque d'humour. Bruyndonckx estime que Brel créateur se fourvoie. Sa veine spiritualiste est si loin !

Que de mauvaises influences il a subies, notre Jacky, notre grand Jacques.

Brel chanteur, c'est d'abord un prodigieux interprète, ensuite un parolier, et ce mot n'est pas péjoratif. Enfin, un musicien autodidacte aux sensibilités multiples.

On ne peut comprendre la formidable présence de Jacques Brel et son succès si on ne l'a pas vu en scène ou, aujourd'hui, dans une des émissions de télévision qui survivent. Certaines sont souvent gâchées par des commentaires pâteux et pompeux ou des paysages « illustratifs ».

Aucun interprète ne lutte en scène comme Brel, sinon Édith Piaf en France, Sammy Davis, Judy Garland, Oum Kalsoum et quelques autres ailleurs. Mais Piaf chante, elle n'écrit pas. Se surpasser, c'est passer la rampe.

Au sommet de sa carrière, Brel cesse de dire que l'important pour lui c'est d'écrire, pas de chanter.

Mal placée en 1953, sa voix acquiert ampleur et puissance vers 1959, devient chaude et convaincante. Il l'a travaillée seul, au fil des tournées refusant de prendre des leçons. Ce n'est guère important, mais il a perdu presque tout accent belge. Les « r » roulent encore un peu. Il s'est exercé à parler avec un stylo entre les dents. Il déclare à ses amis :

— Si j'avais le temps ou la capacité d'écrire un roman, je pourrais être plus nuancé. Je pourrais mieux expliciter ma pensée *(Jacques adopte le jargon parisien)*. En quatre minutes, on n'a pas le temps d'être nuancé. Si on veut que les gens retiennent une idée, il faut frapper fort [1].

On peut dire des choses vraies et fortes, en faisant vivre des personnages, Jef, Marieke, le grand Jacques, Madeleine.

Avant d'entrer en scène, même s'il plaisante avec Jojo, même si la salle est pleine et la critique acquise, Jacques a peur. Il a besoin d'avoir peur. Chaque soir il livre un combat. On le sait, le combattant courageux domine sa peur.

Hors scène, Brel se promène en pantalon de velours, en pull, en blouson. Sur les planches, il tient au costume foncé et à la cravate. Dans cette tenue il pourrait travailler à la cartonnerie. Après quelques chansons, il dégrafe son col de chemise. Il fuit les cuirs, les paillettes, les chemises roses ou mauves.

---

1. A Jean Clouzet, *in Jacques Brel*, « Poésies et chansons », Seghers. A Jean-Pierre Grafé aussi.

Il échauffe son corps en coulisse comme un danseur. Avant de franchir les quelques mètres qui le séparent encore de son public, il gesticule et saute sur place. Brel prend une habitude. Avant d'arriver en coulisse, il vomit, de trac. Il dégueule. Tous l'ont vu, Alice et Georges Pasquier, François Rauber et Gérard Jouannest. A ses débuts, Jacques ne pouvait éviter la panique physique. A la fin de sa carrière de chanteur, sans doute se forçait-il à vomir. Jacques cire lui-même ses chaussures avant de se montrer au public. Autre rite, Piaf priait.

A un moment que lui seul connaît, il inspire une dernière fois et surgit en courant. Quand le rideau s'ouvre, la tension est sensible. Brel souffre encore de son physique, se trouve laid. Il n'a pas compris qu'il « monte » au moment où le public aime une tête aux traits irréguliers, pour les actrices comme pour les acteurs. Jacques Brel perce entre Gérard Philipe et Gérard Depardieu, entre l'âge de Micheline Presle et de Nathalie Baye. Brel a une *gueule*, même si elle ne lui revient pas. Belmondo contre Delon ? Pour le nouveau spectateur, l'irrégularité, grandes dents, grosses lèvres chez Brel, l'emporte sur les traits fins. Brel a la beauté de son charme véhément, paroxystique — un charisme. A partir de 1958, il prend, heurte et charme son public dans les trois premières minutes. Mais il faut que Brel soit à sa place. Vedette ou demi-vedette, il ne peut passer après un comique. Présenté après Sim qui chante en collant rose avec des ailes de papillon, Brel ne trouve pas les spectateurs. Au Palais d'hiver, avec les Brutos grimaçants, Jacques commence dans un chahut, mais l'emporte en fin de parcours.

Après 1959, il est à lui seul *la* seconde partie. Il déboule comme une charge de cavalerie. Brel met en scène ses textes, capture, prend dans ses filets, par sa dramaturgie, son sens du mot, son flair musical. Il transforme une chanson en tableau. Sa chanson-théâtre s'adresse à tous les gens qui ont vécu ou voudraient vivre une expérience intense. Au contraire de Brassens, perdu dans l'expression corporelle, Brel, débarrassé de sa guitare — sauf pour deux chansons, *Le Plat Pays* et *Quand on n'a que l'amour* — utilise tout son corps. Le front se plisse. Les veines saillent aux tempes et jusqu'aux mains-battoirs. Brel serre ou lève le poing, ouvre les mains. Il porte la chanson qui le guide, joue des bras et des jambes, contrôlant ses mimiques, sauf lorsqu'il interprète, à l'excès, me semble-t-il, des parodies comme *Les Bonbons*. Alors le conteur d'histoires, le chansonnier, resurgit, mais « fait un malheur » avec des mimiques un peu grasses.

Brel transpire, s'essuie le visage, s'éponge avec d'énormes mouchoirs, dos au public. Jean Clouzet, médecin et critique, pèse Brel avant et après un spectacle plusieurs jours de suite. En une heure et demie, Brel maigrit parfois de huit cents grammes. Dérision : un cardiologue ayant examiné Brel le 6 mars 1948 déclarait qu'il se trouvait en présence d'un « jeune homme ayant une taille d'un mètre quatre-vingts pesant soixante kilos et demi... longiligne... », présentant des « troubles de l'équilibre circulatoire... » Il recommandait de « faire mener au patient une existence calme ». Et qu'il boive du lait !

Les spectateurs peuvent souffrir avec le chanteur, participer. Entre ses chansons, Brel coupe vite les applaudissements. D'un regard complice, il fait signe à Gérard Jouannest de reprendre. Brel veut essouffler son public, le tenir en haleine.

A la scène comme à la ville, au bout de ses gestes, Brel exprime sa fougue et sa passion de la vie. Malgré ses gesticulations, aucun rocker ne se donne autant que Jacques. Scrutez le visage de Montand ou de Béart après leur récital. Ils se contrôlent, se maîtrisent. A chacun sa technique. Regardez Brel. L'épuisement est réel. Cet écorché vif, croit-on, chante chaque fois pour la dernière fois. Devant la personne et le personnage confondus, après les premières chansons, combien de spectateurs pensent : « Il remet tout en cause. Moi, j'ai eu de la chance. Ce soir, c'était son plus beau concert. »

Avec Brel, on croit assister à une re-création quotidienne tant son travail en scène paraît spontané. Il est étudié, plein de risques calculés et variés. Les gens du métier disent :

— Quel professionnalisme !

Les spectateurs répondent :

— Quelle sincérité !

Que pense-t-il, lui ? Je triche, je ne triche pas ? Jacques refuse tous les effets de lumière et tous les fards. Un projecteur de poursuite suffit avec un peu de fond de teint.

Brel dose son tour de chant, une chanson triste, une drôle, une lente, une rapide, une forte, une douce. Son spectacle ressemble, plus que pour tout autre chanteur, à une corrida. Brel ne semble pas blasé. Toutes ses nouvelles chansons lui tiennent au cœur et au corps. Excité, il en répète une quelques heures avant le spectacle avec ses musiciens. Ils sont effrayés et attentifs. Quelle sera la réaction du public qui n'a jamais entendu ce « truc-là » ? Jusqu'en 1967, Brel n'enregistrera pas une nouvelle création sans l'avoir essayée face au public. Depuis son arrivée à Paris, Brel ne raconte plus d'histoires et il ne fait jamais de commentaires en scène. Pas de confusion possible, il ne chante que ses chansons, ses vérités ou ses mensonges. L'absence de temps morts dans son tour, ce rire au bord des larmes, cette dérision dans l'émotion, cette façon de chanter comme un bon boxeur boxe, cette voix un peu éraillée, cette présence sur scène démontrent qu'il y a des animaux chantants. Il place sa sensibilité jusqu'au bord des lèvres. Brel tremble avec ses lèvres et les caricaturistes notent bien la sensualité aiguë des mouvements de sa bouche.

L'interprète domine le parolier et le mélodiste. Sur les planches, Brel devient le marin qui boit, l'homme qui attend la mort, le conscrit qu'on déshabille, tous ses personnages. Il se mue même en taureau qui s'ennuie le dimanche sur un air de tango. Si un jour, très mauvaise idée, il s'habille en torero, il n'ajoute rien à son spectacle.

Face à cette masse anonyme assise dans l'ombre, le public, comme devant sa famille et ses amis, Brel cherche et pratique la provocation. Il domine ses auditeurs, les heurte, sans jouer de la séduction.

— Je crois plus à la mauvaise architecture d'une salle qu'à un mauvais public, affirme-t-il.

Que la salle soit grande ou petite, Brel veut *avoir* ses spectateurs. Il les amène à lui.

Au casino de Knokke, Jacques passe d'abord dans la grande salle, à quinze mètres de la première table. Deuxième tour de chant après minuit, comme tous les chanteurs, dans le cabaret en bas où le public est moins nombreux, en smoking et robe longue. Là, Brel chante presque sur les genoux de la dame au premier rang. Dans la grande salle, en haut, un spectateur écoutant les insultes de certaines chansons peut se dire : ça, c'est pour mon voisin ou ma voisine. Dans le cabaret, on assiste à un tête-à-tête, une épreuve de force entre les insultés, ces bourgeois, ces cochons, ces gens-là, un grand médecin, un industriel, leurs femmes couvertes de diamants et l'insulteur, ce chanteur qui refuse la concession et jubile.

— Écoute Jacques, dit Jacques Nellens, qui a succédé à son père comme directeur du casino, crois-tu qu'il soit vraiment opportun, ici, à Knokke, de chanter *Les Flamandes* ? Nous avons une certaine clientèle flamande, beaucoup d'Anversois.

— Qu'ils la veuillent ou pas, cette chanson est dans mon tour de chant cette année. Je la chante.

Léo Ferré disait : « Nous sommes tous des putains. » Jacques l'est aussi et le sait. Pour l'emporter, il aime plus attaquer que séduire. Catcheur, il choisirait le rôle de l'affreux, du méchant, s'il gagne ! Sa meilleure figure de séduction, c'est la bravade. La chanson devient art du partage, échange entre le chanteur et le public auquel il faut plaire avant de le convaincre. Jacques commence par déplaire avec ses mots, en cajolant ou frappant avec la musique.

Il se crève, il se défonce — expression affaiblie —, ayant l'air de dire : que vous aimiez ou non, je m'en fous. Il tape, tire, conquiert. De plus en plus, il use du crescendo, le transforme en procédé, en abuse selon certains. Comparez les enregistrements de la même chanson à différentes étapes. Pour *Mathilde,* au fil des ans, il accélère le tempo. Il remet en question son répertoire.

Comme sa personne et son métier.

A l'aube de 1960, Jacques Brel est célèbre, couvert des honneurs du music-hall. Premier chanteur belge, attendu et applaudi partout en France ou en Suisse, il perce au Canada. Le monde anglo-saxon résiste. Brel dit qu'il a mis cinq ans à débuter. En fait son ascension fut rapide. Remarquable réussite, le grand Jacques a éclaté sur les planches de Bobino à la fin de 1959, avant tout parce qu'il a travaillé.

Il n'est pas doué pour la satisfaction. De Mohammedia au Maroc, pendant une pause, Brel, pour qui la réussite est un échec, écrit à Miche :

« Alors quoi ?

Alors rien, on est déjà veûle : on

continue, on s'installe,

je n'ai pas de Far-West ! !

C'est dûr de vivre au printemps, tu sais. »

Dans *le Moribond,* il chante :

... C'est dur de mourir au printemps, tu sais [1]...

Jacques, ici, écrit autant à Brel qu'à Miche et ses lettres contiennent des vers qu'il utilise dans ses chansons. Brel espère devenir un bon, un excellent chanteur, le meilleur. S'il arrête de composer, il ne cesse d'écrire :

— Il est tout le temps dans ses chansons, il les écrit n'importe où. Ça passe avant tout, répète Jojo.

Jacques vit très vite et pense beaucoup à la mort. A trente et un ans, il chante autant la mort que la vie :

... La mort m'attend dans les lilas

Qu'un fossoyeur lancera sur moi

Pour mieux fleurir le temps qui passe

La mort m'attend dans un grand lit

Tendu aux toiles de l'oubli

Pour mieux fermer le temps qui passe [2]...

---

1. Sur un cahier, deux vers de Jacques Brel, travaillant cette chanson :

« Toi qui était l'amant de ma femme
Tu prendras soin de la Thérèse. »

Le prénom de Miche, oublié par tous, est Thérèse. Cette modification et cette purification du texte brélien, ici, comme dans d'autres œuvres, montrent le caractère biographique de nombreuses chansons, ce passage du *Je* au *Il,* du subjectif anecdotique à l'objectif artistique.

2. *La Mort.*

IV.

Chanson, poésie et show-biz

Si l'on ne prête pas attention au texte, on perd Brel. Comment oublier les paroles d'ailleurs ?

Au mieux, on trouve une dizaine de chansons, comme la faible *Bourrée du célibataire* et *Les Singes,* d'une curieuse confusion, où la musique l'emporte sur les mots. En scène, Brel aurait pu chanter le Bottin, le public aurait retenu noms, prénoms et adresses. Jacques est fier de tant travailler. Il s'accuse pourtant de ne pas s'appliquer assez dans ce clair-obscur, les mots.

Il voudrait écrire un roman, des nouvelles.

Les émotions, les sentiments, les états fugitifs ou durables qui le traversent, les personnages qu'il rencontre, Brel les place dans ses chansons. Il hurle en scène comme dans ses lettres. Même si dans l'intimité, seul, Brel se joue un peu la comédie, ses paroles viennent du cœur. Brassens ne crie pas. Ferré gueule. Est-il, lui, toujours sincère ? Le regard de Brassens sur le monde reste bienveillant, pas celui de Brel maintenant. Ni dans sa vie ni dans ses chansons. Il ne veut plus semer la bonne parole évangélique. On ne le voit pas, après 1959, chuchoter comme en 1953 :

... Je voudrais un joli avion
Pour voir le Bon Dieu
Un bel avion souple et léger
Qui m'emmènerait haut dans les cieux [1]. .

---

1. *Ballade.*

Quoi qu'il en dise, il cherche à exprimer un message. Avec lui, pour ses collaborateurs et chez les spectateurs, les mots l'emportent sur la musique. Ferré disait : « La chanson ne prend son sexe qu'avec la musique. » Pour Brel, il faut inverser la formule. La musique ne tient pas sans les mots. Une chanson c'est un tout, bien sûr. Mais lorsque sa première firme de disques, Philips, veut produire un disque uniquement avec des musiques de Jacques Brel, tout le monde tombe d'accord : c'est faible. RTL le fera, sans succès. Les lignes mélodiques de Brel n'existent qu'avec les paroles. Les deux cents et quelque textes de Jacques publiés sans leur accompagnement musical ne vivent pas seuls. Ses paroles doivent être portées par les mélodies qu'il esquisse et termine avec Jouannest, Rauber, Corti — ou d'autres, par accident, Lou Logist, Charles Dumont, Jacques Vigouroux.

En tournée, dans sa tanière de la cité Lemercier à Bruxelles, partout, les mots viennent à Brel pendant qu'il bouge :

— Je suis incapable d'écrire assis, je ne peux écrire que debout et corps tendu. Les gens me disent : tu as écrit, tu es fatigué. Je dis oui, et j'ai mal aux reins et j'ai très mal aux reins après avoir écrit, du moins certaines chansons. Parce que je suis obligé d'avoir le corps tendu, parce que le mot ne me vient pas si je ne suis pas tendu, comme si j'étais un coq à cracher du feu. Et j'ai mal aux reins quand j'écris, c'est ridicule. C'est dérisoire, j'ai mal aux mollets, j'ai mal aux cuisses... C'est tout à fait animal... J'ai mal au crâne en plus... Mon corps m'impose des maux [1].

Des maux et des mots.

En 1964, Jean Clouzet préface chez Seghers son fameux choix de textes de Brel. Jacques accepte la publication comme l'interview qui précède cette anthologie, tout en regrettant l'une et l'autre.

Clouzet insiste : Pourquoi la chanson est-elle, selon Jacques, un art mineur ?

— La chanson n'est ni un art majeur ni un art mineur, répond Brel. Ce n'est pas un art. C'est un domaine très pauvre parce que bridé par toute une série de disciplines. Je vous mets au défi d'exprimer clairement la moindre idée en trois couplets et trois refrains. J'écris actuellement une chanson qui s'appellera, sans doute : *Un enfant*. Donnez-moi dix pages et je vous expliquerai comment je vois l'enfance. Mais la chanson ne durant que trois minutes, les dix pages vont se réduire à un vers : « Les enfants... et ça tue vos amants nos maîtresses » qui risque fort de passer inaperçu

---

1. Entretiens avec Dominique Arban, INA, diffusion France-Inter.

Pour Brel, les émotions à traduire, les idées à développer, les personnages à croquer, les paysages à suggérer butent sur des problèmes techniques. Brel ne peut écrire qu'en bougeant ou en marchant dans un lieu clos, ou en voiture, en avion, dans le brouhaha d'un restaurant. Il ajoute que la poésie idéale, pure, exige beaucoup plus de temps que celui dont il dispose, plus de talent et d'imagination qu'il n'en a :

— Faire un poème, c'est s'asseoir, prendre une plume et se laisser guider par son imagination.

Embarqué dans la chanson, le chanteur dépend de ses mélodies.

— Il n'y a rien de plus fastidieux, prétend Brel, que de mettre une note de musique au-dessous d'un mot. Parmi tous les arts, je n'en connais aucun qui soit aussi figé que la chanson...

La chanson est donc un art ? Quelques instants avant, Jacques décrétait que la chanson n'est pas un art.

Brel poursuit :

— Il ne faut pas oublier que... la chanson... est destinée à passer à la radio, c'est-à-dire dans des circonstances telles que tout le monde l'entende mais que personne ne l'écoute, et à être donnée dans des music-halls, c'est-à-dire à s'intercaler entre un équilibriste et un jongleur. Tout cela est très compliqué.

Créateur, écrivain, chansonnier, poète, mauvais, moyen ou excellent — comme on voudra —, Brel, à la différence d'un Brassens, d'un Ferré, d'un Lemarque, d'une Gréco, d'une Sauvage, se situe en marge du milieu littéraire bruxellois ou parisien. Pour lui, la poésie est une partie de la culture qu'il acquiert avec respect. Brel connaît ses faiblesses. Il peut se sentir mal à l'aise devant ceux qu'il trouve plus intelligents ou doués que lui. Maintenant il n'imagine pas qu'on puisse l'égaler à des poètes. Un certain type de poésie apprécié à Paris lui est indifférent. Il ne supporte pas celle d'un autre Belge, Henri Michaux. Romanesque et romantique, Brel a dans la tête une image du poète solitaire, d'Arthur Rimbaud à Dylan Thomas. Pour lui, *le* poète ne se montre pas, il échappe à la foire des médias. Michaux refuse de se laisser photographier et n'accorde pas d'interview. Un poète, c'est un écrivain. Souvent les grands écrivains ne se laissent pas déshabiller par la télévision. Au cours des années soixante, elle s'empare de tous. Brel pense à Sartre dont il n'aime pas tellement l'œuvre littéraire, ou à Graham Greene, dont il dévore les romans. Un écrivain c'est d'abord une œuvre, pas une personne devant des micros et des caméras. L'écrivain-poète-selon-Brel ne s'exhibe pas comme un chanteur.

Dans le monde de la chanson, on ne traite plus Brel d'abbé ou de bondieusard à partir de 1959. Des religieux et des religieuses

comprenant l'importance du disque et de son relais, la radio, font des
« malheurs ». Partout, venus de tous les ordres, et d'au moins deux
continents, des curés chantent : le père Aimé Duval, jésuite ; le père
Didier, franciscain français, qui répond au père Bernard, franciscain
québécois ; le père Cocagnac, dominicain. La Belge sœur Sourire,
dominicaine, les battra tous, au moins pour les ventes. Les laïques,
comme la Canadienne Jacqueline Demay s'y mettent aussi. Tous se
montrent optimistes.

Dans son œuvre, Brel est pessimiste. Sur le plan musical, vers la
fin des années cinquante, ces curés exploitent tous les filons, chaque
mode, du jazz rythm and blues au rock'n'roll. Ils évitent le yéyé dont
la formule de base, rock plus twist, ne convient guère à la bonne
parole. Dieu peut devenir blues. Dieu n'est pas yéyé.

Avec Rauber et Jouannest, Brel trouve son originalité qui ne
doit presque rien aux modes de l'époque. Ni même aux Beatles,
singés partout. En 1959, avec les ondes Martenot et le piano, au
démarrage, un des grands succès de Brel est *Ne me quitte pas*. Elvis
Presley, le phénomène, obtient un succès planétaire avec *Heart-break
hotel*. Une loi du show-business s'impose : un chanteur américain
avance toujours plus vite et plus loin aussi qu'un Français, un
Allemand ou un Russe. L'anglais, langue universelle, est en partie
responsable de ce mouvement centrifuge qui porte Américains et
Britanniques. Leur talent et leur travail aussi, avec les structures du
show-business, profession où le business l'emporte sur le show.
Les réseaux de distribution américains sont à l'image du pays, vastes
et rapides.

Jacques enregistre un disque en flamand, jamais en anglais. Il
n'est pas doué pour les langues. Il se contente d'une scie pour
exprimer sa mauvaise humeur, ou d'un sarcasme dans une chanson,
Le Lion :

— *Too much,* c'est *too much.*
— T'as raison, dit Jojo.

Quand Brel mêle, superbement, français et flamand dans une
autre composition, il ne s'embarrasse pas de syntaxe ou d'orthographe. Il n'écoute pas Guy Bruyndonckx. Assistant à cette création,
le fils d'Hector corrigerait volontiers Brel s'il avait le temps. Jacques
et son inspiration vont plus vite que la grammaire. Pour les puristes
vigilants, Brel remplace gaillardement *warme* par *waarmde, de* par
het, ou *zwarte* par *zwaste...*

> Ay Marieke, Marieke
> Je t'aimais tant
> Entre les tours
> De Bruges et Gand

Ay Marieke, Marieke
Il y a longtemps
Entre les tours de Bruges et Gand
Zonder liefde, waarmde liefde
Wait de wind, de stomme wind
Zonder liefde waarmde liefde
Weent de zee, de grijze zee
Zonder liefde, waarmde liefde
Lijdt het licht, het donker licht
En schuurt de zand over mijn land
Mijn platte land, mijn Vlaanderenland [1]...

Brel n'a pas à se placer hors des modes puisqu'il ne les traverse pas. Une chanson, *Zangra*, est inspirée par la lecture d'un roman, *Le Désert des Tartares* :

Je m'appelle Zangra et je suis lieutenant
Au fort de Belonzio qui domine la plaine
D'où l'ennemi viendra qui me fera héros [2]...

Jacques ne cherche pas son inspiration dans des livres, des films, des pièces de théâtre. Ses héros et ses antihéros sortent de *sa* vie. Avant tout, il utilise son expérience personnelle, projette ses rêves :
— ... Ce qui est un phénomène de compensation. En termes cliniques, ça a des mots beaucoup plus effroyables que ça. Prenons l'expression de Duhamel et d'autres gens qui l'ont dit bien avant ça : on raconte ce qu'on rate. On raconte ce qu'on n'arrive pas à faire... J'ai voulu réussir ce phénomène de compensation. Et j'ai dû travailler beaucoup pour ça, bien évidemment parce que je suis convaincu d'une chose : le talent ça n'existe pas. Le talent c'est avoir l'envie de faire quelque chose. Je prétends qu'un homme qui rêve tout d'un coup qu'il a envie de manger un homard, il a le talent, à ce moment-là, dans l'instant, pour manger convenablement un homard, pour le savourer. Et je crois qu'avoir envie de réaliser un rêve, c'est le talent. Tout le restant c'est de la sueur. C'est de la transpiration. C'est de la discipline. Je suis sûr de ça. L'art, moi je ne sais pas ce que c'est. Les artistes, je connais pas. Je crois qu'il y a des gens qui travaillent à quelque chose. Et qui travaillent avec une grande énergie finalement. L'accident de la nature, je n'y crois pas. Pratiquement pas [3].

---

1. *Marieke.*
2. *Zangra.*
3. « Brel parle », émission de Marc Lobet et Henri Lemaire produite par Costia de Rennesse, RTB, 8 juin 1971.

En 1953, la chanson de variété française se répandait dans le public à travers la radio, le music-hall ou le juke-box. Personne ne faisait d'abord carrière avec des disques. La cassette n'était pas encore au point.

La France et ses chanteurs s'appuient sur une double tradition, le music-hall, implanté depuis un siècle, et la chanson de langue française, millénaire. Le disque et la radio seront renforcés dans les années soixante et soixante-dix par la télévision et la cassette. Avec elles, les circuits se consolident. On aboutit à une consommation intensive de la chanson, au triste ou merveilleux « tube » qui évoque d'abord l'image d'un public gavé. Un tube, c'est un succès commercial qui ne prétend pas toujours à la réussite esthétique.

La création et l'industrie de la chanson ont des rapports compliqués ou troubles, car leurs relations sont dynamiques et utiles, écrasantes et néfastes. Cette industrie inflige Dalida ou Sheila, auxquelles Jacques Brel, en privé, n'épargne jamais ses sarcasmes :

— Bien sûr que Dalida a Teilhard de Chardin sur sa table de nuit.

Cette industrie promeut aussi Ferré, Brassens, Brel, Béart, Barbara, Leclerc, tous chanteurs, paroliers et musiciens.

Dans le monde francophone, en Belgique ou en France, moins au Québec où de nombreux chanteurs participent à un combat culturel et politique, même pour les spectateurs qui sortent de La Rose Rouge à Saint-Germain, la chanson de variétés reste souvent un art secondaire. Peut-on affirmer, en 1984, que les intellectuels voient en elle un « neuvième art », pour employer l'expression d'Angèle Guller, même si Sartre ou Mauriac offrirent une chanson à Juliette Gréco ? La variété est suspecte, rarement sacralisée comme la poésie ou légitimée comme le roman. Aux yeux méfiants de l'intelligentsia, la chanson semble un objet vulgaire, instantanée comme certains cafés. Plaisir d'un instant, de trois, quatre ou cinq minutes. Ni aristocratique ni prolétarienne, la chanson dans ce siècle ! Combien d'intellectuels la défendent sans condescendance ? En Wallonie et en Flandre, pour un Hugo Claus qui inclut la chanson populaire dans la culture, combien de mandarins la récusent ?

Boris Vian la cerne joliment : « Espèce de commentaire permanent à l'existence sous toutes ses formes, la chanson est partout chez elle. On chante aux baptêmes, aux noces, aux enterrements. On chante au réveil, à midi, le soir sous la fenêtre d'une quelconque mégère. On se fait tuer en chantant, la victoire en chantant (elle aussi) vous referme la barrière dessus et l'on vous chante un requiem lorsque vous êtes mort ! »

Malgré tout, Vian défend la chanson par la dérision et il appelle Mozart à la rescousse. La chanson de variétés au milieu du siècle a une aura antiélitiste, sauf quand elle se présente sous des aspects rétros ou kitsch et ouvriéristes.

Les intellectuels hostiles ont quelques raisons de se méfier. L'industrie du disque a ses combines. Les mamelouks des services de presse ou de relations publiques d'une grande maison travaillent avec les présentateurs de la radio, les disc-jockeys. Certains sont passionnés, comme Daniel Filipacchi et Frank Ténot à « Salut les copains », la célèbre émission d'Europe 1. Certains chevauchent des pur-sang dans l'indépendance. D'autres fouettent des ânes avec cynisme. Payés par le producteur, de prétendus succès passent à l'antenne trente fois par jour. Ce n'est pas d'abord le marché des jeunes ciblé par le marketing qui en redemande. En France, la chanson de variétés n'a pas ses lettres de noblesse institutionnalisées : un chef d'État étranger se rend à l'Opéra avec le président de la République, jamais à l'Olympia ou à Bobino. L'occupant de l'Élysée invite à sa table des écrivains ou des acteurs de cinéma. Brigitte Bardot fait des apparitions sur le perron élyséen sous de Gaulle. La société, l'establishment et le protocole sont allergiques aux chanteurs de variétés. Frank Sinatra se promènera dans la roseraie de la Maison-Blanche avant que Dalida n'orne la pelouse des invités officiels, le 14 juillet 1981. La Belgique n'est pas plus avancée que la France.

Par quel bout prendre ce produit, la chanson ? Par le texte ou la musique, également évanescents ? Les vendeurs de chansons s'affrontent. Les auteurs pensent qu'une chanson c'est d'abord un texte. Les compositeurs protestent. Avant tout, la chanson est mélodie. Homme d'expérience, Jacques Canetti estime que ces derniers ont raison, hélas ! Rauber et Jouannest ont le mérite et le courage non pas de s'effacer devant les phrases de Brel, mais de vouloir avant tout les servir. Pour eux, les mots ne sont pas une bourre molle, un remplissage de quelques secondes. Pendant ces années cinquante et après, surtout quand la chanson disparaît dans la nuit hurlante et psychédélique de la guitare électrique, le texte devient indigent, onomatopée, borborygme.

Pour beaucoup de Français cultivés, la vraie poésie, n'est-ce pas Valéry ou Saint-John Perse, la vraie musique moderne Xenakis ou Boulez ?

Les jeunes de treize à dix-huit ans deviennent les gros acheteurs de disques et de cassettes, environ soixante-dix pour cent des consommateurs. La production de chansons est gigantesque. Cinquante mille titres déposés en 1965 à la Société des auteurs, compositeurs et éditeurs de musique et à la SABAM [1], son équivalent belge. Intellectuels et intellocrates ne saisissent pas comment on passe des cabarets de la rive gauche ou droite, de la Rose Rouge et des Trois-Baudets à l'Alhambra, Bobino ou l'Olympia pour se faire aspirer puis gonfler ou reconnaître par les postes de radio périphériques, Europe 1 et RTL. Certains talents, et d'abord celui de Jacques Brel, méritent leur ascension. Combien d'autres sont factices ? Dans les quotidiens et les hebdomadaires qui tentent de former l'opinion, les critiques de disques n'ont pas une grande place. Ce sont rarement des vedettes du journalisme. Enfin, lorsque le disque s'impose, ses industriels ont l'art de la gaffe.

— Mettez n'importe quoi dans un bon studio, avec de bons ingénieurs et vous aurez de bonnes chansons, affirme Eddie Barclay.

Le public cultivé a entendu parler de Sartre ou de Wittgenstein. Mais de Popp et de Rauber ? Les intellectuels n'aiment pas les hit-parades, qu'ils soupçonnent d'être plus ou moins truqués. Quant aux concours, celui de l'Eurovision en tête, ils suscitent avant 1970 autant de commentaires désagréables que les prix littéraires après 1980 Une Eurovision manipulée ne condamne pas la chanson de variétés dans son ensemble, pas plus qu'un Goncourt contesté ne défait la littérature. Le livre reste. Malgré le disque et la cassette la chanson s'évanouit souvent avec l'émission de radio ou de télévision qui la relaie. Passer ainsi, c'est disparaître.

Dernière difficulté qui entretient la méfiance dans beaucoup de milieux surtout dans cette gauche dont Jacques et Jojo se réclament : disque et cassette dépendent de monstres dénoncés par la gauche, les multinationales. Dominent le marché en France : Pathé-Marconi. Polydor et Philips (la première maison de Jacques) qui fusionneront. CBS (plus tard Columbia), Barclay et quelques firmes moins importantes comme Odéon, que CBS absorbera. RCA n'existe pas encore. En 1984, le plus gros producteur de disques est Philips-Polydor, ce qui explique quelques ascensions justifiées et injustifiées.

En 1953, Jacques Canetti prend Jacques Brel au contrat normal progressif. La première année, le chanteur touche cinq pour cent sur ses ventes, la deuxième six pour cent, la troisième sept pour cent, la cinquième huit pour cent, système fort profitable pour les maisons productrices, moins pour les artistes. A l'époque, les auteurs de romans en France commencent avec des contrats à dix pour cent. Lorsque les disques démarrent, ils atteignent des tirages supérieurs à ceux des romans. La vedette de la variété, comme celle du roman, peut obtenir des pourcentages très supérieurs

---

1. Société belge des auteurs-compositeurs

Parce qu'il n'aime pas ce milieu du show-business où, en effet, les commerciaux font du business, des affaires, et parce que son directeur artistique, Canetti, tout en lui reconnaissant de la sincérité et un vibrato persuasifs, ne cache pas qu'il lui préfère Brassens, Brel se plaint souvent de 1953 à 1958 :

— Ils ne m'aiment pas.

Ils : les producteurs de disques, commerciaux et artistiques confondus.

Jojo dénonce la société capitaliste ce qui renforce le mépris de Jacques pour les « marchands de chansons ».

La vie des Brel est très difficile de 1953 à 1957, moins en 1958 et 1959. Après, ils respirent. L'indépendance venant avec le succès, Brel se montre plus compréhensif devant les problèmes de l'industrie du disque, au moins jusqu'en 1977.

Un indicateur du succès : la vente. En février 1953, le premier 78 tours de Brel ne s'est pas vendu à plus de deux cents exemplaires. Le premier disque de Boris Vian tourne autour de trois cents. Le deuxième disque de Jacques, un 33 tours — orchestré par Popp — sorti en mars 1957, ne dépasse pas les dix mille exemplaires. Le succès arrive avec le 33 tours de juin 1958. Quarante mille exemplaires, dit-on, partent en deux mois. En novembre 1959, alors que sort son quatrième disque, Jacques Brel devient vraiment une vedette à Bobino. En décembre, on lui attribue le Grand Prix de l'Académie du disque Francis Carco. Rien ne réussit comme le succès.

Les rapports de Jacques avec l'argent sont moins compliqués que ses relations avec les femmes. A Jojo, il laisse le soin de manier les liasses de billets. Jacques est généreux. Lorsqu'il a largement de quoi vivre, il achète quelques actions mais abandonne vite le boursicotage qui l'ennuie. Jojo dénonce les horreurs de la plus-value arrachée aux ouvriers. Même si Jacques sait toujours de quelle somme il dispose sur ses comptes en banque, la gestion, c'est l'affaire de Miche.

Les revenus d'un chanteur sont multiples. Lorsqu'il s'agit de tournées, de galas, on peut pratiquer plusieurs politiques. Faire monter les prix en fonction de sa réputation ; c'est la stratégie d'un Charles Aznavour dont Jacques se moque tout en disant avec reconnaissance :

— C'est le seul homme qui m'ait jamais prêté cinq francs.

Par conviction et par tactique à long terme, Jacques ne se montre pas exigeant sur le plan financier avec les directeurs de salles. Olivier, son tourneur, applique ses instructions. Jacques veut que les défavorisés puissent assister à ses spectacles. Il faut tenir les prix des places. Toujours cette obsession du record, Brel aime donner beaucoup de soirées et de matinées. Moins on demande, plus on vous demande. A

Aznavour, qui lui reproche de casser les prix et de gâcher le métier, il répond que lui, Jacques Brel, les bat tous quant au nombre de spectateurs touchés.

A titre comparatif, voici les cachets demandés et payés par le casino de Knokke en 1963 quand une Petula Clark ou une Colette Renard ne sont pas plus populaires que le chanteur belge :

Jacques Brel	23 juillet	5 500 nouveaux francs français
Petula Clark	21 juillet	5 000
Sacha Distel	13 avril	6 750
Gilbert Bécaud	20 juillet	10 000
Raymond Devos	10 août	5 000
Colette Renard	17 août	4 250 [1]

Jacques est passé de l'imitation du cantique sirupeux à la vraie chanson. Il trouve sa place entre la rengaine et la recherche, le lyrisme et le réalisme.

Il arrive sur la scène des variétés quand les mélodies à la mode tirent autant vers Kurt Weil que vers Tino Rossi. La poésie reconnue est entrée dans la chanson avec Aragon, Queneau ou Mac Orlan. Georges Brassens, Francis Lemarque, Boris Vian et Serge Gainsbourg donnent un phrasé neuf aux thèmes éternels que Brel exploite comme eux, l'amour, la mort, l'amitié, l'antimilitarisme, la dénonciation du conformisme, des hypocrisies, de la médiocrité.

Avec sa manière de construire une chanson comme une nouvelle, souvent autour d'un personnage, Brel a une originalité marginale. Dans certaines boîtes à la réputation chic, La Fontaine des Quatre Saisons, Le Tabou, le Quod libet, on ne demande pas Brel. Il est vrai que le jazz y est plus important que la chanson.

Brel profite de ce que la poésie française, qui se maintient dans les plaquettes et les livres, paraît hermétique au grand public. La chanson devient le moyen de communication qui satisfait aussi le goût de la poésie. Certains chanteurs interprètent des poètes reconnus, publiés par Seghers, le Mercure de France, Gallimard... D'autres, comme Brassens ou Brel, paroliers, grâce à leurs textes, seront — ou passeront pour — des poètes.

Cette nouvelle chanson française profite des particularités de la poésie française qui perd un lyrisme, une syntaxe et un vocabulaire compréhensibles par le plus grand nombre, comme ce fut le cas à l'époque de l'occupation et de la Résistance. Honneur ou déshonneur des poètes ?

Aux États-Unis, la situation semble différente. Là, les poètes de

---

1. Communiqué par M. Jacques Nellens.

qualité et à succès emploient un langage que tous peuvent comprendre, l'ouvrier des aciéries de Pittsburgh et le professeur de Princeton. Aux États-Unis comme en URSS, pas en France et en Belgique, des poètes, Allen Ginsberg en tête, lisent leurs œuvres à haute voix devant d'immenses auditoires. Essayez de réunir à Namur plus de cent personnes autour de Maurice Fombeure, dont les poèmes sont pourtant accessibles. Remplirait-on le grand amphithéâtre de la Sorbonne avec Yves Bonnefoy ? La poésie reste dans un ghetto. Boris Vian chanteur, auteur, compositeur n'atteint la notoriété qu'après sa mort. Il lui arrive d'être obscur pour un mineur de Charleroi ou d'Alès. Précurseur oublié, Stéphane Goldman perce chez les connaisseurs, sans plus.

Les atouts majeurs de Brel sont l'absence d'hermétisme, son vocabulaire limpide, sa syntaxe directe, presque parlée. Un débutant en langue française peut vite comprendre son style :

> Dans le port d'Amsterdam
> Y a des marins qui chantent
> Les rêves qui les hantent[1]...

Ou, plus facile, son sentimentalisme :

> ... Oublier le temps
> Des malentendus
> Et le temps perdu[2]...

Brel figurant souvent à partir de 1962 dans des manuels scolaires, de jeunes élèves de douze ou treize ans peuvent déchiffrer avec un professeur :

> ... Le plat pays qui est le mien...
> Avec un ciel si bas qu'un canal s'est perdu
> Avec un ciel si bas qu'il fait l'humilité[3]...

Dans ses succès et ses échecs, justifiés ou non, Jacques reste clair, même en violant la grammaire :

> ... Quand *on* n'a que l'amour
> Pour parler aux canons
> Et rien qu'une chanson
> Pour convaincre un tambour
>
> Alors sans avoir rien
> Que la force d'aimer
> *Nous* aurons dans nos mains
> Amis le monde entier[4].

1. *Amsterdam.*
2. *Ne me quitte pas.*
3. *Le Plat Pays.*
4. *Quand on n'a que l'amour.*

Le phrasé de ce succès est d'ailleurs pauvre, démagogique à côté d'autres textes de Brel. Une des caractéristiques de Jacques, une de ses qualités : bon ou mauvais, se laissant aller à la facilité ou original dans la simplicité, il reste accessible.

Jacques s'interroge sur les rapports de la chanson moderne et de la poésie. A propos d'un des rares purs poèmes qu'il ait écrits, *Le Plat Pays* — il ne l'aime guère au départ parce que rédigé trop vite — Brel lance :

— C'est de la poésie à bon marché.

Qu'une de ses œuvres puisse, aux yeux d'un lecteur, se passer d'un habillage musical, déconcerte Jacques.

Après son arrivée à Paris, Jacques a la faiblesse de se croire poète (« J'ai la faiblesse de... » : l'expression revient souvent dans sa conversation). Ayant beaucoup lu, il décide qu'il n'est pas du tout poète. Une barrière infranchissable, selon lui, sépare chansons et poésie. « Brel a l'instinct d'un poète, dit l'écrivain belge Pol Vandromme, mais il n'en a pas les moyens. Son drame est de le savoir. Sa dignité est d'accepter ce qui le désespère. Il fait des chansonnettes, parce que le poème chez lui reste à l'état d'ébauche. Une intention poétique ne crée pas un poème. Sans un langage qui l'élabore et qui la met en forme, elle n'est qu'une ardeur avortée Parler d'atmosphère poétique, c'est parler pour ne rien dire [1]... »

Dans d'innombrables interviews, Jacques ne cesse de répéter qu'il n'est qu'un artiste de variétés.

Brel échappe aux courants parisiens, français, belges, québécois, suisses ou américains. Il voudrait être un chanteur dégagé. Il n'y parvient pas tout à fait.

— ... Je n'ai jamais été dans le coup de l'époque. Cela dit, je nie cette époque-ci, dit-il [2].

Dans son travail de parolier, à partir de 1959, il renonce sans la renier à son ancienne manière de troubadour prêcheur. Romantique à travers sa vie, il est surtout réaliste dans son œuvre.

Six ans à peine après ses débuts, l'univers de Jacques Brel se dessine et se colore au rythme de sa vie. La société qu'il peuple est sombre, injuste. Sous l'influence de Jojo, Brel décrète que la charité est ignoble. L'idée qu'il faut la rejeter pour assurer la justice est un dada de la gauche non communiste parisienne ou bruxelloise. Avec Brel parolier, injustice, bêtise et hypocrisie s'incarnent dans certains types, pas dans le bourgeois en général, chez le notaire, le pharmacien, promus au premier rang de la démonologie brélienne. Elle reflète celle d'un milieu que Jacques pourtant ne fréquente guère.

1. *Jacques Brel : l'exil du Far West.*
2. « Brel parle », Labor, 1977.

A quinze ans, pour Jacky, dans sa nouvelle *Le Chemineau,* l'épicier incarne l'immobilité, l'horreur absolue. Après, pour fixer ses haines, le grand Jacques monte dans l'échelle sociale. Jamais il ne se demande si la bourgeoisie n'aurait pas quelques mérites. A la lueur des siècles, ne serait-elle pas la première médiatrice et le premier producteur de culture ? Comme ces intellectuels dont il se méfie, Brel croit — ou, dans ses chansons, donne l'impression qu'il croit — à une classe ouvrière avant-garde de l'histoire. En somme, il se meut dans l'archéo-progressisme ambiant de 1945 à 1968.

— Il n'y a que le facteur qui porte des messages, prétend Jacques.

Brel charrie pourtant un message simplet : les bourgeois c'est comme les cochons. Des bourgeois en rupture de bourgeoisie, français ou belges, l'applaudissent. Il chante les pauvres, les désespérés, les paumés du soir et du matin, les frustrés. Son message est élémentaire : j'ai besoin, tout le monde a besoin de tendresse. Voilà un cri, plus qu'un message.

Ici commence un malentendu. Tendre, sans aucun doute, Jacques l'est avec Jojo et d'autres, même avec des inconnus auxquels il dispense ses conseils, se transformant, sur-le-champ, en chroniqueur de courrier du cœur au cours de séances d'autographes, pendant ses tournées. Quand des admirateurs lui demandent des avis, il est imbattable.

La tendresse implique l'affection, l'amour accordé et reçu. Est-il si sûr que Jacques aime les autres, l'Autre, concept majusculaire qui traîne à l'époque jusque dans les loges des music-halls ? Qui est cet autre que Brel prétend aimer ?

Bien sûr, Jacques se montre d'une exquise courtoisie face aux épiciers, aux pharmaciens ou à son ami, le notaire bruxellois Jacques Delcroix. Brel, grand bourgeois quoique marginal et exilé, dénonce surtout des institutions. Il s'en prend à l'embourgeoisement parce qu'il n'échappe pas à son enfance bourgeoise. Il s'en prend à la religion et d'abord au cléricalisme. Jojo dit que les prêtres ouvriers sont des « mecs bien. Faut leur laisser ça. » Certains n'aident-ils pas les nationalistes algériens pendant la guerre ?

> ... Adieu Curé je t'aimais bien
> Adieu Curé je t'aimais bien tu sais
> On n'était pas du même bord
> On n'était pas du même chemin
> Mais on cherchait le même port [1]...

chante Jacques en 1961.

---

1. *Le Moribond.*

Brel sent et vomit mieux les cagots du XIXe siècle que les croyants du XXe.

La religion bénit la famille. Jacques la hait. Le milieu familial oblige à fréquenter le catéchisme, l'école et sacralise le mariage. Brel n'est pas fait pour se couler dans la peau d'un mari classique. Selon Jacques, les familles privent les enfants de ce qu'il appelle le Far West. Dans ses chansons, son incontestable mais ambiguë tendresse s'applique aux enfants et aux vieux. Ces héros fragiles et démunis de son univers ne fréquentent pas les bordels et les casinos.

Le monde brélien grouille de personnages écrasés, d'adultes — mâles surtout — qui s'ennuient et vont de défaite en défaite. Mais les adultes, ça n'existe pas. On est homme ou femme. Dans ses déclarations publiques, Brel clame qu'il ne comprend pas les femmes. Dans ses œuvres, il les dénonce sur un ton plus satirique que tendre. A vingt ans, il était rousseauiste. La nature humaine lui semblait bonne. Avec un coup de pouce divin, hommes et femmes pouvaient faire leur salut malgré la société et ses institutions. A trente ans, Brel se bétonne dans un double manichéisme. La société est hostile parce que dominée par des adultes et la nature humaine tout aussi mauvaise. Certains parlent de pessimisme métaphysique chez lui. La philosophie ne passionne pas Brel. Observateur avant tout, *une* idée métaphysique intervient dans ses chansons, le temps. Aux yeux du chanteur, les autres sont immobiles. Lui seul est ailleurs, « en mer ». En un sens, plus il chante la tendresse et l'amour, moins il y croit.

Son manichéisme s'applique d'abord aux femmes, à l'exception des grand-mères et mères. Aux psychanalystes le soin de disséquer un Œdipe mal résolu. Nulle part dans ses œuvres le chanteur ne laisse supposer que l'homme Brel — à ses yeux — est maladroit, mal à l'aise, lâche ou veule face à ces créatures étranges, les femmes. Dans son œuvre publiée et chantée, la femme qui fut belle devient la première ennemie de l'homme, arrogante, calculatrice, décevante, traîtresse, intéressée, perfide, hypocrite, mémère et dame patron-nesse, maman et putain, biche.

> Elles sont notre premier ennemi
> Quand elles s'échappent en riant
> Des pâturages de l'ennui
>   Les biches...
>
> ... Elles sont notre dernier ennemi
> Quand leurs seins tombent de sommeil
> Pour avoir veillé trop de nuits
>   Les biches [1]...

---

1. *Les Biches*

La femme est la source de tous les malheurs de l'homme, tellement plus tendre, lui. La femme, c'est le Piège. Elle dévore l'homme, qui, pauvre con, pauvre Jacques, repart à la conquête de ses défaites. Il prend des paris qu'il sait absurdes, qu'il veut irréalisables, qui sont perdus d'avance. On a parlé de la misogynie de Brel. Dans son œuvre, on rencontre de moins en moins de Frida succulentes, de plus en plus de biches, faussement ingénues. Au mieux, Brel chante les Mathilde ostracisées. Pour Brel, l'affection durable lie un homme à un autre. Entre « mecs », on peut vivre un agréable purgatoire sinon un paradis permanent. Brel pardonne tout aux hommes. Les femmes, c'est l'enfer. Après 1959, il n'y a plus de gentilles, de belles Lucie, d'amies et de mies fidèles. En scène, Jacques ne demanderait plus qu'on l'excuse d'avoir fait pleurer une fille. Il aime les retrouvailles, l'attente autant que la réalisation de l'amour, l'idée d'une femme souvent plus que sa réalité. A propos des femmes, Brel, comme le Nathanaël de Gide, pourrait s'exclamer : « ... Chaque désir m'a plus enrichi que la possession toujours fausse de l'objet de mon désir. »

Pour le parolier, les amants vivent surtout leur amour quand ils sont éloignés l'un de l'autre — ce que ne savent pas encore les amoureux qui se tiennent par la main, rue Royale à Bruxelles, ou sur les bancs publics de Paris. Pour Brel, en scène, l'amour entre hommes et femmes s'épanouit dans la séparation

Vedette, Jacques voit virevolter des filles autour de lui. Narquois, il sait qu'elles aiment la vedette, pas l'homme. Il lui arrive de retomber dans la fleur bleue, de rechanter sa mie. Pour dénoncer aussitôt la monotonie d'une vie de couple. Alors il décide qu'il faut partir et entonne d'autres litanies sur des amours fanées, les déroutes, le temps perdu, les malentendus, les vieux cœurs embrasés puis en cendres. Le prochain amour sera « la prochaine défaite ».

Côté cour et vie privée, Jacques est infidèle, et surtout à l'idée qu'il se faisait de lui-même, ou à celle qu'un Hector Bruyndonckx voulait lui imposer. Son infidélité est élégante. Il protège ses havres. Il ne surgit pas dans *Samedi-Soir* ou les feuilles spécialistes du ragot.

Avec Jojo, Brel a une antienne :
— Les femmes ? Toutes des salopes.

Dans les années cinquante, ce slogan imbécile court. Dans les années vingt et trente, on ânonnait volontiers sur le même ton des slogans sur les « garces ». Jacques, à travers sa correspondance et ses interviews, affirme qu'il ne comprend rien aux femmes. Il se traite de lâche avec une sincérité doublée de complaisance.

Côté jardin et chansons, il est envoûtant de trouver veulerie, saloperie, inconstance, égoïsme, vénalité chez les femmes. Dans l'œuvre de Brel, la femme cesse d'être la princesse et la reine autour de 1955. Jacques devient prisonnier du rôle qu'il attribue à la femme, ignoble créature. L'amant brélien se livre à toutes les déceptions sentimentales et y prend goût. Jacques n'a aucune peine à vivre et à faire vivre la rupture ou la réconciliation. Et son public de femmes l'acclame. Il leur attribue tant de pouvoirs !

Avec talent et expérience, le chanteur brode sur deux banalités. Le quotidien du mariage porte en lui un incurable ennui. A quelque classe sociale qu'ils appartiennent, l'homme et la femme ne peuvent vivre sans cesse dans une sensualité partagée. On peut toujours aimer une mère ou une grand-mère, des enfants. Les rapports avec une compagne, légale ou non, conduisent à la médiocrité, inévitablement. Jojo dit :

— Le cul, ça n'est pas le cœur.

Plus Jacques Brel chante : je t'aime, je t'aime, je t'aime, moins il croit à l'Amour et aux amours. Dans ses chansons il vit ses rechutes après ses espoirs. Et il devient de plus en plus violent. En 1957, il chante :

> ... Effeuillons l'aile d'un ange
> Pour voir si elle pense à moi
> Effeuillons l'aile d'un ange
> Pour voir si elle m'aimera,
> Si elle m'aimera[1]...

Et vingt ans après :

> ... Et y a pas de doute, non
> Ce soir il pleut sur Knokke-le Zoute
> Ce soir comme tous les soirs
> Je me rentre chez moi
> Le cœur en déroute
> Et la bite sous le bras[2]...

Il paraît plus pessimiste et tragique à la scène qu'à la ville.

Brel croit à l'amitié. Dans son œuvre, plus un personnage est écrasé et plus le parolier l'entoure de tendresse, même lorsque Brel met Jacques en scène. L'homme Brel, comme le chanteur, se raccroche à la fraternité, pas à une virilité héroïque à la Malraux ou à la solidarité humaniste de Camus qui a succédé à Saint-Exupéry dans l'esprit de Brel : à l'amitié des copains réunis.

Le monde brélien s'organise, et se fige. Même si, une fois, Brel, solennel, parle de sa « philosophie » (dans *Ce qu'il vous faut*, en

---

1. *Saint Pierre.*
2. *Knokke-le-Zoute.*

1956), il serait absurde de donner à ses textes une dimension trop métaphysique.

Jacques est hanté par le temps qui passe sur le corps, la disgrâce et la dégradation physique. Chez les femmes de ses chansons, les seins sont parfois des soleils, des fruits, mais il suggère facilement que ces seins s'affaissent. Pour les hommes, pour lui-même, Brel craint plus le vieillissement que la mort. Elle le ramène à Dieu, à l'au-delà auquel il paie son petit tribut de temps en temps.

Le chanteur a sa géographie chantée, circonscrite dans des paysages noyés de pluie et de brouillard. Il possède bien ses pays, la Belgique avant la France, de sa capitale aux villes de province.

Ses villes, Bruxelles, Ostende, Knokke, Anvers, Amsterdam, Hambourg, Honfleur, Vesoul, sont gaies et tristes. Jacques parvient à être joyeux lorsqu'il évoque la capitale de son pays natal, exprimant le charme des cartes postales en sépia.

A sa ville, il consacre deux chansons. En 1953, il évoque *son* Bruxelles :

> ... les étincelles
> Des trams se voient de loin...
> Il y a le Jardin botanique
> Qui fait la nique
> Aux garçons de Saint-Louis [1]...

En 1962, il remonte le temps pour retrouver la capitale de ses parents et grands-parents :

> ... C'était au temps du cinéma muet
> C'était au temps où Bruxelles chantait
> C'était au temps où Bruxelles bruxellait [2]...

James Joyce, autre exilé, aime et déteste sa capitale, Dublin, avec la même ferveur et, bien sûr, une sensibilité plus subtile et lucide.

Brel privilégie des lieux qui symbolisent plus le départ et la déchirure que le retour ou les retrouvailles réussies, les gares, les ports, les navires et les aéroports.

Les chansons de Brel ne sont pas des fables. Jacques n'a pas comme Brassens une parfaite connaissance de La Fontaine. Pourtant, il élabore un bestiaire. Des animaux surgissent partout, chiens — l'homme-chien, en laisse —, biches — ramenées au stade de chiennes argotiques —, la colombe — comme chez Picasso, et d'autres, le symbole de la paix —, le cheval : Brel en personne. On a trop dit à Jacques que, pour les dents au moins, il lui ressemblait.

---

1. *Bruxelles* (inédite).
2. *Bruxelles 2*.

Pour créer un personnage principal ou secondaire, Jacques a besoin d'un prénom, Jacky, le grand Jacques, Jojo. Mais aussi Pierre, Émile, Fernand, Jef, Zangra. Les prénoms de ses femmes commencent souvent par un « M ». Marieke, Madeleine, Mathilde, la Maria. Pur hasard ? Aucun rapport avec Miche et Mouky, sa mère et sa femme légitime ? Ou Marianne, une future compagne [1] ? Pas plus que biche rimant avec Miche ? Ce n'est pas toujours le cas : on ne peut oublier la Fanette, la mère Françoise, Clara, Isabelle. Dans la vie courante, Jacques absorbe la manière de parler, de penser des Parisiens et des Français. Certains prénoms ou surnoms semblent démodés ou grotesques, Léon, Germaine, Jules, Gaston, Paulo, Prosper, Titine.

L'imagination situe avec précision le lieu où ses personnages sont heureux ou malheureux, la place de Brouckère à Bruxelles, la gare Saint-Lazare à Paris. Brel n'en finit pas de retrouver et de quitter le casino de Knokke, sans faire allusion à sa superbe salle décorée par Magritte, car musées et peinture n'inspirent toujours pas Jacques.

Le chanteur vit avec les héros abstraits de son enfance, Vasco de Gama, Charlie Chaplin, Don Quichotte. S'il fait allusion à un saint, Joseph, Thomas ou François, Brel adopte un ton péjoratif. Les hommes ont des défauts, pas de couleurs. Jacques, bien sûr voudrait être beau (« et con »), lui qui se sait intelligent.

> ... Être une heure, une heure seulement
> Être une heure, une heure quelquefois
> Être une heure, rien qu'une heure durant
> Beau, beau, beau et con à la fois [2]...

A ses débuts, certaines images de Brel sont contestables et contestées :

— Explique-moi un peu ce qu'est un visage « dégrafé par les larmes », demande Catherine Sauvage.

La technique littéraire de Jacques progresse avec sa technique musicale, de 1954 à 1959 dépassant le sur-place d'*amour-toujours*.

En contrepoint de son vocabulaire simple, Jacques a une passion pour les néologismes : « Tu gerbes le blé. » Les vieilles, avares de leur sexualité, « cimetièrent » et « s'embigotent ». Ses bergers se « défiancent ». Le temps se « revanche » et le ventre « ventripote ». Un grand lit « vestibule » le chanteur. On croise un colonel « enci-vilé », un escalier qui « colimaçonne ». On entend une voix « bando-néante ». Jacques confesse qu'il « arpégeait » son chagrin. La mort

---

1. Son vrai prénom commence aussi par un « M ».
2. *La Chanson de Jacky*.

« potence » ces minables paumés au cuir « déchevelu » ou, pire encore, « pénicilinés ». Sa plus belle trouvaille : Jojo « frère » encore. L'univers brélien est peuplé de fonctionnarisés, d'alcoolisants, de cocufiés. Ils se « racrapotent », « toupient ». Lorsqu'il adapte et traduit un texte, Brel ne peut s'empêcher de fabriquer des néologismes. Il joue avec les infinitifs, barber, apotiquer, embarber, chevalier sous les étoiles étoilantes. Même lorsqu'il compose un texte pour une comédie musicale, qui ne sera jamais représentée, il fait ressortir la douceur, la langueur, la candeur d'autrefois avec la « luneur ». Il écrit une chanson pour un film, *Mon oncle Benjamin*, et veut « mourir sa vie ». Avec ses néologismes, moins de quarante, dans deux cent quatre-vingt-douze textes, Jacques aime arrêter l'auditeur au sens propre et choquer. François Rauber, lui, avale mal un douteux « débondieurisé ».

Comme pour les hommes politiques ou les écrivains, la thématique quantifiée d'un chanteur compte. L'idée qui domine l'œuvre chantée de Brel, c'est l'amour, divin ou humain. Tournant autour de la tendresse ou de la sensualité, elle apparaît au moins trois cent dix-sept fois. Après vient la mort.

Brel affirme qu'il n'est pas poète parce qu'il reconnaît que ses vers ne sont pas classiques. Il trouve plus facilement une rime pauvre qu'une rime riche, avec ou sans dictionnaire. Charles Aznavour lui explique que cela n'a aucune importance. Brel sait qu'on vante la métrique si pure de Brassens. Georges remoule les archaïsmes que Jacques manie mal au début de sa carrière. L'élision, choisie chez Brassens, paraît parfois involontaire chez Brel qui s'accorde, de plus, toutes les facilités de l'assonance et de l'allitération.

Le métier aidant, Brel utilise des vers de plus en plus longs, parvenant même à employer un dix-huit syllabes, exercice difficile que réussissent peu de poètes français :

... Le petit chat est mort, le muscat du dimanche ne les fait plus chanter
Les vieux ne bougent plus leurs gestes ont trop de rides leur monde est trop petit [1]...

Clouzet estime que ce vers ductile et dangereux de dix-huit pieds est « confortable ». Je n'en suis pas certain. Mais, à coup sûr, la phrase brélienne, s'amplifiant, oubliant les problèmes de rimes riches et pauvres, « traduit à merveille l'état d'hibernation dans lequel survivent les vieillards ». Brel n'est pas un prosodiste classique [2].

---

1. *Les Vieux.*
2. *Voir* Annexes, p. 431.

Après 1959, quand il écrit, Jacques n'a plus aucun maître en tête, pas même Brassens. Il trouve sa liberté de créateur.

A l'agacement de Brel, les critiques, journalistiques ou universitaires, le comparent sans cesse à Brassens.

Ils se connaissent. Sont-ils amis ? Jacques, longue mémoire, se souvient qu'en 1953 aux Trois-Baudets le gros Georges, l'encourageant après quelques rencontres, refusa pourtant de passer après lui. Canetti ne se priva pas d'expliquer aux uns et aux autres que Brassens parolier était très supérieur à Brel. Des connaissances communes, comme le journaliste et écrivain Louis Nucera, les réunissent parfois autour d'une table.

Ce Georges, huit ans de plus que Brel, s'est imposé au public avant Jacques. Le patriarche joue avec son jeune confrère bientôt concurrent. Pour le grand public, ils ont en commun un anarchisme rond et flou. « Je suis tellement anarchiste que je traverse entre les clous afin que la maréchaussée ne me fasse aucune réflexion », dit Brassens.

Jojo l'admet facilement :

— Au fond, nous sommes tous des anarchistes de gauche.

Ils ressemblent souvent à ceux de droite.

Les ressemblances entre Brassens et Brel sont superficielles. Les thèmes de leurs chansons, destin de l'homme, lueurs de l'amour, se recoupent. Claude-Edmonde Magny affirmait qu'il y a un nombre limité d'intrigues possibles dans le roman policier. A travers le monde, la chanson, du Japon à la France, des États-Unis au Viêtnam, trouve vite ses frontières infranchissables — une des dissemblances avec la poésie. Morale de base, Brassens, comme Brel, répète que nous devons nous aimer les uns les autres. Dans la vie, Brassens paraît plus débonnaire que Brel. Brassens pardonne les affronts, Brel les enregistre et dit :

— Classé archives, ce type-là.

Dans ses chansons, Brassens explique qu'il n'est pas indispensable d'être chrétien pour pratiquer une morale de l'amour. Brel aussi. Ils veulent trouver une morale sans Dieu. Dans ses chansons et dans sa vie, Brel y parvient mal. Entre Paris et Sète, Georges est heureux. Il n'a pas la bougeotte et la voyagite de Brel. Brassens n'éprouve pas le besoin épuisant de donner des spectacles au rythme brélien et les femmes ne dramatisent pas son existence comme celle de Brel.

Georges reste plus à distance de ses personnages que Jacques. Brassens refuse le pathétique, le grandiloquent. Brel recherche et impose la lassitude, le désespoir, la démesure. Brassens interprète, même s'il a d'abord composé de la musique avant de songer à écrire, disparaît en scène derrière ses textes, Jacques se place devant eux.

Brel envie et respecte la culture de Brassens, capable de citer des poètes latins, Villon, Verlaine, Musset. Lorsqu'ils parlent de livres, Brassens indique des pistes ou conseille certaines œuvres. Jacques achète plusieurs fois *L'Homme*, de Jean Rostand, recommandé par Georges.

Les deux vedettes se permettent d'être grands seigneurs sur les ondes. Ils acceptent de dialoguer autour d'un micro. Jean Serge, producteur et animateur de radio, les invite à Europe 1. Brel et Brassens sont gentiment éméchés. Dans ces spectacles radiophoniques, Jacques satisfait certains admirateurs. Ses amis et ses proches le trouvent insupportable, manquant de naturel. Au cours de quatre émissions[1], les deux chanteurs cabotinent à grand renfort d'amabilités et de politesses barbelées :

— Tu permets, Jacques ? demande Brassens, d'une voix traînante et roublarde.

Jacques glisse sur des paradoxes :

— Nous sommes trop luxueux pour être tentés par le confort... Personne n'est innocent... Brassens et moi avons eu la malchance de réussir...

Brassens :

— ... Parce que nous avons de bonnes gueules.

Jacques :

— Nous vendons des disques à des gens qui achètent... relativement peu de livres... A côté de Tino Rossi ou d'Aznavour, nous sommes des amateurs... Nous faisons de la chansonnette dans les music-halls. On bêtifie relativement en employant la notion de Dieu... Il faut avoir mal quelque part pour avoir envie de Dieu. Le bonheur se passe admirablement de métaphysique.

Les deux complices ont quelques moments de franche sincérité. Georges trouve Jacques plus interprète que lui. Jean Serge exprime l'état d'esprit de leurs publics en affirmant qu'on les « assimile » aux héros de leurs chansons. Jacques précise :

— On se raconte... relativement... on arrange un peu la chose.

Alors Brassens et Brel échappent aux révérences et abordent des questions techniques. Jacques :

— *Putain* ? C'est un joli mot.

Puis, ton hautain :

— *Dieu* ? C'est un mot, pour moi.

Brassens, conciliant :

---

1. 3 et 23 décembre 1965, 18 et 24 février 1966.

— C'est un joli mot.

En privé, Jacques n'est pas toujours l'admirateur de Georges.

— Brassens, c'est un peu comme les huîtres, c'est la première qui n'est jamais facile à manger...

Manière d'exprimer des réticences et son estime, Brel lance à sa fille Chantal :

— Brassens, on peut ne pas l'aimer. On ne peut pas ne pas l'essayer.

Georges est une huître de qualité. Jacques adore les images à base d'aliments.

Jamais Brel ne se permet une remarque publique désobligeante à propos de Brassens. Aucun doute quant au calibre du bonhomme. Jacques s'autorise des sarcasmes semi-publics sur Dalida ou Aznavour. Brassens l'intrigue, comme aucun autre chanteur français. Brel reconnaît que la versification de Georges est impeccable mais n'éprouve pas un véritable sentiment de jalousie. Un chanteur, poète ou non, a droit aux vers libres, Pour la musique de Brassens, Brel fait des réserves. Comme François Rauber ou Gérard Jouannest, elle lui paraît souvent répétitive. Brassens est accompagné par son bassiste — mais que cette guitare est monotone !

Lorsqu'il se compare à Georges, Jacques n'a aucun doute sur un point : l'interprète, la bête de scène, domptée et sauvage, c'est Brel.

Chacun à sa façon est un artisan des mots.

Jacques Brel est un des rares chanteurs à refuser le play-back, en studio d'enregistrement et à la télévision. Il ne fait presque jamais semblant de chanter pendant qu'une caméra tourne et qu'un disque passe à l'antenne, deux ou trois fois à peine. Il estime Gréco parce que la chanteuse refuse également ce procédé.

Certains spécialistes affirment qu'avec le play-back, du moins en studio d'enregistrement, on obtient un meilleur son, des effets plus variés et subtils. Il est moins coûteux de faire défiler les uns après les autres chanteurs et musiciens, puis de mixer quatre, six, huit bandes-son. On en est à vingt-quatre pistes aujourd'hui. L'enregistrement d'un disque se transforme en professionnalisme déshumanisé. Le chanteur ou la chanteuse enregistre. Puis les musiciens, tour à tour. Plaisir collectif autrefois, l'enregistrement devient une succession de performances individuelles. Les ingénieurs du son coupent, recollent, amplifient, réduisent les voix, descendent d'un demi-ton... Voilà du travail en miettes.

Malgré ses coups de gueule, Jacques est apprécié, aimé ou respecté dans ce métier parce qu'il ne cède pas, lui. Il méprise les vedettes incapables de suivre ou de porter un orchestre. Qui a vu Sheila passer en direct ? Brel a repéré les inconvénients, les ridicules du play-back à la télévision : les lèvres ne suivent pas le disque, ou Brel chante d'une fenêtre ou sur un cheval avec une synchronisation imparfaite. On ne prendra plus le chanteur à faire le mariolle dans ces décors ringards de la télévision.

Ces artistes empaquetés par le play-back, Jacques ne les méprise pas plus que leurs vendeurs. Il les trouve lamentables :

— Ils se laissent vendre comme des dentifrices !

Pour Brel, le contact direct, stimulant, avec ses musiciens est nécessaire. Lorsqu'il enregistre un disque, Jacques a rarement besoin de plus de trois prises par chanson. Avec lui, les producteurs ne craignent pas d'avoir à bloquer longtemps un studio très coûteux. De plus, Brel corrige ses textes jusqu'au dernier moment, puis il écoute les prises dans la cabine, encadré par Jojo, Gérard et François.

Gerhard Lehner, longtemps ingénieur du son chez Barclay, dit :

— Brel est un des deux chanteurs que j'ai vus applaudis par les musiciens pendant ses enregistrements.

L'autre était Sarah Vaughan.

Jacques-interprète transpire autant en studio que sur scène.

Quand Brel s'installe à Paris en 1953, la France dispose de cinquante-neuf mille neuf cent soixante et onze récepteurs de télévision pour cinquante heures d'émission par semaine. En 1959, on dépasse le chiffre magique, un million de récepteurs. L'ORTF diffuse cinquante-cinq heures de programme, avec de nombreuses émissions de variétés. La couleur arrive en France avec la deuxième chaîne, en 1966. Dans une carrière de chanteur, la télévision devient un atout majeur, comme la radio hier. Jacques passe bien. Plus que la radio, bien sûr, le petit écran permet d'apprécier les mouvements de son corps. La télévision aide Jacques à raffiner son art de l'interview. Brel trouve, sert et ressert des formules à l'emporte-pièce :

« Dès que les hommes parlent des femmes, ils ne disent que des bêtises. » Alors, pourquoi tant en parler ?

« J'essaie de trouver le chagrin d'orgueil... mais la mort je m'en fous, je m'en contrefous. » Pourquoi tant la chanter ?

« Je n'arrive pas à savoir ce qu'est un adulte. » Non : Jacques ne *veut* pas le savoir.

« Il faut trembler jusqu'à la mort devant les femmes. » N'est-ce pas en parler ?

Ici et là, Brel balance quelques phrases bien senties : « Je n'ai jamais vu des hommes aussi heureux que quand ils partaient à la guerre dans des wagons à bestiaux.. Toutes les époques sont immorales... Le XXe siècle un peu moins. »

Fausse modestie : « J'arrête pas de reculer. Je suis d'une mauvaise foi totale lorsque j'écris... » Traduisez : mes chansons ne sont pas autobiographiques au premier degré. Je suis plus joyeux que mes héros.

Dans ses interviews, Jacques se garde et s'ouvre, se protège et se livre : « J'ai pas du tout envie d'être heureux... Attendre c'est toujours une défaite... La liberté, c'est tolérer que les autres se trompent... J'aime ce qui est passionné... Je me fous qu'on ait tort ou raison. »

Il s'analyse : « Je suis assez intelligent pour arriver à rêver. Pas assez pour arriver à résoudre... Je ne suis pas un homme sérieux, je n'ai pas de point de vue sur les choses, dira-t-il. Les journalistes sont les juges... aujourd'hui... Je suis ravi d'avoir eu une enfance morose. Cela doit être abominable d'avoir une enfance heureuse... Je fais un petit métier. Il se trouve que les chanteurs sont mieux payés actuellement que les forgerons. Mais c'est un accident de la nature. »

Avec des réponses travaillées et familières, gouailleuses et tragiques, brèves et imagées, Brel est un artiste de l'interview. Souvent, chanteurs, comédiens, peintres ne savent pas s'exprimer. Jacques, lui, n'est pas dupe. Il a sa place dans le système des médias et du show-business. Cette prodigieuse facilité verbale, il ne la possédait pas au départ de Bruxelles.

— Je suis un exhibitionniste, déclare-t-il.

Beaucoup de ses interviews sonnent faux. Pour Brel ce sont des exercices et des jeux. Il pratique toutes leurs acrobaties. Dans les rédactions, on sait qu'une interview de Brel contient quelques perles blanches ou noires et ses réponses sont faciles à réécrire.

Jacques dit tout, n'importe quoi et le contraire. Pourquoi ? A la recherche de lui-même, il ne veut pas que les autres sachent qui il est au risque d'en savoir plus sur lui-même. Il refuse plusieurs émissions de radio que lui propose Angèle Guller, parce qu'il est un peu brouillé avec elle, mais il a une autre raison aussi :

— ... Un jour je vous dirai ceci et le lendemain le contraire, admet Brel.

Ceci et le contraire avec incohérence, sincérité et chaleur.

Secrétaires, facteurs, courriers du cœur, Jojo et Alice Pasquier servent de boîtes aux lettres.

Jojo rassemble, trie, transmet parfois à Jacques les missives de ses fans. Les lettres des admirateurs s'accumulent, comme celles des institutions qui remercient Brel pour les galas gratuits qu'il donne.

Chez Alice, sans qu'elle sache si Jacques les a jamais ouverts, parcourus ou lus, j'ai trouvé deux gros cahiers qui illustrent l'état d'esprit d'une fan de Brel. Jacques sait que son public est d'abord composé de jeunes et de femmes.

Claire M... a envoyé ces cahiers à Brel, glissant entre leurs pages des lettres, des coupures de presse, des photos de *son* chanteur et de Miche, des feuilles et des fleurs séchées. Claire tient un journal.

Seize ans, lycéenne, vivant dans une HLM, Claire s'adresse à Jacques, lui parle de ses parents qu'elle méprise, d'un professeur qu'elle admire, de ses amies, de ses premières amours, de ce que Jacques Brel lui apporte. Claire énumère ses auteurs préférés, Saint-Exupéry, Camus, Rimbaud, Verlaine, Jehan Rictus.

Parmi son public, Brel a des centaines de milliers de Claire.

« Dimanche 24 juillet 1966 [*Claire est en vacances*]
J'ai aperçu une affiche à la sortie de la ville, annonçant ton arrivée. J'ai eu comme un choc. Je t'ai vu à côté d'autres affiches d'artistes, ceux qui font la tournée des plages. Pourtant tu ne leur appartiens pas ! Comment te dire la détresse que m'a causée cette apparition : j'ai eu l'impression que je n'étais plus rien et que rien de ce que je faisais n'était réel. Tu n'es pas une vedette, Jacques... »

Entendez : pour moi, Claire, tu es trop humain.

« ... J'ai mal, j'ai mal. Jacques je t'aime. Où va me conduire cette souffrance ? »

« Vendredi 29 juillet
Je suis maintenant à un camp de jeunes...

... J'aurai un enfant, je l'élèverai, je le ferai beau et il te ressemblera mais sans le savoir. Je ne veux pas que mon fils soit élevé avec le sentiment qu'il s'élève à ton niveau. »

« 11 août
Divagations. Chimères. »

Claire mythifie Brel. Sur son album, elle colle la publicité de l' « unique gala » de Brel, mardi 14 décembre à l'Olympia, diffusé le dimanche 19 décembre à 13 heures sur Europe 1, et des photos de son chanteur favori rêvant « le long des quais de son enfance » [*à Gand !*] à côté de Brassens, ou Brel « participant à une marche anti-atomique ». Claire calligraphie ou découpe des mots dans des journaux : *Brel c'est le plus grand, Brel c'est le plus beau. Brel reste le premier.*

Photos de Miche, fort jolie, revenant de faire ses courses, à Bruxelles. Légende : « Thérèse Brel a accepté la solitude et sacrifié son bonheur conjugal à la carrière de son mari. » Plus loin, comme si elle voulait se convaincre que Brel, malgré ses bagages et ses partances, reste la moitié d'un couple parfait, une autre photo de

Jacques, accolée à « Je ne suis pas un déserteur du mariage » en grands caractères.

Jacques est une star, aux yeux de Claire, mais une star humaine.

En 1961, tête d'affiche à l'Olympia, remplaçant Marlène Dietrich défaillante, Brel devient une des dix grandes vedettes de la chanson en France, même si son premier véritable triomphe sur une scène parisienne, à Bobino, date bien de 1959, comme son envolée commerciale, quantifiable par la vente de ses disques.

Les dix grands du music-hall français vers 1961 se répartissent selon leur âge : Johnny Halliday, dix-huit ans, fait l'amour avec sa guitare en scène et non pas, comme Jacques, avec le public. Sacha Distel, vingt-huit ans, gentil chanteur, charme. Jacques Brel, trente-deux ans. Gilbert Bécaud, trente-trois ans, ascension aussi fulgurante que celle de Johnny Halliday, suit les modes et son image devient confuse. Charles Aznavour, trente-sept ans, aussi travailleur que Jacques, écrit des textes pour Edith Piaf avant de chanter et tire l'amour vers la romance à l'eau de rose, et vers le bas. Georges Brassens, trente-neuf ans, est le seul auquel Jacques se mesure, avec une vigilante obsession. Son image est nette. Yves Montand, quarante ans, éternel, possède un métier qui lui permet de conquérir la planète, jusqu'au Japon — ce que Jacques Brel ne fera pas de son vivant. Mais Montand n'écrit ni ses chansons ni sa musique. Léo Ferré, quarante-cinq ans, atteint un public plus sophistiqué, plus exigeant quant aux textes et il ne fera pas en France où à l'étranger la percée de Brel. Traduire du Ferré en anglais est presque aussi ardu que de transfuser du Mallarmé, en gros. Charles Trenet, quarante-huit ans, maître des uns et des autres ne bouge pas. En 1983, il montrera les limites du statut social et institutionnel des chanteurs. Se présentant à l'Académie française, il provoque des ricanements. Dans la deuxième moitié du xxe siècle, même chez les académiciens les plus modernistes, on ne saurait envisager la candidature d'un chanteur. Enfin vient Maurice Chevalier, soixante-treize ans. Chevalier c'est Chevalier, c'est Chevalier, dirait Gertrude Stein.

Parmi ces dix grands, les seuls tricéphales, interprètes *et* auteurs *et* compositeurs : Jacques Brel, le plus jeune, Charles Aznavour, au rez-de-chaussée, Georges Brassens, Léo Ferré, Charles Trenet aux étages.

Le 7 mars 1962, Jacques signe avec Eddie Barclay un contrat fracassant. On dit partout qu'il est « à vie ». Légende. La loi française autorise au maximum les accords de trente ans. Le contrat, de cinq ans, est renouvelé en 1967 pour une période de six ans, jusqu'au 7 mars

1973. Le 3 mars 1971, le producteur de disques et le chanteur contre-signeront un avenant prorogeant ce contrat de 1973 pour trente ans[1].

En somme, si Brel avait vécu plus de soixante-douze ans, il aurait pu changer de maison. Coup de cymbales publicitaire, on parle malgré tout de contrat à vie. Ancien musicien, homme d'affaires entreprenant, gourmet, hâbleur, Barclay est la rade des exhibition-nistes du spectacle, doués ou non. Lorsque, avec l'aide de Charley Marouani, l'imprésario de Jacques, il parvient à mettre Brel sur son catalogue, celui-ci est substantiel et diversifié. Barclay sélectionne le fin et le vulgaire. Parfois il est découvreur, lorsqu'il lance Michel Sardou ou Michel Delpech. Il repère Eddy Mitchell dans le groupe Les Chaussettes Noires. Sans toujours les gouverner, Barclay règne aussi sur Pierre Perret, Nicoletta, Claude Nougaro, Dalida.

Pourquoi Brel passe-t-il chez Barclay? Parce qu'il y trouve des avantages financiers. Il souhaite aussi sortir d'une maison de disques « multinationale ». Barclay est un homme, Philips une société. Jacques cherche à couper avec son passé et des débuts difficiles. La personnalité de Barclay, rapide et fonceur, fascine Brel comme, par moments, son côté smoking blanc et ses fêtes autour de sa piscine. Enfin, Jacques Canetti a été déstabilisé chez Philips. Brel se sent assez sûr de lui pour voguer seul.

Jacques n'entre pas chez Barclay sans hésitation. Sophie, sa compagne parisienne, avec un bon sens utopiste préférerait que Jacques reste libre. Brel la consulte beaucoup. Pourquoi ne sort-il pas ses disques au coup par coup? Cela implique de gros moyens. Alors, aucun chanteur, aucune maison de disques « alternative » n'a réussi à les obtenir. Produire un disque en toute indépendance est aussi difficile que d'éditer seul un livre ou un album de dessins. Le côté Don Quichotte de Jacques l'a encouragé à devenir son propre éditeur, avec l'aide de Miche alors un peu désœuvrée :

— La dernière va à l'école, Jacques. Je ne vais pas passer mes journées à ne rien faire, dit Miche.

— Parfait, tu vas éditer mes chansons.

— Mais je n'y connais rien.

— Les autres non plus.

Ainsi naissent, le 1er octobre 1962, les Éditions musicales Arlequin. Six mois après, les Brel, constatant qu'une société porte le même nom, choisissent une autre raison sociale, les éditions *Pouche-nel* — « Polichinelle » en bruxellois.

La production indépendante rapporte plus d'argent que la dépen-dante, en théorie! Dans les faits, elle se heurte aux circuits, aux réseaux,

---

1. Communiqué par Eddie Barclay.

aux arrangements qui lient maisons établies et médias audio-visuels.

Charley Marouani pèse en faveur de Barclay par conviction et aussi, c'est bien normal, parce que Marouani est monsieur Dix-Pour-Cent.

Au début des années soixante, « arrivé » selon tous les critères du succès, Jacques, parce qu'il aime faire de nouvelles expériences, ou par simple amitié, se commet dans des entreprises un peu ridicules ou indignes de lui.

Il présente ici ou là, à la radio, de la musique classique [1], *La Marche des régiments du roi* de Lully, de Mozart, qu'il aime, ou de Vincent d'Indy dont il n'a jamais parlé. Même concession pour les trois danses du *Tricorne* de Manuel de Falla. Les textes de liaison ne sont pas de Jacques. De surcroît, il les lit mal. Les variations sur Herbert von Karajan débitées par Brel, entrelardées des messages publicitaires pour le Pétrole Hahn, collent mal avec la personnalité du chanteur. Pourquoi ne présente-t-il pas Stravinski ou Tchaïkovski, puisqu'il les aime ? Jacques est trop occupé. Il veut faire plaisir aux copains. Pour les mêmes raisons, avec les *Armes de l'amour, Ko medi Musikal en trente-deux minutes,* de Gérard Sire [2], Brel atteint la vulgarité d'un mauvais chansonnier. Patachou participe à l'entreprise. Intrigue grotesque : le P-DG d'une fabrique d'armes est séduit par sa secrétaire, journaliste déguisée. Ils partent ensemble. Elle avoue son stratagème. Le P-DG lit le début de son article. Ainsi Clara la secrétaire, c'était Béatrice la journaliste ! Cette dernière retrouve le P-DG dupé, renvoyé, devenu petit patron de tir forain. Le plus triste de cette petite affaire : Brel s'exprime mal dans les tirades parlées ou les alexandrins de chansonnier, et pastiche deux chansons, *Le Moribond* et *On n'oublie rien* pendant que Patachou-Béatrice-Clara brode sur le *Bal chez Temporel* de Guy Béart qui ne méritait pas ce sort.

En revanche, une série d'émissions avec Jacques Danois, où Brel raconte joliment des histoires bruxelloises, est enregistrée mais ne passe jamais à l'antenne.

La fidélité à des amitiés pousse parfois à se trahir.

Qu'importent ces bavures. On se souvient d'abord des œuvres comiques comme *La Dame patronnesse :*

> ... Et un point à l'envers
> Et un point à l'endroit
> Un point pour saint Joseph
> Un point pour saint Thomas...

1. « Rendez-vous Madame la Musique », Europe 1, 21 avril 1963.
2. Europe 1, 30 juillet 1963.

Ou surtout des chefs-d'œuvre tragiques, *Le Moribond, Le Prochain Amour, Madeleine, Le Plat Pays, La Fanette, Amsterdam* et une dizaine d'autres.

Autour de 1964, Brel est en règle avec lui-même en tant que chanteur. Beaucoup moins comme homme. Ah, les femmes, les femmes, ces femmes, ses femmes! Brel commence à confondre, par rhétorique, en chantant, amantes et amis. Sarcastique, il prépare souvent sa mort, son enterrement et sa stèle.

> ... Ah! je les vois déjà
> Tous mes chers faux amis
> Souriant sous le poids
> Du devoir accompli
> Ah je te vois déjà
> Trop triste trop à l'aise
> Protégeant sous le drap
> Tes larmes lyonnaises
> Tu ne sais même pas
> Sortant de mon cimetière
> Que tu entres en ton enfer
> Quand s'accroche à ton bras
> Le bras de ton quelconque
> Le bras de ton dernier
> Qui te fera pleurer
> Bien autrement que moi
> Ah! Ah[1]!...

S'aime-t-il? Trop ou pas assez pour tant se moquer de lui-même?

---

1. *Le Tango funèbre.*

V.

Vies privées

Les journalistes essaient de coincer Brel après son tour de chant, au hasard des tournées. Certains reporters savent que Jacques vit avec Sophie depuis 1960, en France. Ils l'interrogent sur sa vie privée. Alors, c'est vrai, vous divorcez? Un personnage comme Brel ne veut pas se dérober. Jacques devient trop célèbre pour que reporters et photographes ignorent qu'il a une épouse ligitime, trois filles à Bruxelles et une compagne à Paris, même si Sophie reste d'une exemplaire discrétion.

Quand le sujet de la famille ou d'un divorce possible revient, Brel, recevant un journaliste dans sa loge, prend sa guitare, l'accorde, la grattouille et fume la quarantième cigarette de la journée. Il ne veut ni mentir ni dire la vérité. Son attaque défensive demeure la même : bien sûr, il n'est pas un mari banal. Il ne fait pas le métier des autres. Quand il ne chante pas, il écrit des chansons. Chaque jour, chaque soir, il a des rendez-vous... dans des villes différentes. Et pourquoi éprouvez-vous, monsieur, mademoiselle, le besoin de vous mêler de ce qui ne vous regarde pas, de laisser entendre que je ne suis pas un bon mari ?

Brel jure d'envoyer promener le prochain échotier qui lui repose une question sur son mariage. « Je me fous de ce qu'on raconte. Quand on parle de mon foyer abandonné, ça me fait rigoler. La voiture, le train, l'avion, ça sert à quoi ? Et les téléphones, ça n'existe pas ? »

Avec Jojo, Jacques rit de certains titres dans la presse : *J'aime trop la solitude, je n'ai qu'une maîtresse, la guitare.*

A partir de 1960, il demande à Miche de ne plus accorder

d'interviews. Lui, il répète : « Je ne suis pas le mari idéal, mais je ne divorce pas. »

Il louvoie dans le genre faux aveu :

— Il faut bien que je vous l'avoue, ma maîtresse possessive, exclusive, qui dévore mon temps, c'est la chanson.

Si le journaliste prend le genre on-ne-me-la-fait-pas, et laisse entendre qu'il a trop vu Jacques avec Sophie, Brel répond, avec un beau sourire :

— Qui vous dit que cette vie de famille, je ne me la garde pas précieusement pour plus tard ?

Dans ses chansons, il reste aussi transparent que lucide :

> ... Faut dire
> Faut dire qu'elle était belle
> Comme une perle d'eau
> Faut dire qu'elle était belle
> Et je ne suis pas beau
> Faut dire
> Faut dire qu'elle était brune
> Tant la dune était blonde
> Et tenant l'autre et l'une
> Moi je tenais le monde [1]...

A travers les journaux à grand tirage et petites cervelles, il insiste :

— Divorcer ? Il faut avoir des raisons. Je n'en ai pas.

A ses débuts, il a laissé photographier Miche et ses filles. Il accepte qu'on monte des « coups » avec ses enfants. Chantal et France, dont Jacques aime dire qu'elles préfèrent Claude François comme chanteur, sont propulsées dans un studio de Bruxelles. Pleurez, chaumières, rêvez, midinettes. Mettez-moi ça à la une, mon vieux, Brel ça se vend, moins que la princesse Margaret mais vous avez mieux cette semaine ? Non, plus gras, le titre ! *LEUR PAPA EST LOIN, les petites Brel ont absolument tenu à lui envoyer un message sur un disque...* Chantal et France gardent un souvenir pénible de cette opération, encore plus détestable que celle d'un Pompidou et d'un Giscard convoquant des photographes à la brasserie Lipp pour démontrer qu'ils sont réconciliés. Cet exercice — Chantal et France sont en âge de ressentir son mensonge — ne colle pas avec l'image de lui-même que Jacques aimerait imposer, ni avec celle de l'enfance à laquelle on vole ses rêves. Où est l'homme qui, à Bruxelles, vitupère

---

1. *La Fanette*

les magouilles, les combines, le manque de franchise, la bêtise, l'hypocrisie ?

En représentation, tant que Brel lui en accorde l'autorisation, Miche se tire assez bien du rôle de femme d'une vedette qui « marche » et « monte ». Elle fait d'habiles gammes. Face à la presse, la radio et la télévision, il s'agit, pour elle aussi, de ne pas mentir, sans dire la vérité. A la télévision, le temps est limité, Miche, que, dans les médias, tout le monde s'obstine encore à appeler par son prénom, Thérèse, répond adroitement :

— Il n'aime pas la vie 8 heures-12 heures et 14-18 heures [1]...

Bon raccourci pour expliquer l'indépendance de Jacques. Miche parle posément. Dans la presse écrite, il faut nuancer, s'étendre.

« *JACQUES BREL, tel que sa femme le voit :*

— *Êtes-vous jalouse ?*

— Surtout pas. »

Dans les journaux « féminins », il faut se montrer adroite et ambiguë :

« *Est-il pour vous aussi galant qu'aux premières années de votre mariage ?*

— Plus qu'avant.

— *Regarde-t-il souvent d'autres femmes que vous ? En prenez-vous ombrage ?*

— J'espère bien qu'il ne vit pas les yeux fermés ! Cela ne me fait pas ombrage du tout.

— *Lorsqu'il est loin de vous, cherche-t-il à savoir ce que vous faites ? Est-il jaloux ?*

— Il n'est pas jaloux du tout et ne cherche pas à connaître mon emploi du temps.

— *A-t-il des amies filles ? Cela vous gêne-t-il ?*

— Oui, je crois. Cela ne me gêne aucunement... »

Après tout, Brel chante autant la fin que les débuts de l'amour et de ses amours :

> ... Je sais, je sais que ce prochain amour
> Sera pour moi la prochaine défaite
> Je sais déjà à l'entrée de la fête
> La feuille morte que sera le petit jour [2]...

« *Est-il croyant ?* poursuit la journaliste.

— Oui, mais il cherche toujours. »

De fait, Miche est plus croyante que Jacques.

---

1. « Miroir d'Ève », RTB, 9 avril 1960
2 *Le Prochain Amour.*

« *Pratique-t-il ? Va-t-il à la messe ?*

— Non, il va cependant de temps en temps à la messe...

— *Est-il Papa Gâteau pour ses filles ?*

— Non.

— *A votre avis, quelle est la qualité qui lui semble la plus importante chez une femme ?*

— La tendresse et l'équilibre. »

L'Ancre Miche est bien équilibrée.

« *Comment se distrait-il ?*

— En regardant des émissions sportives à la RTB, en allant à un match de football, en écoutant des disques ou un concert classique, et en passant une soirée à la maison avec des amis.

— *A-t-il peur de l'avenir ?*

— Pas du tout.

— *Avez-vous l'impression qu'il s'est réalisé, qu'il a réussi sa vie ?*

— Il est en train de se réaliser. On ne peut pas avoir réussi sa vie à trente ans. Jusqu'à présent, il ne l'a pas ratée [1]. »

Des centaines d'articles paraissent dans la presse sur Jacques Brel. Méticuleuse, Miche les découpe et les colle dans de gros albums. Les photos de Jacques qui agrémentent ces documents, le chanteur seul ou avec ses « petites pommes », sont révélatrices. A la télévision, Brel en mouvement parvient à se cacher. Sur les photographies qui le saisissent souriant, charmant, débordant d'altruisme ou tendu, l'œil froid, la cigarette Celtique au bec, il réussit moins à se dissimuler.

« *Fait-il de la politique ? Si oui, de quelle tendance est-il ?*

— Non, mais il en a le souci. Il est plutôt gauchisant [2], dit Miche. »

Elle confie ici et là que son mari aimerait écrire un ballet, un roman, des scénarios pour la télévision.

En Belgique, on perçoit les transformations de Brel, l'influence que la France et Paris exercent sur lui. On sait qu'il n'est pas un militant du Christ-Roi ou de la monarchie. Il accorde volontiers des interviews aux journaux de gauche, socialistes ou syndicalistes.

Jojo tombe sur certains articles, et quelques photographies présentant la famille Brel idéale. Jojo marmonne :

— Il faut ce qu'il faut, mais c'est à chier.

A partir de 1960 donc, Miche se tait obéissant à Jacques qui peut se permettre de refuser certaines questions. Brel passe trois, quatre ou cinq jours par mois à Bruxelles, souvent avec Jojo, François

---

1. Propos recueillis par Janine Eriès, 1959.
2. *Ibid.*

Rauber, Gérard Jouannest, Jean Corti. Mouky dit à Rauber, au sujet de Miche et Jacques :

— Elle l'attend à la porte du garage et quand la voiture reviendra, elle sera là.

Miche n'est pas seulement l'Ancre et l'Argus de presse. A Bruxelles, chez lui, Brel fait le pacha, vit son repos du guerrier. Partageant la chambre de sa femme, il prend son petit déjeuner vers 11 heures, souvent avec un chapeau sur la tête, en peignoir et pantoufles, les jambes nues. Sitôt levé, il fume et disperse ses cendres dans une soucoupe, ce qui irrite Miche.

Madame Brel a sa farde, son dossier de questions.

— Je suis désolée, dit-elle. Il faut qu'on travaille une demi-heure pour remplir des papiers. Et puis il y a Armand Bachelier qui veut te voir demain.

Bachelier est journaliste à la RTB, chaîne de télévision francophone, opérationnelle en 1962. Bachelier a finement interrogé Brel à la radio.

Brel veut son monde bruxellois et belge autour de lui :

— Puisque Céel n'a pas pu venir hier soir, débrouille-toi pour l'inviter à dîner aujourd'hui.

Ou :

— J'aimerais bien voir Jean-Pierre Grafé.

Miche et Jacques font des comptes, ce qui agace le chanteur. En 1962, Chantal a onze ans, France neuf, et Isabelle quatre. Miche, aussi travailleuse que Jacques, se consacre beaucoup aux Éditions Pouchenel.

Mme Jacques Brel et ses filles habitent alors une maison bourgeoise, 31, boulevard Général-Wahis à Schaerbeek. L'organisation de Jacques est au point. Miche s'occupe de l'édition des chansons, Charley Marouani de la signature des contrats et des rapports avec les maisons de production, Georges Olivier des tournées, Jojo du secrétariat général, particulier et privé, et il réserve les chambres d'hôtel et préside au chargement des valises dans la voiture :

— Alors, à toi, dit Brel, rituellement, devant le coffre ouvert.

Miche, ce roc, ne fait pas les choses à moitié. Elle et Jacques ont la même force de caractère. Elle se manifeste à travers des comportements différents. Jacques est dominé par son affectivité, Miche par son sens de la méthode. Entre eux les choses se passent comme si, depuis longtemps, Miche s'était dit : pour moi il est inutile de laisser affleurer trop de sensibilité, Jacques est sensible pour deux. Miche, — elle le reconnaît toujours avec fierté — est d'une soumission parfaite. A minuit Jacques décrète qu'on va faire des crêpes. Même s'il y a quinze invités présents autour de la table, Miche se dirige vers la cuisine.

Le consentement de Miche est total, inexplicable, aberrant pour certains. Elle est la mère des enfants de Jacques. Elle s'en occupe avec l'aide d'une jeune fille au pair, Andrée la Française, Maria l'Irlandaise, Helen l'Anglaise. Pour Jacques, Miche est la femme légitime. Une des amantes aussi puisque, grâce à la présence de la jeune fille au pair, Miche peut retrouver Jacques en France. On met parfois les petites filles en pension quelques jours. Évidentes aussi, transparaissent et s'accentuent des incompréhensions. Jacques et Miche sont aussi complémentaires que contradictoires. Miche ne suit pas le chemin imaginatif de Jacques jusque dans ses dépressions, souvent sources de création. Miche n'éprouve ou n'affiche pas l'angoisse existentielle de Brel. Elle ne ressent pas l'absurdité de la vie comme le chanteur et comme l'homme. Jacques existe et se définit par le mouvement, Miche par la stabilité et la persévérance. Jacques dit :

— Je suis le feu, tu es la terre.

La terre dure plus longtemps que le feu.

En pratique, Brel demande à Miche de paraître immobile. En même temps il lui en veut de son immobilisme. A Paris ou à Bruxelles, Jacques affirme quand même qu'il ne pourrait survivre sans Miche. Il raconte volontiers des histoires, ou brode des légendes :

— J'arrive avec mon disque, je veux lui faire écouter et Miche me dit : « Une seconde, il y a quelque chose sur le feu. »

Jacques répand aussi des anecdotes auxquelles il se met à croire, jolies fables symboliques :

— Je m'agenouille devant Miche, je lui dis que je l'aime. Que répond-elle ? « Relève-toi, tu vas froisser ton pantalon. »

Miche se plaint peu. Il n'y a jamais de scènes. Jacques veut qu'on lui fasse fête quand il arrive à Bruxelles. Il ne prend pas le temps d'expliquer à Miche ce qu'il cherche dans la vie et dans son œuvre. Brel sait que Miche n'est pas l'interlocutrice rêvée d'une soirée à refaire le monde. Il a le même comportement avec ses filles, et tant d'autres. Superbe excuse pour effacer regrets et remords : il est un créateur incompris. Miche l'accepte tel qu'il est, l'aime, l'admire, ne le comprend pas toujours. Aux autres, qu'il convainc à Paris — moins à Bruxelles — Jacques se plaint du manque d'imagination et d'enthousiasme de Miche. Pourquoi ne se penche-t-elle pas plus vers lui ? Il souhaiterait tellement qu'elle l'interroge. Jacques chante ses principes face au conjugalisme :

On est deux mon amour
Et l'amour chante et rit
Mais à la mort du jour
Dans les draps de l'ennui
On se retrouve seul[1]...

Brel a besoin de la sécurité familiale et il la déteste. Miche incarne un avenir toujours possible. Jacques vit le présent rapidement. Miche l'appuie au jour le jour, à la semaine la semaine, au mois le mois. Jacques le reconnaît, avec insistance, du moins jusqu'en 1976, Miche l'aide comme personne. En dehors de la sécurité matérielle qu'il assure à sa femme et à ses filles, les aide-t-il, lui? Il se nourrit d'emballements et de dépressions, profondes mais courtes. Miche partage plus les bouffées de dépression que les moments d'exaltation. Obéissante, Miche peut être dure, paraître distante, même avec ses deux filles aînées. Elle est moins égocentriste que Jacques.

Dans une interview, à une question banale (« Quelle chose a le plus d'importance pour vous? »), Brel, superbe et franc, répond :

— Très honnêtement, c'est moi.

Que sa femme, ses filles et ses maîtresses s'en arrangent.

Lorsqu'il débarque à Bruxelles, Jacques devient un *pater familias* autoritaire et exigeant. Le colonel inspecte ses troupes.

Il embrasse ses filles, jovial, tendre :

— Salut, bonhomme, comment ça va? Le moral est bon, les troupes sont fraîches?

Il passe les filles en revue. Il admet mal qu'elles mettent des pantalons ou des jeans et, quand ce sera la mode, des minijupes.

— Tu es déguisée?

Pour leur coupe de cheveux, il a des idées fixes :

— Le front dégagé!

Imprudent, il prédit :

— La première fois qu'une de mes filles me dira « merde », je serai ravi.

Quel drame lorsque Chantal lui lance le « merde » attendu!

Courtois mais impérieux, il fait cirer ses chaussures.

Il admire volontiers de bons pères de famille, François Rauber, Gérard Jouannest, Charley Marouani, Jean Serge, Lino Ventura plus tard. Brel adore parler des enfants des autres, moins des siens. Devant ses filles, il est désarmé et conventionnel. Jacques n'est pas le père figé, ni le père copain que son public imagine à travers les photos des journaux à sensation. Les deux aînées ramènent l'accent bruxel-

---

1. *Seul.*

lois de l'école : alors, il insiste pour qu'on les inscrive au lycée français de la capitale.

A table, il exige une conduite parfaite :

— Tiens-toi droite, dit-il, en ponctuant l'ordre d'une tape dans le dos.

Il décide, et le proclame volontiers dans des émissions de radio, que « la paternité, ça n'existe pas », façon de dire qu'il a du mal, lui, à établir le contact avec ses enfants. Il clame aussi que la maternité existe. Bel hommage à Miche, au fond.

Les petites filles font front. Chantal la blonde aux yeux bleus est exubérante, contestataire, France la brune aux yeux verts plutôt silencieuse, Isabelle la châtain aux yeux gris, trop jeune encore pour parler ou se taire. Jacques convoque Chantal et France afin qu'elles assistent à ses tournées :

— Je veux montrer à mes filles ce que fait le père quand il est absent.

A Bruxelles, il ne parle pas de son métier, quitte à s'en plaindre à Paris.

Chantal se rebelle. Brel punit, comme un père du XIXᵉ siècle. Il enferme l'aînée dans un cagibi. Si elle l'appelle « pa », il est outré :

— Je veux que tu m'appelles « papa ».

Brélienne aussi, elle provoque :

— Oui, pa.

Superbe claque.

Dans les années cinquante et soixante, certains enfants, en Belgique et en France, s'adressent à leurs parents en employant leurs prénoms. Jacques, alors, déteste cette mode.

La scolarité de Chantal ressemble à celle de son père Professeurs ou directrices d'école se lamentent : il est bien naturel qu'avec ce climat familial, cette adolescente soit perturbée.

Miche n'est pas une mère parfaite aux yeux de ses aînées. Elle prétend qu'elle doit aussi jouer le rôle du père Elle semble froide et distante aux yeux de Chantal et France. Surtout quand elle dit à la première :

— C'est une question de choix. On est la femme de son mari ou la mère de ses enfants. Moi, j'ai choisi d'être la femme de mon mari.

A Bruxelles, Brel tient à tous ses rituels. Il mène ses filles aînées au restaurant à tour de rôle. Ils n'ont pas grand-chose à se dire. Même si Jacques offre un petit bouquet de fleurs, ces rencontres ressemblent trop aux pénibles, déchirantes sorties du samedi et du dimanche des pères divorcés avec leurs enfants. A treize ans, Chantal, entre son lycée et ses copains, devient de plus en plus insupportable Miche téléphone à Jacques sur la Côte d'Azur :

— Il faut que tu la prennes.

On met Chantal, enchantée, dans un avion.

— Ne fais pas la grande gagnante, lui dit Miche, parce que tu vas te faire engueuler

Brel accueille Chantal et ne la sermonne pas. Il l'écoute pendant quatre jours. Quel bonheur pour une fille, il l'emmitoufle dans ses gros pull-overs. Il lui présente Gilbert Bécaud, l'emmène voir Henri Salvador jouer aux boules. Pendant quatre jours, l'adolescente perçoit une grande tendresse chez ce père à éclipses.

Jacques a sa pédagogie. Installé dans un hôtel de Juan-les-Pins, il écrit à Miche :

« Salut Princesse !

Il pleut sur ta fille aînée et sur moi. Gros orage depuis ce matin tôt. Journée foutue et grise.

Chantal ? Et bien (comme prévu), ici elle est charmante et tout et tout mais je la trouve plus réservée plus prudente qu'avant.

Avec elle, je suis pour le silence car sa pensée n'est ni celle d'une gamine ni celle d'une femme.

C'est l'âge idiot. Il se soigne, je crois, en marchant dans les bois et en se baignant.

Il faut qu'elle lise ! »

Brel communique ses passions littéraires à ses filles : Saint-Ex., Camus, Rostand :

— Il faut lire ça !

Jacques ne tient pas toujours compte de l'âge de Chantal ou de France dans ses recommandations.

« Mais de ce que je crois, poursuit-il, j'espère pouvoir t'en parler bientôt à Bruxelles.

Tu auras des précisions dans ± 8 jours car cela va dépendre de l'avion et de la météo. »

Ses filles ne partagent pas du tout ce goût de Jacques pour l'avion, qui va devenir une passion.

« Je t'espère en pleine forme avec ta voiture de reine que je me ferai une joie de baptiser.

Je t'embrasse avec le respect dû à une directrice

Humblement

                                        Ton auteur Compositeur

PS : Chantal est très bien élevée ! Bravo et merci ! »

Sa fille repart calmée. Ce qui ne l'empêche pas, lorsque son père revient à Bruxelles, de se heurter à lui. Comme France, Chantal trouve qu'il se prend pour le nombril de leur monde. Quel cabotin !

Justement, hélas et tant mieux, Jacques Brel *est* le centre du monde de sa famille. Même si, alors, — exorcisme raté ? — on écoute peu ses disques dans la maison bruxelloise.

Chantal et France supportent mal le côté chef de Jacques. Cette façon abrupte qu'il a d'imposer le silence parce qu'il ne se lève pas avant 10 heures ! Parfois la vie avec lui est très amusante car il adore organiser des fêtes. En pleine époque hippie, il arrive de Paris :

— Voilà, c'est décidé, ce soir, tout le monde se déguise en hippies et on va manger au restaurant.

Nerveuse, vive, spontanée, Chantal réagit très vite et s'oppose à son père. Plus réservée, convaincue que sa sœur aînée est plus belle qu'elle, France continue de regarder et de s'étonner en se taisant. La petite Isabelle reste calme, méfiante, accrochée à sa mère. Quand les enfants se querellent, Miche ne prend jamais parti. Jacques n'intervient pas non plus. De Paris ou d'ailleurs, Jacques téléphone beaucoup à Miche, jamais à ses filles. Quand il surgit le jour des mauvais bulletins scolaires, il lâche :

— Les filles, si ça continue comme ça, moi je connais un couvent en Alsace où vous allez finir vos études. Et ça va être vite fait, bien fait. Vos résultats sont à chier. C'est inadmissible si, toi, France tu ne veux pas doubler ta sixième, tu vas devoir y mettre de la gomme.

Qui est donc cet homme, si drôle, souvent si copain qui, sur ce disque, crie :

> ... Heureux qui chante pour l'enfant
> Heureux qui sanglote de joie
> Pour s'être enfin donné d'amour [1]...

La famille a emménagé en 1965 dans un appartement spacieux, cinq-pièces, au huitième étage d'un immeuble moderne avenue Winston-Churchill, au cœur d'un beau quartier. On aperçoit le bois de la Cambre. La proposition du couvent séduit France. Ah ! s'évader de la famille ! Elle écrit une lettre à son père. Elle achète une cravate, la dépose avec sa missive sur l'oreiller de Jacques et dit à sa mère qu'elle a laissé un mot pour papa. La petite fille cherche ainsi une complicité avec son père. Brel rentre. Silence. En famille et en public, Jacques peut être le roi de la lâcheté.

— France, ce que tu as fait, ça s'appelle une lettre de château... C'est une lettre qu'on remet en mains propres à quelqu'un, dit-il trois jours après.

— Ta réponse ?

— C'est hors de question.

---

1. *Heureux*

Brel prononce une phrase que la petite fille, triste et déçue, ne comprend pas.

— France, tu es indispensable à l'équilibre familial.

Comme il est difficile pour ces adolescentes de se rebeller ! Elles ont un père dont tout le monde explique qu'il est extraordinaire, si gai, tellement original. On les envie. Elles connaissent ses exigences, conventionnelles jusqu'à l'absurde. Jacques se sert peu de la harpe dans ses orchestrations mais il aimerait que Chantal et France en jouent ! Une jeune fille de bonne famille penchée sur sa harpe, c'est si féminin.

Il fascine ses filles bien entendu. Il raconte merveilleusement des histoires, sans toujours s'expliquer. Pourquoi s'enflamme-t-il à propos de cette Gabrielle Russier amoureuse d'un garçon plus jeune qu'elle ? Pourquoi ces tirades contre Pompidou ?

A Bruxelles, Brel est un amuseur ou un mur, pour ses filles, un homme du monde, un fanfaron donneur de conseils ou Dieu le Père :

— Fais ce que tu veux dans la vie, mais sois grande dans ce que tu choisis de faire, Chantal. Sois balayeuse, mais sois une grande balayeuse.

Jacques Chardonne aimerait ce principe.

Brel veut que ses filles parlent, mais elles ont d'abord le droit de se taire et le devoir d'écouter. Brel joue à l'athée convaincu, vitupère l'Église, l'armée, l'État.

Chantal a seize ans, et France quatorze. Imprévisible, c'est un de ses charmes, Jacques lance à l'aînée :

— Fais l'amour, prends la pilule, sois une femme. Vis ta vie. Fonce. La Belgique c'est un pays qui n'existe pas. Les vrais hommes, il faut aller les chercher ailleurs. Ne te marie pas. Il faut partir, aller voir ailleurs.

Que peut signifier cet « ailleurs » pour des adolescentes ? De plus, les filles ne savent pas que Jacques Brel a une autre vie privée, à Paris. Au lycée, les camarades asticotent les filles Brel :

— Dis donc, ton père, il doit avoir une petite amie ?

Miche leur enseigne l'indifférence aux commérages.

Chantal et France n'écoutent pas ces insinuations ou elles protestent, haussent les épaules. Mais elles se posent des questions. Chantal, lorsqu'on lui demande si elle est la fille de *Jacques* Brel, répond : « Non, pas du tout. »

Les scènes entre le père et sa fille aînée succèdent aux joyeuses soirées déguisées. Chantal a vu Miche pleurer au téléphone. Un soir, à table, elle agresse son père :

— Tu as une femme que tu abandonnes. Tu fais des gosses que tu abandonnes !

Jacques regarde son aînée :

— T'as froid ?

— Non.

— T'as faim ?

— Non.

— T'as mal aux dents ?

— Non.

— Alors, tu n'as pas besoin de moi.

A la fin du repas, plus brélien que jamais, Jacques annonce :

— Bon, maintenant, je pars. Ce soir je vais danser avec ma fille Chantal.

Comme dans un tour de chant, une mélodie violente puis, decrescendo, une douce. Ils se rendent chez l'ami Franz Jacobs, qui tient un bar à Bruxelles.

Ses filles vivent sur des montagnes russes avec Jacques. Brel — c'est une convention avec Miche — prévient presque toujours de son arrivée. Brutalement, il lance :

— Les filles je n'aime pas la tournure que vous prenez. J'aime pas la manière dont vous êtes. J'aime pas votre couleur.

Chantal a de piètres résultats au lycée.

— Il ne faut pas croire que tu vas t'en sortir comme ça, dit Brel. C'est trop facile. Pas question de trois mois de vacances cet été. Tu vas travailler.

Brel envisage deux solutions pour son aînée : un stage à la cartonnerie Vanneste et Brel ou dans un hôpital. Il ne propose pas à sa fille de choisir.

— Chantal, tu mets un tablier, tu vas travailler un mois à l'hôpital.

Elle a seize ans. On la place dans un service de pédiatrie. Pas mauvais père, Jacques Brel, ici. Il va se retrouver non pas en face, mais à côté de son aînée. Après un court stage de puériculture, Chantal décide de devenir infirmière.

Jacques donne des surnoms à ses filles. Chantal vit dans le présent, se maquille, veut paraître très féminine ; bavarde, extravertie elle est à la recherche de sa vie intérieure, elle sera l'Autruche.

> ... Elles sont notre plus bel ennemi
> Quand elles ont l'éclat de la fleur
> Et déjà la saveur du fruit
> Les biches [1]...

France refuse d'être appelée Brise-lames.

---

1. *Les Biches.*

— Tu as raison, concède Brel, Guitare, c'est mieux.
— Pourquoi Guitare ?
— Elle prend la forme qu'on veut bien lui donner.

> ... Elles sont notre pire ennemi
> Lorsqu'elles savent leur pouvoir
> Mais qu'elles savent leur sursis
> Les biches [1]...

Isabelle deviendra le Nuage, parce que, pense rêveusement Brel, sa cadette semble toujours être au-dessus des situations. Il veut le croire.

> ... Quand Isabelle chante plus rien ne bouge
> Quand Isabelle chante au berceau de sa joie
> Elle vole le velours et la soie
> Qu'offre la guitare à l'infante
> Pour se les poser dans la voix
> Belle Isabelle quand elle chante [2]...

Toujours plus à l'aise dans le tête-à-tête qu'en groupe, Jacques préfère inviter ses filles les unes après les autres. Isabelle a le droit d'accompagner son père à Dinard ou à Saint-Malo. Elle ne s'étonne pas de l'absence de Miche ni de se trouver seule en vacances avec Jacques.

Sans jamais dire qu'il se prend pour l'accusé, l'inculpé ou le coupable, Brel compare ses filles à une cour d'assises :
— Chantal, c'est l'inquisition. France, l'avocat de la défense, Isabelle, qui domine tout, le président.

France décide de partir, seule, seule, seule pendant les vacances scolaires. Jacques lui offre une randonnée à cheval dans les Cévennes, « ailleurs ». France suit des cours de danse depuis l'âge de sept ans et déclare qu'elle veut devenir danseuse classique. Brel refuse :
— Le monde du spectacle est trop dur. Il faut être le premier ou la première. Seconde toute sa vie, ce n'est pas intéressant.

Ce nom de Brel est lourd à porter. Jacques monologue plus qu'il ne dialogue avec ses filles, en s'étonnant auprès de Miche que Chantal, et France surtout, ne l'interrogent pas plus.

La drogue, douce et dure, marijuana, cocaïne, LSD, éclate à la une des journaux. Jacques en discute avec Jojo. Brel le père soliloque devant France : il ne faut surtout pas se droguer, c'est très mauvais...

---

1. *Les Biches.*
2. *Isabelle.*

Il a vu des musiciens se détruire. On prétend que la marijuana n'est pas plus dangereuse que le tabac. Ouais !

— Je suis contre, affirme-t-il.

Jacques Brel se lève, persuadé qu'il y a eu un échange fructueux. Cérémonieux, il serre la main de sa fille :

— Je suis content d'avoir eu cette discussion avec toi.

Éblouies par la faconde de Jacques, sa célébrité, son humour, les adolescentes se demandent : qui est ce bonhomme pourfendeur de bourgeois dans ses chansons et qui, à Bruxelles, se comporte en bourgeois ?

Les filles n'écoutent pas toutes les chansons de Brel. Il ne leur en veut pas. Et si, de fait, ça l'arrangeait ? Autre alibi exquis, n'être compris ni par sa femme ni par ses filles ! Chantal et France saisissent la tonalité de l'œuvre du père prodige, sublime, déconcertant. Pendant un dîner de famille, devant son frère Pierre, Jacques se lance dans une tirade remplie de mots cogneurs, fesses, cul, con... Chantal le coupe :

— On se demande comment il peut parler comme ça et, par ailleurs, écrire des phrases aussi belles, aussi tendres.

Brel ne répond pas.

On profite d'immenses soirées de gaieté et de rires, mais ce n'est pas toujours « le berceau de la joie » chez les Brel à Bruxelles.

Isabelle n'aime pas rester seule avec la fille au pair lorsque Miche rejoint Jacques en tournée. La petite fille grogne le matin quand son père est là car Miche alors ne se lève pas. Isabelle n'est pas aussi consciente que ses sœurs de la notoriété de Jacques. Elle se souvient surtout d'agréables vacances avec ses parents à la Guadeloupe.

En plein succès, Jacques fait souvent le point sur ses rapports avec Miche. Il ne parle guère de ses compagnes en France, sauf sur le ton de la plaisanterie rassurante. Certaines souhaiteraient qu'il divorce. Quoi de plus normal ? Pour éviter ce terrain glissant, Brel modifie et invente une loi belge. Elle interdit aux époux séparés depuis dix ans de divorcer, jure-t-il. Son refus du divorce ne surgit-il pas aussi du catholicisme de son enfance ?

Loin de Miche, Jacques lui écrit toujours. De Béziers, en juin 1960, avant de se rendre à Tunis pour revenir sur Nîmes et repartir vers Madrid :

« ... Tu méritais surtout plus d'amour, ma Mie, alors que je n'arrive qu'à te donner toute la gentillesse et la tendresse dont je suis capable. Cent fois j'ai attendu de toi une phrase me disant que tu aimerais mieux me quitter, mais peut-être es-tu moins malheureuse que je ne l'imagine. Peut-être aussi n'as-tu pas comme moi, ce double besoin de se bruler en amour et qui tue certains hommes ? Mais au fond peut-être sommes-nous maintenant au dessus ou plutôt par dela l'amour, complices gentils et tendres. Car enfin nous devrions nous détester et toi, je crois que tu m'aimes beaucoup, et moi, m̂ si j'ai ce que les sots appelent « de coupables faiblesses », je ne fais jamais rien qu'en fonction de Toi et des nôtres. Ce mot de faiblesse est peut-être pour moi le fond du Problème car devant pas mal de situations, il faut avouer que je flanche ; je suis incapable de voir une larme de femme.

Mais je me trouve bien con à raconter tout cela. Il y a peut-être un peu de fatigue là dedans.

je me soigne, je t'embrasse, et je pense fort fort à vous.

Pitouche (Qui, lui aussi, t'aime mal) »

Jacques n'attache aucune importance à la manière dont il n'a pas meublé sa chambre de la cité Lemercier. Il veut que ses femmes lui fabriquent un cadre agréable dans leurs appartements, à Paris ou à Bruxelles. Avec Sophie, il discute fauteuils, lampes et tableaux. Rarement avec Miche, sinon pour faire un commentaire sur les rideaux. Il partage les goûts de Miche :

« ... Et je vois d'ici ton nez se retrousser lorsque tu reçois les copains.

En tous les cas je ne te dirai jamais assez combien je trouve que tu as bien travaillé à faire quelque chose de vraiment joli.

Je pense bien souvent à toi et je me dis que vraiment, vraiment non je ne te donne pas une très belle vie et j'en ai bien souvent des remords, car tu méritais mieux qu'un époux voyageur. »

Miche sait que le voyageur revient puisqu'il veut :

... Voir un amour fleurir
Et s'y [...] brûler[1]...

Pour Jacques, il va de soi que la femme gère la maison, un appartement. Depuis leur mariage, Miche est rodée. Selon Brel, un lieu où l'on habite doit susciter la fête. Pour l'appartement de l'avenue Winston-Churchill, celui du Lavandou — un salon, deux chambres — acheté en 1963, Jacques donne carte blanche à Miche. Il exige des fauteuils confortables Chesterfield, des tentures épaisses. Il pousse à l'emploi des couleurs chaudes, aux rouges 1900. Il hait le noir, règle les éclairages, se plaignant du manque de lumière ici ou là. Le tapis du vaste salon de Bruxelles, il le choisit rouge et noir, riche en ramages et feuillages. Un appartement doit se présenter comme une série de chansons, découvrir d'un coin à l'autre des climats différents Brel n'est pas attaché aux objets mais il aime ce baromè-

---

1. *Voir.*

tre, cette mappemonde, les lampes portées par des nègres, le piano Petrof quart de queue, le fauteuil à bascule. Les pendules émerveillent Brel ou l'obsèdent, symboles du temps qui passe, fragiles, comme si elles s'excusaient d'égrener notre vieillissement. Les vieillards sont ceux qui oublient

... toute une heure la pendule d'argent
Qui ronronne au salon, qui dit oui qui dit non, et puis qui les
    attend [1]...

Jacques Brel, à Bruxelles ou ailleurs, veille à ce que les horloges soient à l'heure et remontées. Jacques a quelques lubies. Ce billard semble plus attendu que la tente berbère dressée un temps dans le salon.

Avouant un faible pour le style anglais, et les meubles de bateaux qui font fureur en France et en Belgique dans les années soixante, Brel accepte les mélanges du baroque et du rococo. Il prête une grande attention aux belles nappes, aux carafes qui aèrent le vin. Là, il fait volontiers des cours à ses enfants. Ritualiste ou moyen bourgeois belge, ici ?

Dans les bordels de France et de Belgique, Jacques goûte les globes, les tables, les dorures 1900 autant que les dames : « Je ne suis pas de mon époque », dit-il. Pas si sûr : le 1900 est à la mode. On est toujours de son époque, dans le refus ou l'acceptation.

Avant d'avoir vingt ans, les filles de Jacques et Miche se demandent pourquoi leurs parents ne leur ont pas expliqué qu'ils menaient, l'un et l'autre, une double vie. Elles posent des questions. Pourquoi ne nous ont-ils pas dit la vérité ? N'aurait-ce pas été plus simple et loyal ?

France en parle à Miche. Sa mère répond :

— On voulait que ce soit comme ça pour vous dans votre tête.

Prend-on Chantal et France pour des nigaudes ? Jacques et Miche ne sont pas les seuls parents à affronter ces problèmes. Les filles comprennent que Jacques ne divorcera jamais. Il ne renie pas son mariage, tout en se plaignant.

A partir de 1960, pour une dizaine d'années, cet homme, peu fait pour la vie conjugale, vit une sorte de deuxième mariage avec Sophie à Paris. En Belgique, il laisse clairement entendre qu'il attache une grande importance au fait de rester marié avec Miche. La famille en général est une prison mais il ne considère pas que la sienne en soit une, ou alors c'est une prison moderne, ouverte.

A la femme d'un ami qui critique son comportement, son *way of life,* Brel, glacial, répond :

---

1. *Les Vieux.*

— Je ne fais pas de reproches, moi. On ne m'en adresse pas non plus. Nous sommes bien d'accord ? Madame, vous êtes de ces femmes qui croient avoir un diamant entre les jambes. Et vous avez un mari que vous ne méritez pas.

Façon d'impliquer que Miche, elle, a un mari mérité ?

La personnalité de Jacques est écrasante pour ses filles aînées. Même lorsqu'elles s'opposent à lui, dans la violence comme Chantal, dans le silence comme France, elles aiment, admirent leur père. Elles se débattent dans leurs ambitions, leurs retraits, leurs révoltes. Pour elles, il reste le Phare.

Chantal et France, comme Isabelle, mettent longtemps à lire et relire le mariage de leurs parents, à comprendre ce père intermittent. Miche en parle sans cesse en termes d'autorité : « Votre père a décidé... Il faudrait que j'en parle à votre père... Votre père pense que... » Absent ou présent, il envahit leur monde de lycéennes, d'adolescentes, de jeunes femmes, d'épouses et de mères.

Miche, elle aussi, mène sa vie.

Mâle occidental du XXe siècle, de tous les siècles, Jacques accorde plus difficilement à sa femme les droits qu'il s'octroie. Par hasard, Brel se retrouve seul, dans la capitale belge et l'appartement vide. Un mot pour Miche :

> « Bruxelles
> Vendredi soir (A la maison)

Petit chef Indien,
Ici ce soir, il y a un manque : Toi.
Et lourd.
Cet après-midi j'ai été content de t'entendre
Et d'apprendre que tout allait bien... »

La mécanique brélienne se met en route, ramène tout à Jacques qui s'apitoie sur lui-même :

« Oui il fait triste ici.
Voici donc que commence l'histoire de cet homme qui a mangé tous ses rêves et se retrouve tout seul. Accusé par lui-même d'avoir osé essayer.
Je sais ta peine, ton inquiétude.
Je sais ton chagrin (quel mot idiot !)
Et je suis la, sans rien pouvoir.
Impuissant déja.
Si le monde avait été gentil, j'aurais pu être très grand, très fort.
je ne suis que très seul, très impuissant.
Absurde est le mot le vrai de notre vie
et je veux encore pourtant.

Que Dieu punisse ceux la qui nous enseigne l'espoir : c'est trop lourd à porter, à fabriquer !...

... Je me retrouve dans la vie ficellé, empaqeté, catalogué et je n'ai pas commencé à vivre. »

Un violon sur un moi tirant de lui-même des notes aiguës et fortes. Jacques n'accepte guère les compromis dans sa vie profession-nelle. Dans sa vie privée, il est déchiré.

« Et voilà déjà que la porte se ferme :

... Soyez heureux, vous autres, par pitié.

Un peu.

Miche, pardonne moi cette lettre un peu folle, mais ce soir est bien lourd à porter. et depuis si longtemps...

Merde c'est l'âge. »

Alors, Jacques n'a pas trente-cinq ans.

« ... A bientôt, je t'embrasse et je vous embrasse toutes. Et j'espère encore. »

Ce spleen tragique est dû... à un retard d'avion. Miche n'est pas partie.

Brel compartimente sa vie parisienne et bruxelloise. Seuls François, Gérard, quelques musiciens, Charley, Alice et Jojo Pas-quier, fréquentent, par la force des déplacements et la volonté de Jacques, les deux cercles d'amis en Belgique et en France.

Brel adore la discussion *pour* la discussion, comme un Écossais ou un talmudiste. Il a quelques interlocuteurs toujours disponibles en Belgique. Jean-Pierre Grafé, avocat, mince, vif, qui était en dernière année à l'université quand Jacques l'a connu à Liège, mène mainte-nant une carrière politique. Il est député PSC, donc de la droite classique, comme Hector. Grafé scra ministre de la Culture.

Liège n'est qu'à une centaine de kilomètres de Bruxelles, une heure de voiture. Avec l'Allemagne, la Belgique dispose des meil-leures autoroutes d'Europe, gratuites et éclairées. A Liège comme partout, Brel vit volontiers la nuit, se sent bien dans le quartier du pont d'Avroy où se mêlent bistrots et restaurants. Jean-Pierre est aussi noctambule que Jacques. Leur amitié est fondée sur une plaisante caractéristique : ils ne sont d'accord sur rien. L'avocat est toujours frappé par le mélange d'inquiétude et de joie chez Brel. Curieux homme, ce Jacques, dans sa perpétuelle course contre la montre de la vie. Où s'arrête son anxiété, où commence son angoisse ?

Près du pont d'Avroy, un homme-à-tout-faire, pianiste, compo-siteur, comptable, réparateur, tient un établissement de strip-tease. Jacques dit à Jean-Pierre :

— Son spectacle est affligeant mais faut qu'on aille dire bonjour à Mac Arden. On attend 4 heures du matin, comme ça on évitera ce spectacle de super-province.

Les deux amis arrivent avant l'aube.

— Monsieur Brel! s'exclame Mac Arden. Vous venez de rater mon spectacle. Allons les filles! En piste! On recommence pour Brel!

Jacques et Jean-Pierre noctambulent et sortent d'une boîte, Les Champs-Élysées. Jacques a le cafard. Traversant le boulevard de la Sauvenière, les deux amis se dirigent vers le quartier chaud de Liège. Sinistre, Jacques ce soir. Jean-Pierre lui tape sur le bras :

— Allez, Jef, t'es pas tout seul.

Jacques répond par une claque dans le dos de Jean-Pierre :

— Oui, nous irons en Amérique.

Jacques aime les bordels :

> ... On ira voir les filles
> Chez la Madame Andrée
> Paraît qu'y en a de nouvelles
> On rechantera comme avant
> On sera bien tous les deux
> Comme quand on était jeunes[1]...

Cet échange avec Jean-Pierre n'est sans doute pas la seule source de cette superbe chanson. Grafé, qui a le patriotisme régional de son accent, fait une suggestion :

— Tu viens toujours à Liège, Jacques. C'est que tu aimes bien cette ville ? Tu ne chantes pas ce que tu aimes bien ?

Jacques écrit :

> ... Et la neige sur Liège pour neiger met des gants
> Il neige il neige sur Liège
> Croissant noir de la Meuse sur le front d'un clown blanc
> Il est brisé le cri
> Des heures et des oiseaux
> Des enfants à cerceaux
> Et du noir et du gris
> Il neige il neige sur Liège
> Que le fleuve traverse sans bruit[2]...

Pour le moment, Brel ne veut pas qu'on sorte cette chanson en disque.

— Ça n'est pas que je n'aime pas la musique ou le texte mais

---

1. *Jef.*
2. *Il neige sur Liège.*

Liège mérite mieux. Ce pourrait aussi bien être « Il neige sur Charleroi » ou « sur Lille ». Je n'ai pas suffisamment croqué ou exprimé l'âme, la terre et le peuple de Liège.

La chanson paraîtra dans un album, *Jacques Brel chante la Belgique* remis en cadeau aux maires d'un congrès mondial à Bruxelles. Ce disque rare comprend aussi *Jean de Bruges, Bruxelles, Le Plat Pays* et il est présenté avec quelques platitudes par Paul Henri Spaak, l'homme politique belge le plus connu sur la scène internationale. Fidélité de Jacques à ses amis : *Les Trois Histoires de Jean de Bruges* constituent le poème symphonique de François Rauber. Même dans cet exercice de style, Brel se livre :

> ... Jean de Bruges, voilà ton verre
> Jean de Bruges, voilà ta bière
> Le houblon te rendra causant
> Tu mentiras plus aisément [1].

Jacques et Jean-Pierre préfèrent les virées à Liège aux discussions. Grafé défend les intérêts d'artistes du spectacle Avocat de Salvatore Adamo, Belge d'origine italienne, Jean-Pierre organise une rencontre entre les deux chanteurs au palais des Congrès de Liège. Il craint que Brel ne regarde de haut ce petit. Ça se passe fort bien. Jacques rédige une dédicace pour Adamo, au « tendre jardinier ». Adamo reprend souvent ces mots de Brel dans ses programmes.

Chez les Brel, Grafé participe à des soirées qui durent toute la nuit. Gilbert Bécaud et Jacques Brel, en présence de Miche et de Jean-Pierre Grafé, s'affrontent jusqu'à 5 heures du matin sur l'existence de Dieu. Détours par l'amour libre et l'avortement. Près du billard qui occupe une partie du salon, les deux chanteurs sont debout sur des chaises. Croyant, Bécaud défend le mariage et condamne l'avortement. Autant Brel paraît libre à Paris, autant, à Bruxelles, il semble attaché aux valeurs familiales. Les attaque-t-il avec autant de virulence pour s'en défendre ?

En Belgique, Jacques laisse entendre qu'à ses yeux le plus grand chanteur français, c'est Brassens. Néanmoins, il se sent plus à l'aise avec Bécaud. Brel s'offre le luxe d'entretenir un projet de chanson pour Bécaud. Le thème serait : « A l'enterrement de notre amour, Paris sera Berlin. » L'idée enchante Gilbert. Elle n'aboutit pas à une chanson. Pourquoi ? Jacques achève des chansons qu'il n'interprète pas, pour Juliette Gréco, Sacha Distel, Charles Dumont, *Vieille, Je suis bien, Les Crocodiles, Je m'en remets à toi* ou *Hé! m'man.* Pourquoi Brel rate-t-il sa chanson destinée à Bécaud ? L'enterre-

---

1. *Les Trois Histoires de Jean de Bruges.*

ment, inévitable, d'un amour, c'est le drame, l'inamovible mur de Berlin, selon Jacques. Pour Bécaud, plus latin, la fin d'un amour passe mieux. Une femme perdue, dix de retrouvées. Voilà pourquoi le texte de Brel ne saurait coller à la musique de Bécaud.

Comme ces hommes politiques qui, à l'étranger, refusent de critiquer leur pays en public, Jacques est plus cruel face à la Belgique lorsqu'il se trouve à Liège ou à Bruxelles. Sur les bords de la Méditerranée, Jean-Pierre lui rend visite dans son cabanon de Roquebrune-Cap-Martin. Ils sont entre Belges.

— J'aime mon plat pays, mais les gens sont trop petits, dit Brel.

Sophie demeure toujours dans l'ombre. Elle passe beaucoup de temps à Roquebrune. Par accord tacite, Miche s'éloigne du cabanon agrandi.

Vivant ce deuxième mariage avec Sophie, Jacques s'adresse pourtant très intimement à Miche :

« Grand chef indien »
(Miche monte en grade. Toutes les bourgeoises ont été, sont ou seront des Indiennes.)

« Il me semble qu'il y a bien longtemps que je ne t'ai envoyé ma prose.
Trop longtemps.
Mais il ne faut pas se tromper : je pense a toi souvent.
Trop souvent.
La maison, ici est presque terminée simple et assez jolie.
beaucoup de fleurs
Et cette mer toujours...
... Une conclusion.
je ne suis pas, et ne serai jamais un pur esprit.
je suis un animal et c'est de cette partie de moi que tu es la parfaite maitresse.
 Je reste donc ton très dévoué
  ton parfaitement desesperé
   Pitouche
  qui veut encore se battre
Et rêve bien des nuits à ton corps
et à ta patience. »

  ... Moi, je sais tous tes sortilèges, chante-t-il
  Tu sais tous mes envoûtements
  Tu m'as gardé de pièges en pièges
  Je t'ai perdue de temps en temps

> Bien sûr tu pris quelques amants
> Il fallait bien passer le temps
> Il faut bien que le corps exulte
> Finalement finalement
> Il nous fallut bien du talent
> Pour être vieux sans être adultes [1]...

Brel, éternel incompris, cherche à se comprendre. A vingt, trente, trente-cinq ans, il se demande toujours, à la ville comme à la scène : qui est Jacques Brel ? Enfant, adolescent, adulte ? Chef et conseiller, en tout cas :

> ... Même si toujours trop bonne pomme
> Je me crève le cœur et le pur esprit
> A vouloir consoler les hommes [2]...

Non, Jacques, t'es pas tout seul. Brel a le don de l'amitié. Il n'est pas si fréquent de trouver des amis à tout âge. Jacques cultive cet art et cette science. Plus il devient célèbre, plus certains prétendent être ses amis. Il n'est pas dupe. Il peut devenir l'intime de gens rencontrés par hasard, et qui ne sont pas tous des courtisans, ou d'hommes qui ont besoin de Jacques et dont il se sert.

Aussi catalogué à gauche que Jean-Pierre Grafé l'est à droite, Arthur Gelin, chirurgien, massif, le front rieur et mouvant, stature imposante, amateur de Paul Valéry et de Saint-John Perse, truculent conteur et raconteur comme Jacques, opère France Brel de l'appendicite.

Brel et Gelin dînent en 1961 au Ravenstein, restaurant près du palais des Beaux-Arts à Bruxelles. Grande première européenne ou presque, les médecins belges sont en grève presque à cent pour cent. Le gouvernement, socialiste, cherche à clarifier le nébuleux problème de la Sécurité sociale. Ce gouvernement veut imposer au corps médical, sans négociations, par arrêté royal, des dispositions que les médecins jugent inacceptables. Le père de la loi contestée, Pierre Falize, est un pharmacien, secrétaire général des mutuelles socialistes, très puissantes et, de plus, adjoint d'Edmond Leburton, ministre de la Prévoyance sociale. Miche, plus centriste que Jacques en politique, invite Falize. Brel, béat, sent le pharmacien mal à l'aise. Tentant d'imposer maisons médicales, gratuité des soins et médecine encadrée, Falize a commis un faux pas. Jacques s'intéresse à un problème qui n'a pas encore trouvé sa solution en 1984, pas plus en France qu'en Belgique : comment associer une couverture sociale large au droit des malades de choisir leur médecin ? Brel est à son

---

1. *La Chanson des vieux amants.*
2 *La Chanson de Jacky.*

affaire : deux socialisants s'affrontent pendant le dîner. Jacques verse de l'huile sur le feu alors que Falize et Gelin, courtois, discutent devant leurs femmes et Miche. Pour éviter que la soirée ne s'enlise dans une conversation technique, Brel coupe Falize :

— Tu portes toujours le képi de Leburton et tu lui cires toujours les chaussures.

Jacques est toujours capable de se montrer aimable et désagréable dans le même quart d'heure.

Brel découvre Arthur Gelin, homme plein d'humour et cultivé. Jacques sait qu'Arthur ne s'intéresse guère à la chanson. En Gelin, Brel trouve un écho, le même goût de la dérision, une façon de lutter contre les sots, les fats, les imbéciles. Les cons, dit Jacques.

Brel a jaugé avec affliction la médiocrité culturelle de tant de grands et de petits du show-business. Arthur est un interlocuteur stimulant, qui peut accueillir des confidences sans les solliciter.

Arthur lit à haute voix devant Jacques une page d'*Intimité* de Paul Valéry. Mieux vous connaissez les gens, plus vous êtes leur intime, plus il est important d'être soucieux de les ménager. Leur pudeur, leur *pudenda,* ce qu'ils taisent et cachent, devient plus important que leurs paroles. Ces remarques correspondent à la sensibilité de Jacques. Il sait être silencieux comme son père et volubile comme sa mère. Il se confie peu mais dénonce avec fureur les exécrables principes qui guident les autres.

Brel sent ce qu'il peut retirer de la fréquentation d'hommes sceptiques et généreux comme Grafé ou Gelin. Ils se meuvent dans des univers très éloignés de celui des Bruyndonckx.

Jacques s'est réconcilié avec Hector, tout en gardant ses distances. Si Brel n'est pas un père idéal, il reste un excellent fils. Il voit régulièrement ses parents, et ne manque pas d'assister au repas familial pour le quatre-vingtième anniversaire de Romain, le 13 février 1963. Jacques n'a jamais perdu sa tendresse pour sa mère. N'en aurait-il pas retrouvé une pour son père ? Cette année-là précisément, Brel termine *Les Vieux,* une de ses plus belles compositions. Quels autres vieillards Jacques Brel connaît-il aussi bien que Romain et Mouky ?

Brel a des intuitions qui satisfont les amateurs de prémonitions, sa fille France en tête. De Paris, au début de 1964, Jacques écrit à Bruyndonckx qui, nouvelle tonalité, n'est plus « Monsieur » :

« Cher Hector.

... Merci pour cette chaleur et pour cette tendresse aussi

De tout mon cœur.

Et je voudrais tant pouvoir vous en donner aussi pour cette vache de 64 qui nous tombe dessus. »

Quelques jours après, en janvier 1964, Romain Brel meurt. Jacques arrive à Bruxelles le matin de l'enterrement. Pour lui, on a laissé le cercueil ouvert. Le soir, Brel chante à Lille. Un journaliste ose lui demander :

— Quelle impression ça fait de devoir chanter quand on vient d'enterrer son père ?

Jacques n'a jamais eu beaucoup de considération pour les journalistes tout en sachant leur répondre ou les manipuler. Gazeuse, sa haine de la profession se solidifie. Certains pharmaciens, notaires, journalistes sont ses amis, bien sûr, mais ce sont des cas isolés : *le* pharmacien, *le* notaire, *le* journaliste acceptable.

La mère de Jacques est malade depuis longtemps. D'opération en opération, elle en vient à peser trente-trois kilos.

... Et l'autre reste là, le meilleur ou le pire, le doux ou le sévère
Cela n'importe pas, celui des deux qui reste se retrouve en enfer
Vous le verrez peut-être, vous la verrez parfois en pluie et en chagrin
Traverser le présent en s'excusant déjà de n'être pas plus loin [1]...

Après la mort de son mari, Mouky dit à son fils Pierre :

— *Maneken*, je ne sers plus à rien maintenant.

— *Maanke*, il ne faut pas dire ça.

— Mais si.

Très affaiblie, Mouky meurt en mars. Elle a soixante-huit ans. La mère de Jacques et de Pierre, qui, selon Jacques, n'avait peut-être jamais commencé à vivre pleinement, n'en finissait pas de mourir tant que Romain avait besoin d'elle. Il disparaît. Alors, elle a rempli son rôle. Jusqu'à quel point Jacques Brel entretiendra-t-il l'idée qu'on peut choisir le moment de sa mort, et sa manière de mourir ?

Brel coupe tous ses liens avec la cartonnerie. Pourtant il souhaiterait que le groupe Brel continue de représenter quelque chose, à côté des Vanneste qui conservent les trois quarts des actions. Jacques Brel garde le sens de sa famille, même s'il ne voit pas souvent son frère. Familles je vous hais. *Ma* tribu et *ma* famille, à *ma* façon, je les aime.

Brune aux yeux verts, belle, toujours discrète, ce qui ne l'empêche pas de se montrer possessive loin des coulisses, Sophie a connu Jacques dans le monde de la chanson.

Sophie racontait sa vie et ses déboires à Jacques, dont la liaison avec Suzanne Gabriello touchait à sa fin. Mi-blagueur, mi-sincère, Brel disait à Sophie :

---

1. *Les Vieux*

— Si un jour tu t'ennuies trop, tu me téléphones. Je viendrai à ton secours tout de suite.

Un peu saint-bernard, Jacques Brel. A ses yeux Sophie est très cultivée. Après tout, elle s'entendait fort bien avec Boris Vian et Serge Gainsbourg. Jacques est en tournée dans le Midi. Sophie veut le voir. Il accourt.

A trente et un ans, Jacques peut être fou ou foufou comme un garçon de quinze ans. Entre deux spectacles, il surgit à Paris. Un grand amour commence, incontestable aux yeux de tous. Mais aussi ce deuxième mariage *back street,* dur à vivre pour la femme amoureuse, dévouée, stimulante qu'est Sophie.

A la Noël de 1960, Sophie reçoit. Alice et Jojo arrivent chez elle en compagnie de Jacques, son cadeau pour Sophie sous le bras, un manteau d'astrakan.

Sophie dit à Alice :

— Quelle horreur ! Je ne mettrai jamais ça.

Sophie, non sans raison, trouve ce manteau « bobonne ». Qu'elle ne le porte pas heurte Jacques. A la fin de la soirée, invité par Sophie, débarque un couple, Marianne et son mari. Jacques aime beaucoup le mari de Marianne, grand sportif.

Brel est très impressionné par Sophie. En déplacement en France ou à l'étranger, il lui téléphone chaque soir. Il l'a convaincue d'abandonner son travail : qu'elle soit disponible à ses jours et à ses heures. Elle lit beaucoup mais rêve sans doute d'une autre vie. Quelle femme, surtout si on la contraint à une oisiveté qui lui sied mal, ne voudrait épouser Jacques, avoir un enfant ? Sophie voudrait écrire. Écrit-elle ?

Ballet brélien banal, quant aux intentions et aux actes, Jacques débarque à Bruxelles.

— Miche, on va divorcer. Je vis trop séparé de toi. Tu peux refaire ta vie.

Miche :

— D'accord. On divorce. Tu veux un avocat ?

Jacques, inquiet :

— Débrouille-toi. Tu sais, c'est une idée que je lance comme ça. *Pour toi,* ça serait peut-être bien qu'on divorce.

Miche désarme Jacques. On va divorcer, c'est tout. Lorsqu'il repasse à Bruxelles, et il revient toujours, Miche annonce

— Je t'emmène chez l'avocat.

Brel hésite. Miche en profite :

— Non. Finalement, c'est idiot. On s'aime trop. Ça ne rime à rien. Tu es avec Sophie et ça durera ce que ça durera. Nous, c'est pour la vie.

Voilà une version que Jacques Brel rapporte à Paris aux Pasquier. En somme, Brel fond devant son épouse légitime. Miche lui semble froide, trop organisée. Il veut et il ne veut pas qu'elle soit « popote ». Elle l'épate aussi, d'une autre manière que Sophie la Parisienne. A Jojo, Jacques répète :

— C'est quand même une fille bien, Miche.

Sophie ne retrouve pas une identité professionnelle. Elle n'aime guère languir à Paris lorsque Jacques est en tournée, mais paraît mal à l'aise quand elle le rejoint en province.

Elle n'apprécie pas — on la comprend — que Jacques, inconscient ou manquant d'élégance, se trouvant à New York avec elle, dise : « Miche m'a demandé de ramener des draps. Pour Miche il ne faut pas oublier ces disques. » Sophie rappelle scrupuleusement à Jacques les dates d'anniversaire de ses filles.

Sophie lit un livre jusqu'au bout et rend d'immenses services à Jacques. A Brel, elle semble de plus en plus tendue, à l'affût. Il croit qu'elle fait du négativisme, parce qu'elle n'aime ni le bateau ni l'avion. Si Jacques le lui demande, elle l'accompagne à contrecœur en mer avec Marianne et son mari.

Pourtant, installé chez Sophie à Paris, Jacques conserve son repaire de la cité Lemercier. Il décide d'acheter un appartement. Un ami lui en propose un près de l'Arc de Triomphe, avenue Foch, l'artère la plus chère de Paris ; avec ses salons en enfilade à hauts plafonds, cette demeure effraie Jacques. Avec l'aide de Charley Marouani, il achète sur plan un appartement rue Dareau dans le XIVᵉ Ici, on respire une atmosphère de village qui ne règne pas avenue Foch. Dans le même immeuble Georges Brassens vivra un temps.

Jacques choisit un duplex, une grande salle de séjour et une cuisine en bas. Un escalier mène au bureau et à la chambre Jacques annonce à Sophie qu'il va faire décorer cet appartement

— Quoi, un décorateur ? s'exclame-t-elle Non !

Il s'obstine, en engage un. Sophie trouve le style rétro proposé affreux Elle pose des conditions :

— Je n'irai habiter là-bas que si je m'en occupe.

— Tu as tous les crédits nécessaires. Achète.

Sophie refuse d'« arranger » le duplex. Jacques s'entête Aux Pasquier, il donne ses instructions :

— *Vous* me l'installez.

Brel bougonne. Il veut pouvoir rentrer chez lui, recevoir ses copains. Le nomade désire avoir une belle tente à Paris Jacques en veut à Sophie de ne pas être une « arrangeuse » d'appartement comme Miche. Sophie n'accepte pas, elle, les demi-cartes blanches, ou les goûts de Jacques.

Pendant son ascension, il a craint d'être transformé par l'argent. Il convertit cette peur en mépris. En pratique, il n'hésite pas entre un grand ou un petit restaurant, il voyage en première classe et ses musiciens en classe touriste. Brel n'accumule pas les signes extérieurs de richesse comme beaucoup de vedettes. Il installe de mieux en mieux sa famille à Bruxelles, embellit son cabanon de Roquebrune. Ses vrais luxes seront le bateau et l'avion. La villa et les piscines hollywoodiennes, les collections d'œuvres d'art qui tentent ou rassurent tant d'acteurs et de chanteurs, les réceptions mondaines ne font pas partie de son style de vie.

— L'argent, ça n'a pas d'importance, affirme-t-il. Je ne mérite pas tout ça et je m'en fous complètement.

C'est à moitié vrai. On dira qu'il en avait assez justement pour ne pas y attacher d'importance. De fait, il n'a pas géré son capital avec frénésie.

Jacques reproche à Sophie de suivre ses mouvements à travers les journaux, comme la femme d'un marin épluche les rubriques annonçant les arrivées ou les départs des navires dans les ports. Sophie se ronge. Comment affirmer sa personnalité face à Jacques rude, difficile, rogue, las aussi des reproches ?

Après une dizaine d'années de vie commune, riche et orageuse, Jacques Brel part un matin de 1971.

Derrière lui, il laisse vêtements, livres, manuscrits. Il rejoint Miche dans l'hôtel où elle descend toujours à Paris, rue Saint-Dominique. Mme Jacques Brel s'y trouve par hasard. Quand il en a besoin, Jacques retrouve son Ancre.

Sophie tente de reconquérir Jacques. Il refuse de la revoir. Son cœur et son corps sont ailleurs, engagés dans une autre passion : Marianne, l'amie de Sophie — du moins, selon cette dernière — connaît Jacques depuis longtemps, bien avant qu'ils ne deviennent amants en 1970. Sophie se sent doublement trahie.

Jojo et Alice Pasquier essuient les plâtres, filtrent les lettres et les coups de téléphone.

Avec les hommes, ses « mecs », Jacques Brel reste doux :

> Je prendrai
> Dans les yeux d'un ami
> Ce qu'il y a de plus chaud, de plus beau
> Et de plus tendre aussi
> Qu'on ne voit que deux ou trois fois

Durant toute une vie
Et qui fait que cet ami est notre ami[1]...

Avec les femmes, ses « bonnes femmes », il est dur :

... Qu'on les chasse de notre vie
Ou qu'elles nous chassent parce qu'il est temps
Elles restent notre dernier ennemi
Les biches de trop longtemps[2]...

Hommes et femmes sont si différents pour Jacques Brel :

Les hommes pleurent les femmes pleuvent[3].

1. *Je prendrai*.
2 *Les Biches*.
3 *J'arrive*.

VI.

La difficulté d'être *Brelge*

Mais vous savez que Dieu est Belge
Et qu'il ignore le nom des fleurs [1].

La belgitude, qu'est-ce ? Des strates culturelles, religieuses et politiques.

Qui forgea le mot « belgitude » ? Claude Javeau : « J'ai inventé le mot, sans grand mérite d'ailleurs, il suffisait de plagier Senghor. Oublions-le. Quantité de beaux esprits (la Belgique en est pleine) ont expliqué aux lecteurs de journaux pourquoi le mot et la chose étaient haïssables. Je ne partagerai jamais les haines — pas davantage que tout le reste — de ces gens-là [2]. »

Comme la négritude, la belgitude est un négatif retourné en positif. Face au chauvinisme triomphant les intellectuels belges surmontent leur nostalgie et valorisent la diversité autant que l'incohérence. « J'aime, dit Willems, le non-État qui est ce pays. » Propos qui fait écho à celui de Marcel Marien selon lequel « les gens estimables n'ont pas de patrie » [3]...

Qu'il s'agisse de littérature, de musique, de religion, de politique, Brel ne sort pas son revolver, mais il déteste le mot « culture ».

---

1. Lignes sur un cahier de travail de Jacques Brel (vers 1971). Autres phrases notées :

> *Elle est dure a chanté*
> *Ma belgitude*

Et plus loin : *Elle est dure à chanter La belgitude. (Fonds Mme Jacques Brel.)*

2. *La Belgique malgré tout*, éd. de l'université de Bruxelles, 1982

3. *Ibid.*

— D'abord le mot « culture » me fait penser à des pommes de terre... Ensuite à une prothèse... Tous les hommes sont infirmes...

Jacques plante les problèmes à mi-chemin de l'intellectuel et de l'affectif. Ses intuitions, ses éclairs de lucidité contournent les vrais discussions. A de nombreux interlocuteurs, il donne le sentiment de louvoyer, de fuir dès que la conversation prend une tonalité grave. S'il peut dramatiser, il la prolonge. Tard le soir, l'alcool aidant, ou tôt le matin, c'est facile avec un Jojo ou un Franz.

De ses égaux, Brel se méfie. Il est plus facile pour lui d'étonner des courtisans que les Rauber ou Sophie. En Belgique, pas plus qu'en France, Brel ne fréquente les milieux littéraires. Sophie a sur Jacques une influence sécurisante. Brel cherche des interlocuteurs, des répondants intellectuels. Sophie répond.

Pour Brel, la culture c'est d'abord ce que l'on apprend en regardant, en écoutant. Il lit en vrac, revient à certains romans qui satisfont ses fantasmes, achète, distribue à ses amis et conserve dans ses bibliothèques, un ouvrage de Robert Merle, *L'Île*. Ce superbe roman évoque la spontanéité, la générosité et la violence des « sauvages » tahitiens face à la mesquinerie calculatrice des Blancs. Brel y voit une apologie de la vie loin de la civilisation. L'endroit dont Jacques rêve pour écrire un roman, serait-ce une île ?

> ... Une île
> Une île au large de l'amour
> Posée sur l'autel de la mer
> Satin couché sur le velours
> Une île
> Chaude comme la tendresse[1]...

Jacques affirme qu'on réalise parfois ses rêves. Brel les mène souvent à bout.

Parti de Bruxelles avec Saint-Exupéry dans le cœur, Brel découvre la littérature moderne à Paris. Il aime Camus, rejette Sartre, goûte à Céline grâce à Louis Nucera rencontré à Nice. Dans les années soixante, Brel aborde des auteurs plus hermétiques, Paul Valéry ou Saint-John Perse. Brel ne perdra jamais sa passion pour les ouvrages de grande vulgarisation historique, comme *Le Jour le plus long* ou *La Nuit des longs couteaux*. Il se méfie de l'avant-garde, surréalisme, nouveau roman, le mouvement Cobra, la nouvelle vague du cinéma.

Ses livres sont dispersés dans plusieurs maisons, appartements et garde-meubles. On ne lit pas tous les ouvrages qu'on accumule, mais

---

1. *Une île*

la décision de les acheter est significative. Brel de 1953 à 1978 glane des livres ici et là, sans que l'on puisse déterminer avec précision ce qui le fascine. J'ai seulement pu reconstituer sa dernière bibliothèque[1]. Ces ouvrages qu'on emporte au loin ou que l'on commande quand on se sait proche de la mort, ceux qu'on aime relire, comptent plus qu'un livre de poche acheté au hasard d'un aéroport.

La culture littéraire de Brel n'est pas spécifiquement belge, encore moins flamande. Ainsi, on ne trouve pas chez lui la moindre allusion au célèbre mais peu connu Guido Gezelle, tout juste quelques citations ou allusions convenues à Ghelderode. Il n'est pas sûr que Brel ait lu Suzanne Lilar ou tant d'autres. Jacques Brel acquiert une culture littéraire sauvage et originale à partir de la France.

De même, sa culture musicale n'est pas belge. Ses premiers contacts avec la musique, Jacky les dut à la radio et au disque.

— J'aimais les sons. L'état dans lequel met la musique. Je la crois fonctionnelle.

Dans son enfance, ses premiers émois musicaux venaient de Beethoven, Mozart, Ravel, Debussy. Jacques Brel a des goûts précis en matière musicale. Quelques-uns de ses morceaux préférés, attestés par de nombreux témoins : le *Concerto pour la main gauche* et le *Concerto en sol,* de Ravel, surtout le deuxième mouvement, source d'inspiration pour l'orchestration des *Désespérés* :

> ... Et je sais leur chemin pour l'avoir cheminé
> Déjà plus de cent fois cent fois plus qu'à moitié
> Moins vieux ou plus meurtris ils vont le terminer
> Ils marchent en silence les désespérés...

Chez Debussy, Brel aime *La Mer, Pelléas et Mélisande.* Il choisit l'ouverture de *Sémiramis* pour illustrer une séquence de son second film, *Far West,* mais parle moins de Rossini autour de lui que de Beethoven ou de Mozart. Brel revient souvent à Stravinski, avec *Le Sacre du printemps* et *L'Oiseau de feu.* Brel est attiré par les cadences coupées. Dans son métier de chanteur, il utilise les possibilités de respiration et de souffle qui font des mots les contrepoints des notes. Écrivant, Brel écoute beaucoup Schubert. Ses notes légères, entraînantes, portent aisément sa plume.

Brel mûr ne fait guère allusion à Wagner — sauf avec une touche un rien méprisante dans *Franz,* son premier film de réalisateur. Au cours des années soixante, Wagner, que voulez-vous, est « pompier ». Le sens du drame et de la mise en scène wagnérienne ne doit

---

1. Voir Annexes, p. 426.

pas laisser Brel insensible. Le crescendo symphonique de Wagner a plus de rapports avec le crescendo brélien que les variations de Ravel et de Debussy.

Wagner, c'est la manière de dire chez Brel, Ravel et Debussy ce qu'il ressent.

Jacques se laisse aller au romantisme de Chopin. Parmi les papiers épars de Brel, on trouve quelques notes sur des musiciens. A ma connaissance, jamais sur des écrivains ou encore moins des peintres :

« Ami, Chopin me touche infiniment
car sa soif, sa recherche est de toutes les générations
J'y trouve tout ce que j'aime.

cette révolte contre sa propre désespérance.
Une soif de tendresse autant que de justice.
Et puis cet amour qui le dévore et qu'il offre
comme n'offre plus les adultes.

Il n'est pas une attitude, il est un homme et qui me touche a chaque note [1]. »

Face aux expériences d'avant-garde, Brel admet ses réticences Bartok, Stockhausen?

— J'y comprends pas grand-chose... Xenakis? Qu'est-ce que j'ai l'impression d'être bête! Je ne saisis pas bien.

Autant que certains compositeurs, quelques instruments émerveillent Jacques Brel, chanteur populaire. Pour lui, ils ont une signification fonctionnelle et symbolique. La guitare, son premier instrument, le seul dont il ait joué, représente le chanteur de rue, le nomade, l'artisan de la chanson, la fête impromptue. La guitare n'a pas été importée des États-Unis au milieu du XXᵉ siècle mais, alors, elle fait accéder beaucoup de jeunes à la musique.

Pour Jacques Brel, le piano exprime un romantisme déchiré et le sentimentalisme. Brel crée souvent avec Gérard Jouannest, virtuose du piano. Jacques a trimbalé partout une guitare. Son piano ne le suit pas en tournée! Il possède un piano à Bruxelles. Le piano-roi est l'instrument éternel, sédentaire — et aussi un meuble de décoration bourgeoise. Dans une de ses dernières compositions, Brel associe l'absence de l'instrument-roi à la mort tout court :

> ... Le piano n'est plus qu'un meuble
> La cuisine pleure quelques sandwichs
> Et eux ressemblent à deux derviches
> Qui toupient dans le même immeuble

---

1. *Fondation Brel.*

> Elle a oublié qu'elle chantait
> Il a oublié qu'elle chantait
> Ils assassinent leurs nuitées
> En lisant des livres fermés [1]...

Derrière le piano, assez loin, vient le violon incarnant une grâce, un état poétique, un merveilleux, auquel Jacques croira de moins en moins. Il sinatrise le violon dans *La Chanson des vieux amants* :

> ... Mais mon amour
> Mon doux mon tendre mon merveilleux amour
> De l'aube claire jusqu'à la fin du jour
> Je t'aime encore tu sais je t'aime...

Dans la deuxième strophe de *Fils de...*, Brel part du piano et glisse au violon pour amplifier la mélancolie nostalgique de son thème :

> ... Mais fils de sultan fils de fakir
> Tous les enfants ont un empire
> Sous voûte d'or sous toit de chaume
> Tous les enfants ont un royaume
> Un coin de vague une fleur qui tremble
> Un oiseau mort qui leur ressemble
> Fils de sultan fils de fakir
> Tous les enfants ont un empire...

L'accordéon, instrument moins classique dans la musique occidentale, est utilisé par Brel, comme sa guitare, pour suggérer la fête aussi mais une fête aux participants nombreux, le bal, le banquet, la kermesse : l'accordéon pousse vite aux rires ou aux pleurs. Brel d'ailleurs s'excuse presque de s'en être beaucoup servi en chantant *Vesoul* :

> ... Mais je te le redis
> Je n'irai pas plus loin
> Mais je te préviens
> Le voyage est fini
> D'ailleurs j'ai horreur
> De tous les flonflons
> De la valse musette
> Et de l'accordéon...

Afin de montrer qu'il n'en croit rien, Jacques enregistrant cette chanson lâche au passage pour Azzola, son accordéoniste :

---

1. *L'Amour est mort*

— Chauffe, Marcel, chauffe...
Brel aime l'accordéon et s'en sert avec intelligence.

C'est un instrument plus nordique que le piano ou le violon.

De même la religion catholique pèse plus en Belgique, culturelle-
ment et politiquement, qu'en France. Ici, la belgitude de Brel se
définit ou s'empêtre dans des vérités, des contradictions et des erreurs
innombrables. La Belgique et surtout la Flandre, à travers les siècles,
c'est le catholicisme face au protestantisme des Pays-Bas. On peut
exagérer le poids du catholicisme intégriste en Flandre. Reste qu'il est
présent, quoique parfois dissimulé. A droite du titre d'un grand
quotidien flamand, *De Standaard*, on trouve encore ce sigle :

A
V V K
V

Traduction de haut en bas et de bas en haut : *Alles voor
Vlaanderen, Vlaanderen voor Christus*, « Tous pour la Flandre, la
Flandre pour le Christ ». Ce sigle, AVV, VVK, se trouve au sommet
de la tour de l'Yser, sur les grilles et les vitraux, dans la crypte, sur les
drapeaux. Construite après la victoire de 1918, la tour fut dynamitée
en 1946, édifiée de nouveau entre 1952 et 1965 et présentée comme
une victoire du nationalisme flamand plus qu'un monument commé-
moratif des morts de la Première Guerre mondiale qui défendirent le
territoire *belge*.

Un bon spécialiste de la Belgique écrit : « Actuellement encore,
chaque année, à la fin du mois d'août, les militants flamands
reprennent la route des tranchées. En 1967, aux dires de leurs
adversaires, ils étaient environ 50 000.

« Précédée la veille au soir par une retraite aux flambeaux dans
les rues de Dixmude, la cérémonie comprend trois parties : religieuse, romantique, politique... Les trois sont indispensables.

« La messe est célébrée devant la tour. Selon les années, selon la
température politique du pays, le bas clergé y est largement ou
faiblement représenté. On prie beaucoup à haute voix pour la paix
dans le monde — car la leçon de l'Yser, beaucoup plus que celle de la
Marne, est devenue un argument pacifiste — mais dans les cœurs on
prie aussi pour la victoire de la cause flamande, et parfois pour
l'éloignement du péril français.

« La cérémonie romantique est la plus grandiose. Des groupes
folkloriques comme seule en possède la Flandre présentent des " jeux
de drapeaux ", faisant tournoyer dans une danse harmonieuse les

drapeaux jaunes frappés du lion flandrien ; les haut-parleurs font résonner Beethoven et le *Alle Menschen werden Brüder*. Les tambours rythment les défilés des mouvements de jeunesse. Des colombes s'envolent. Par un savant montage sonore, les deux tours — les ruines de l'ancienne et l'écrasante nouvelle — dialoguent. " Je suis une tombe violée ", dit la première. " Je suis la tour de l'infinie patience ", répond la seconde.

« La foule se tourne d'un côté et de l'autre, lève les yeux au ciel... chante le *Vlaamse Leeuw,* le chant national flamand, avant de prêter serment de fidélité à la Flandre... A entendre et à voir ce spectacle, on dirait que la Belgique, elle, n'existe pas, ni dans les cœurs, ni dans les chants, ni au milieu des drapeaux.

« La partie politique consiste en un ou plusieurs discours, enflammés ou simplement revendicatifs selon la conjoncture. C'est en général un catalogue de griefs flamands. Selon les années, la journée se termine par de sanglantes batailles avec des gendarmes toujours nombreux dans les alentours, ou par une lente dispersion dans les tavernes et le long des routes[1]. »

Religion et nationalisme en Flandre sont mêlés, plus peut-être aujourd'hui qu'en n'importe quelle autre région d'Europe, Irlande et Pologne mises à part.

Depuis que la Belgique existe, les observateurs français, qui sont obnubilés par le modèle jacobin de l'État, annoncent régulièrement sa disparition. Il est vrai que le fondateur de la monarchie belge doutait de la stabilité de sa dynastie. On vient de fêter il y a quelques années son 150ᵉ anniversaire. Les institutions craquent, mais les Belges ne se séparent pas. Aujourd'hui, sous l'impulsion du nationalisme flamand, le barreau de Bruxelles décide de se scinder en deux ailes linguistiques. Au moment où la séparation approche, les manifestations de sympathie s'affirment de part et d'autre. Des avocats constatant l'excellent climat qui règne avant la séparation, proclament : nous nous entendrons mieux en nous séparant. A la tribune du Sénat, Roger Lallemand souligne cette curieuse anomalie : « Voilà, dit-il, un étrange pays, où des gens qui s'entendent dans leur métier, se séparent pour des raisons étrangères à leur profession. C'est le comble du droit à la différence. On croirait entendre un logicien maoïste : deux valent mieux qu'un, la division fait la force. En Corse, les Français démontrent à coups de mitraillette la solidité de leur État. La Belgique atteste du caractère irrémédiable de sa division dans un climat de concorde, en tout cas, dans une étonnante

---

1. Albert du Roy, *La Guerre des Belges*, Le Seuil, 1968.

cohabitation. » Il faut tenir compte aussi des liens qui unissent Flamands et francophones, au travers de goûts communs. Leur habitat, leurs habitudes alimentaires, leurs plaisanteries, les rapports politiques à l'autorité, à la religion, en témoignent.

Jacques Brel, Bruxellois de souche flamande, insiste-t-il, élevé dans la religion mais sans la foi, fréquentant l'institut Saint-Louis, le scoutisme, la Franche Cordée, se voulant libre exaministe, s'y retrouve mal.

De 1953 à 1978, il tourne sans cesse autour de l'idée de Dieu. Sartre, disait Mauriac en gros, parle trop de Dieu pour que cette insistance ne soit pas suspecte. Et Brel donc ! Certains retours intriguent, et certaines pratiques : Jacques fait baptiser ses trois filles. Il appartient à une couche sociale qui, aux heures importantes, s'en remet à l'Église. Chantal et France font leur communion solennelle. Jacques y assiste. Isabelle, la dernière, en est dispensée.

Toute sa vie, Brel est autant fasciné par les prêtres que par les médecins. A partir de sa trentième année, les goûts musicaux de Brel ne changent pas ; sa culture religieuse ne s'affinera pas plus. Brel a lu les Évangiles, l'Ancien Testament avec moins d'attention.

Jacques Brel et son frère Pierre n'ont pas parlé de Dieu ensemble. Avec les Bruyndonckx, surtout avec leur fils Guy, Jacques aborde le problème de la souffrance et des injustices. Banalement, Jacques bute sur les problèmes théologiques : ce monde est cruel. Si Dieu est bon et créateur, pourquoi la création est-elle si imparfaite ? Un ami de Guy Bruyndonckx, un jésuite, affirme que le problème essentiel de Brel, c'est la souffrance du monde.

Lorsque Jacques chante ou récite des textes où « Dieu » revient, La Lumière jaillira, Dites, si c'était vrai, Le Bon Dieu, il étonne ses proches, à toutes les époques de sa vie.

En 1964, Jacques et Miche sont en vacances au Zoute. Ils se présentent en tenue de vacances à la porte de l'abbaye bénédictine de Saint-André, près de Bruges. Le portier éprouve quelques scrupules à les confier au vieux moine qui d'habitude guide les visiteurs. Plus moderniste que certains pères, Dom Thierry Maertens, qui dirige une revue de liturgie, fera l'affaire.

Maertens est déjà marginal dans l'Église belge. Il défroquera, se mariera, publiera des essais anthropologiques, sans doute pour se dédouaner un peu de la théologie, pense-t-il. La clôture interdit aux femmes de voir une partie de l'abbaye. La visite des Brel est courte. Dom Maertens les ramène dans son bureau. Il vient d'écouter un disque :

— Le Grand Jacques. Vous connaissez ce chanteur ?
— Mais c'est moi.

Maertens et Brel se découvrent une solidarité, l'immersion dans un milieu catholique bourgeois belge. Ils rêvent l'un et l'autre, de faire sauter ou de réformer certaines institutions.

Jacques laisse au bénédictin quelques billets :

— Je gagne trop. Débarrasse-m'en. Ce n'est pas pour tes bonnes œuvres.

En Belgique, les citoyens se tutoient plus vite qu'en France, surtout les Flamands qui parlent français.

Peu après, Brel téléphone au bénédictin. Accepterait-il de baptiser Isabelle ? Brel n'aime guère cette histoire de baptême. Mais, explique-t-il, on se trouve pris par les obligations familiales. Que Maertens imagine une cérémonie qui échappe aux clichés. Maertens fait, selon lui, « le strict minimum » pour que le sacrement soit valide. Il explique en français la liturgie du baptême, ce qui n'est pas fréquent à l'époque. Le bénédictin, déjà sur une mauvaise pente face aux intégristes, veut créer une atmosphère de fête païenne, de transmission de la vie à travers le baptême. Parrain d'Isabelle, François Rauber trouve la cérémonie tout à fait orthodoxe. Brel découvre un religieux qui l'aide à *contrer* la pratique et la dévotion purement ritualistes.

Brel chante à l'Ancienne Belgique. Maertens surgit un après-midi alors que Brel travaille à l'harmonisation d'une chanson avec Rauber. Ils s'engagent dans une discussion sur l'emploi du mot « amant ». Jacques veut montrer que le sexuel n'est qu'une réduction de quelque chose de plus vaste : amour charnel, amour humain, amour divin...

Ayant soupé après son tour de chant avec Maertens, Brel le raccompagne à Bruges. Brel parle de la mort à cent quarante kilomètres à l'heure au compteur. Avec virulence, il critique l'idée même de l'au-delà. Son désir est encore plus grand que Dieu, dit-il.

Maertens revoit Brel à Paris. Jacques reprend ce thème de l'amant, se plaint de n'avoir guère réussi ses relations avec les femmes. Selon Maertens, ce que Jacques présente comme des échecs n'est pas dû à la misogynie ni aux tentations de l'infidélité, mais à une conviction mal formulée : le désir est toujours plus grand que l'objet sexuel qui l'attire ou qu'il se crée. Et là, bien entendu — brélisme oblige — le désir s'étiole.

Quand il évoque ou exploite le christianisme dans sa première période, Jacques suit une mode, satisfait une attente, celle qui encourage sœur Sourire à chanter :

> Mets ton joli jupon mon âme
> J'ai rendez-vous...
> Seigneur avec vous.

Brel se demande si le rendez-vous avec Lui est possible.

Jacques veut mettre son public mal à l'aise, le pousser à s'interroger. A Maertens, Brel explique pourquoi il n'a pas mis de musique sur le texte *Dites, si c'était vrai*. Ayant chanté en fin d'année quelques airs vigoureux dans un cabaret, quand les fêtards à leur troisième bouteille de champagne l'écoutent plus ou moins, Brel s'interrompt et récite son texte, juste pour les inquiéter, dit-il.

> ... Si c'était vrai le coup des Noces de Cana
> Et le coup de Lazare...
> Si c'était vrai tout cela
> Je dirais oui
> Oh, sûrement je dirais oui
> Parce que c'est tellement beau tout cela
> Quand on croit que c'est vrai[1].

C'est du Rap !

Selon Maertens, les images religieuses de Brel chanteur ne sont pas pour Brel l'homme « les représentations d'un réel très réducteur. Elles seraient les composantes d'un conte, d'un mythe. Il laisse l'imaginaire et le désir en suspens, le désir toujours insatisfait[2] ». Maertens est convaincu que Jacques n'est pas « récupérable par une catéchèse ».

Devant Maertens, Jacques définit ses rapports avec les religions :
— Devant les calotins, je chante communiste, et devant les communistes, je chante bigot.

Avant la mort des idéologies et des maîtres à penser, sans crier que Dieu est mort, Jacques ne se laisse pas enfermer dans un système. Brel paganise les béatitudes de l'Évangile. Chantant devant les membres de la JOC ou de la JEC, devant les Jeunesses communistes à Helsinki, ou les vieillards du Parti à la fête de l'Humanité, il regrette l'utilisation qu'on fait de ses textes. Mais il chante. Les chrétiens exploiteront plus le filon Brel que les communistes. Récemment, au Québec, une émission religieuse du dimanche portait le titre d'une chanson de Jacques, *La Lumière jaillira,* qui n'est pas un chef-d'œuvre ·

> La lumière jaillira
> Claire et blanche un matin
> Brusquement devant moi
> Quelque part en chemin
> La lumière jaillira
> Et la reconnaîtrai...

---

1. *Dites, si c'était vrai.*
2. Correspondance avec l'auteur.

Dans ses textes, Brel se moque des bigots et manifeste toujours une sympathie certaine pour les curés. Il parle de Dieu avec respect. Au conditionnel : *si* Dieu existait, *si* moi j'étais le bon Dieu... En privé, il verse vite dans l'égrillard.

Maertens lui rend visite avec sa future femme. Jacques plaisante :

— Pourquoi le bon Dieu, qui nous a donné de quoi faire pipi, ne nous a-t-Il pas donné de quoi être gentil ?

Maertens aurait répondu :

— Mais pour qu'il y ait Jacques Brel.

On imagine assez mal Jacques se livrant, comme Maertens, à une étude du « stade oral de Jacky, de sa mère — toute-puissante à ses yeux ? — du mauvais sein — peut-être de ses cigarettes et de ses lippes sensuelles ». Jacques est allergique à la psychanalyse, qui ne passionne pas non plus Jojo.

A tous ses prêtres, Brel pourra dire :

... Adieu Curé je t'aimais bien
Adieu Curé je t'aimais bien tu sais
On n'était pas du même bord
On n'était pas du même chemin
Mais on cherchait le même port [1]...

Il est plus facile de parler de Dieu devant Franz, qui s'installe à Knokke, dans son bar, The Gallery. Franz ne s'intéresse pas du tout à Dieu. Zozo, sa compagne, semble aussi croyante que Franz est athée.

— Jacques ne croit pas, dit Zozo. Pourtant il se pose une question : a-t-il tort de ne pas croire ?

François Rauber, sur les rapports de Jacques et de Dieu :

— Je ne vous dis pas ce qu'il pensait. Moi, j'ai déjà du mal à savoir ce que je pense. C'est parce que je crois que lui-même ne s'y retrouvait pas très bien.

Avec Jacques Danois, comédien, journaliste, poète, ami de Miche aussi, Brel laisse entendre qu'en tout cas Dieu n'est pas cartésien. Serait-ce un souffle qui nous occupe tous ? Pour Danois, Brel voit Dieu dans ce qu'il regarde et dans le regard des autres. Danois est persuadé que Jacques est profondément croyant. Raymond Devos et Jacques Martin aussi.

Mais croyant en quoi ?

Pas en un Dieu catholique flamand.

Quel bizarre mélange de paganisme et de christianisme ! A certains moments, Brel a la conviction qu'il n'est ni croyant ni

---

1. *Le Moribond.*

chrétien, mais brode sur des thèmes chrétiens traduisant des sentiments païens. C'est un homme du xxᵉ siècle : toutes les fois sont possibles — et elles n'ont aucun sens. Brel aurait aimé croire.

Longtemps il envie les certitudes d'Hector Bruyndonckx. De Roquebrune, le 17 septembre 1962, il lui envoie une sorte de chanson sans musique. Écoutez :

    « Ami bonjour,

Bien sûr cela fait longtemps déjà mais avec ce genre de vie, il n'est pas très aisé d'écrire.

Voici le temps du repos, voici le temps ou l'on peut enfin écrire à ceux-la qu'on aime et que l'on a pas souvent la chance de voir.

Je vous espère en pleine forme, en plein feu, en pleine joie. Fort comme la paix et souple comme la tendresse.

Les cheveux en bataille et les vicaires sous les bras

Souvent je pense à vous, aux vôtres, à votre route.

Et cela est doux... »

Route longue, douce et tentante. Peu équipé pour les discussions métaphysiques, Jacques se contente d'un vague humanitarisme. A l'idée de Dieu, il oppose les atrocités de l'Inquisition. Il ne disserte pas sur la preuve ontologique, la communion des saints ou la liberté accordée aux hommes par Dieu, terrible cadeau.

Double attitude de Brel : en public, à la télévision, à la radio, Jacques fait des mots. Il rattache parfois sa tentation de Dieu à un simple procédé littéraire.

— Je suis un chanteur. Lorsque j'emploie Dieu, c'est comme notion extérieure parce que je suis symboliste, comme tous les Flamands. L'homme a envie de miracle sans arrêt, et puis le miracle n'arrive pas. Dieu n'arrive jamais. Alors je cite aussi Dieu, bien qu'Il n'ait jamais rien écrit. Dieu serait une cocotte-minute, je parlerais de cocotte-minute si la cocotte-minute avait pour les gens la même signification que Dieu [1].

Avec Jojo, Brel joue à mitrailler prêtres et religieuses. En fait, Brel tourne autour du christianisme ou, plus exactement, du message des Évangiles. Il n'a jamais été tenté par le polythéisme ou par les sectes qui s'agitent de nouveau en Amérique dans les années cinquante. Elles atteindront l'Europe dans les années soixante-dix. Croyant avoué, Brel se dirait monothéiste et naviguerait entre le Dieu du christianisme et un rationalisme qui place l'homme face à la divinité. Il revendique sa flamanditude mais il n'a jamais lu les grands textes de mystiques flamands. Brel se proclame athée.

On lui a proposé d'adhérer à la franc-maçonnerie :

---

1. Europe 1, 23 décembre 1965.

— Pas question, dit-il à Jacques Zwick, je suis un maçon blanc.

Sans aller jusqu'à parler d'angoisse pascalienne, on peut affirmer que le problème de l'existence de Dieu traverse sa vie et son œuvre. L'a-t-il jamais résolu ? Jacques veut faire son salut à travers la fraternité humaine. Monique Watrin, religieuse qui a consacré deux thèses à Brel, écrit : « Nous ne ferons de Brel un chrétien qui s'ignore... Cependant nous ne pouvons nous empêcher de remarquer qu'il prend pour mode de vie une morale héritée du christianisme bien que coupée de ce qui la fonde[1]. »

Comment sonder Brel face aux trois vertus, la foi, l'espérance, la charité ? Il vomit la dernière, avec insistance, en théorie. Il cherche et repousse la foi. Il place son espérance en l'homme. Monique Watrin a-t-elle raison d'affirmer : « La fraternité chez Brel joue le rôle de la grâce en théologie » ?

Brel ne sépare pas Dieu de la mort, surtout à partir de 1964, année du décès de ses parents. Il ne chante plus les bons sentiments, évite le prêchi-prêcha, dramatise même une mort qui n'est pas seulement pour lui le seuil de l'au-delà :

— La mort, c'est la justice, la vraie justice. Si je l'utilise dans mes chansons, c'est parce que c'est l'idée la plus absurde qui soit, accessible à tout le monde.

L'idée de mourir l'obsède à travers le vieillissement, la décadence du corps, les défauts de *son* corps. Sa vue s'affaiblit. Il porte des lunettes pour lire, après avoir plaisanté Miche et Jojo qui ont dû en acheter avant lui. La mort devient le mal absolu. S'il existe, Dieu n'est pas un chic type. Il a raté sa création et laisse ses créatures à l'abandon.

Brel dit :

— C'est une grande impolitesse de ne pas nous renseigner quant à l'heure de notre mort.

Du coup, Jacques, confrontant mort et vie, parle de cette dernière avec dérision et coquetterie :

— Je trouve qu'il est pratiquement impossible de vivre[2].

Brel imagine volontiers sa propre mort, la chante au music-hall et à l'écran. Il met en scène sa mort comme sa vie.

> ... Je sais depuis déjà
> Que l'on meurt de hasard
> En allongeant le pas[3]...

---

1. Monique Watrin, *La Quête du bonheur chez Jacques Brel*, université de Strasbourg, 1982.

2. Martin Monestier, *Le Livre du souvenir*, Tchou, 1979.

3. *La Ville s'endormait*.

On peut gloser sur son « inaccessible étoile[1] ». Monique Watrin y voit un « désir d'éternité ». Il me paraît excessif d'affirmer comme la religieuse que « Brassens est un moraliste avant tout et Brel un métaphysicien ». Dans son œuvre chantée, Brel est tout aussi moraliste que Brassens qui accepte sa morale anarchiste, fixée, figée avec plus de légèreté et d'espérance. Conservant son sens du sarcasme, Brel tient à désespérer de Dieu et des hommes. Il s'accroche à un anticléricalisme et à un humanisme élémentaires :

— Dieu, ce sont les autres et un jour ils le sauront.

Après un tour de chant à Toulouse, Brel rend visite à l'abbé Casy Rivière, curé de La Bastide-de-Besplas, petit village de l'Ariège. Avec lui, comme avec Maertens, Brel parle de l'absolu, de l'infini, de Dieu. Rivière le suit dans ses tournées à Pamiers, Carcassonne, Béziers. Un soir, à Montpellier, il confie à l'abbé :

— Je crois en l'homme.

— J'y crois moi aussi, répond Rivière.

— Oui, reprend Brel, mais tu crois à autre chose et tu as de la veine.

Rivière tente d'expliquer que cette autre chose n'est justement pas une chose mais Quelqu'un. Jacques passe devant l'église :

— Quand tu feras ton truc sur l'autel, pense un peu à moi.

Polisson poli de la croyance, Jacques Brel prend une hypothèque sur Dieu, comme ces voyageurs prudents qui s'offrent une assurance sur la vie dans les aéroports. Ou n'est-ce qu'un retour rapide des croyances de l'enfant Jacky ?

En tout cas, Jacques Brel n'est en rien un Flamand croyant. Il semble même oublier que ces tours de Gand et de Bruges qu'il chante sont les œuvres de constructeurs à la foi profonde.

Deux fois il invoque Voltaire. Dans *La...la...la* :

> ... Quand viendra l'heure imbécile et fatale
> Où il paraît que quelqu'un nous appelle
> J'insulterai le flic sacerdotal
> Penché sur moi comme un larbin du ciel
> Et je mourirai cerné de rigolos
> En me disant qu'il était chouette Voltaire...

Et dans *les Bourgeois* :

> ... Avec l'ami Jojo
> Et avec l'ami Pierre
> On allait boire nos vingt ans
> Jojo se prenait pour Voltaire

---

1. *L'Homme de la Mancha.*

> Et Pierre pour Casanova
> Et moi, moi qui étais le plus fier
> Moi, Moi je me prenais pour moi...

Quoi qu'il chante, Jacques Brel n'est pas non plus un bourgeois voltairien mesuré, sincère ou cynique.

Il « se prend » pour lui-même. Mais qui est-il dans ce domaine ? Dieu reste à l'ordre et aux désordres de ses jours et de ses nuits.

Au minimum, il y a trois Belgiques — par ordre alphabétique : Bruxelles, la Flandre (ou les Flandres) et la Wallonie. État, la Belgique commence en 1830. Il n'y a guère de citations que tous les membres des trois communautés, la bruxelloise, la flamande et la wallonne, accepteraient, sinon la célèbre phrase de César : « De tous les peuples de la Gaule, les Belges sont les plus braves. » Et encore ! Tous les Flamands l'apprécient-ils, même si elle figure dans les manuels scolaires ?

Les provocations de Brel à l'endroit de la Belgique et surtout de la Flandre, son obsession poétique, le lieu de son négativisme critique politique auraient-ils été les mêmes si Jojo était né à Anvers ou Charleroi ? Vigilant à propos de la Révolution française, enfant des manuels de Mallet et Isaac, Jojo se contente de rire et de hocher la tête quand Jacques s'en prend aux particularismes belges.

A travers ses dénonciations abstraites de la bourgeoisie, Brel feint d'oublier qu'il est l'enfant gâté d'une moyenne bourgeoisie bruxelloise, officiellement assise, et hypocritement catholique, bien-pensante. « Bien-pensant » : l'expression fait bondir Brel. Ces gens qui ont décidé qu'ils pensaient bien ! Brel ne renie pas ses racines, mais les querelles entre Wallons et Flamands l'agacent et il prend des positions primaires. A fleur de peau, son irritation ressemble à celle qu'on éprouve dans l'enfance à l'endroit de sa mère. Quelle idée de mettre ce chapeau ? Pourquoi se maquille-t-elle ainsi ?

La Belgique habite Brel infiniment plus qu'il n'a habité en Belgique. Il regarde ce pays, l'écoute sans l'entendre, à travers ses amis aux opinions politiques élaborées, Jacques Zwick, chrétien de gauche, Jean-Pierre Grafé, démocrate chrétien, Arthur Gelin, homme de gauche sans parti.

Au milieu d'amis sans grade comme Franz Jacobs, plutôt poujadisant, Jacques distille ses conseils sur ce qu'il faut penser en politique. Franz hausse amicalement les épaules. Selon Franz, le penchant de Brel pour les communistes français est une autre blague de son copain. Dans les pays de plaine, les collines ont l'air de montagnes, disait Marx injustement à propos de John Stuart Mill.

Devant Franz, Caillau ou Céel, Jacques se prend pour l'Himalaya de la philosophie politique.

Jacques s'éloigne des questions qui agitent la nation belge : régionalisation, réforme de la constitution, pacte communautaire, fédéralisme, impérialisme francophone, renaissance culturelle flamande, unitarisme, lois linguistiques... Il est d'abord obsédé par la question linguistique. Monomaniaque, il ne la dépasse pas. Son républicanisme n'est pas un programme à l'ordre du jour. A la longue, Brel vedette connaît-il les Flamands, et même les Belges ? Les Bruxellois, sans doute, de naissance, de l'intérieur. Brel voit des gens simples, carrés, comme le patron ou la patronne de Chez Stans, bistrot rue des Dominicains, le public des boîtes de nuit, certains clients de la Porte Louise jacassant autour des tables de La Nation. A Liège, Brel suit surtout la vie nocturne. Malgré sa méfiance à l'endroit des politiciens, il a quelques accès de snobisme. Brel n'en revient pas d'être reçu par un Premier ministre, le Gantois Théo Lefèvre. Il exprime son éblouissement passager devant Danois.

— Enfin, Jacques, qu'est-ce que ça peut te foutre ?

— C'est formidable ! Tu te rends compte : le Premier ministre invite Jacques Brel !

Dans les bagages de Brel, la Belgique pèse lourd. A travers de nombreuses interviews à la radio ou à la télévision, il aligne des formules cinglantes. La Belgique a pour lui toujours été un « faux pays ». Il ne dira pas, comme le général de Gaulle, qu'elle n'est point une nation. Jacques voudrait tellement que cette Belgique, artificielle à ses yeux, devienne naturelle, évidente, redevienne celle de son père Romain Brel ! A Bruxelles, Jacques remarque que de nombreuses organisations internationales s'installent, la Communauté européenne comme le SHAPE, commandement militaire de l'Organisation atlantique. Brel constate un état de fait :

— Quand on est belge... on est obligé de se sentir européen.

Bon instinct qui ne le pousse à aucun développement constructif. En effet, une Europe rapidement unie, dépassant les imbroglios des montants compensatoires, des prix de la dinde, du porc ou du cabillaud, est peut-être « la chance majeure des deux communautés nationales belges [1] ». Brel lâche aussi des énormités à propos de la Belgique. Il ne fréquente pas les milieux intellectuels ou universitaires bruxellois. Serait-il devenu trop parisien et même trop français ?

— On est un peu cul-de-jatte sur le plan de la mémoire, affirme-t-il à propos de ses concitoyens.

---

1. Albert du Roy, *La Guerre des Belges*, Le Seuil, 1968.

Au contraire, dans les années cinquante et soixante, beaucoup d'intellectuels et d'artistes belges, flamands ou wallons, ont une longue mémoire historique. Et souvent avec eux, les fermiers, les petits-bourgeois, les prolétaires, ceux que Joinville appellerait « le petit peuple de Notre Seigneur », les Wallons et les Flamands qui connaissent ou redécouvrent leur histoire.

Jacques sauve sa mise par un romantisme pictural qui l'aide à créer. Les Flamands pour lui sont des plasticiens, les Wallons plutôt des musiciens. Par ailleurs, ses dénonciations publiques manquent d'élégance comme de finesse. Il persiste et signe toujours. Il a beau s'en défendre, et prétendre que l'accent bruxellois de ses histoires témoigne de son affection pour la capitale, de fait, il s'en moque. Les chanteurs québécois assument leur accent. Du sien, Brel élimine presque toute trace de bruxellisme. Dans ses lettres et ses chansons, il emploie quelques belgicismes délicieux.

Il estime qu'il n'y a rien à tirer de la Belgique et de Bruxelles. Alors pourquoi laisse-t-il ses filles là-haut ? Parce que c'est pratique pour sa vie privée ? Il dénonce la bourgeoisie belge. Pourquoi tient-il tellement à élever Chantal, France et Isabelle en bourgeoises, même en bourgeoises émancipées ? Il se dit en partie flamand, mais ne veut pas que ses filles apprennent le flamand. En privé, Jacques ne cesse de répéter que les Belges, sauf ses amis, bien entendu, sont des « cons ». En public, il proclame son amour :

— D'abord, j'aime les Belges et je suis Belge depuis bientôt vingt ans. J'écris des choses qui ne sont pas congestionnantes d'intérêt, mais qui existent et qui parlent des Belges ou de la Flandre. Et il y a un certain nombre de gens qui, eux, n'ont pas du tout envie d'être Belges finalement, qui regrettent de ne pas avoir été élevés à Oxford. Moi, j'en parle de ce pays, avec l'accent parfois, mais de manière précise [1].

Jacques Danois, alors reporter à RTL, lui demande :

— Vous êtes Flamand et vous ne parlez pas le flamand [2] ?

— Mais je crois que Verhaeren était Flamand et, à ma connaissance, Le Vent et les Moines, ce n'est pas écrit dans la langue néerlandaise...

— Cela vous ennuie d'être Belge à certains moments ?

— Non, jamais.

Brel se contredit comme il respire :

— Quel est votre plus grand regret ? lui demandent des jeunes

---

1. « Brel parle ».
2. Repris dans *Germinal*, 1967, n° 883.

— Être Belge[1].

— ... Sauf quand je suis bien loin et que je vois certains incidents, je me dis que, bon sang, ces espèces de petites querelles qui datent finalement de la première partie du xixe siècle, il faudrait quand même qu'ils sachent que cela n'existe plus.

Brel est fier et honteux d'être Belge, c'est visible, sensible à travers la férocité et l'humour de ses propos.

Homme du mouvement perpétuel, il trouve que ça ne bouge pas assez dans ce pays, du canton de Comines à celui des Fourons, de Charleroi à Anvers. Grâce à Jojo toujours, et parce que lui, Jacques, jette plus souvent un coup d'œil sur *Le Monde* que sur *Le Soir* ou *La Dernière Heure,* Brel se tient mieux au courant de la politique intérieure française. Il en sait plus sur les scissions et les tendances de la nouvelle gauche française que sur les remous qui en Flandre agitent la Volksunie, parti fédéraliste et nationaliste, défendant l'idée d'un État bicommunautaire, ou sur le Rassemblement wallon, produit des mésaventures du fédéralisme wallon. Jacques Brel, qui refait le monde, ne vote pas. Là, il ressemble à tant d'hommes « de gauche » en France. Pourtant, en Belgique, le vote est obligatoire.

A Brel, Jean-Pierre Grafé explique que le Parti social-chrétien est, selon lui, déconfessionnalisé. Le PSC fait référence, affirme Grafé, à un humanisme chrétien et non à la doctrine de l'Église catholique. Jacques vomit cette formation politique, quintessence, à ses yeux, du conservatisme belge.

Jeune conseiller municipal du PSC à Liège, Grafé réplique :

— La moitié de nos adhérents ne sont pas catholiques ou protestants pratiquants.

Jacques s'en fout. Il vante à Grafé les mérites du Parti socialiste unifié français et, bien sûr, l'honnêteté de Pierre Mendès France. Brel importe en Belgique ses références parisiennes, avec les convictions et les opinions de Jojo.

Un beau jour, en décembre 1965, Brel imagine de créer un nouveau parti belge, ou du moins une nouvelle formation à Liège. Puissante originalité, elle sera fondée sur la liberté, la justice, l'égalité, la fraternité.

— ... Surtout pas sur la charité, insiste Jacques.

Pour lui, on peut rechercher la justice et l'amour mais pas la charité, principe parisien et fausse distinction. Jacques peut avoir dix idées abracadabrantes par jour. Celle-là, il la suit quelque temps.

— Je veux bien m'engager, me mouiller, dit-il à Grafé. Si on faisait une liste pour les élections municipales de Liège ?

---

1. *Pourquoi ?* n° 54, avril 1969.

Imaginez, en France, Alain Delon, gaulliste, proposant une alliance à la section PSU du VIIIᵉ arrondissement.

Jacques souhaite faire la connaissance de quelques leaders politiques liégeois qui surgissent à l'époque. D'abord de François Perin, professeur de droit public à l'université, régionaliste, socialisant, n'adhérant pas à la branche wallonne du Parti socialiste belge.

A Paris, Jacques foudroie ceux qui n'ont pas entendu parler du brillant Perin. A Liège, Brel souhaite voir Jacques Yerna, théoricien de la Fédération générale des travailleurs belges, syndicat socialiste. Indépendant, frondeur, Yerna a toujours eu beaucoup d'ennuis avec le parti socialiste. Brel, Perin, Yerna et Grafé se rencontrent dans l'arrière-bar de l'Hôtel Moderne, à Liège. Brel a du flair pour rassembler les marginaux. Perin et Yerna sont heureux de bavarder avec ce personnage connu et sympathique, Brel, avant les élections parlementaires d'avril. Par la suite, Brel verra plusieurs fois André Cools, président du Parti socialiste belge.

Le Parti socialiste belge est encore *unifié* : il regroupe les socialistes flamands et wallons. La scission linguistique le travaille, comme elle fendille toutes les institutions belges[1]. André Renard, syndicaliste liégeois, a créé le Mouvement populaire wallon (MPW) après les grandes grèves de l'hiver 1960-1961. Ayant balancé, les syndicalistes décident de ne pas fonder un nouveau parti dissident pour répondre aux directives des instances socialistes qui ne veulent pas que leurs adhérents appartiennent au MPW. Mais beaucoup d'adhérents du MPW restent membres du parti socialiste. On ne les inquiète pas. D'autres se lancent dans une aventure politique électorale assez bizarre.

Brel est exaspéré et ravi. Il a des comptes à régler avec les partis traditionnels et il adore les rebelles à toute tradition. Le cœur à gauche, passionné, il refuse l'embrigadement militant comme la passion doctrinale. Il doit régler un compte avec des Flamands nationalistes et chauvins qui brandissent la langue flamande comme arme absolue. Avec tous les Belges, au pays ou à l'étranger, Jacques a été frappé par les marches flamandes sur Bruxelles en 1962 et 1963. Elles ont rassemblé des foules énormes en liesse.

François Perin ne saura jamais pourquoi Brel tenait tant à le rencontrer. A ses interlocuteurs, Jacques donne l'impression qu'il est prêt à s'engager à fond, à donner ses cachets et même sa chemise pour une nouvelle cause. Mais laquelle ? A 4 heures du matin, Brel refait aussi bien la Belgique que la France, dans un généreux flou artistique.

---

1. Depuis 1978, tous les partis sont dédoublés ! Bourgeois et prolétaires de ce pays, désunissez-vous !

Ce Brel spontané, généreux, paraît fou, nébuleux en politique, aussi bien aux yeux de la gauche, que Perin incarne alors, qu'à ceux de la droite, représentée par Grafé.

Qu'ont-ils en commun, Perin et Brel ?

Universitaire, Perin se lance en 1965 dans l'arène politique pour s'en retirer en 1980, change de parti, se fait, comme sénateur, une réputation d'originalité et, lui aussi, de provocateur. En public, il traite le Premier ministre de « fossoyeur ». Même ses adversaires reconnaissent que Perin, dans sa marginalité permanente, est un esprit subtil. De quoi séduire Jacques.

En 1965, Brel et Perin ont, l'un et l'autre, une énorme candeur et le goût de l'impertinence. Les idées de Brel sont belles, ses phrases à l'emporte-pièce. Pour des professionnels du droit social, administratif ou syndical, son sens du réel n'est pas aveuglant. Beaucoup d'hommes politiques belges qui pratiquent Brel le prennent aimablement pour un utopiste idéaliste et un libertaire anarchisant.

En Belgique, on ne comprend pas pourquoi il chante gratuitement à la fête de l'Humanité dans la banlieue parisienne. Jacques Zwick l'interroge. Brel explique qu'en France le parti communiste est celui des pauvres, des déshérités, de la classe ouvrière. Il n'est pas le seul à faire cette erreur sociologique. Là aussi, il tombe volontiers dans la boutade pour éviter la discussion de fond :

— Tu te rends compte, moi qui ne suis pas communiste, mais qui trouve que ces gens se battent pour des idées généreuses et qu'on doit les aider, j'y vais, sans être communiste, comme un con, à l'œil. Et Ferrat, nettement plus communiste que moi, se fait payer !

Qu'il s'agisse de la Belgique ou de la France, Jacques n'est jamais théoricien. Il dévore certains livres d'histoire, rarement la littérature politique ou économique. Il se nourrit plus de contacts que de lectures. En Belgique, Brel dénonce les industriels, les commerçants, la rentabilité immédiate et s'engueule avec Jean-Pierre Grafé. Un soir, ils se séparent sèchement. Miche arrondit les angles. Le lendemain, Jacques téléphone à Jean-Pierre et ils reprennent rendez-vous.

Brel ne reste-t-il pas trop éloigné de la Belgique pour comprendre les mouvements profonds qui agitent ce pays ? Brel a un point commun avec certains gauchistes parisiens : il voudrait *tout tout de suite*. Pour la collectivité, comme pour lui-même, pour les Français et les Belges :

— ... Parce que, quand on est de quelque part, si on veut que cela change, on fait une révolution, mais on ne passe pas toute sa vie à râler. On fait 1789 *[Jojo a réussi sa leçon à propos de la Bastille et de la Révolution française]* ou 17 en Russie — je ne suis contre rien —, mais on ne passe pas sa vie à gémir. Ça fait des gens qui sont aigris à quarante ans ! Il y a des gars qui disent : « Nous, les pauvres Belges, qu'est-ce qu'on est ? On n'est rien du tout. Tout le monde se fout de nous ! » Ce qui est vrai, c'est que tout le monde ne sait pas où est la Belgique. Il faut être humble. C'est comme quand on se rase le matin. On découvre sa tête derrière le savon : pof, ça calme. Quand vous arrivez au Pérou ou à San Salvador, les gars ils savent vaguement où c'est, la Belgique. Alors, moi, je débarque et je parle... Maintenant ils croient tous qu'Amsterdam c'est en Belgique. Cela dit, toute cette série de gars qui jouent à ne pas être Belges, ils « m'escagacent » comme on dit dans le Midi de la France [1].

Brel, homme de l'élan, est entraîné par des tourbillons verbaux. Vivant en France, il ne cesse de comparer la France et la Belgique. Le malaise en lui, ses malentendus ou ses éclats avec les Belges, la différence entre la tendresse de ses chansons et la cruauté de ses propos au sujet de son pays natal, viennent de ce que, sans être Français, il devient malgré lui un des grands représentants de la culture francophone. Même ambiguïté devant la France que devant la Belgique. Son pays natal reçoit des camouflets de sa part, son pays d'adoption moins.

A la scène, Brel s'en prend à un certain provincialisme français, évoquant un univers étriqué de sous-préfectures traversé pendant ses tournées. Mais il est convaincu qu'on l'a reconnu comme artiste en France, avant d'être acclamé ou honni en Belgique. Lourd contentieux.

— C'est curieux [il rit] les différences entre la France et la Belgique. Ici, au début, j'ai été Brel. Dès que j'ai commencé à être connu, j'ai été Jacques pour tout le monde. Chez moi, on m'a d'abord appelé Jacques, et maintenant, je suis devenu Monsieur Brel [2].

Jacques ressent la Belgique comme une partie de lui-même et il la rejette dans le même mouvement. A travers les plaisanteries belges, goulûment acceptées, beaucoup de Français et encore plus de Parisiens sont colonisateurs, presque impérialistes devant la Belgique. Ils ont du mal à la comprendre puisqu'ils veulent l'assimiler, la rendre semblable à la France. Réels ou potentiels, les colonisateurs manifestent quelque perplexité face à une spécificité qui leur résiste, une complexité qui leur échappe. Qu'est donc ce pays qui parle français si bizarrement aux oreilles de Tours ou de Paris, avec un long accent traînant, des chutes de phrase sur « une fois », « s'il vous plaît » ? Les Français oublient que Louis XIV aurait volontiers

---

1. « Brel parle ».
2. *L'Humanité Dimanche*, 31 janvier 1965

annexé une partie de ce qui deviendra la Belgique ou que Napoléon fit de Liège une préfecture de l'Empire.

Combien de Belges francophones ne s'entendent-ils pas dire à Paris, en 1984 comme en 1954 :

— Tiens, vous êtes Belge ? Mais vous n'avez pas d'accent.

Inversement, trop d'intellectuels et d'artistes belges ont longtemps éprouvé le besoin et la nécessité de se *faire* un nom à Paris. Quelques-uns cachent leur belgitude.

Belges, Suisses, Québécois sont souvent traités comme des déviants par rapport à une norme, un idéal français, comme certains Lillois, Marseillais, Bordelais ou Lyonnais se laissant aspirer par Paris, capitale qui se prend volontiers pour le nombril de l'Europe et du monde.

Jacques s'irritait pourtant de l'égocentrisme culturel français. Gérard Jouannest pense que Brel « aurait peut-être préféré être Français ». C'eût été trop simple pour Brel. Il a besoin de s'ébattre dans une situation déchirée pour vivre pleinement. Pendant ses déplacements à l'étranger, le chanteur a surtout dans la tête la cité Lemercier, les boîtes, les restaurants et les cafés de Paris, Vierzon, Honfleur, le Cantal, Pigalle, la gare Saint-Lazare.

De plus, pour ceux qu'il rencontre, Jacques Brel est d'abord un chanteur français, pas belge.

Les coups de cœur de Jacques pour la gauche française traditionnelle viennent d'une appréciation du niveau de vie des plus défavorisés dans les deux pays. Aux uns et aux autres, Brel explique qu'il a chanté pour le PCF, parce qu' « il se place d'un point de vue social ».

— Je trouve que la misère est plus grande en France qu'en Belgique. Donc, si j'ai quelqu'un à aider, je le fais plutôt là-bas, dit-il à Bruxelles.

Dans les années cinquante et soixante, le niveau de vie est plus élevé en Belgique qu'en France. La crise du logement, à cette époque comme aujourd'hui, semble moins aiguë. Jacques l'a vu quand il a installé Miche et ses deux filles à Montreuil.

Jacques Brel apparaît aux côtés d'hommes politiques français, Pierre Mendès France ou François Mitterrand. En mars 1967, Brel se laisse photographier avec Gaston Defferre. Le député-maire de Marseille, fort anticommuniste alors, vient féliciter le chanteur dans sa loge du Gymnase. *Le Provençal,* journal dont Defferre est le patron, ne manque pas de mettre ce document à la une. Les deux hommes se sourient. Avant le spectacle, on arrache une déclaration à Brel :

— Oui, je suis aux côtés des hommes de progrès. Car lutter pour l amélioration de la condition humaine, préserver la dignité de l'individu, ce sont là des idées qui ont été soutenues plutôt par Jaurès que par Napoléon III, n'est-ce pas[1] ?

On ne trouve pas, semble-t-il, une photo aussi engagée de Jacques Brel en compagnie d'un homme politique français « de droite », surtout agrémentée d'un appel au vote. En Belgique, Jacques accepte le cliché photographique classique en compagnie d'hommes politiques du PSC, « à droite », après un récital au casino de Knokke — avec un Premier ministre en vacances.

Les citoyens des petites nations, Suisse, Autriche, Grèce, Portugal, Norvège, Belgique, ont des problèmes avec leur culture. Comme le dit Pierre Mertens, écrivain belge de gauche — qui fut même gauchiste — la Belgique souvent « n'apprécie, ni n'impose, ni n'assume pleinement l'originalité de sa propre culture. Elle attend docilement le jugement que d'autres porteront sur celle-ci. Nous manquons cruellement de talents intempestifs (au sens nietzschéen). Tout au plus sommes-nous capables de célébrer ceux qui se manifestent dans les arts (dits) mineurs : la chanson, la bande dessinée, la série noire. Brel, Hergé, Simenon. Pour le reste, le pays nous tire vers le bas. Brel ne nous a pas, à cet égard, rendu le meilleur des services[2]... »

Éloigné de la culture politique et artistique belge, Brel, face aux crises ministérielles de Bruxelles, minables, interminables, a les réactions de nombreux citoyens français sous la IVᵉ République.

Brel déteste amoureusement la Belgique. Malgré sa fascination, il n'a pas les raisons qu'eut Baudelaire de haïr ce petit pays : Baudelaire retrouvait en Belgique ce qu'il fuyait en France. L'ayant trouvé, il en donnait une copie conforme et caricaturale. Brel n'ose pas ou ne se permet pas de faire à Paris la critique de la France. Il s'en prend donc à la Belgique dont il est fier et honteux. Dans les émissions de radio, les conversations, il rappelle volontiers que la révolution belge de 1830 commença au cours d'un opéra au théâtre de la Monnaie. L'émeute de Bruxelles éclata pendant une représentation de *La Muette de Portici* lorsque des chanteurs entonnèrent . « Amour sacré de la patrie... »

— Des révoltes qui partent d'un théâtre sont rares, dit Jacques Brel.

Il est plus tenté par une addition de révoltes individuelles que par une révolution collective. D'un music-hall, de la scène ou de l'orchestre partent plus facilement des révoltes que des révolutions

---

1. *Le Provençal,* 3 mars 1967.
2 Lettre à l'auteur

Jacques a des difficultés avec quelques Flamands à propos des *Flamandes*. D'abord, on comprend difficilement que cette chanson ait pu tant offenser. On l'aime ou on ne l'aime pas mais elle est tendre quoique ironique :

> Les Flamandes dansent sans rien dire
> Sans rien dire aux dimanches sonnants
> Les Flamandes dansent sans rien dire
> Les Flamandes ça n'est pas causant
> Si elles dansent c'est parce qu'elles ont vingt ans
> Et qu'à vingt ans il faut se fiancer
> Se fiancer pour pouvoir se marier
> Et se marier pour avoir des enfants
> C'est ce que leur ont dit leurs parents
> Le bedeau et même Son Éminence
> L'Archiprêtre qui prêche au couvent
> Et c'est pour ça et c'est pour ça qu'elles dansent
> Les Flamandes
> Les Flamandes
> Les Fla
> Les Fla
> Les Flamandes...

A Louvain, en 1960, Brel doit présenter une douzaine de chansons. Le directeur du théâtre s'inquiète :

— La salle est pleine, si vous chantez *Les Flamandes* ils vont tout casser. Vous n'allez pas la chanter.

— Si. Moi, je fais mon tour. Je regrette. Je ne vais pas l'enlever parce que je suis ici. Je ne vais pas me dégonfler.

A Louvain, il y avait alors des universités francophones et flamandes. On se bat souvent. Jacques n'oublie pas les blessures — imaginaires ! — de son père au cours d'une bagarre linguistique.

Les tractations se poursuivent avec le directeur du théâtre qui propose un compromis :

— Bon, alors, chantez *Les Flamandes* en dernier.

— Non.

Jacques maintient sa chanson en septième position. La salle houleuse est surtout composée d'étudiants, francophones en bas, flamands au pigeonnier. Selon le directeur atterré, un commando se prépare à lancer des tomates et des œufs pourris. Jacques entonne la chanson attendue. Au départ, on entend quelques remous, des bravos et des sifflements. Imperturbable, Brel poursuit. Applaudissements et huées modérés. Là-dessus, toujours provocateur, vilain coco, — moi, je tire la sonnette et je cours —, dérogeant à ses habitudes, Brel bisse d'office. Tonnerre d'applaudissements. C'était fatal.

Le plus étrange : au départ, composant sa chanson, Brel a d'abord songé aux *Bretonnes*. Mais *Les Bre, les Bre, les Bretonnes*, ça sonne moins bien que *Les Fla, les Fla, les Flamandes*. Jacques, souvent, explique ses intentions :

— J'ai voulu faire un petit croquis... Je n'ai jamais voulu mettre là-dedans de l'hostilité... C'est une forme d'humour... une caricature... un petit dessin de Forain[1].

Il ajoute :

— ... Je suis nettement d'origine flandrienne, et c'est pour ça que j'ai pris ce sujet-là plutôt que les Wallonnes ou les Normandes, ou les Bretonnes.

Accès de modestie, il poursuit :

— ... J'ai une vision peut-être fausse. Je vois les Flamandes breugéliennes, assez rebondissantes. Peut-être parce que dans ma famille, en Flandre, toutes les femmes que j'ai connues, quand j'étais gosse, étaient assez fortes. Et puis ça n'a rien de déplaisant. En plus de ça, il y avait une image qui m'avait fortement frappé quand j'étais gamin : c'est qu'aux enterrements, là-bas, tout le monde danse. Alors j'ai replacé ça dans la chanson. Il y a des gens qui ont très mal pris cela.

Au cours des ans, Brel reçoit beaucoup de lettres et de coups de téléphone injurieux ou menaçants. Pourquoi *Les Flamandes*, belle chanson, a-t-elle choqué ?

> ... C'est ce que leur ont dit leurs parents
> Le bedeau et même Son Éminence
> L'archiprêtre qui *prêche* au couvent
> Et c'est pour ça et c'est pour ça qu'elles dansent
> Les Flamandes
> Les Flamandes
> Les Fla
> Les Fla
> Les Flamandes[2]...

Dans une autre strophe, Jacques passe du « prêche » au « radote ». Avec *Les Flamandes*, il s'en prend surtout au cléricalisme et à une partie, selon lui réactionnaire, de l'Église catholique belge liée à des groupements politiques.

1. « Neuf millions », RTB, 17 juillet 1960.
2. *Les Flamandes*.

Pourtant les rapports entre Jacques Brel et la communauté flamande restent longtemps dans des limites convenables.

En 1966, Brel va plus loin avec *La... la... la...* :

> ... J'habiterai une quelconque Belgique
> Qui m'insultera tout autant que maintenant
> Quand je lui chanterai Vive la République
> Vivent les Belgiens merde pour les Flamingants...
> La... la... la...
> La... la... la...

Il se déchaîne et brandit quelques formules que beaucoup ne lui pardonnent pas : « quelconque Belgique », « merde aux Flamingants ». Il se déclare républicain, belgien. Pour se mettre à dos autant de Belges que possible — de nombreux catholiques convaincus pratiquent dans ce pays — Brel parle aussi de « flic sacerdotal » et de « larbin du ciel », expressions que n'aime guère non plus François Rauber.

Pour tout arranger, Brel lance son attaque le jour de la fête de la dynastie, au palais des Beaux-Arts de Bruxelles.

Cette fois, on est loin des chahuts d'étudiants à Louvain ou des airs pincés de bourgeois anversois à Knokke. Au ravissement de Jacques, un scandale national éclate. Une section du Mouvement populaire flamand, extrémiste, et néo-fasciste pour la gauche, diffuse un communiqué solennel : « Brel est désormais persona non grata au littoral belge... Il n'y chantera plus... » Le Mouvement populaire flamand voit dans la chanson en question « un outrage à l'honneur du peuple flamand »... Brel s'en prend au cléricalisme, à la monarchie, à ces Flamands qu'il traite, implicitement, de Flamingants. Il ne parle pas des Flamands en général.

Le sénateur Guillaume Jorissen, membre de l'Union du peuple, la Volksunie, reproche au gouvernement Arnold de ne pas avoir protesté contre une chanson « antiflamingante et républicaine [1] ». Jorissen n'admet pas que Jacques Brel se soit produit au casino d'Ostende.

Willy de Clercq, vice-Premier ministre, répond avec une ironie prudente :

— Mes collègues du gouvernement et moi-même considérons que le reproche de M. Jorissen n'est pas fondé. C'est l'artiste Jacques Brel, un maître de cet art mineur qu'est la chanson, qui fut applaudi. On peut, en effet, aimer ou ne pas aimer ce chanteur, mais personne

---

1. *La Dernière Heure*, 16 novembre 1966.

ne peut nier qu'il dispose d'un talent extraordinaire, ce qui est d'ailleurs admis par de nombreux journaux et critiques flamands (et dont on ne peut mettre en doute le caractère « vraiment » flamand). Qu'il lui arrive, de temps à autre, d'utiliser une phrase ou une expression qui sont peut-être blessantes ou moins heureuses doit, dès lors, être accepté comme allant de soi. Dans tous les pays aux idées larges, la chanson et le pamphlet sont d'ailleurs considérés comme une soupape pour gens frustrés qui, sans cela, risquent de devenir aigris...

Les tensions linguistiques sont vives en Belgique. Le vice-Premier ministre conclut :

— M. Jorissen a, me semble-t-il, assez d'humour pour souscrire à ce jugement d'un collaborateur du quotidien *De Standaard,* qui a récemment interviewé Brel : « Laissez-le chanter, même s'il déraille parfois. Il nous faut des êtres comme Brel qui nous permettent de faire, de temps à autre, notre autocritique. »

Brel hurle de plaisir, se répand en interviews, fait comme si On l'avait cherché et trouvé. Avant de chanter au palais des Beaux-Arts, gratuitement, au profit du préventorium marin de Coq-sur-Mer, Brel, mal rasé, en complet prince de Galles, donne une conférence de presse. Pour le remercier, le directeur du préventorium lui remet une médaille. Naviguant sur les conventions du bilinguisme officiel, le directeur commence son discours en néerlandais puis passe au français. Brel le coupe :

— Mais je comprends...

Non, Brel ne comprend pas bien le flamand.

Bien sûr, les reporters reviennent sur le « merde aux Flamingants » de *La... la... la.* Jacques répond :

— Je le dis parce que je le pense. C'est tout. J'ai tout de même le droit d'émettre une opinion, non ? On me taxe d'extrémisme. Mais je n'ai personnellement jamais barbouillé le Soldat inconnu. Je reste sur le terrain des principes. D'ailleurs, sur le plan linguistique, je ne me suis jamais occupé que de l'accent bruxellois. Mon père a étudié la chimie à Louvain en 1897. Il était flamingant. A l'époque, déjà, on se tapait sur la gueule. Il s'est battu avec les gars d'Arlon, ou de Bastogne, je ne sais plus. Croyez-moi, ce genre de connerie fait rire à l'étranger.

Pourquoi Brel se proclame-t-il républicain ?

— Je le pense très sincèrement, dit-il. J'estime qu'à la fin du xxᵉ siècle, la Royauté est un tout petit peu dépassée. Notez que je n'ai personnellement rien contre les rois, ni contre les princes. Mais il y a des notions qu'il faut réviser.

Brel ne se demande pas si la royauté constitutionnelle, en

Europe occidentale, ne serait pas en ce demi-siècle un des (petits) stabilisateurs de la démocratie. Regardez la Grande-Bretagne, la Suède, le Danemark, la Belgique et, plus tard, l'Espagne. De plus, la Royauté est une des rares institutions peu contestées en Belgique. Les convictions socio-politiques de Jacques sont aussi fortes que sommaires.

Face à la question flamande, Brel reste simpliste. Il évite l'insulte « flamin-boche », de justesse. L'Église catholique flamande n'est pas la plus progressiste de l'Occident. Peut-on la réduire à un ramassis de curés fascinés par le nazisme, adversaires du « bolchevisme impie » ? Pendant la guerre, des socialistes aussi se sont ralliés à l'Allemagne de Hitler. Le bas clergé flamand a également exprimé les aspirations des pauvres.

Qu'est-ce, un Flamand pour Brel ? Ses seuls amis flamands sont aussi francophones. Pour Jacques Brel, les Flamands sont les habitants des Flandres belges, solides travailleurs, bons vivants, avec des bouffées irrationnelles. Mi-cochons, mi-mystiques ? Presque...

Et un Flamingant pour Brel ? Un fasciste, un « con ».

A Gérard Jouannest, Jacques Brel dit clairement qu'il ne confond pas Flamands et Flamingants. Mais dans sa chanson la plus provocatrice [1], *Les F...*, sur la lancée des *Flamandes* et de *La... la... la*, Brel donne l'impression, et pas seulement à des Flamands, à des francophones aussi, qu'il établit une équation simpliste, un amalgame :

nationalisme flamand = fascistes = Flamingants = Flamands

Jacques Brel manque de perspectives historiques. C'est un Bruxellois unitariste, comme son père. Il ne semble pas se rendre compte à quel point les Flamands ont failli perdre leur langue et leur culture, qu'ils ont été exploités et humiliés par les *Fransquillons,* la bourgeoisie possédante francophone. Brel grossit démesurément l'histoire de la Flandre belge pendant l'occupation, d'où la phrase inexcusable des *F...* : « .. Nazis pendant les guerres et catholiques entre elles... »

« Quand l'Allemagne nazie envahit la Belgique, écrivent deux Belges, le mouvement flamand, sous la coupe du " Vlaams Nationalistisch Verbond ", était déjà très fascisant. La responsabilité en revient-elle aux socialistes, dont le manque d'intérêt pour la cause flamande bloque en Flandre la campagne de " ressaisissement " qui triompha du rexisme wallon ? Ou est-elle imputable à la faiblesse idéologique des nationalistes flamands eux-mêmes, qui traversèrent tout l'entre-deux-guerres sans programme socio-économique

---

1 Voir plus loin, chap. XIV.

sérieux ? Quoi qu'il en soit, la tendance à adopter les modèles
autoritaires italien ou allemand n'était pas spécifique du seul mouvement flamand : ce penchant existait aussi dans certains grands partis,
dans le monde des affaires, et la cour elle-même n'y était pas
insensible... Ce n'était plus qu'un problème flamand, mais un
problème belge général. Ses conséquences n'en furent pas moins
catastrophiques pour le mouvement flamand.

« Fidèles à la logique de l'idéologie nazie — " le sang et le
sol " —, les Allemands agirent en tout comme s'ils considéraient les
Flamands comme un " peuple frère " germanique, à peine inférieur à
la race allemande. Ils eurent à nouveau une " Flamenpolitik ",
accordant un traitement de faveur aux Flamands — lesquels appre-
naient l'allemand beaucoup plus facilement que les francophones, du
reste, grâce à la parenté des deux langues germaniques. Cependant,
dans une Belgique où les aspirations de la bourgeoisie allaient de
préférence vers un modèle autoritaire comme en Allemagne, la
grande masse des Flamands conserva son caractère " klein katoliek "
de retard intellectuel et politique, de débrouillardise et de méfiance
fondamentale à l'égard de tout pourvoir central[1]... »

Est-il si sûr que la bourgeoisie belge se soit laissé happer par les
modèles autoritaires de « droite » ? N'y aurait-il pas, en Belgique
comme en France, une confortable mythologie archéo-marxiste de la
bourgeoisie collaboratrice ? Elle est d'autant plus difficile à soutenir
qu'en Flandre le prolétariat collabora autant que la bourgeoisie, dans
la passivité ou l'activisme. Appuyé sur sa renommée, Brel n'a guère
aidé les Wallons à examiner lucidement les vrais et les faux problèmes
du nationalisme flamand. Jacques s'amuse-t-il à « semer la merde » ?
Sa franche, outrancière sincérité n'est pas contestable, hélas.

En Belgique, Brel — malgré lui ? — excite les Wallons francolâ-
tres, ceux qui confondent vite Flamands et Flamingants. Il fige ses
positions politiques, avant tout individualistes, vers la fin des années
soixante. Brel emploie un peu trop le concept de race, avec un brio
brélien :

— ... Il me semble que j'ai le droit, moi, Flamand de race, de
raconter tout ce que j'ai envie en français. Je crois du reste savoir, à
moins que je ne sois un sacré imbécile, qu'un certain nombre de
Flamands ont fait la même chose. Je ne vois pas là un crime de lèse-
majesté, je ne vois pas là de quoi fiche quelqu'un en bas des falaises
de Douvres. Je ne suis pas le roi, mais si j'étais le roi — que j'ai vu
une fois et qui est un homme très bien —, je réduirais à six mois le

---

1. H. et P. Willemart, S Van Elzen, *La Belgique et ses populations*, éd Complexe,
1979

service militaire et, pendant les six autres mois, j'enverrais les gars de Flandre en Wallonie et les gars de Wallonie en Flandre. Ça arrangerait pas mal de choses parce que tout le monde a mal aux dents de la même façon, tout le monde regarde sa mère de la même façon, tout le monde regarde une femme de la même façon, tout le monde aime ou n'aime pas les épinards de la même façon [1].

Les épinards, qu'il déteste, le cramique, le chocolat, qu'il adore, reviennent en lui de son enfance, le reprennent comme le vent d'ouest sur la mer du Nord. Pas la langue flamande.

— Le Flamand, c'est un Français rugueux... Le Flamingant, c'est un Allemand qui est mou... Le flamand, la langue... c'est de la rocaille.

Brel pousse loin sa critique subjective des divers dialectes flamands, unifiés aujourd'hui par la télévision. Jeune garçon, il trouvait la langue difficile à apprendre. Vers la fin de sa vie, en 1977, il la comparera à des aboiements [2]. Les Flamingants aboient le flamand, les Flamands le rocaillent ? Brel oublie que le flamand fut longtemps considéré comme un patois de domestiques. Ceux dont il est la première langue sont sensibles à toute appréciation la concernant.

Brel — il n'est pas le seul Bruxellois ou Belge dans ce cas — magnifie les conflits linguistiques aux dépens du social et de l'économique. Manque de connaissances ? Sans doute. Il semble aussi que Jacques Brel a été très — trop — marqué par la Seconde Guerre mondiale. Brel charriait en lui des réalités *et* des mythes que l'on rencontre souvent aujourd'hui en Belgique francophone : la collaboration fut plus forte en Flandre qu'en Wallonie, encore qu'il y ait eu quelques foyers de résistance, à Anvers surtout ; la combativité des régiments flamands — dit-on — fut molle en mai 1940 ; l'indifférence — dit-on aussi — des Flamands pendant la contre-offensive allemande du maréchal von Rundstedt au cours de l'hiver 1944-1945 a pu impressionner Brel. A-t-il jamais compris que le peuple flamand au cours de son histoire, collectivement, s'est souvent posé une question dramatique : comment survivre ? Bien sûr, certaines réponses furent et restent absurdes.

Par son éducation, Jacques Brel ne pouvait percevoir à quel point tant de Flamands se sont sentis agressés par la francophonie. Il en aurait peut-être été autrement si, élevé avant la guerre dans un collège catholique de Gand, Jacques Brel avait vu des élèves punis

1. Brel parle.
2 *Les F...*

parce qu'ils parlaient flamand pendant la récréation. Des Alsaciens ou des Bretons ont des souvenirs tout aussi désagréables.

Cependant Jacques Brel conserve son sens de l'humain au-delà des vraies et fausses querelles qui empoisonnent et paralysent la Belgique. Longtemps, la Volksunie réclama l'amnistie pour les collaborateurs flamands de la Seconde Guerre mondiale. Là, Jacques tombe d'accord avec les ennemis qu'il s'est choisis. Il est pour l'oubli, le dit très tôt à Ivan Elskens et n'en démord pas :

— La chose jugée, la faute expiée, c'est terminé. Ce sont des hommes comme les autres[1].

Que ne l'a-t-il plus exprimé — ou chanté — en public !

On sait peu à quel point Jacques Brel fut marqué par la Seconde Guerre mondiale, souvenir pénible et privilégié d'une période que le chanteur et le créateur sacralise entre toutes, l'enfance. Belge ou français, le public a peu entendu *Mai 40*, chanson inédite, entendue surtout à ce jour dans le film que Frédéric Rossif consacra à Brel. Ses accents sont poignants :

> ... Je découvris le réfugié
> C'est un paysan qui se nomade
> C'est un banlieusard qui s'évade
> D'une ville ouverte qui est fermée
> Je découvris le refusé,
> C'est un armé que l'on désarme...

Brel n'a pas vu que beaucoup de Flamands ont eu le sentiment d'être longtemps, chez eux, des refusés, des désarmés.

Il est difficile d'être Flamand ou Wallon, dur, douloureux parfois et souvent compliqué, d'être *Brelge*.

---

1. On peut surestimer et sous-estimer la collaboration — comme la résistance — dans toute l'Europe. Le Vlaams Nationalistich Verbond, la plus nazifiée des organisations politiques flamandes, ne rassembla jamais plus de 100 000 membres. La légion flamande comportait 3 000 hommes, la wallonne 2 000. Après la Libération, instruisant 600 000 dossiers, on inculpa 57 000 collaborateurs — les « inciviques ». Proportionnellement à la population, le nombre des condamnés domiciliés en Flandre sera de 0,73 pour 100 et en Wallonie de 0,52 pour 100. Une commission de contrôle dénombra 2 000 résistants flamands et 8 000 wallons. Les chiffres sont, bien sûr, contestés ici et là. Reste que la résistance comme la collaboration, en Belgique et en France, exigent plus le sang-froid et la lucidité historiques que les invectives, même superbement chantées. En France, les mythologies gaullistes et communistes ont magnifié la Résistance. Les Belges n'ont pas eu la chance d'avoir un de Gaulle.

VII.

Un Mai 68 en 1967

Jacques Brel chantera les chansons de *son* répertoire pour la dernière fois sur une scène en 1967.

Brel ne sera pas « marchand de chansons » et il fait son Mai 68 individuel un an avant les étudiants parisiens, si ces « événements » impliquent aussi une remise en question de soi, pas seulement de la société ou des sociétés occidentales. Là, Brel a une sorte de prescience. L'artiste devance parfois les prévisions des sociologues Dans l'air du temps, Jacques reste cependant individualiste.

Après la France et la Belgique, le Canada — du moins le Québec — est la partie du monde que Brel connaît le mieux, pour s'y être souvent produit.

Jacques poursuit ses marathons européens, et dans la logique de son succès fait des tournées sur d'autres continents. Il se rend régulièrement au Canada français, ou au Québec, comme on voudra, et passe à la Comédie-Canadienne, rue Sainte-Catherine. Après son spectacle, il rend visite à Clairette Oddera, Française qui a ouvert une boîte en 1958 pour un public d'une centaine de personnes. Clairette, Marseillaise, blonde, joviale, le cœur sur la main et la main sur le cœur, a joué dans des films de Pagnol puis émigré. Elle fait débuter de jeunes auteurs compositeurs québécois, interprète des chanteurs français dans un style volontairement rétro, possède des disques de Brel, admire certaines chansons mais les trouve difficiles et n'ose encore les interpréter.

Jacques est de ceux qui s'attachent à une personne pour se sentir à l'aise dans une ville. Il ne peut jamais se coucher tôt :

— Un type qui rentre de son bureau ne se fout pas au lit tout de suite. Moi non plus.

Chez Clairette rappelle L'Échelle de Jacob à Jacques. Dans ce décor, filets de pêche autour d'un comptoir en forme de navire, il se sent chez lui. Le premier soir, il vient accompagné de Gérard Jouannest. Brel joue, fait le pitre. Il a le sens du drame. En devenant intelligent, il acquiert le sens de l'humour, barrage face au tragique.

Avec Clairette, chaleureuse, nature, les rapports de Jacques ressemblent à ceux qu'il eut avec Suzy Lebrun en 1953. Brel n'est pas seul avec sa guitare. Sa suite, ses amis copains, copains amis, Jojo après Gérard, l'entourent. Quand les jeunes chanteurs québecois sont passés, la « bande à Brel » monte chez Clairette. Jacques tient ses compagnons debout jusqu'à 6 heures du matin autour d'une bouteille de Johnny Walker. Le compagnon de Clairette est mort brutalement. Brel décide, en toute amitié, de consoler Clairette. Elle lui prépare des filets mignons, des chicons, des pâtisseries. Il s'occupe de Clairette, la paterne :

— Ce chagrin, il est à vous, Clairette. On ne peut rien pour vous. Il faut lever la tête comme un soldat. Du reste, vous le faites très bien.

« Personne ne peut rien pour vous " sonne comme " personne ne peut rien pour moi ».

Au Québec, ainsi qu'en France ou en Belgique, Brel passe du tragique au comique :

— Tu crois que j'ai assez fait le con ce soir ?

Adorant la dérision, Jacques accepte qu'on se moque de lui. Devos, qui participe à une autre tournée, plaisante. Brel remporte un grand succès à Montréal avec *Marieke*. Devos taquine Brel :

— Comme s'il avait besoin d'aller baiser à Bruges et à Gand, je vous demande un peu !

— Le Québec ressemble un peu à la Belgique, dit Jacques. Il y a les deux cultures. C'est dur, deux cultures.

Difficile en effet, enrichissant aussi.

Brel n'assiste pas aux premières victoires électorales des indépendantistes. Il n'est pas à Montréal quand le général de Gaulle pousse son « Vive le Québec libre » du balcon de l'hôtel de ville. Jacques ne se mêle pas des querelles entre fédéralistes et indépendantistes, les futurs membres du Parti québecois. Il se contente de juger la chanson québécoise sans en apprécier l'impact social. Est-il assez informé ? Il se méfie du message politique dans l'œuvre d'art. Clairette ne peut guère l'éclairer sur les subtilités de la politique intérieure du Canada, pays-continent, ou sur les revendications culturelles, justifiées ou non, des militants indépendantistes. Fréquentant des chanteurs, Brel s'intéresse plus à la forme qu'au fond de leurs œuvres. Il passe toute une nuit avec Pierre Calvet, Jacques Blanchet et d'autres Québécois. Clairette demande à Jacques ce qu'il pense de ce qu'ils écrivent :

— Ils méritent des coups de pied au cul parce qu'ils sont trop paresseux, dit Brel. Il y a des lignes extraordinaires. Le reste, c'est de la merde.

Son admiration pour Félix Leclerc reste immuable. Jacques voit souvent Leclerc et Vigneault. Il ne se lance pas dans des analyses sur les rapports du français et de l'anglais à travers la Belle Province.

Brel ne fait aucune déclaration publique fracassante non plus à propos des pays d'Afrique du Nord où l'entraînent ses tournées. En public, il se garde.

Il chante à l'hôtel Aletti d'Alger avant le putsch des généraux. On fouille les visiteurs. Pendant son tour de chant — cette intervention n'a rien à voir avec ce que chante Jacques — quelqu'un crie :

— Algérie française !

Brel répond :

— Vous savez, moi je m'en fous ! Je suis Belge.

Après son tour de chant, il enregistre une série d'émissions de radio avec Jacques Danois. Brel se glisse dans son lit en pantalon et en tee-shirt :

— De quoi pourrait-on bien parler à Alger ?

Brel se répond :

— De l'Algérie.

Il pense que la décolonisation est inévitable. Puis il s'embarque dans une description d'Alger. Ce nom d'Alger la blanche lui paraît un déguisement, une hypocrisie sous la vérité. Que cache cette couche de peinture blanche ?

Quand Danois change la bande de son magnétophone, prudence compréhensible dans le climat algérien, Brel fait des confidences que Danois n'enregistre pas :

— Hier, il y a des gars qui m'ont approché, des fellaghas. Ils voudraient me voir.

Jacques Brel les rencontre dans la Casbah. Ces nationalistes viennent le chercher parce qu'ils estiment que Brel chante leur combat. Plus surpris que flatté, Jacques :

— Tu te rends compte, à moi ! Pourquoi ils me demandent ça à moi ?

Brel le sait : ces Algériens musulmans qui parlent français ont perçu chez lui un chant de fraternité. Comme en France et en Belgique, il voit l'injustice sociale. Elle remonte, se venge, combat. Il trouve extraordinaire et inadmissible l'étiquette de « Français musulmans » appliquée aux Arabes et Kabyles d'Algérie. Comment peut-on cataloguer des hommes à travers leur religion ? Parle-t-on de « Français catholiques » ?

La guerre d'Algérie, et toutes les guerres, inspirent *La Colombe* à Jacques :

> Pourquoi cette fanfare
> Quand les soldats par quatre
> Attendent les massacres
> Sur le quai d'une gare
> Pourquoi ce train ventru
> Qui ronronne et soupire
> Avant de nous conduire
> Jusqu'au malentendu
> Pourquoi les chants les cris
> Des foules venues fleurir
> Ceux qui ont le droit de partir
> Au nom de leurs conneries...

Tristement, après quelques attentats dans la basse Casbah d'Alger, Jacques dit à Danois :

— C'est peut-être la dernière fois que l'on vient ici.

Reporter qui travaille beaucoup à partir de Saigon, Danois retrouve Jacques en 1969, à Damme, en Flandre :

— Qu'est-ce que tu fous tout le temps au Viêt-nam ? lui demande Brel. Comment ça se passe là-bas ?

Jacques Brel a tendance à exprimer son opinion sur tout. A propos du Viêt-nam, il n'a pas d'attitude tranchée. Il est contre la guerre, d'une manière moins virulente que Jojo ou Gérard. Il s'intéresse assez peu aux affaires des généraux et des politiciens de Saigon. Mais ces deux cent mille gosses qui errent dans les rues ? Jacques Danois leur consacre un livre, *Les Moineaux de Saigon*.

Plus français que belge, Brel, conservant quelques grandes convictions vagues — on ne peut *pas* ne pas être de gauche — se désintéresse de la politique mondiale. Il est curieux, pas admiratif face à l'URSS. Il suit l'opinion publique informée, avec retard, en Occident. La gauche française non communiste démystifie lentement l'univers totalitaire. Jacques sait que le communisme, c'est d'abord un État policier. Il s'arrange pour qu'on ne le pousse pas trop quant au communisme. Lorsque les communistes allemands construisent le mur de Berlin, Brel s'en prend à Jouannest, comme si Gérard était responsable de chaque mirador. Plus tard, Brel se demande si les communistes n'ont pas eu raison de bâtir ce mur.

Face aux États-Unis, Brel se contente d'admirer les professionnels du show-business. En traduction, il lit quelques auteurs américains avec une prédilection pour Henry Miller. En public, il recrache des clichés :

— Aux États-Unis, la question qu'on m'a posée le plus souvent, c'était : combien d'argent gagnez-vous[1] ?

Il sait qu'il connaît mal les États-Unis. Brel est un Belge qui bétonne ses attitudes, ses réactions politiques sous la Ve République française. Jojo monte la garde et laisse filtrer la générosité, les contresens et les platitudes politiques de la gauche non communiste. Ces dernières ont parfois le mérite d'être vraies. Comme beaucoup d'hommes de sa génération, Jacques Brel n'a pas la moindre notion d'économie. Il prononce parfois le mot « chômage ».

Jacques fait des allusions à la manière dont Lénine parle de la Commune. Pas plus que Jojo, il n'a lu Vladimir Ilitch.

— La Commune, peut-être la première grande révolution prolétarienne... avance-t-il.

Il brélise les Soviets :

— Une tendresse... une générosité...

Évoquer la « tendresse » à propos de la prise du palais d'Hiver de Léningrad et des troupes de Vladimir Ilitch et du communisme, c'est plaisant !

Jacques est un redresseur de torts, un anarcho-idéaliste libertaire. Ses héros ne sont ni Marx ni Jésus. Dans sa mythologie personnelle, Till Uilenspiegel et Don Quichotte sont plus importants. Pour adopter un vocabulaire qui n'est pas encore accepté dans les années cinquante et soixante, encore que George Orwell l'ait utilisé avant la guerre, Jacques est un anti-*totalitaire*, humanitaire et humaniste. En politique, il a des coups de cœur, plutôt que des idées raisonnées. Il est d'une génération qui voit d'abord le totalitarisme de droite avant de discerner celui de gauche.

L'idéologie assez vague que Brel affiche ne l'empêche jamais de distinguer les hommes des institutions. L'artiste sent qu'il faut éviter d'introduire l'actualité brute dans ses œuvres. Il n'est pas et ne veut pas être un chanteur engagé, malgré quelques chansons comme *Les Bourgeois* ou *Jaurès*.

— Tu sais, on a craché sur moi, on m'a méprisé. Chez Philips à mes débuts, on me prenait pour de la merde. Maintenant, je suis devenu Napoléon et je le ferai sentir, dira sans sourire Jacques Brel à Guy Bruyndonckx.

---

1. « Journal inattendu », avec Jean-Pierre Farkas, RTL, 1968.

Question d'âge, Guy comprend sans doute mieux Brel qu'Hector. Balzac voulait devenir le Napoléon des lettres. Orgueil démesuré et manque de confiance, Brel est conscient du pastiche. Le roman, ce n'est pas la chanson. Cette fierté et cette humilité poussent Jacques à répéter partout, crescendo, qu'il n'est qu'un artisan, un fabricant de chansons.

Victime du statut de la vedette, son rôle social le pousse au manque de sincérité alors qu'il se voudrait honnête. On lui pose sans cesse des questions absurdes. Croyez-vous au bonheur, à la biologie ? Que pense-t-il de l'architecture de l'Exposition internationale de Bruxelles ? Un homme ou une femme devient célèbre, occupe un poste de pouvoir, président de la République, ministre, prix Nobel de littérature ou de médecine. La presse alors l'interroge, bien au-delà des droits de l'homme, sur tout, même lorsque sa compétence n'est pas évidente. Dans les années cinquante et soixante, acteurs et actrices de cinéma, suivis par les chanteurs et les chanteuses, sont soumis à la question. Aujourd'hui, ce sont les dessinateurs de BD qui pontifient. Rares sont les personnalités qui, comme Claire Brétécher, osent dire : « Moi, je ne sais pas. » Acteurs et chanteurs américains s'engagent dans le camp des démocrates ou des républicains, de Frank Sinatra à Bob Dylan, de John Wayne à Shirley Mac Laine. A Paris, en 1984, avec Yves Montand, on assistera à l'apothéose du chanteur et de l'acteur transformé en maître-penseur et maître-questionneur iconoclaste.

Jacques est parfois, simplement, dépassé par ce qui lui arrive. Il provoque dans le monde du show-business francophone, bruxellois et wallon un orgueil justifié. Quel interprète-parolier-compositeur l'égale ? Son neveu chanteur, Bruno Brel, a le handicap de son nom. Julos Beaucarne, un des jeunes interprètes belges connus en France avec Jean Vallée, laboure les thèmes de l'écologie ou du régionalisme. Ils n'ont pas la puissance d'interprétation ou le sens musical de Brel. La chanson aussi est pavée de bonnes intentions. Beaucarne expédie des lettres chantées à Kissinger ou à Léonid Pliouchtch. Julos se dissimule souvent derrière des textes de poètes, Verlaine ou Baudelaire, Apollinaire ou Desnos. Il illustre aussi des poètes belges comme Max Elskamp. Jacques Brel, jamais. Ce n'est pas fréquent dans le show-business. Un des problèmes de la jeune génération des chanteurs belges fut de dépasser ce Brel.

Jacques a tourné au Liban, en Israël, en Égypte, en Pologne, en Grèce, en Afrique du Nord, à Madagascar, à la Guadeloupe, à la Martinique. Il aime le soleil. Mais dans la tradition française, un homme politique a besoin d'être reçu à Moscou et à Washington pour se faire reconnaître. Un chanteur aussi. Brel fait partie du patrimoine culturel francophone et français. A l'étranger, qu'il accepte ou refuse ces avances, l'ambassade de France l'invite plus vite que celle de Belgique.

Brel « passe » en URSS et aux États-Unis la même année, en octobre et décembre 1965.

Cinq semaines en Union soviétique. Bakou, Erevan, Tbilissi, Léningrad, Moscou. Inconvénient majeur là-bas pour Jacques, dans certains restaurants les lumières s'éteignent à 22 h 30 et on se couche avant minuit. Brel n'aime pas donner, même exceptionnellement, un récital à 11 heures du matin. A Moscou, son public comprend de nombreux membres du corps diplomatique, Français et Britanniques, qui peuvent saisir le sens des chansons de Jacques.

Partout les salles sont pleines. Les spectateurs arrivent avec des billets remis par le parti, les syndicats, les komsomols. A Bakou, Brel et ses musiciens affrontent des visages figés. Les spectateurs comprennent mal ce que dit le chanteur. Un présentateur explique les chansons par groupes de quatre ou cinq. Les traductions des textes n'ont pas été distribuées. Jacques déteste qu'on lui coupe le rythme de son spectacle. Il sue sang et eau, mais finit par dégeler le public. Brel saute, fait de grands gestes. Quand même, ce bonhomme doit raconter quelque chose ! Se battre en scène de cette manière, ça étonne et détonne. A Leningrad, le succès paraît plus spontané. En URSS, Brel accepte un rappel pour une chanson. Les spectateurs ne cessent d'applaudir et de réclamer. Il *doit* bisser.

Brel adore les Géorgiens, leurs grands repas agrémentés de toasts et de discours. Il déteste la nourriture qu'on lui sert, vodka et caviar mis à part. Le vin rouge n'est pas mauvais. Le vin blanc ? Très sucré, et avec du poulet rôti ou du bœuf Strogonoff, c'est « pas terrible ». Le champagne russe, n'en parlons pas.

Voilà ce que disent Jacques Brel et Jean Corti quand ils se retrouvent dans leurs chambres d'hôtel pour jouer à la belote vers 11 heures du soir. Gérard Jouannest, lui, est enchanté de se coucher tôt. Corti et Brel râlent.

A son retour, sur le communisme, le socialisme réel et irréel, Jacques fait peu de commentaires publics. Il n'explique pas avec Sartre que les Soviétiques sont libres. A son débit, il affirme qu'en Union soviétique on ne parle pas d'argent. Ah ! là, là ! ce n'est pas comme l'Amérique.

Brel ne veut pas trop froisser Gérard, sympathisant communiste. Comme beaucoup d'invités officiels et de vedettes, Jacques ne voit pas la vie quotidienne des Soviétiques. On lui propose de visiter des musées, pas les camps de concentration.

Il a participé au festival de la Jeunesse pour la paix à Helsinki. Il a bavardé à jeun et ivre mort avec le poète Evtouchenko. Pour une fois, il se remet durement d'une beuverie. Sur l'archipel du goulag et l'empire soviétique, Brel a des idées vagues et il n'est pas le seul parmi nous. Il choisit de se souvenir surtout de la « tendresse » des Géorgiens.

— Des gens qui s'appuient plus sur les rêves que sur la réalité, dit-il[1].

Formule poétique, avec un peu d'ambiguïté politique et critique ?

La pénétration de Brel chanteur sera moins forte en URSS qu'aux États-Unis. Il est impossible de connaître le nombre de ses disques vendus dans les républiques soviétiques.

Brel fait une grande apparition au Carnegie Hall à New York, quelques semaines après sa tournée soviétique. La salle est pleine. Jacques n'a aucune illusion, la grande majorité des spectateurs sont français. Les Américains présents, exigeants, connaisseurs, blasés, méprisent souvent le manque de professionnalisme des Français. Ils sont pris par Brel. Avec quelle vitesse, coupant les applaudissements, Jacques enchaîne, à New York comme à Marseille ! Le sévère Robert Alden, journaliste au *New York Times* — un des quotidiens les plus importants de la côte Est, *le* journal de New York (ses articles sont repris à travers les États-Unis) — écrit même que les jambes de Brel sont « espièglement humoristiques[2] ». Pour ce public new-yorkais raréfié, comme pour le grand public populaire de Paris, Brel ne prêche plus dans ses chansons. Il les vit. Les New-Yorkais ont la chance d'échapper à la veine scoute et Franche Cordée du chanteur. Jacques Nellens assiste à ce gala de Carnegie Hall. A la fin du spectacle il demande à des spectateurs debout, enthousiastes, s'ils comprennent le français :

— Non, répondent les Américains.

Aux États-Unis, Brel, qu'à son arrivée Alden prenait pour un « chanteur de boîte de nuit », dépasse de loin Brassens et Ferré. Jacques est flatté par l'accueil qu'on lui réserve. Sans exagérer l'importance de l'événement, il sait qu'un succès au Carnegie Hall compte dans le métier. Les télégrammes de confrères et de consœurs français pleuvent. Le plus absurde et réaliste vient d'Aznavour :

« ... A quand Las Vegas ? » Pas bête, Aznavour, sur le plan commercial.

— Aznavour, c'est le seul homme que je connaisse capable de rentrer debout dans une Rolls, dit Jacques.

---

1. « Discorama », émission TV (ORTF), 1967.
2. *New York Times*, 7 décembre 1965.

En novembre 1966, la Grande-Bretagne consacre Brel au Royal Albert Hall de Londres. Les Britanniques sont moins sensibles que les Américains au style de Brel. Jacques passe pourtant la rampe. Critiques et public anglais seront toujours moins réceptifs au réalisme énergique de Brel que les Américains. Comme le *swinging London,* la Grande-Bretagne est en proie à la Beatlemania. Peut-on aimer John Lennon, Paul McCartney, Ringo Starr et George Harrison *avec* Jacques Brel ? Sans doute, mais pas tout le monde. Ils ont deux points communs, les Beatles et Brel : ils se fondent sur la musique classique et se préparent les uns et les autres à abandonner le tour de chant.

A Londres, Aznavour assiste au dîner intime de trente personnes en l'honneur de Jacques. Devant la duchesse de Bedford, Brel parle d'en finir avec les tournées. Aznavour se met en frais pour lui démontrer qu'il a tort. Trop de gens l'aiment.

— Il ne faut pas exagérer, nous ne sommes pas des dieux, dit Jacques.

Moment de réelle humilité, Brel s'explique : il a travaillé consciencieusement et il est arrivé au bout. Avec certains de ses textes, les carcans de la chanson traditionnelle ont craqué. Il a sans doute trouvé une autre dimension. Il ne saurait aller plus loin. Plafonner, c'est déjà descendre. Son orgueil est là.

Aznavour :

— Mais si... on peut toujours.

— Sommes-nous consciencieux ? demande Brel. Quand nous nous levons le matin, faisons-nous toujours au mieux ?

Aznavour, sermonneur :

— Oui, oui ! Moi aussi, j'ai de la conscience professionnelle.

Brel tape sur la table, se lève et, cruel, lance :

— Mesdames, messieurs, je vais vous chanter *La Mamma.*

Depuis des années, Brel se pose une question, vague mais pour lui lancinante :

... Serait-il impossible de vivre debout [1] ?

Pendant toute l'année 1966, quotidiens et hebdomadaires, presse de qualité et feuilles à ragots, agitent le problème Brel : arrêtera, n'arrêtera pas ? Il ne veut pas devenir le galérien des galas. C'est un coup publicitaire, bien sûr. N'arrêtera pas. « Brel, le démissionnaire de la chanson. » « Le déserteur », pas moins. Peu de gens croient qu'il va cesser de chanter en scène. On a vu tellement de départs définitifs et d'adieux au music-hall. Et il y en aura encore beaucoup d'autres, de Maurice Chevalier aux Frères Jacques. La seule à avoir abandonné l'écran en plein succès est Greta Garbo.

---

1. *Vivre debout.*

— Il n'y a qu'un seul luxe dans la vie, dit Brel, c'est de pouvoir se tromper... Ce qui m'irrite le plus, c'est la prudence, l'immobilisme.

Le monde du show-business et ses parasites spéculent. Maintenant, tous veulent connaître les projets de Jacques Brel.

— Tout ça est assez flou dans ma pauvre tête pleine d'eau. Je me suis baladé beaucoup et trop rapidement. J'ai envie de recommencer mon itinéraire en prenant tout mon temps. Je m'arrête parce qu'il y a vingt ans que je fais ce métier. Il arrive un moment où l'on a envie de s'arrêter. Les gens de cinquante ans aiment mieux que ceux de vingt ans, mais ils ne peuvent plus aimer tous les jours.

A Hector, Jacques expédiait de Genève, plus de dix ans avant, une épître-poème dans laquelle il se traitait de « marchand de chansons ». Il parlait aussi de ses doutes à l'abbé Dechamps, deux ans à peine après ses débuts professionnels en France.

— Dommage qu'on soit obligé de s'abaisser à écrire des morceaux à succès, confiait Jacques. Il faut faire du commercial.

Lorsque l'abbé lui demandait quelles chansons il trouvait mauvaises, Jacques esquivait. Ses inquiétudes et, surtout, sa décision de ne pas poursuivre sa carrière de chanteur sur scène, ont longuement mûri. Autre lettre au cher Hector expédiée de Paris le 13 février 1956, alors que l'année professionnelle s'annonçait bien :

« ... Rien a dire, car il ne se passe rien. Une vie bien lourde, bien plate et, semble t'il, bien inutile, me cloue bêtement, et me donne assez envie d'espérer la fin du monde... »

L'apocalypse nucléaire n'est pas au coin de l'année, seulement la répression à Budapest et l'expédition franco-britannique à Suez.

« ... Rien a dire d'un métier qui brusquement, étant devenu adulte, me parait trop commode, trop confortable aussi

Rien a dire d'une vie spirituelle devenue, par ma faute, presque végétative. Rien a dire d'une vie ou l'on est plus assez fou pour espérer que tout s'arrange et ou l'on est pas assez sage que pour se croire encore complètement cassé.

Peut-être ai-je brusquement envie d'être heureux d'un bonheur que l'on aurait pas trop de mal a se construire ?... »

L'idée que l'homme peut se faire, se construire, Brel l'exploitera sur-le-champ. Dans J'en appelle, il hurlait qu'il préférerait être faible plutôt qu'orgueilleux et plutôt lâche que monstrueux.

Février 1956 toujours :

« ... N'ai plus envie de rien dire, de rien faire.

Je suis las.

Et n'ai pas la force de croire que c'est de ma faute.

Peut-être aussi ne suis-je pas à la mesure des choses qu'il m'a été donné de comprendre.

Bonsoir beau prince

Très sincèrement...

Jacques »

Sincère, Brel, dans cette lettre ? Sûrement face aux problèmes de son métier. Preuve irréfutable : il va quitter la scène en 1967. Il n'a guère parlé à son entourage d'abandonner les planches. Jojo le sait assez vite et garde le secret. Gérard Jouannest demande à Jacques si les bruits qui courent ne sont que des ragots. A son ami pianiste, Brel répond :

— Oui, je vais m'arrêter. Je ne voulais pas t'en parler parce que je ne sais pas ce qui va se passer. Ni ce que tu vas faire.

Ce n'est pas méfiance de la part de Jacques. Il s'inquiète de l'avenir professionnel de Gérard. Jouannest mettra vite son talent au service de Régine, puis de Juliette Gréco.

Brel peut plus facilement faire part de sa décision à ceux qui ne sont pas de ses intimes. Il croise Jacques Martin sur la Croisette à Cannes :

— J'arrête. J'en ai marre de vivre avec mes musiciens, dit Brel.

Martin n'y croit pas un instant, et prend un pari qu'il perd. A Charles Aznavour, dont il admire l'endurance et la combativité, Brel déclare encore :

— Je pars aussi parce que je ne veux pas devenir une vieille vedette.

A trente-six ans, il burine ce fantasme, la hantise du *has been* :

Même si un jour à Knocke-le-Zoute
Je deviens comme je le redoute
Chanteur pour femmes finissantes
Que je leur chante « Mi Corazon »
Avec la voix bandonéante
D'un Argentin de Carcassonne
Même si on m'appelle Antonio
Que je brûle mes derniers feux
En échange de quelques cadeaux
Madame je fais ce que je peux
Même si je me saoule à l'hydromel
Pour mieux parler de virilité [1]...

---

[1] *La Chanson de Jacky.*

L'été 1966, Brel est en tournée à Vittel, au Grand Hôtel, avec Jojo et Charley Marouani. François et Françoise Rauber, en vacances, rejoignent Jacques et sa fille France. Aux Rauber, qui ne s'y attendent pas, Brel dit :

— Je quitte la scène.

Dans ses grandes envolées — courtes — Brel a les chances du bon réalisateur. Cette déclaration mérite une atmosphère. Ce soir-là, un orage éclate sur la ville, avec longues pannes d'électricité et superbes éclairs. Ce côté shakespearien frappe Françoise, France et Brel qui dînent au restaurant. Entre deux éclairs de bonne qualité et trois pannes qui font honneur à l'hôtellerie française, François Rauber, calme, demande à Jacques :

— Pourquoi quitter ?

— Je n'ai plus rien à dire.

François comprend et admire ce bonhomme qui poursuit :

— Je ne veux pas baisser. Je ne veux pas.

C'est sublime, grandiose. Touchant aussi. Puis, attendrissant, Jacques se fait du souci pour certains de ses collaborateurs :

— Que vas-tu devenir ?

François et Gérard se confondent en partie, sur le plan professionnel, avec le chanteur. Jean Corti en a déjà assez de la vie de valise. En URSS, il a annoncé brusquement qu'il abandonnait l'équipe. Il ouvre une boîte dans la région parisienne. Jacques, mécontent, le remplace par André Dauchy. Brel supporte mal qu'on le quitte.

L'atmosphère se détend dans la chambre de Vittel. On parle chansons. Au comble de la gloire, Jacques a des opinions moins tranchées sur les hommes et les femmes du métier. Il aime beaucoup Amalia Rodriguez et, plus surprenant, ce soir-là, à propos de Michel Polnareff qu'il a vu à La Rose d'Antibes, paternel, devenant à sa façon le vieux Brassens, Brel brode quelques commentaires distancés plutôt sur le ton : « Je n'aime pas le genre, mais dans ce genre c'est réussi. »

— C'est intéressant, on ne peut pas négliger ce que Polnareff apporte.

Le lendemain, Jacques quitte Vittel en avion pour atteindre sa prochaine étape. Sa fille France et Charley sont à bord. Elle n'est pas à côté des deux hommes et n'entend que des bribes de conversation. Le ton et la tension montent.

— Non, Jacques. Vous n'avez pas le droit de faire ça, insiste Charley.

France ne sait de quoi ils parlent. Jacques parle plus de son départ de la scène à France qu'à Chantal ou Isabelle. En 1966,

Isabelle a huit ans. De ses trois filles, France est celle en qui Brel prétend se reconnaître un peu.

— Tu ne réalises pas l'importance qu'a pour certaines personnes l'arrêt de mon tour de chant, dit Brel. Certaines ont envie de se suicider. D'autres me téléphonent sans cesse ou font des dépressions nerveuses.

Dans ce constat de Jacques, France perçoit autant d'étonnement que d'orgueil.

Pourquoi décide-t-il de partir ? Certaines raisons sont avouées. D'autres paraissent à moitié conscientes. Brel clame qu'il ne veut pas tricher. Il sent qu'il est près d'un point de non-retour. De fait, exploitant les mêmes thèmes, et les mêmes effets musicaux, il a déjà commencé à tricher un peu. Dans ses interviews, une formule revient :

— Je me suis réveillé un jour avec un gramme et demi d'habileté [1].

Il n'a plus rien à dire de nouveau, pour le moment. Mais il chante toujours bien. En 1964 et 1965, Brel dépose le copyright d'œuvres de qualité. *Un enfant* :

> ... Un enfant
> Ça écoute le merle
> Qui dépose ses perles
> Sur la portée du vent
> Un enfant c'est le dernier poète...

Les Désespérés, à l'attaque rapide :

> Se tiennent par la main et marchent en silence
> Dans ces villes éteintes que le crachin balance
> Ne sonnent que leurs pas, pas à pas fredonnés
> Ils marchent en silence les désespérés...

Jacques met également en circulation des chansons faibles. *Les bergers,* folklorique et banale sur des contrepoints de pipeau :

> ... Ils ont les mêmes rides et les mêmes compagnes
> Et les mêmes senteurs que leur vieilles montagnes...

Jacques Brel déposera en vingt-cinq ans les copyrights de cent quatre-vingt-douze textes de chansons. En 1964, 1965 et 1966 Brel ne souffre pas d'impuissance créatrice. On m'excusera de quantifier : sur vingt-cinq années, la moyenne théorique de Brel serait de 7,68 chansons par an. En 1964, il dépose les titres de douze chansons, dont

---

1. « Le Grand Échiquier » de Jacques Chancel, 1972.

quelques-unes, *Jef, Le Tango funèbre, Mathilde,* magnifiques. En 1965, copyright pour huit textes dont *Ces gens-là.* Jacques s'en prend encore aux « bourgeois » sans les nommer. A ceux qui prient, trichent, comptent. Chez ces gens-là,

> ... on ne s'en va pas.

Lui, il va partir.

Ni pour la qualité ni pour la quantité Brel ne se sent au bout de son inspiration ou de ses forces. Il a le sentiment qu'il donne toujours et ne reçoit plus. Il déclare qu'il aime le monde entier, qu'il recherche la tendresse. Entre son public et lui, y aurait-il malentendu ? Chanter, même merveilleusement, qu'on aime les hommes ne prouve pas que l'on déborde d'amour ou d'amitié pour le genre humain. En 1967 comme en 1953, Brel éprouve le besoin de partir, mais la famille qu'il quitte maintenant, c'est le show-biz. Quand Brel choisit, il part.

Un calculateur partirait en ayant atteint le sommet de sa profession. Les ascensions suivies de chutes brutales ne manquent pas. Où sont donc Philippe Clay, Richard Anthony ces jours-ci ? Et même Gilbert Bécaud ? Brel redoute-t-il la concurrence des jeunes ? En 1966, il n'a que trente-sept ans.

Le dégoût de la tournée succède à la passion de l'irruption sur une scène. Jacques ne veut plus avoir peur de cette manière-là. Il cherche d'autres défis, ne veut plus « se défoncer » dans le tour de chant. Craint-il d'y laisser sa peau ? Cette vie de vedette acclamée, poursuivie, signant des autographes, parlant à tort et à travers lui paraît trop anormale.

— Ce n'est pas normal de chanter en public. C'est normal de chanter dans sa salle de bains parce qu'on est heureux, parce qu'on est seul, mais en public, non[1] !

Comment éviter le taux des trois grammes d'habileté dans la tête et le sang ? Plus tard, une nuit d'insomnie arrosée, devant le comédien belge Robert Delieu, Brel monologuera :

— Je vais te dire un truc, Delieu : la chanson, après moi, il n'y a plus personne.

On frôle ici la mégalomanie.

D'instinct, Jacques Brel fait une étude du marché de la chanson. A sa fille France, il répète :

— Les gens n'iront plus au spectacle. Le tour de chant, c'est terminé. Les gens ne se déplaceront plus pour voir des chanteurs. Il faudra des spectacles complets. Donc il faut apprendre à danser, à

---

1. « Le Grand Échiquier ».

jouer, à tout faire. Les Américains ont compris ça depuis longtemps.

Dans son départ, il y aura une recherche, une fuite et un opportunisme au grand sens : Jacques Brel s'arrête au bon moment. Jamais personne n'osera dire que Brel se répète, en remet, radote.

Il abandonne un monde qui l'épuise. Après tout, on peut écouter Brel sur des disques et des cassettes, même si l'on perd beaucoup en ne le voyant pas. Brel veut aller *voir ailleurs*. Comme un adolescent, il se demande encore qui est Jacques. Brel est ce qu'il fait. Donc, il fera autre chose. Derrière la façade, l'assurance virant à l'arrogance, on trouve des interrogations sérieuses.

Brel veut se reposer, respirer, vivre. Aucun résultat de test médical ne prouve alors que quatre paquets de Celtiques ou de Gitanes — avec de brèves cures de Gallia et de Nicoprive [1] — le minent. Il sent toujours en lui une formidable énergie. Quand il rate l'enterrement du père d'un ami après de vaines tentatives pour gagner la ville où il a lieu en avion, il se rend au bordel avec Jojo. Racontant cette épopée à France, il lance :

— Il a de la santé ton père, hein !

Brel s'intéresse à la voile et se passionne pour l'aviation. Comment consacrer plus de temps à lire et écrire ? Brel rumine une idée de roman. Il aimerait raconter l'histoire d'un révolutionnaire qui défile dans les rues au premier rang d'une manifestation et se fait tuer. Mais ce révolutionnaire ne sait pourquoi il est là, ni à quelle révolution il participe. C'est tout le Brel politique. Devant Arthur Gelin, Jacques parle souvent de ce roman-là.

Des réalisateurs feront plus facilement des offres à Brel que des éditeurs. Le deuxième moyen d'expression de Jacques ne sera pas la machine à écrire, mais la caméra.

Sur son départ de la scène, Brel accorde des interviews à longueur de semaines, comme s'il voulait s'empêcher d'avance de remonter sur les planches en chanteur de variétés, seul. Comme pour se couper de la tentation du retour, Brel déclare partout qu'il part Il ne pourra revenir De Gaulle annonce qu'il ne fume plus. Donc on ne le verra plus une cigarette à la main. Bonne technique pour les orgueilleux.

A Jean-Pierre Chabrol, écrivain avec lequel il se sent en confiance, Brel dira :

— Quand j'ai débuté, je savais que j'étais une vedette. C'est les autres qui ne le savaient pas... J'ai souvent eu des creux de vague Je suis un nomade [2]...

---

1. Cigarettes sans nicotine et médicament antitabagique.
2. « Format », RTB, 30 novembre 1966.

A-t-il la tentation de se transformer en sédentaire ?

Dans la mémoire collective et légendaire, Brel a chanté officiellement en scène pour la dernière fois à l'Olympia pendant son « passage » d'octobre 1966.

La première des dernières de l'Olympia devient un des grands événements de la saison 1966-1967. Après Brel, Bruno Coquatrix, directeur du music-hall, présentera Enrico Macias, Claude François, Salvatore Adamo, Marcel Amont, Alain Barrière.

Le programme, sur papier glacé, est vendu à un prix exorbitant par les ouvreuses de l'Olympia, qualifié modestement de « plus célèbre music-hall du monde ». Radio City Music-Hall à New York, qu'est-ce ? D'habitude, ce luisant programme de l'Olympia est rempli d'annonces publicitaires inversement proportionnelles au nombre d'informations concernant le spectacle. Pour une fois, ce n'est pas le cas. L'introduction, hommage et analyse, est due à Georges Brassens. D'une phrase, Brassens résume la carrière de Brel : « ... C'est uniquement le public qui a décidé, ce ne sont pas les gens du spectacle. » A ses débuts dans la variété, face à un Canetti qui croyait en Brel mais n'aimait pas ses chansons, Jacques eut du mal à s'imposer. Brassens cerne son confrère, son égal, avec élégance : « Jacques Brel a beaucoup changé depuis ses débuts. Il était plutôt tourné vers l'intérieur. Comme peu de gens semblaient s'intéresser à cette époque à ses chansons, il était un peu chat écorché. Je le connais très bien, Brel, parce que moi j'étais exactement pareil. Quand le succès vient, on s'ouvre... En définitive, je crois que, malgré ce qu'il raconte, Jacques Brel aime tout le monde. Je suis même persuadé qu'il aime tout particulièrement ceux qu'il engueule le plus. Il est plein de générosité, mais il fait tout pour le cacher. »

Jacques engueule *les* Belges, une abstraction, mais il est obsédé par eux. Sa générosité n'est pas contestable. Il aide amis et inconnus en difficulté. Il a donné beaucoup de galas gratuits à différentes œuvres, sans le faire savoir par un service des relations publiques. Il tourne un film publicitaire pour l'UNICEF, à la demande de Jacques Danois. Dans ses générosités, Jacques reste discret.

Les critiques ont souligné la misogynie des *chansons* de Brel qui a pourtant un très large public féminin. Brassens : « ... Un type qui parle des femmes avec une telle colère, c'est qu'il leur appartient totalement. Il a peut-être besoin, en marge de son bonheur, de se raconter de petites histoires tristes. Ça, nous le faisons tous. Nous en avons besoin. C'est une espèce de jeu. Nous jouons à être gais, nous jouons à être tristes, et nous nous prenons au jeu... »

Dans ses chansons — Jacques en a environ quatre cents derrière lui, dont la moitié jetées à la poubelle — Brel crie sa solitude.

Pourtant il est très entouré. Un message court dans son œuvre : on est toujours seul, surtout un homme face à une femme. Banalité, mais de base chez Brel. A propos de cette solitude, réelle ou supposée, vécue et recherchée, Brassens dit simplement : « Il a besoin de la montrer, de dire qu'il est seul et de le crier. » Brassens qui, devant le public, se sent mal à l'aise, ressent une différence entre lui et Brel : « En scène, il est enfin vraiment libre de faire ce qu'il veut. »

Coutume dans le spectacle, à l'Olympia et à Carnegie Hall, les télégrammes décorent les murs de la loge de la vedette. Miche n'est pas là : « Un tout doux, affectueux, tout tendre Cambronne », télégraphie-t-elle. Le « merde » qui conjure le mauvais sort et souhaite bonne chance est de rigueur. Les piles de télégrammes bleu pâle, jaunis, s'accumulent dans les tiroirs de Jojo. Ceux qui assistent à la première des dernières de Brel comme ceux qui ne peuvent s'y rendre, les célébrités et les inconnus témoignent de leur admiration ou de leur affection, sincère ou feinte. Tout le passé de Brel remonte avec ces souhaits. Quatorze ans déjà, quatorze ans seulement sur les planches.

Suzy Lebrun : « Je n'irai pas te voir ce soir, tu seras trop entouré. Je suis avec toi de tout cœur par la pensée. J'ai vraiment le cafard depuis que j'ai appris que tu abandonnais la chanson. Que va-t-on devenir ? Cela m'enlève du courage pour continuer... Je t'attends un soir pour boire un verre et bavarder. Avec toute mon amitié, je t'embrasse. » Jacques n'oubliera pas de retourner à L'Échelle de Jacob :

— C'est là que j'ai commencé, c'est là que je finirai.

Quand Jean Corti ouvre sa boîte aux Mureaux, dans la banlieue parisienne quelques jours avant ses dernières à l'Olympia, Brel va y chanter. Il est la seule vedette que Corti peut se permettre d'inviter.

Juliette Gréco télégraphie : « Je suis bien, je vous aime. Merde, Cambronne, dix fois merde, mille fois merde. » De Montréal, Clairette : « Nous sommes tous près de toi, vas-y et merde. Amitiés Jojo. Et Gérard caresses. »

Jacques dit toujours : « Il faut aller voir, j'y vais. » Ce soir-là, à l'Olympia, il y va, une fois de plus comme s'il chantait pour la dernière fois. Parmi les télégrammes des chanteurs, Cora Vaucaire, Pétula Clark, Salvatore Adamo, Johnny Halliday, se glissent les messages des requins du show-business, imprésarios en tête. Johnny Stark : « C'est forcément le triomphe. Je viens hurler avec les loups. Je t'embrasse. » Notre Mireille nationale : « Je vous admire autant que je vous aime. Je suis près de vous ce soir, acceptez ma part de bravos pour votre triomphe. M. Mathieu. » Le patriarche des Marouani, Félix, a entendu parler d'un grand voyage en mer. « Hardi matelot, tiens bien la barre, il y a encore du bon vent pour les années à venir. » Marcel Amont fait allusion à l'aviation : « Vas-y Papa Golf, bon vent et bonne route. » Dans le monde du show-business, Jacques a parlé de voyage. Quatre ans avant, Brel chantait *Une île* :

> ... Une île qu'il nous reste à bâtir
> Mais qui donc pourrait retenir
> Les rêves que l'on rêve à deux
> Une île
> Voici qu'une île est en partance.
> Et qui sommeillait en nos yeux
> Depuis les portes de l'enfance
> Viens
> Viens mon amour
> Car c'est là-bas que tout commence
> Je crois à la dernière chance
> Et tu es celle que je veux
> Voici venu le temps de vivre
> Voici venu le temps d'aimer
> Une île.

Télégrammes et lettres de spectateurs, de fans anonymes, jeunes ou vieux s'entassent. Au-dessus d'une signature illisible : « Monsieur Jacques Brel, reposez-vous, faites ce que vous avez envie de faire, *mais* revenez-nous, je vous en prie au nom de tous ceux qui vous admirent. »

Brel ne fera pas un « faux rideau ». Ici au moins, comme à l'Alhambra ou à Bobino, les ouvreuses, les machinistes, la dame du bar en sont persuadés. Il n'arrivera plus sur scène en prenant son élan. Beaucoup de spectateurs, ce soir du 6 octobre, ont lu les quotidiens. Les journalistes sont plus sceptiques que le public ou les gens du spectacle. Les interviewers ont taraudé Jacques toute la semaine.

— *En abandonnant le tour de chant, vous ne pensez pas priver votre public*[1] ?

— Si je vous disais oui, ça serait complètement idiot et surtout orgueilleux. Si je vous disais non, ça prouverait que je suis complètement inconscient de toutes choses... Vous voyez, je ne peux vous répondre ni oui ni non.

— *En tout cas, vous ne lui avez pas demandé son avis ?*

— Comment voulez-vous demander l'avis du public ? C'est

---

1. Pierre Devis, *Combat*, 6 octobre 1966.

vraiment pas facile. C'est bon pour de Gaulle de faire des référendums ; vous ne me voyez tout de même pas...

De la « droite » à la « gauche » toute la presse est au rendez-vous. Dans ses déclarations, Jacques n'est pas d'une totale franchise, même en tenant compte des raccourcis et du rewriting d'usage dans la profession. Il affirme qu'il voulait filer à l'anglaise et dément des bruits pourtant fondés.

— Je voulais m'en aller sur la pointe des pieds. Je ne tenais pas du tout à ce qu'on parle de ma décision comme d'un événement. Il y a eu indiscrétion concernant mes intentions, alors il a fallu que je confirme. Pourtant, cela me paraît très normal de m'arrêter après quinze ans de scène. C'est le contraire qui serait anormal. Pourquoi ? Pour être honnête avec soi-même. Je ne veux pas tricher. Je ne veux pas avoir à rougir de mon travail. J'attache de l'importance à la façon dont je remplis une fonction. Le public est digne. Il ne faut pas le flatter, ni l'abêtir. Certains ont dit que j'étais dégoûté par ce métier. C'est faux... D'autres avancent que mon départ causera un vide dans le music-hall. Je suis d'un avis opposé. Il y a un certain nombre de jeunes à qui j'ai barré la route, involontairement, qui vont pouvoir se manifester [1].

Bref, Jacques part sur la pointe des pieds en proclamant son départ. Il simplifie. Ce départ causera un vide, mais fera de la place. On lui demande de nommer ses successeurs. Il évite d'aligner des noms, admet qu'il ne les connaît pas tous. Pendant son ascension, il a rarement écouté ses concurrents en scène. Politesse oblige, il fait allusion à deux chanteurs qui passeront après lui à l'Olympia pendant cette saison :

— Les chanteurs qui grandiront seront surtout ceux qui aimeront naturellement le public. Prenez le succès d'Adamo, de Macias. Il faut l'attribuer en premier lieu à leur gentillesse, à leur générosité. Les gens sont tellement volés, dupés dans la vie quotidienne ! Ils ont besoin qu'on leur donne un peu de chaleur humaine.

Qu'on les apprécie ou non, Adamo et Macias aiment le public. Brel veut surtout le troubler, le déranger.

Pour ces dernières à l'Olympia, fidèle aux vieilles amitiés, Jacques a exigé comme présentateur Édouard Caillau, venu spécialement de Bruxelles. Dans la première partie du spectacle, on trouve un jongleur chinois, des acrobates russes, une formation de jazz polonaise, les nouveaux ballets d'Arthur Plasschaert et, en américaine, un jeune chanteur, Michel Delpech. En smoking, François

---

1. Guy Silva, *L'Humanité*, 6 octobre 1966.

Rauber dirige l'orchestre avec Gérard Jouannest au piano. André Dauchy remplace Jean Corti à l'accordéon. Philippe Combelle est toujours à la batterie. A la basse, Max Jourdain. Aux ondes Martenot, Sylvette Allart.

Pour cette dernière première, les patrons de l'Olympia ont bien meublé la salle. Pas de Brassens. Une première, une générale, un vernissage, ça n'est pas son genre. Le Tout-Paris de la variété, du cinéma et du théâtre, les nouvelles vedettes et les anciennes froufroutent dans la salle, Catherine Deneuve, Jean Marais, Jean-Pierre Aumont, Anouk Aimée, Bernard Blier, Jean-Claude Pascal, Suzanne Flon... La Comédie-Française est présente avec Robert Hirsch. Les écrivains manquent. On remarque Françoise Sagan dans son manteau de léopard, autant que Mick Mychel en vison blanc.

En trois quarts d'heure, Jacques chante quinze chansons, dont ses grands succès, *Mathilde, Amsterdam, Les Bigotes, Ces gens-là*. Il n'en a pas besoin, même pour sortir son prochain disque, il offre pourtant de nouveaux textes. *Le Cheval* est parodique. Lui a-t-on assez dit à Jacques Brel, qu'il avait une grande gueule laide !

> J'étais vraiment j'étais bien plus heureux
> Bien plus heureux avant quand j'étais cheval
> Que je traînais Madame votre landau
> Jolie Madame dans les rues de Bordeaux
> Mais tu as voulu que je sois ton amant
> Tu as même voulu que je quitte ma jument
> Je n'étais qu'un cheval, oui, mais tu en as profité
> Par amour pour toi, je me suis déjumenté.
> Et depuis toutes les nuits
> Dans ton lit de satin blanc
> Je regrette mon écurie
> Mon écurie et ma jument...

La Chanson de Jacky, ancienne, *Mon enfance, Fils de...,* La *Chanson des vieux amants* — ce n'est pas un accident, chez cet obsédé de ses rêves volés — tournent autour de son âge d'or. Une note brélienne jaillit avec la deuxième mouture autosatirique d'une chanson dans laquelle Brel s'en prend aussi bien aux homosexuels qu'aux Flamingants, à grand renfort de mimiques :

> Je viens rechercher mes bonbons
> Vois-tu Germaine j'ai eu trop mal
> Quand tu m'as fait cette réflexion
> Au sujet de mes cheveux longs
> C'est la rupture bête et brutale
> Je viens rechercher mes bonbons

Maintenant je suis un autre garçon
J'habite à l'hôtel George-V
J'ai perdu l'accent bruxellois
D'ailleurs plus personne n'a cet accent-là
Sauf Brel à la télévision
Je viens rechercher mes bonbons[1]...

Brel à la télé : Jacques se moque de lui-même, de ses plaisanteries, de son « image ».

Vingt minutes d'applaudissements. Quelques spectateurs attendent un bis. Jacques Brel procède à une opération chirurgicale, donc pas question de rater sa sortie. En France, personne ne dira jamais : j'ai entendu Brel chanter deux fois la même le même soir.

Pour les autres séances de l'Olympia devant un public moins chic, et plus payant, il conservera cette attitude. *Je maintiendrai.*

Devant ce Tout-Paris, Jacques revient saluer, plusieurs fois, en peignoir et chaussettes, souriant, heureux. Devant le grand public populaire, à Paris, Brel, qui n'a presque jamais commenté le début ou la fin d'un tour de chant, dit :

— Je vous remercie car ceci justifie quinze années d'amour...

D'amour de qui, pour qui ? Du public pour Brel ou l'inverse ? Pourquoi cette passion ? Brel est un écorché qui dit à ses admirateurs : je suis malheureux avec vous, le bonheur n'existe pas, partageons nos défaites. Une des plus fortes cordes de sa guitare, c'est le masochisme et le désespoir entretenus dans les mots, adoucis par la musique.

Après la première mondaine, coulisses et couloirs sont envahis. Tous veulent aborder Brel dans sa loge. Grande dame du théâtre qui ne se déplace pas facilement, Madeleine Renaud lui glisse :

— Les adieux au théâtre ne sont jamais définitifs.

— On ne peut pas toujours faire son avant-dernière première, répond Jacques, affalé dans un fauteuil.

Aux uns et aux autres, dans le brouhaha et le cliquetis des coupes de champagne, il explique qu'il continuera d'écrire. Il tentera de trouver d'autres sujets. Qu'on le comprenne bien, il n'abandonne pas la chanson, ni le disque ni la télévision. Qu'écrira-t-il outre de nouvelles chansons ? Un roman, une comédie musicale peut-être. Il va réfléchir, prendre du temps, donner du temps au temps. Il veut sortir de son personnage, de « leur » personnage. Jacques refuse parfois leur Brel.

Il boit des bières.

---

1. *Les Bonbons 67.*

Quelques intimes n'ont pu assister à la première des dernières de l'Olympia, comme ses filles, assises sur des marches au balcon à une séance pour le grand public. Jacques accepte rarement que sa famille participe à une première.

Peu avant la dernière de Brel à Paris, Suzanne Gabriello ressasse son passé avec une amie. Démon tentateur, cette amie dit :

— Pourquoi n'appelles-tu pas Jacques à l'Olympia ? Il a le téléphone dans sa loge.

Zizou téléphone :

— Comment vas-tu ? demande un Jacques chaleureux.

— Très bien. Je voudrais qu'on boive un pot avant la fin, avant que tu partes...

— D'accord, tout de suite. On se retrouve au bar Romain à côté de l'Olympia.

— Non, je ne veux pas de ta horde, pas de Charley, pas de Jojo. Je veux te voir seul. Moi, je ne serai pas seule.

Ils se donnent rendez-vous à La Cloche d'Or, près de Pigalle. Les artistes y soupent. Au premier étage, on peut bavarder au calme. Autrefois, à peine dix ans avant, Jacques et Zizou se réfugiaient souvent à La Cloche d'Or.

Suzanne Gabriello surgit avec Nicole Piers. Jacques s'assoit à côté de Zizou. Jacques pose tendrement sa tête sur son épaule et s'adressant à Nicole, comédien sincère, faux tragédien, dit doucement :

— Tu sais, j'arrêterai jamais d'aimer cette femme-là.

Selon Suzanne, ils bavarderont longtemps après le départ de Nicole et finiront la nuit ensemble.

Le « deuxième » mariage de Jacques Brel avec Sophie craque. A qui voudra l'entendre, et tous veulent l'écouter, Jacques dit volontiers :

— Je suis lâche, je ne sais pas quitter une femme.

Mais comme il sait bien les retrouver, toutes ses femmes !

En février 1967, en compagnie de Jojo, dans un bar rue de Tilsitt, près de l'Étoile, Jacques Brel me résume sa vie [1]. Il m'assure qu'il a « fait son droit commercial ». Il se servira de la même expression avec Emmanuel d'Astier de la Vigerie [2]. Brel ne dit pas qu'il a un diplôme d'études supérieures, mais le laisse entendre. Quel besoin le grand Brel a-t-il d'afficher des hochets universitaires qu'il ne possède pas ?

Il évoque son enfance et sa famille avec nostalgie, sans haine :

---

1. Pour un portrait à paraître dans *Le Nouvel Observateur*
2 *L'Événement*, mars 1967.

— Je vivais au sein d'une bourgeoisie à prudence, qui met un sou là, un autre ici, qui ne rit pas beaucoup. Mais qui a une forme de dignité dans le travail.

Être Belge, qu'est-ce pour lui en 1967 ?

— Ça ne s'explique pas. C'est comme les fraises. Expliquez-moi les fraises. Ce n'est pas du melon. Belge ? Ce n'est ni triste ni joyeux. Je me sens d'ailleurs plus Flamand que Belge. La Belgique, c'est une notion géographique.

Brel lâche beaucoup de « J'aime pas les mecs qui se branlent » (intellectuellement) et de « J'ai la faiblesse de croire ».

Il se refuse à parler de sa famille bruxelloise. Il se contente de dire que madame Romain Brel est une *zineke*. Il épelle :

— Z-I-N-E-K-E, à moitié flamande, à moitié wallone, née à Bruxelles.

Brel me parle d'*Aden Arabie,* que Sartre a préfacé en 1960. Brel cite la célèbre première phrase du pamphlet de Paul Nizan : « J'avais vingt ans. Je ne laisserai personne dire que c'est le plus bel âge de la vie. » A-t-il été influencé par Nizan en écrivant *L'Age idiot ?* « Oui, sans doute un peu », dit-il.

> L'âge idiot c'est à vingt fleurs
> Quand le ventre brûle de faim...
> Qu'on croit se laver le cœur
> Rien qu'en se lavant les mains...

Nous parlons de politique. Jojo hoche la tête, Brel m'explique qu'on ne peut *pas* ne pas être de gauche.

Nous parlons de l'Algérie, du Maroc, de l'Indochine, de Mendès et de 1954 :

— Je n'aime pas l'expression, dit Brel, mais ça doit être à ce moment-là que j'ai pris conscience de l'importance du politique.

Quelques jours plus tard, il va chanter pour Pierre Mendès France, candidat à Grenoble. Brel semble heureux. Serge Reggiani, Jacques Martin, l'orchestre de Roland Douatte, avec Ravel et Debussy au programme, participeront au spectacle.

Récemment, Brel a déjeuné avec Waldeck Rochet, débonnaire secrétaire général du Parti communiste français :

— J'aime Waldeck Rochet, dit Brel. C'est du solide, en terre. J'aime le PC mais le PC parle au passé. Moi, je suis plutôt PSU.

Brel insiste :

— Mendès, c'est le seul homme qui parle au futur.

Après l'Olympia, Brel honore ses contrats pendant six mois et il ne s'agit pas de quelques galas. Au Québec, à Montréal, Brel donne une série de seize récitals du 25 mars au 9 avril 1967. Il joue sur toute sa palette, de la petite à la grande chanson, du confidentiel au symphonique. Les Québécois, comme les Français, se demandent où il puise encore cette exubérance, ce souffle, tant de rires, de larmes et de puissante tendresse.

Aux Amériques, Brel se raconte aussi. Écrire, écrire, écrire : ce thème revient quand on l'interroge sur ses projets. Il a réussi. Il n'a pas fait tout ce qu'il voulait et pouvait pour se réaliser, se comprendre, se « construire ». Chanson de 1957 :

> ... Pour que monte de nous, et plus fort qu'un désir,
> Le désir incroyable de se vouloir construire
> En préférant plutôt que la gloire inutile
> Et le bonheur profond et puis la joie tranquille[1]...

Comment trouver d'autres modes d'expression ? Brel sent un fossé entre ce qu'il voudrait faire et ce qu'il a achevé. Ce fossé s'élargirait-il ?

Jacques, amateur de phrases tranchantes, ne bafouille pas mais se réfugie avec assurance dans des développements vagues.

— Je pense qu'il s'élargit non pas par l'absence de réalisation de projets déjà existants, mais par apparition de nouveaux désirs. Parallèlement à ce que l'on tente pour combler le fossé, on le creuse également un peu plus sans s'en rendre compte. Cela dit, je crois que mon fossé, tel qu'il existait il y a dix ans, est maintenant entièrement comblé. Mais, malheureusement, il est probable que, jusqu'à ma mort, j'aurai toujours dix ans de retard[2].

A qui pense-t-il quand il hennit en 1967 :

> ... J'étais vraiment vraiment bien plus heureux
> Bien plus heureux avant quand j'étais cheval
> Que je te promenais Madame sur mon dos
> Jolie Madame en forêt de Fontainebleau
> Mais tu as voulu que je sois ton banquier
> Tu as même voulu que je me mette à chanter
> Je n'étais qu'un cheval oui mais tu en as abusé
> Par amour pour toi, je me suis variété
> Et depuis toutes les nuits
>
> Quand je chante « ne me quitte pas »
> Je regrette mon écurie
> Et mes silences d'autrefois[3]...

---

1. *J'en appelle.*
2. *Le Devoir*, Montréal, 1-4-1967.
3. *Le Cheval.*

A Sophie, à Miche, à quelles autres femmes ? Mais à toutes !

A Montréal, Jacques voit Clairette chaque soir. Il lui dit sa fatigue. Il retourne à sa jeunesse, avec des cartes postales et des télégrammes. Du Canada, il câble à Suzy Lebrun : « La vie d'artiste touche à sa fin. A bientôt. Amitiés. » A Georges Pasquier : « Grosses bises et à bientôt. Jacques. » Assez des calendriers surchargés, assez des chambres d'hôtel ! Il n'a jamais voulu de tout ça, dit-il. A la limite, il se démontrerait qu'il souhaitait devenir fonctionnaire. Clairette n'est pas la seule à laquelle il confie :

— Je ne pourrai jamais me passer d'écrire. Je pourrais parfaitement m'arrêter de chanter. D'ailleurs, tu vois, c'est fait.

Faire c'est *être* pour Brel. Avoir se conjugue au passé.

A ses filles, Jacques dit souvent :

— Dans la vie, il faut choisir entre le verbe « être » et le verbe « avoir ». Il chante :

> ... Malheur à qui peut préférer
> Le verbe être au verbe avoir
> Je sais son désespoir [1].

La vraie dernière, le dernier tour de chant de Brel, a lieu au printemps.

> ... C'est dur de mourir au printemps, tu sais [2]...

Cette tournée, conformément aux habitudes de la bande, sera gastronomique. Il ne faut pas rater ce brochet au beurre blanc à Tours ou les pâtés des Troisgros à Roanne. Jacques organise le dîner d'adieux à Caen.

Caillau présente encore le spectacle en tournée. Jacques veut-il retrouver le climat de ses débuts à La Rose Noire de Bruxelles ? Lui aussi, alors, racontait des blagues. Brel retrouve Bérel le fantaisiste.

Caillau déboule sur la scène :

— L'autre jour, il y avait une dame qui me disait : la vie est devenue tellement chère que pour vivre, il me faut cinquante mille francs. Je disais : par mois ? Elle me répondait : par toi ou par un autre.

La vraie dernière en France, à Roubaix, le 16 mai 1967, est lugubre. Jacques sait maîtriser ses sentiments en public. L'entourage, Barclay, Marouani, la cour, il faut les convaincre qu'il n'y a rien de particulier ce soir-là. Les Delta Rhythm Boys, groupe américain que Brel aime avoir au programme de sa première partie, sont un peu perdus. Jacques n'a pas encore écrit :

---

1. *Chacun sa Dulcinéa*, de *L'Homme de la Mancha*.
2. *Le Moribond*.

> Allons il faut partir
> N'emporter que son cœur
> Et n'emporter que lui
> Mais aller voir ailleurs [1]...

Pourtant c'est ce qu'il se répète depuis longtemps.

Après ce dernier spectacle, Brel n'entraînera pas la bande boire un verre. C'est entendu, Gérard Jouannest rentrera directement à Paris avec sa femme. Sur cette scène de Roubaix, après chaque chanson, s'approchant du piano, s'épongeant le visage, dos au public, Jacques murmure pour Gérard :

— On ne la refera plus.

---

1. *Le Voyage sur la lune,* Allons il faut partir.

VIII.

Don Quichotte

En 1967 et 1968, Jacques, comme Jojo et Gérard, affecte de détester le général de Gaulle. Mai 1968 accouchera, pour la gauche de la « révolution étudiante » ou, pour Raymond Aron, de la « révolution introuvable », en tout cas des événements qui n'aboutiront pas à la sartrienne fusion des aspirations étudiantes et ouvrières.

Son Mai 68, Brel l'a réalisé en mai 1967, à Roubaix, quittant la scène du chanteur solitaire. Son « deuxième mariage » avec la discrète Sophie tourne mal.

A Bruxelles, devant ses filles — Chantal, quinze ans, France, treize et Isabelle, huit — Brel se fait le porte-parole du mouvement étudiant français.

— Tout ça c'est important, dit-il.

En fait, Jacques se désintéresse assez vite des péripéties de Mai 68. On décèle un décalage entre ses propos privés et publics. Il participe à un défilé, le 13 mai, de la République à Denfert-Rochereau. Gérard Jouannest défile aussi, dans une autre partie du cortège. Brel rentre à son domicile en maugréant :

— Ça va foirer. C'est de la connerie.

Ça n'arrange rien de prendre la Sorbonne, l'Odéon, la Bastille ? Jacques ne participe à aucun conclave contestataire de vedettes. Raymond Devos, Bruno Coquatrix, bien d'autres, se retrouvent chez Juliette Gréco et Michel Piccoli, rue de Verneuil. On discute ferme. Faudrait quand même qu'on songe aux artistes... moyens. Aux jongleurs, aux présentateurs. Les vedettes ont des cachets tellement exorbitants que les petits ne peuvent être payés décemment.

— Moi, je dis qu'il n'y a qu'à diviser le cachet en deux !

Tollé général. Les vedettes sont des vedettes, des étoiles, des stars inaccessibles.

Jacques ne signe aucun manifeste. Par manque de conviction, et aussi parce que Belge, devoir de réserve oblige, il ne s'accorde pas le droit d'intervenir dans les affaires françaises. Son humour n'est pas celui des situationnistes qui barbouillent le Quartier latin de slogans plus poétiques que politiques. Brel est cependant très content que ça bouge. Pour lui, le mouvement est une valeur en soi. Quelque chose se passe, c'est déjà ça. Chez les Rauber, Jacques s'en prend aux Français, en train de rater leur affaire selon lui. Françoise le rembarre :

— Vous n'êtes qu'un chanteur. De quel droit...

Brel exprime une sensibilité différente lorsque, le 19 mai, il passe dans une émission de Jean Serge à Europe 1. Jacques n'est pas en contradiction avec les propos qu'il tient à ses amis, mais il se montre un peu démagogique. A cette époque, beaucoup de gens le seront, avec sincérité :

— Je suis assez content des étudiants, dit Brel d'une voix grave... Leurs craintes en général sont très justifiées... Sur le fond, ils ont parfaitement raison...

Pour ce fond général, changer la société, vaste programme, Brel est d'accord. Des problèmes estudiantins, de la critique des cours magistraux ou des concours, exigences de pluridisciplinarité, il ne sait rien et ce n'est pas Jojo qui peut l'éclairer. Jojo se demande à quoi jouent les communistes.

Jacques, en public, évite d'évoquer la forme des protestations. Jean Serge cherche à le pousser sur la pureté par la violence. Brel s'esquive et revient aux étudiants :

— Ils sont en train de s'épater... C'est pas mal, hein ? C'est pas mal... Moi je les aime... Il faut saluer leur courage.

Jacques aime toujours s'épater et presque autant être épaté par les autres.

Il n'a jamais beaucoup aimé les étudiants, français ou belges. Quelques rencontres avec de jeunes universitaires à Bruxelles furent des malentendus. Brel aime chanter devant des étudiants, pas discuter avec eux. A Guy Bruyndonckx qui a organisé une soirée, des étudiants bruxellois font part de leur déception. Jacques Brel chanteur est formidable mais penseur le voici plutôt vague. Il manie trop le paradoxe et pas assez la culture.

A Europe 1, Jacques ressasse les beaux clichés du mois de Mai 68 :

— Les étudiants ont depuis quatre ou cinq ans, pour la première fois, des angoisses que la classe ouvrière a depuis deux siècles... Un diplôme n'est plus une assurance sur la vie ou sur la mort... L'angoisse est enfin commune... Je dis peut-être une ânerie...

Quelle que soit l'analyse que l'on tire de Mai 68, en France ou dans le monde, les préoccupations et les objectifs des avant-gardes — ou des arrière-gardes — étudiantes et ouvrières, gauchistes, communistes, socialistes, syndicalistes, ne sont pas les mêmes. Jacques sent souvent mieux les situations qu'il ne les pense. Il perçoit les décalages. A propos des étudiants, il chute sur un mot :

— Ils vaincront... parce qu'ils sont les plus jeunes.

Dans l'archétype de l'étudiant, Brel voit une personnalité incomplète, une personne handicapée :

— C'est une horrible maladie d'être étudiant, dit-il en privé, de ne plus être un enfant, de ne pas encore être un adulte.

Voilà Brel s'il avait été étudiant. Jacques constate simplement que les jeunes qui se radicalisent sont nombreux.

— Ils ont bien raison de tout remettre en question.

Lui, il s'est remis en question avant Mai 68.

Au cours d'un voyage aux États-Unis, Miche a vu *Man of La Mancha*. Impressionnée, rentrée à Bruxelles avec le disque du spectacle, elle essaie de communiquer son enthousiasme à Jacques. Il maugrée. On verra...

Quand il se rend à New York, Brel va voir des comédies musicales, ce qu'il fait rarement à Paris ou Bruxelles. Le genre l'attire et le repousse. A New York, *Cabaret* l'a troublé. Il est parti pendant l'entracte. Jacques a vécu l'occupation allemande de près. La montée du nazisme en Allemagne ne peut être traitée gaiement comme dans *Cabaret*. Brel aime la comédie musicale tragique.

Il n'est pas sensible à la vague et à la vogue des chansons politiques, au *protest-song* qui balaie les États-Unis avec Bob Dylan et Joan Baez, même s'il admire la technique de ces chanteurs. Il voit *Man of La Mancha, a musical play,* et non pas *a musical comedy*, une pièce de théâtre et non pas une comédie musicale en février 1967.

Brel devient aux États-Unis le sujet d'une comédie musicale au titre curieux, à la Marguerite Duras : *Jacques Brel is and alive well and living in Paris* (« Jacques Brel est vivant, se porte bien et vit à Paris »). Ce titre paraphrase une formule qui court l'Amérique après la guerre. Où vivaient les chefs nazis qui avaient échappé au procès de Nuremberg ? Hitler est vivant, heureux, et il vit à Buenos Aires, disait-on. A Paris, Mort Shumann, fasciné par les chansons de Brel, souhaite les traduire. Mort connaît Julian Aberbach, qui signe des contrats avec les éditions Pouchenel, donc avec Miche.

Jacques se porte bien... est un montage de chansons de Jacques[1] rendues à plusieurs voix et joliment montées dans la tradition du cabaret américain.

Mais les chansons de Brel ne sont pas d'abord jolies.

Le spectacle ressemble à une comédie musicale sans livret. Elle démarre lentement, au Village Gate dans Greenwich Village. Les deux journaux new-yorkais influents, *New York Times* et *New York Post,* massacrent ce spectacle à sa sortie. Les producteurs perdent deux mille dollars par semaine. Un deuxième critique du *Times,* Clive Barnes, qui avait apprécié Brel à Carnegie Hall, assiste à une représentation un dimanche après-midi. La critique révise son opinion.

Les acteurs et les actrices sont précis, les décors léchés. Mais le style, le phrasé de Brel passent mal en anglais pour ceux qui connaissent les textes français. Une traduction réussie est toujours un rare miracle. Nul besoin d'être bon angliciste pour saisir comment le soufflé Brel s'affaisse dans ses traductions. Sentez la différence :

MADELEINE

Ce soir j'attends Madeleine	I'm waiting for Madeleine
J'ai apporté du lilas	In front of the picture show
J'en apporte toutes les semaines	Every night at half past ten
Madeleine elle aime bien ça	Madeleine, she loves that so

LES FILLES ET LES CHIENS

Les filles	The girls
C'est beau comme un jeu	Are as fast as a game
C'est beau comme un feu...	Are as bright as a flame...

TANGO FUNÈBRE

Ah je les vois déjà	Ah, I can see them now
Me couvrant de baisers	Clutching a handkerchief

Les consonnes bréliennes s'amollissent à la traduction.

Après ce démarrage difficile, le spectacle tiendra quatre ans sillonnant les États-Unis. Éric Blau, qui a lancé cette entreprise, retrouve la mise de ses commanditaires, cinquante-deux mille dollars. Le spectacle rapportera trois millions et demi de dollars. Une vingtaine de troupes le présentent à travers les États-Unis, de

---

1. *Les Flamandes, Seul, Madeleine, J'aimais, Mathilde, La Bourrée du célibataire, Les Timides, La Mort, Les Filles et les chiens, La Chanson de Jacky, La Statue, Les Désespérés, Amsterdam, Les Toros, Les Vieux, Marieke, Bruxelles, La Fanette, Quand on n'a que l'amour, Le Tango funèbre, Les Bourgeois, Jef, Au suivant, La Valse à mille temps.*

Philadelphie à Los Angeles, de Washington à San Francisco, de Boston à Palm Beach. Là, un citoyen américain, en smoking rouge, scandalisé par une chanson, se dresse sur sa chaise en hurlant :

— *You, son of bitches, you dirty bastard*[1] !

Traiter quelqu'un de fils de chienne, voilà qui est assez brélien.

Les États-Unis sont conquis. On chante du Brel dans les synagogues, les églises et pendant les marches pour la paix. The Bible Society, qui imprime et distribue l'Ancien et le Nouveau Testament, se sert de *Quand on n'a que l'amour* comme chanson officielle pour sa semaine nationale de la Bible.

Le spectacle se répand de par le monde : plus de trois cents représentations à Johannesburg ! Brel tourne aussi en Scandinavie. Dans trois pays on résiste au charme des costumes et des chanteurs : en Grande-Bretagne, où Brel prend moins bien ; au Canada français et anglais, où l'on est trop attaché au texte original pour accepter ces traductions qui, sans tourner aux trahisons, déçoivent ; en France, où l'on aime son Brel dépouillé, Brel tout court, et surtout pas certaines chansons masculines, comme *Jef,* rendues par des voix de femmes. Une chanson de Brel est salée, poivrée et sucrée. Quelques adaptations américaines sont une fade saccharine.

Aberbach a invité Jacques pour la première au Village Gate.

— Que fait-on ? demande Miche.

Brel, qui attendra un an avant d'assister à sa béatification sur scène, répond :

— Miche, tu n'y vas pas maintenant. Si c'est bon l'Amérique, ça va. Si c'est mauvais, dans huit jours, on n'en parle plus. Alors tu attends.

Miche aime New York. Elle s'y rend trois mois après. Au retour, elle fait son rapport : c'est du Brel américanisé. Le spectacle est très supérieur à l'enregistrement. La mécanique semble rodée. Les Américains sont d'extraordinaires professionnels. Mais ce n'est pas du Brel.

Jacques finit par aller *se* voir. Il est poli, ne manifeste pas un enthousiasme éclatant. Bah ! Ses chansons appartiennent à tout le monde. Il se sent comme une poule qui a couvé un canard. Après la béatification vient la canonisation, tellement le succès est grand.

Pour le cinquième anniversaire du spectacle, trente-cinq chanteurs de dix troupes américaines qui ont joué *Jacques Brel est vivant...* donnent une grandiose représentation, au Carnegie Hall encore.

Dans les coulisses, l'invité Jacques Brel semble embarrassé :

---

1. Éric Blau, *Jacques Brel is well and alive and living in Paris,* E. P. Dutton, New York, 1971.

— On a l'impression d'être mort... d'être un vieux, très vieux monsieur. Un hommage à Brel ?

A la fin du spectacle, Jacques monte sur la scène. Tel qu'en lui-même, il refuse, bien sûr, de chanter, mais prononce quelques phrases de remerciements. Il ne peut oublier, dit-il, qu'à la fin de la guerre, parmi les soldats qui ont libéré son pays, il y avait des Américains. Deux mots d'anglais :

— *Thank you.*

On lui demande d'expliquer le succès de *Jacques Brel is well...*, phénomène extraordinaire. Il ne sait que répondre :

— Les Américains m'aiment parce que je ne suis pas américain. Ils aimeraient bien Brassens.

Jacques est quand même ému.

Avec Miche, Gérard et Charley cette semaine-là, il sort tous les soirs. Il va même à l'Opéra voir *Pelléas et Mélisande,* puis *Jésus-Christ Superstar.* Très bon, d'après Brel. Dans une cave, ils applaudissent *The Fantastics,* une ravissante petite comédie musicale.

Entre-temps, Jacques Brel s'est lancé dans une grande aventure. A New York, il a vu cinq fois *Man of La Mancha.*

L'auteur, Dale Wasserman, a adapté *La Puissance et la Gloire, L'Histoire d'Eichmann* pour la télévision, *Les Vikings* et *Cléopâtre* pour le cinéma. Wasserman est aussi l'auteur de *Vol au-dessus d'un nid de coucou,* pièce dont on tirera un superbe film. Il vit en Californie et en Espagne.

En 1959, Wasserman apprend par un journal madrilène qu'il se trouve en Espagne parce qu'il veut porter *Don Quichotte* à la scène ou à l'écran[1]. Ça l'amuse car il n'a jamais lu l'œuvre de Cervantès. Bon moment pour combler cette lacune. Wasserman sort du deuxième tome avec la conviction que *Don Quichotte* ne doit pas être monté au théâtre ou au cinéma. Wasserman élabore un projet de quatre-vingt-dix minutes pour la télévision. Il est loin d'avoir réalisé un exemple du « théâtre total » qu'il cherche. La télévision est un moyen d'expression trop naturaliste. Le metteur en scène Albert Marre, mari de la cantatrice Joan Diener, lui dit :

— Votre pièce de théâtre est superbe, mais il faut la transformer en *musical,* en comédie musicale.

Dale Wasserman, Albert Marre, Joe Darion, auteur d'un oratorio et d'un opéra, Mitch Leigh, qui travaille aussi bien l'opéra

---

1. *Man of La Mancha, a musical play,* préface par Dale Wasserman, Random House, New York, 1966.

que le jazz, se mettent au travail. Wasserman, comme Brel, aimerait inventer une tragédie musicale moderne. Comment remonter le courant du théâtre de l'absurde, de la comédie noire, du théâtre de la cruauté ? Comment rendre l'esprit dur et tendre de Cervantès ? Wasserman ne veut en aucun cas d'un condensé de *Don Quichotte*. Au fond, il cherche, en 1960, à présenter un roman musicalisé sur scène, ce que Carlos Saura réussira au cinéma avec une nouvelle et un opéra, en 1983, dans *Carmen*.

Jacques Brel a souvent parlé de comédie musicale. Avant d'écrire la sienne, il va en monter une, cet *Homme de la Mancha*. La chevalerie est une espèce de Far West. Don Quichotte est également un rebelle, un rêveur solitaire, un fou. Ce couple, Don Quichotte et Sancho Pança, rappelle peut-être à, Brel, Jacques et Jojo. Brel dit volontiers :

— Nous sommes tous plus ou moins Don Quichotte. Moi, j'aime les hommes d'aventure et surtout ceux qui vont au bout de leurs espérances.

Jacques se passionne pour le personnage de Don Quichotte, moins pour le roman. Brel illustre assez bien l'opinion de Vladimir Nabokov : selon celui-ci, ce roman est un de ces livres qui semblent plus importants peut-être par leur diffusion excentrique que par leur valeur intrinsèque. Nous avons affaire à « un héros littéraire perdant peu à peu contact avec le livre qui le porte, quittant sa patrie, le bureau de son créateur, et voyageant à travers l'espace, après avoir circulé en Espagne [1] ».

Malgré sa réputation internationale, Brel n'obtient pas d'emblée les droits de représentation qu'il demande. Il prend contact avec les Américains, précise qu'il n'est pas question pour lui d'interpréter le rôle principal. Les Américains hésitent. Comiques ou tragiques, les *musicals* anglo-saxons ont presque toujours été des échecs en France. Trois comédies musicales, *Boy-friend, Deux Anges sont venus, Le Jour de la tortue,* furent des désastres financiers. Les Français se rendent au Châtelet. Annie Cordy se débrouille bien avec *Hello Dolly. Le Violon sur un toit* fera une petite carrière, sans plus. La comédie musicale s'implante mal à Paris.

— Quand on dit comédie musicale, les Français pensent « opérette », dit Brel. Dans une comédie musicale, la chanson fait progresser l'action, pas dans l'opérette.

Propriétaires des droits de *Man of La Mancha,* les Américains exigent que Brel soumette quelques traductions — et qu'il interprète

---

1. .*Lectures on Don Quichotte*, Harcourt Brace Jovanovich, New York, 1984

le rôle principal. Est-il capable de chanter, ce Brel ? Étonné, Jacques accepte de passer une audition.

— Ils connaissent leur boulot, dit-il. Ils ne tiennent rien pour acquis. Je comprends comment ils deviennent professionnels.

Brel trouve un producteur, Jean-Jacques Vital. Ils se rendent à Los Angeles. Comme un débutant, Brel auditionne devant l'auteur de la pièce et le librettiste au Music Center, gigantesque salle de trois mille cinq cents places. Ces messieurs se retirent, délibèrent. Brel est accepté, sous condition : Albert Marre mettra en scène la version française.

Jacques, aidé par Sophie, toujours discrète, travaille à l'adaptation. Il présentera d'abord ce spectacle à Bruxelles. Maurice Huysmans, directeur du théâtre de la Monnaie, a vu ce *show* à Broadway. Il est enthousiasmé. Sans le théâtre de la Monnaie et les subventions belges, *L'Homme de la Mancha* n'aurait pu être monté. Les décors sont coûteux.

Orgueilleux modeste, Jacques devient un élève obéissant sous la direction de Marre. Brel expédie son adaptation française aux États-Unis, séquence par séquence, accepte les critiques, les commentaires, pas tous assez vigilants d'ailleurs.

Jacques n'est jamais en retard aux répétitions qui ont lieu à Paris durant l'été 1968 au théâtre des Champs-Élysées.

— J'ai l'impression d'être aux Trois-Baudets en 1953. On travaille comme des bêtes, dit Brel.

Sous une apparence calme, presque lymphatique, Marre sait ce qu'il veut. Jacques tient à cette deuxième vie professionnelle. Les Américains, aux yeux desquels Brel n'est qu'un chanteur de variétés, ont accepté de monter *L'Homme de la Mancha* à Bruxelles en se disant : Brel est Belge, donc ça devrait rendre à Bruxelles. Bon tremplin pour Paris peut-être ? Au soir de la dernière représentation bruxelloise, Marre préviendra la troupe : si la série de représentations belges a marché, c'est parce qu'on se trouvait dans le pays de Jacques Brel. Façon de dire : ailleurs, Brel ne s'en sortira pas aussi facilement.

Au départ, Jacques voulait une Française, Françoise Giret, pour le principal rôle féminin de Dulcinée. Elle répète plusieurs semaines. Marre préfère confier le rôle à sa femme, Joan Diener. Répétitions harassantes : Marre fait tout recommencer cinquante, cent fois. Les chanteurs trouvent un mot dans leur loge : hier dans cette scène-là, ce n'était pas comme ça qu'il fallait jouer mais...

Joan Diener a tenu ce rôle aux États-Unis. En ville, elle joue un peu la star à lunettes de soleil. Personne ne la connaît à Paris ou à Bruxelles. Sa voix est superbe. Son accent français, sans être aussi mauvais que le pensent certains, a quelques imperfections que trois mois de répétitions, non payées à l'époque, ne gommeront pas. Ces variations frappent pendant les duos ou les chœurs : Diener prononce *lay* pour *les, chôôôses* pour *choses*. Elle chante *day* carrefour en carrefour pour *de* carrefour en carrefour. Sang mêlé, très belle, Joan travaille dans l'aigu. Graves bien installés, elle a une voix de mezzo, et une solide carrière à son actif.

Derrière son micro, Jacques a toujours chanté seul. Il apprend un métier. Il ne sait toujours pas lire une partition. Tout le monde reconnaît qu'il s'en tire. Il réussit à suivre aussi bien le quatuor de bois que le trombone, les deux trompettes, la percussion, les guitares, la batterie, le cor...

Idée de Jacques, on a engagé Dario Moreno pour jouer Sancho. A l'époque, Moreno est en déclin, malgré sa voix d'or de ténor. Depuis longtemps, Moreno débite et vend beaucoup d'inepties :

> Si tu vas à Rio
> N'oublie pas de monter là-haut...

Dario a pourtant interprété Offenbach. De plus, comme il adore manger et boire, il s'est arrondi. Il est devenu un parfait Sancho à coups de loukoums.

François Rauber dirige l'orchestre de Bruxelles sans problème. L'adaptation vient des États-Unis. Les Américains sont jaloux de chaque note écrite. Dans la mise en scène de Marre, l'orchestre fait partie du décor. A Bruxelles, il n'y a pas assez de place sur la scène pour les musiciens. Alors, on les répartit dans deux loges, huit d'un côté, sept de l'autre, situation cocasse et difficile pour un chef d'orchestre. Rauber se place côté cour. Les musiciens sous la main, à la cour, jouent avec un peu de retard sur le chef. Les autres doivent anticiper. Gérard Jouannest n'est pas là : il n'y a pas de piano dans la comédie musicale.

Grosse partie. Elle n'est pas gagnée d'avance même s'il y a un marché noir des billets à Bruxelles.

Le rôle de Jacques n'est pas plus dur que son one-man-show d'une heure donné à travers le monde pendant des années. Mais la pièce a un rythme et un équilibre reposant sur le double personnage que Jacques incarne, Don Quichotte *et* Cervantès. Brel doit refaire chaque soir le même numéro. Il n'est ni seul ni libre dans ce travail collectif. Il ne peut chanter plus vite ou plus lentement selon son humeur du moment comme à Avignon, Tel-Aviv ou Chicoutimi. Il doit rester chanteur tout en devenant acteur de théâtre, dire ses morceaux de prose sans déclamer, chanter avec ses partenaires, s'adapter à une mise en scène pure mais compliquée.

Sur le plateau : la salle commune d'une prison voûtée, des recoins noyés d'ombre, des niches, un sous-sol que les acteurs atteignent par un escalier qui se hisse ou s'abaisse.

Côté jardin, un feu protégé par cette grille.

Côté cour, une ouverture. Wasserman, écrivant son texte, a voulu donner tout au long une impression d'improvisation. La pièce est jouée sans entracte pendant une heure et demie. Wasserman a introduit quelques anecdotes tirées du roman mais en nombre limité : la scène de l'aubergiste qui fait Don Quichotte chevalier, celle du docteur Carrasco...

Jacques Brel, tour à tour Don Quichotte et Cervantès, est le seul personnage à passer sur scène d'un rôle à l'autre. L'action est centrée sur lui, Diener-Dulcinée-Aldonza et Moreno-Sancho. Brel donne une performance qu'admirent même ceux qui trouvent la musique légère ou peu mélodieuse et le texte pauvre ou sans subtilité.

Pour se vieillir, Brel a laissé pousser ses cheveux décolorés. Il a maigri. Le maquillage du chanteur souligne les rides qui marquent déjà l'homme. A New York, trois acteurs se sont succédé dans l'interprétation de Don Quichotte-Cervantès : Ferrer, dans un style espagnol, Mitchell, shakespearien, et Kiley, assez conventionnel. Jacques met plus de folie, de tendresse, de vibrations et de transes dans son rôle que ses prédécesseurs. Un journal du show-business américain, qui ne donne pas dans la complaisance publicitaire [1], affirme : « Loin d'être une pâle copie des productions américaines et anglaises, cette version " gauloise " de la pièce musicale de Wasserman, Leigh et Darion a toutes les qualités d'un original : elle est même peut-être supérieure à la version londonienne car elle semble avoir été réalisée avec plus de sensibilité. » *Variety* ajoute : « ... La production comporte aussi, avec Brel, une vedette de stature exceptionnelle. » Jacques ne joue pas Cervantès-Don Quichotte, il devient le personnage. Brel n'est pas un acteur, il colle aux personnages qui lui ressemblent. Il doit éprouver leurs émotions. Le journal américain estime pourtant que ce Don Quichotte n'a pas une voix puissante. Selon les Américains, le chanteur de « ballades modernes et sarcastiques », Jacques Brel, est devenu « un superbe tragédien ». Brel décide de séduire son public en étant lui-même, poussant à l'incandescence ses fantasmes et ses obsessions retrouvés dans le texte de Wasserman. L'argument de la pièce est mince. Brel doit d'abord rendre la douceur, la solitude, la générosité, la folie chevaleresque de Don Quichotte, la « parodie devenue parangon »

---

1. *Variety*, 13 novembre 1968.

pour paraphraser Nabokov. Dans cette œuvre et dans ses chansons, comme dans ses films plus tard, s'il ne se livre pas, s'il ne coïncide pas avec lui-même, Brel échoue.

Sa traduction du script non corrigée[1] livre quelques faux sens. Brel écrit : « Miguel de Cervantès est grand et maigre. Un gentilhomme de cour soutenu par l'humour, un homme de quarante-cinq ans (le texte américain dit quarante ans : pourquoi Brel tient-il à se vieillir à travers ce personnage ?), mais ses qualités dominantes sont l'ingénuité de l'enfance, une grosse et inlassable curiosité pour la destinée humaine, une candeur qui n'est pas loin d'être autodestructrice... » Voilà Jacques tel qu'il se voit. Il n'a pas quarante ans : toujours à la recherche des qualités réelles ou supposées de l'enfant, immense curiosité, volonté d'honnêteté jamais satisfaite mais souvent réalisée, une formidable capacité à se détruire tout en créant et un savoir-faire rare pour détruire les autres. De plus, il a toujours voulu se vieillir.

Dès la première scène, on pense à l'homme Brel. En Cervantès, assis, l'acteur se grime. Brel a coupé quelques tirades. Il estime que : " L'homme est le meurtrier de l'homme ", mais il fait sauter cette phrase. Sancho emploie des mots de passe qui exaspèrent Brel : " Il est urgent d'attendre. " Jacques n'attend pas. Le gouverneur de la prison demande à l'écrivain s'il est voleur ou escroc. Brel-Cervantès réplique :

— Oh, rien d'aussi intéressant... Je suis... je suis presque poète.

Pendant les répétitions et les représentations publiques, personne ne s'y trompe. C'est Jacques Brel qui chante avec une bouleversante puissance et une naïve sincérité :

> ... Un Chevalier te défie
> Oui c'est moi, Don Quichotte
> Seigneur de la Mancha
> Pour toujours au service de l'honneur
> Car j'ai l'honneur d'être moi
> Don Quichotte sans peur
> Et le vent de l'histoire chante en moi
> D'ailleurs qu'importe l'histoire
> Pourvu qu'elle mène à la gloire...

Dans le double personnage d'Aldonza-Dulcinée, vraie putain et fausse princesse, Jacques contemple sa double image, sa caricature de la femme. Toutes les femmes de Jacques Brel — Miche, Suzanne,

---

1. Fondation Brel.

Sophie — et Brel lui-même, posent la question qu'Aldonza lance à propos de Don Quichotte : " Pourquoi veut-il brûler sa vie ? "

> ... Pourquoi fait-il toutes ces choses ?
> Pourquoi fait-il cela ?
> Pourquoi, pourquoi voit-il pousser la rose
> Là où la rose ne poussera pas ?...
> Pourquoi suis-je tout attendrie ?
> Pourquoi dit-il qu'il est l'histoire ?
> Rien ne ressemble à tout ce qu'il espère...
> Pourquoi ses yeux et pourquoi sa fièvre ?...

La pièce regorge de déclarations que Jacques emploie dans son existence quotidienne. A genoux, Don Quichotte s'exclame :

— N'aime dans ton présent que sa part d'avenir.

Ou :

— J'aimerais apporter quelque grâce en ce monde.

Ou encore :

— Je vois la Beauté, la Pureté, je vois la Femme que chaque homme porte secrètement en son cœur.

Cervantès, se transformant sur scène en Don Quichotte, dit :

— Alors que la vie elle-même est démente, qui de nous peut dire où est la folie. Trop de bon sens, n'est-ce pas aussi la folie ?... Être efficace... être au pouvoir, n'est-ce pas encore de la folie, et la folie suprême n'est-elle pas de voir la vie telle qu'elle est et non telle qu'elle devrait être ?

C'est encore Jacques Brel.

Le docteur Carrasco se déguise en chevalier au miroir, comme dans la première partie du roman de Cervantès. Il crie :

— Regarde Don Quichotte. Regarde dans le miroir de la réalité. Contemple les choses telles qu'elles sont. Regarde. Que vois-tu ? Un fringant chevalier ? Non, rien qu'un vieux fou... Ce triste fou de mascarade... Admire le vieux clown. Il est grand temps d'admettre que ta noble dame (*il s'agit d'Aldonza que Don Quichotte prend pour Dulcinée*) n'est qu'une putain, que ton rêve est un cauchemar et que ta cervelle n'est plus que de la bouillie !

Toujours Brel.

Le double personnage de Don Quichotte-Cervantès est taillé sur mesure pour la démesure de Jacques. Brel, souvent, se connaît mal. Ici, il se reconnaît. Avec moins de métier, de nuances, de profondeur et d'humour, c'est Pierre Brasseur interprétant *Kean* dans la brillante adaptation de Dumas par Sartre.

Brel-Don Quichotte-Cervantès touche au sublime dans la scène finale. Il meurt, rêvant, radotant diront certains, sur « l'inaccessible étoile », tremblant, souffrant.

> Rêver un impossible rêve
> Porter le chagrin des départs
> Brûler d'une possible fièvre
> Partir où personne ne part
> Aimer jusqu'à la déchirure
> Aimer, même trop, même mal,
> Tenter, sans force et sans armure,
> D'atteindre l'inaccessible étoile...

Ainsi se voit Jacques.

> Peu m'importent mes chances
> Peu m'importe le temps
> Ou ma désespérance...

Brel veut :

> Se damner
> Pour l'or d'un mot d'amour...

Peut-on sembler plus brélien que dans la chute du si célèbre air de la Quête :

> ... un malheureux
> Brûle encore, bien qu'ayant tout brûlé
> Brûle encore, même trop, même mal
> Pour atteindre à s'en écarteler
> Pour atteindre l'inaccessible étoile.

Combien de héros des chansons de la grande période de Brel pourraient entonner cet air, de Jef au Moribond, de l'amant de Mathilde à l'homme trompé de *La Fanette* ?

Par moments on frôle la Passion du Christ. Bien sûr, l'effet est voulu par la mise en scène. Aux États-Unis, Albert Marre disait des spectateurs de *Man of La Mancha* :

— Ils ne regardent pas une pièce. Ils font une expérience religieuse.

Brel n'a pas le sens du péché chrétien comme Don Quichotte, mais il est tout aussi idéaliste.

Jacques Martin assiste à une représentation parisienne de *L'Homme de la Mancha*. Il connaît Brel depuis ses débuts :

— C'était hallucinant. Un spectacle fantastique... La vie de Brel a des traits communs avec celle d'un saint. Elle pourrait ressembler à celle du Père de Foucauld, la première partie chez Maxim's, la deuxième à Tamanrasset.

Martin va-t-il trop loin ?

En Belgique comme en France, le public suit Brel. La critique est plus réservée. Brel rate sa traduction de la partie non chantée. Le texte américain est plus vigoureux. Dans l'œuvre originale, il y a pourtant une surabondance d'archaïsmes *(thou, whithersoever, yon castle)*. Imaginez un script de film rempli de *moult,* et de *damoiseau* et de *holà manant.* Involontairement, Brel a modernisé et amélioré le texte, là, en accord avec la mise en scène.

Jean Dutourd n'aime ni la pièce, ni la musique, ni le livret. Tout, selon lui, est bouillie sonore. Dutourd ne supporte pas les formules bréliennes, et surtout la plus célèbre : « Rêver un impossible rêve... » Dutourd a raison de souligner quelques faux sens. Les acteurs miment une partie d'échecs. Jacques et Sophie parlent de « l'évêque » et du « château ». Il s'agit du fou et de la tour *(bishop, castle)*. On savait que Jacques maniait difficilement les langues étrangères, l'anglais ou le flamand. Savait-il jouer aux échecs ? Oui ! Mais la traduction du livret est bâclée. Dutourd s'en prend aussi, et on le comprend, à la manière dont Brel — à la demande de Marre ? — prononce Don Quichotte : *Doné Couïroté.* On comprend plus mal pourquoi Dutourd se plaint de l'absence de Rossinante. La pièce de Wasserman n'est pas un condensé des deux tomes romanesques de Cervantès. Cette critique ulcère Brel. Neuf ans après, mémoire d'éléphant rancunier, il se vengera dans une chanson :

> ... Je suis le plus beau, je pars en chasse
> Je glisse de palace en palace
> Pour y dénicher le gros lot
> Qui n'attend que mon coup de grâce
> Je la veux folle comme un travelo
> Et couverte de vieux rideaux
> Mais cependant évanescente
> Elle m'attendrait depuis toujours
> Cerclée de serpents et de plantes
> Parmi les livres de Dutourd[1].

Pendant de nombreuses années, Dutourd, le bon sens libéral et conservateur, sera une des cibles préférées de la gauche française.

Brel oublie une remarque de Dutourd, hommage de taille à l'acteur : « Reste l'interprétation. Ma foi, je l'ai trouvée très bonne, ce qui fait ressortir l'indigence de l'ouvrage[2]. »

En revanche, lorsque Jacques adapte les chansons en français, il retrouve son talent de parolier. Les chansons françaises de *L'Homme*

---

1. *Knokke-le-Zoute.*
2. *France-Soir,* 15 décembre 1968

de la Mancha sont supérieures aux chansons américaines de Joe Darion. Brel a du métier. Comparez, là aussi :

> *Hear me now, oh thou bleak and unbereable world*
> *Thou art base and debauched as can be ;*
> *And a knight with his banners all bravely unfurled*
> *Now hurls down his gauntlet to thee*

et :

> Écoute-moi, insupportable monde
> C'en est trop, tu es tombé trop bas
> Tu es trop gris, tu es trop laid
> Abominable monde
> Écoute-moi
> Un Chevalier te défie.

On peut multiplier les exemples.

A Bruxelles, *L'Homme de la Mancha* marque la saison de l'automne 1968. Les anciens de la Dramatique Saint-Louis, ou de la Franche Cordée, trouvent un Brel lointain, épuisé après chaque représentation :

— Je suis crevé. Je vais dormir.

Le bon abbé Dechamps ne cherche pas à l'approcher :

— Il y avait une cour autour de lui qui empêchait les gens de le voir.

Jacques vit dans un monde qui n'a rien de commun avec celui du prêtre. Brel veille à ce que les Bruyndonckx aient de bonnes places.

L'Homme de la Mancha est monté à Paris au théâtre des Champs-Élysées, de janvier à mai 1969. Drame, entre les représentations de Bruxelles et de Paris, Dario Moreno, parti prendre quelques jours de repos en Turquie, s'effondre à l'aéroport d'Istanbul. On le retrouve à terre, dans le coma.

Moreno meurt. Il avait déployé une tendre truculence en Sancho. Pour le remplacer, on pense à Bourvil, qui n'a pas le physique de l'emploi. Brel propose le rôle à Robert Manuel, de la Comédie-Française. Celui-ci accepte, répète quelques jours et s'en tire plus qu'honorablement. Il n'est pas chanteur. On remplace quelques chansons par des tirades parlées.

Dans un théâtre parisien il est rare de voir un public appartenant à des couches sociales aussi différentes. Télégrammes dans la loge de Jacques : « Nous serons en pensée près de Don Quichotte ce soir. Nous t'embrassons tendrement. Miche, Chantal, France, Isabelle. » Maurice Chevalier : « C'est heureux pour votre tailleur, mais vous ne cessez de grandir. Admirativement. » De Californie, Simone Signoret et Yves Montand : « Ce matin, nous pensons bien fort à vous et on vous embrasse. » Juliette Gréco encore, pour respecter la tradition : « Dans amitié, il y a " a " comme amour, " m " comme merde. Nous sommes tous près de vous, sûrs de vous. A vous. » Moins classique, témoignage de la gentillesse de Jacques, avec le télégramme du machiniste Fernand, celui des ouvreuses du théâtre de la Monnaie : « De tout cœur avec vous. »

A Paris, les souverains belges assistent au spectacle à moitié incognito. Le protocole ne leur avait pas permis devoir une représentation bruxelloise. Ils rendent visite à Jacques dans sa loge. Brel trouve Baudouin « sympathique » mais refuse une invitation au palais de Laeken.

A la fin de la pièce, pour les applaudissements, Jacques descend en dernier l'escalier au centre de la scène. Tonnerre de bravos, crescendo brélien, bien sûr, pour Jacques Brel. En bas de l'escalier, il se place le dos au public et s'agenouille devant Joan Diener : ces applaudissements sont pour vous. Quelle courtoise fausse modestie !

Au début de février, affaibli, amaigri, Jacques doit interrompre les représentations quelques jours. On parle de crise de foie, de fièvre, d'empoisonnement. Le mot leucémie court dans quelques journaux. Jacques a subi des analyses. Il a trop de globules blancs. Quoi ? Globules blancs ? Leucémie ? Rumeurs. Il s'agit d'une crise de foie et d'un empoisonnement dû à des huîtres.

Cette relâche obligatoire fait perdre beaucoup d'argent au théâtre, au producteur, aux acteurs, aux assureurs. Jacques reprend. La dernière représentation a lieu le 17 mai 1969. La demande continue.

Brel a d'autres projets et surtout il veut se reposer après ce formidable effort.

A Paris, sur le plan financier, *L'Homme de la Mancha,* plein d'imprévus, n'est pas une réussite : Joan Diener exige d'être payée pendant les deux semaines entre les représentations bruxelloises et parisiennes. Deux cent mille spectateurs, un demi-milliard d'anciens francs de recettes. Même si Joan Diener et Jacques Brel avaient accepté de jouer le dimanche, l'opération aurait-elle été bénéficiaire ? Vital, disait-on, perdait une partie de la recette tous les soirs au casino.

Arrêt des représentations. Jacques explique qu'il a signé un contrat de film. Déplaisante atmosphère. Jean-Jacques Vital se lance dans un procès contre Charley Marouani, imprésario de Jacques, qui a signé avec Brel un contrat de film. Pour Vital, *L'Homme de la Mancha* pouvait encore tenir trois cents représentations.

Le souper d'adieux n'est pas très gai. On remarque les absents,

Vital, parti à l'étranger, Joan Diener au chevet de son mari qui souffre d'une rage de dents diplomatique.

— Ne jetons pas la pierre à Jean-Jacques, il serait capable de la vendre, dit Brel méchamment.

Business is business. Les Américains proposent à Jacques une tournée de *L'Homme de la Mancha* au Québec. Il refuse, et savoure son refus. Jacques est las aussi des exigences américaines, comme de certaines demandes des syndicats d'acteurs. Beaucoup de malentendus opposent Français et Américains. Jacques Brel et Charley Marouani ont dit aux collaborateurs français que les conditions américaines étaient trop élevées. Le 16 août 1969, Albert Marre envoie une lettre à Charley à l'agence Tavel et Marouani, et en distribue aussi des copies aux Français qui ont vécu cette prodigieuse aventure de *L'Homme de la Mancha* :

« Mon cher Charley,

Je vous prie d'excuser mon Français, mais j'ai pensé qu'il serait mieux d'essayer d'écrire en Français, car j'envoie des copies de cette lettre au plus grand nombre des personnes possible ayant affaire avec la continuation de L'Homme de la Mancha.

On nous a montré les copies des lettres que vous avez envoyé aux membres de la compagnie, en donnant faute de l'abondonnement de la production entièrement au fait que nos demandes étaient trop élevées. Puis-je remarquer que la dernière fois que je vous ai téléphoné vous m'avez parlé d'une grève des ouvriers qui étaient commissionnés à construire le théâtre à Québec. (Nous avons découvert que la plupart des acteurs ne savaient même pas que les deux théâtres — Québec et Ottawa — n'étaient pas encore construits.) Vous m'avez dit que la grève fit que la date prévu était devenu impossible... Vous ne m'avez jamais dit que si nous n'abaissions pas nos demandes, la production serait abandonnée. Si oui, on aurait du nous le demander spécifiquement. Même s'il n'eusse pas été possible pour Joan, j'aurais certainement fait tout mon possible pour que la production continue. Je vous aurait aidé à trouver une Aldonza pour le Canada (vous devez aussi vous rappeller que Joan a toujours été préparée à encore jouer en France avec vos conditions). J'aurai aussi veillé à ce que la pièce y fut realisée de même qu'en France, encore le mieux que possible. Voici encore une opportunité avec laquelle je n'ai jamais été présenté — seulement le fait qu'il y aurait un abandonnement total.

Nous sommes tous les deux désolés qu'on nous juge d'être la cause de la fermeture de LA MANCHA. Je me rends compte qu'il est plus convénient de nous faire responsable mais vous devez aussi vous rendre compte que la vérité a du être considérablement tournée pour nous charger de cette responsabilité. Sachez s'il vous plaît que nous avons toujours et sommes toujours préparés a faire tout notre possible pour que la production continue... »

Les responsabilités sont sans doute partagées, comme les rancunes.

Plus grave, grande imbécillité et petites manœuvres de l'industrie du disque : aujourd'hui on ne peut trouver dans le commerce l'enregistrement de *L'Homme de la Mancha* avec Jacques Brel *et* Dario Moreno. Quand il a rejoint Brel à Bruxelles, Moreno n'avait plus de contrat avec une firme de disques. Tout d'un coup, il s'en vit proposer un par Philips. Brel appartenait à l'écurie Barclay. On parle d'enregistrer *L'Homme de la Mancha*. Philips refuse à Moreno l'autorisation d'y participer. François Rauber s'entremet dans cette querelle entre Philips et Barclay. Les représentants de Philips n'accordent pas à Moreno le droit d'enregistrer avec Brel du 23 au 27 novembre 1968. Bataille d'autant plus absurde que, plus tard, Philips-Phonogram rachètera Barclay.

La comédie musicale, ou plutôt la tragédie musicale que Brel aurait voulu porter plus haut et plus loin, ne sera qu'une superbe parenthèse dans sa vie.

En 1970, il écrit les chansons[1] du *Voyage sur la lune,* pièce pour enfants de Jean-Marc Landier. François Rauber compose la musique. Le spectacle est mal préparé, les responsables n'ayant pas travaillé ensemble. Jacques expédie ses textes à Bruxelles, mais n'assiste pas à toutes les répétitions de la féerie. Il rédige dans l'esprit d'une pièce qui n'est pas terminée. L'idée est maigrichonne d'ailleurs : quand on chante, si l'on est honnête et gentil, on s'élève, lorsque marchés et méchancetés s'en mêlent, on redescend. Les personnages débarquent sur la lune pour vivre dans un monde parfait et recommencent à semer la pagaille, comme sur la terre. Jacques reprendra dans un film, *Mon oncle Benjamin,* un joli scherzo de Rauber sur une ligne mélodique de Brel.

Les moyens sont considérables, tout l'orchestre de la Monnaie, une quarantaine de musiciens, trois trombones, cors, deux trompettes, les bois par deux... Brel lance les lignes mélodiques, François développe les arrangements, les ballets, écrit la musique de scène, travaille un mois à la Monnaie. On change de chorégraphe. Les décors ne sont pas prêts. Jacques arrive. Rauber et Brel ne

---

1. *Allons, il faut partir, Chanson d'Adélaïde, Chanson de Christophe, La Leçon de géographie, Récitatif lunaire, Chanson de Victorine, Différents lunaires, chœurs, Chanson de Victorine, Chanson de cow-boy, Chanson de Christophe Pops cow-boy, Final.*

parviennent pas à placer les chansons dans la pièce. Le compte à rebours commence, les places sont vendues, l'affichage placardé, la première prévue pour le 29 janvier 1970.

— Je ne mets pas mon nom sur un truc pareil, dit Jacques à Miche.

Le 27, réunion au sommet. Maurice Huysmans tombe d'accord avec Rauber et Brel :

— Vous avez raison, ce n'est pas bon.

Le 28, les représentations sont annulées. Jacques paie une partie des dégâts. La presse belge proteste. Quelle est la part de responsabilité de Brel dans ce fiasco ? Il n'a pas suivi l'affaire de bout en bout. A travers une pièce destinée à des enfants, il a voulu, une fois de plus, retrouver son enfance, mais la féerie renvoie plus au scoutisme qu'aux obsessions bréliennes. Brel a aussi trop d'autres projets en tête. L'écriture de la tragédie musicale qu'il écrirait, lui, est toujours remise, comme celle de son roman.

Sur un cahier, Jacques Brel jette quelques notes[1] :

« Les Vieux
ou Le droit au mensonge.

Lieu

dans un asile, une nuit de Noël.
Des malades qui se connaissent depuis longtemps
Des vieux — en principe 3 femmes et 3 hommes.
Ils se sont raconté leur vie déjà 100 X.
Un infirmier un peu brute et une bonne sœur.
Arrive un nouveau malade a qui on fait
raconter sa vie.
Il ment bien sûr et chaque fois un des autres
lui démontrera son mensonge
Le récit de sa vie est une longue histoire d'amour.
Et toujours nous retrouverons la même femme et
le m̂ amour impossible.
D'autre part, il est nécessaire d'avoir une histoire
interieure au 6 + 1 malades + le gardien et la
bonne sœur.
Le Tout (les histoires) sont jouées par les m̂ comédiens. »

L'auteur de cette œuvre musicale à venir est influencé par les techniques d'Albert Marre :

« Utilisation des décors et costumes a
Transformation.
Projections — et bien sur sono.

---

1. Fonds Mme Jacques Brel.

A Tenter sans entr'acte. »

Ici, l'influence de Wasserman est évidente.

Brel envisage d'insérer d'anciennes et de nouvelles chansons dans son *musical :*

« airs.Certain

           anciens :

Les Vieux

Amsterdam.

Nouveaux.

Si vous croyez que c'est drôle de passer Noël...

On ne se méfie jamais asez des gens laids. »

Jacques Brel ne conserve pas soigneusement ses manuscrits et ses brouillons ou cahiers. Peut-être découvrira-t-on un jour des ébauches plus travaillées de ce projet, *Les Vieux,* chez d'anciennes compagnes de Jacques, dans un garde-meuble ou ailleurs. En tout cas, la volonté du chanteur paraît claire : il aurait voulu développer ce genre où il a triomphé comme interprète, la tragédie musicale. Jacques Brel ne mènera jamais à bout cette entreprise.

Brel l'interprète a gagné une autre partie professionnelle avec *L'Homme de la Mancha,* et évité un four après. Il quitte la scène sans rancune. Abandonnant, provisoirement pense-t-il, comédie ou tragédie musicale, il peut se fredonner un air du *Voyage sur la lune :*

> Allons il faut partir
> Sans haine et sans reproche
> Des rêves pleins les poches
> Des éclairs pleins la tête
> Je veux quitter le port
> J'ai l'âge des conquêtes
> Partir est une fête
> Rester serait la mort

Don Quichotte-Brel repère d'autres moulins à attaquer et à imaginer.

IX.

Acteur

En six ans, Brel tourne dans dix films. Emploi du temps chargé si l'on se rappelle que pendant les représentations de l'*Homme de la Mancha* il était épuisé.

En 1956, il a goûté au cinéma en amateur, dans *La Grande Peur de monsieur Clément,* court métrage de dix minutes, tourné durant cinq nuits. Producteur et réalisateur belge, Paul Deliens a proposé un scénario à Jacques. Expédiant de Paris des indications précises, jusqu'à l'emplacement des caméras, Brel le transforme. La continuité est simplette : bourgeois belge, monsieur Clément arrive au Roi d'Espagne, brasserie sur la Grand-Place de Bruxelles. Deux copains accompagnent puis quittent Clément.

— Vos bonnes femmes vous attendent ! s'écrie Clément joué par Jean Nergal, aujourd'hui directeur du théâtre du Parc.

Bonnes femmes : expression courante chez Jacques et Jojo.

Clément entre dans la brasserie, rêvasse. Au départ, une voix *off* déclare :

— Mon personnage est né de l'imagination d'un jeune compositeur, Jacques Brel.

Mauvais acteur dans le rôle d'un copain, Jacques grimace comme un potache pendant une fête de collège. Cette « fantaisie » en noir et blanc mêle le réel et l'imaginaire. Déguisés en gangsters, les amis de Clément reviennent, le poursuivent à travers la brasserie. Enlevant leur chapeau mou, ils se révèlent. Tous rient. Les trois hommes repartent sous les lampadaires de la Grand-Place, pendant que la voix toujours *off* de Clément déclame :

— Voilà pourquoi Germaine m'attendit en vain cette nuit-là.

Jojo Pasquier a des doutes :

— Jacques peut-il réussir dans le cinéma ? demande-t-il à Deliens.

Ce court métrage s'essouffle. Les gags de poursuite auraient dû être moins longs. Mais il fallait tenir dix minutes pour obtenir la prime aux courts métrages. La bande, techniciens et acteurs, s'est beaucoup amusée pendant le tournage.

Comme Deliens, Brel sentit vite les défauts de cette pochade. Voyant le dérapage, il promet à Deliens d'écrire et de tourner une chanson pour le film si l'affaire se présente trop mal. Il ne le fera pas. Brel pense qu'il n'a rien à gagner à voir sortir ce film. *La Grande Peur de monsieur Clément* ne sera jamais présentée en salle. Deliens perdra de l'argent. Brel peut aider *et* laisser tomber les copains.

A cette époque, quoi qu'il dise, Jacques songe au cinéma. Il développe ses thèmes préférés, l'amitié blagueuse entre hommes, les « bonnes femmes » collantes qui attendent et écrasent les mâles.

En 1956, le succès est à l'horizon pour l'interprète. Brel dit à Deliens :

— Ça ne va pas durer.

Il envisage une fin de carrière sur scène, par nécessité. Brel imagine qu'il deviendra programmateur à la RTB. Il suggère à Deliens un tour du monde en bateau. Deliens se servirait d'une caméra, Jacques grattouillerait de la guitare, donnerait des conférences.

Brel parle d'îles, au loin.

De trente-huit à quarante-quatre ans, acteur ou comédien *et* réalisateur, Jacques ne cesse de travailler. Il tourne :

1967 : *Les Risques du métier* (film de Cayatte)
1968 : *La Bande à Bonnot* (de Fourastié)
1969 : *Mon oncle Benjamin* (de Molinaro)
1970 : *Mont-Dragon* (de Valère)
1971 : *Les Assassins de l'ordre* (de Carné)
       Franz (*de* et *avec* Brel)
1972 : *L'Aventure, c'est l'aventure* (de Lelouch)
       Le Bar de la Fourche (de Levent)
1973 : *Le Far West* (*de* et *avec* Brel)
       L'Emmerdeur (de Molinaro) [1]

----

1. Brel acteur et Brel réalisateur sont traités séparément dans ce chapitre et le suivant. Le lecteur acceptera, j'espère, de se reporter parfois à cette chronologie pour suivre la biographie de l'homme Brel.

Il faut voir les films *avec* et surtout les deux films *de* Brel, *Franz* et *Le Far West,* les lire comme ses chansons. Le cycle cinématographique de Jacques correspond au cycle de Brel chanteur. Il a sa période vertueuse et prêcheuse, avec Cayatte et Carné. Blagueur, bon vivant, trousseur de filles, Brel joue son personnage avec Molinaro et Levent. Il s'engage dans des œuvres politiques et cyniques avec Fourastié et Valère. Puis vient une période noire avec les films réalisés par Brel lui-même. Enfin, Brel redevenu simple acteur joue un rôle de timide rêveur avec Molinaro.

Acceptant d'incarner un personnage au cinéma, Brel s'inscrit dans une tradition. Peu de chanteurs célèbres refusent de se placer devant la caméra. Le Roi Elvis, disait : « Les chanteurs vont et viennent, mais si l'on est un bon acteur, on peut durer plus longtemps[1]. » Aux États-Unis, chanteurs et danseurs qui passent de la scène à l'écran sont innombrables, Fred Astaire, Judy Garland, Dean Martin, Gene Kelly, Sammy Davis Jr. En Grande-Bretagne, les Beatles transitent vite par les studios de télévision vers le cinéma. En France, à part Brassens et Bécaud, brièvement, qui refuse de se transformer en acteur ? Maurice Chevalier, Tino Rossi, Édith Piaf, Mouloudji, Serge Gainsbourg, Charles Aznavour, Johnny Halliday, Annie Cordy, Dalida, Sylvie Vartan, Jacques Dutronc, Joe Dassin, Julien Clerc, Alain Souchon, Eddy Mitchell, et, surtout, Yves Montand, ratent ou réussissent cette inévitable deuxième carrière. Aucun d'eux n'a voulu, avec acharnement, devenir réalisateur comme Brel.

Dans ce tourbillon de tournages, Jacques écrit peu de chansons, sauf pour des films. Il dépose quelques copyrights. En 1967 et 1968, ceux de dix-huit chansons dont quelques diamants : *La Chanson des vieux amants, La... la... la, Mon enfance, Mon père disait, J'arrive, Je suis un soir d'été, Vesoul.* Après, il ne déposera aucun copyright important jusqu'en 1977.

Acteur, il a les avantages de son physique, du charme sans être beau selon les canons classiques démodés. Face au cinéma, il déclare :

— C'est plus facile d'être un autre que soi.

Voilà du moins ce qu'il prétend au départ. Mais, acteur de cinéma, Brel sera bon quand son personnage coïncide en partie avec l'homme Brel.

Il saisit vite comment on décortique un film. La moindre difficulté n'est pas le montage financier. Le cinéma comporte cet avantage, le travail collectif, mais un inconvénient :

---

1. Albert Goldman, *Elvis, un phénomène américain,* Robert Laffont, 1982.

— ... Un ennui, c'est un stylo très onéreux, dit Brel.

Jacques n'a pas de culture cinéphilique ou cinématographique. Il a fréquenté les salles de cinéma un peu plus que l'Opéra. Il a aimé Chaplin, *If*, le *Waterloo* de Bondartchouk, *La Kermesse héroïque* de Feyder. En somme, il fait de très longs bouts d'essais, avec cinq metteurs en scène qui n'ont rien de commun : un moralisateur, André Cayatte ; un vieux professionnel respecté, Marcel Carné ; un homme-orchestre qui manie lui-même sa caméra, Claude Lelouch ; un esthète brouillon, Jean Valère ; un ami, directeur de la photo, Alain Levent ; deux jeunes professionnels, Jean Fourastié et Édouard Molinaro.

Regardons les films de Jacques à travers le prisme de sa vie. Cayatte l'ancien sollicite Brel pour *Les Risques du métier*. Cayatte n'a jamais innové par le style. Carrés, ses films sont des démonstrations massives, du chewing-gum moralisateur, du cinéma-guitare.

Brel lit le script que Cayatte et Armand Jammot ont écrit, s'appuyant sur un livre [1] de deux avocats parisiens, maîtres Simone et Jean Cornec. Les Cornec racontent des cas d'instituteurs accusés par leurs élèves d'attentats aux mœurs. Depuis longtemps, Cayatte milite bravement contre les erreurs de la machine judiciaire. Ce personnage de Jean Doucet, instituteur que ses petites élèves, amoureuses de lui, font arrêter, attire Jacques. A travers son inculpation, sa détention, Brel, comme Cayatte, peut s'en prendre aux flics. Jacques en remet lorsqu'il déclare :

— J'ai eu un choc, le coup de foudre. Cet instituteur, c'était tout à fait moi, et c'est pour ça que j'ai accepté tout de suite... J'étais si heureux de l'interpréter ! Je n'avais pas l'impression d'être un comédien qui joue un quelconque personnage. J'étais cet homme. Un timoré, un timide qui n'ose pas se rebeller et que sa timidité précipite dans une aventure épouvantable. Car moi, les gens d'ordinaire ne s'en rendent pas compte, j'en crève d'être timide.

Brel ajoute :

— La seule gêne que j'aie ressentie, c'est de manquer de public pendant le tournage. Les techniciens de cinéma sont trop occupés par leur tâche pour écouter en plus... un acteur... Alors je me sens tout seul. Les chanteurs, avec leur public qui réagit au doigt et à l'œil, sont mille fois plus cabots qu'un acteur de cinéma.

Pour Brel, le film terminé ne vaut pas ce qu'il a imaginé à partir du script. Suprême injure, il confie à Danièle Heymann :

— C'est un grand film belge.

Jacques voit le côté manichéen de l'intrigue, peut-être les

---

1. *Les Risques du métier*, Sudel, 1959. Nouvelle édition : *Des preuves*, Des livres pour vous, 1969.

invraisemblances du scénario. Cayatte a une formation juridique. Le juge chargé de l'enquête tente une reconstitution : Brel-Doucet a-t-il peloté telle petite fille ? Les policiers, après l'enquête, n'assistent pas à une reconstitution. Le juge est directif, il met en place les protagonistes et dicte leurs répliques. La dureté de l'interrogatoire des enfants est-elle plausible ? Si l'on mène une campagne contre les erreurs judiciaires, il faut respecter la réalité. Les fillettes qui jouent dans *Les Risques du métier* ne sont pas des poètes. Leurs rêves virent aux fantasmes et aux mensonges.

Jacques a besoin de trouver le ton, comme à la Dramatique Saint-Louis. Tout le film repose sur lui. Discipliné, il n'aime pas tourner une scène déshabillé dans un lit avec sa femme. Le rôle de la vaillante épouse est tenu par Emmanuelle Riva mais n'a pas l'ampleur du personnage de Jacques. Brel est plus que convenable ou émouvant. Dans les tirades où il doit se contenir, il laisse percevoir sa violence. Face à sa principale accusatrice, une enfant, il crie :

— Petite merdeuse, ça se trimballe avec une photo de moi !

A haute voix, il se pose des problèmes sur lui-même et sur cette enfant monstrueuse :

— Ou bien je suis devenu complètement fou, ou bien elle ment.

Alors, Doucet est Brel.

Les Risques du métier attire le grand public, la critique est morose. Jacques s'en sort, fait battre les cœurs, parvient au naturel dans un rôle sur mesure. Trop, même. Brel acteur de cinéma ne se casse pas la gueule.

En Raymond la Science, anarchiste autodidacte que Jacques campe dans *La Bande à Bonnot,* on trouve le Brel qui aime le XIXe siècle et se sent proche des anarchistes idéalisés — à la Jojo. Raymond la Science est présenté en théoricien généreux, attendrissant. Le film est tourné avant Mai 1968, alors que Jacques prépare les chansons du *Voyage sur la lune. La Bande à Bonnot* sort en novembre 1968, dans un climat post-quarante-huitard et post-soixante-huitard. Ces anarchistes poétisés, qui s'opposent à la société, conviennent à Jacques. Il oublie que la bande tue beaucoup d'innocents. Brel a toujours vaguement rêvé de faire sauter les gouvernements ou, à défaut, trois ans avant, la municipalité de Liège. La bande à Bonnot fut à deux doigts de faire capoter le gouvernement Poincaré. Interviewé, Brel déclare :

— C'étaient des hommes.

Des « mecs », en somme.

Quelques incidents braquent le réalisateur et les acteurs. Stupidement, certains arrondissements parisiens refusent des autorisations de tournage et le film est interdit aux moins de dix-huit ans. Avec

Fourastié, Brel peut avoir l'impression qu'il s'oppose vraiment à la société. Raymond la Science n'est pas Don Quichotte. Certaines tirades vont bien à Brel. Raymond harangue des prolétaires à l'entrée d'une usine, plus crasseuse que la cartonnerie Vanneste et Brel :

— Votre usine, c'est votre prison... Les patrons n'ont qu'une seule tête, qu'un seul cul.

Ou :

— Je ne veux plus voir les hommes à genoux.

Ou encore :

— Il y en a tellement qui sont morts et qui ne le savent pas.

Pour les besoins du scénario qui exige une scène de bordel, l'équipe se transporte à Bruxelles, porte de Namur, ce qui enchante Jacques. Ailleurs, dans une brasserie à Paris, Raymond la Science joue à faire semblant d'être Bruxellois.

Moustachu, lunettes cerclées de fer, col dur et long manteau, Jacques est superbe. Brel sent mieux le XIXe siècle que le XXe. Il parle d'Anatole France avec moins de gêne que de Camus ou de Sartre.

A Jacqueline Thiédot, blonde, grande, excellente monteuse, Jacques se confie volontiers :

— Le music-hall est fabuleux du point de vue de la formation professionnelle, dit-il.

Se trouve-t-il bon comédien ?

— Je n'en sais rien. Je n'ai vu aucun de mes films, sauf le premier, par curiosité (il s'agit des *Risques du métier*). Non, sérieusement, contempler ma gueule pendant une heure et demie sur un écran, c'est au-dessus de mes forces [1].

Il exagère. Il ne va pas se contempler dans les grandes salles des Champs-Élysées ou les petites du Quartier latin. Mais il est attentif aux rushes. Son amitié professionnelle avec le cameraman Alain Levent commence. Après la projection de *La Bande à Bonnot*, Brel se lève, traverse la salle et, pose brélienne, lui lance :

— Monsieur, si je faisais mon travail aussi bien que vous, je serais ravi !

Levent, tout en rondeur, mèche en bataille, regard passionné, adolescent, est prêt à suivre Jacques Brel au bout de n'importe quel film. Ses images sont superbes. Fourastié et Levent dosent les scènes de ville et de campagne, jolies maisons et falaises de Dieppe, tramways et voitures 1900. Le grandiose final, huit cents zouaves et des mitrailleuses cernant la maison où Bonnot écrit ses derniers mots avec son sang, voilà une scène qui plaît à Brel. Cet homme-là est seul face aux institutions.

1. *L'Express*, 20 juillet 1970.

Hors du champ, Brel rôde toujours autour de la caméra. Un acteur aime savoir comment il est cadré. En pied ou en gros plan ? La plupart du temps, il ne demande pas, comme Brel, pourquoi on met tel objectif, un trente-deux, un cinquante, un cent ? Comment ça marche, le téléobjectif ? Pourquoi obtient-on plus de profondeur de champ avec une courte focale, un dix-huit ou un vingt-cinq ? Comment parvient-on à la même profondeur en diaphragmant plus ? Pourquoi pas de grandes ouvertures ? Souvent, même les réalisateurs ne le savent pas.

Jojo est content. Après tout, les anars sont aussi des révolutionnaires, quoi qu'en disent les socialistes ou les communistes.

Les deux metteurs en scène de cinéma dont Jacques Brel se sent le plus proche sont Édouard Molinaro et Claude Lelouch. Il tourne deux films avec Molinaro, un avec Lelouch.

Molinaro, que tout le monde appelle Doudou sur le plateau, est un timide qui parle, présente et prépare ses plans avec minutie. Plus autodidacte et extraverti, volubile, Lelouch improvise souvent avec brio. Le dernier éclairagiste sait que Claude, qu'il travaille en superhuit ou en trente-six, ne cède pas facilement sa caméra.

A la fin des années soixante, Molinaro développe avec Alphonse Boudard le script d'un film policier. Ils pensent à Jacques : ce rôle ne lui convient pas. Mais il aimerait tourner avec Molinaro. Depuis des années, celui-ci a sur son bureau une adaptation du roman de Claude Tillier, *Mon oncle Benjamin*. Cet univers-là n'est pas loin des Flandres. Brel connaît ce livre. Molinaro lui fait lire l'adaptation. Grâce à Jacques, le film se fait : Brel est une vedette. Beaucoup de films se montent autour d'un acteur connu. A cette époque, réaliser un film en costumes sur le XVIIIe siècle et l'esprit de la Révolution, n'est guère à la mode. Brel sera acteur et collaborateur de la création. Il participe à l'adaptation. Dans la petite maison de Molinaro au bord de la forêt de Rambouillet, le sujet est reconstruit en un après-midi. Le réalisateur est étonné par le flair professionnel du chanteur Jacques Brel.

— Les gens du music-hall, dit Molinaro, les meilleurs d'entre eux, connaissent le public, le fréquentent en direct, quelquefois difficilement. Ils ont parfois une lucidité que nous n'avons pas, nous, les auteurs, les metteurs en scène.

Dans ce Benjamin, Jacques Brel trouve son meilleur rôle. Benjamin c'est Jacques, et Jacques devient Benjamin, truculent, bagarreur, provocateur, médecin de campagne qui lutine les filles, soigne les pauvres, s'attaque aux puissants. Ce libertaire aime la vie et la bonne chère. Baiseur, fleur bleue, Brel se coule dans la peau de Benjamin. Le film est rabelaisien avec une gaieté qui se retrouve jusque dans la scène du dernier repas d'un ami. Benjamin, médecin bondissant, humaniste de la médecine, aime son métier, l'exerce chez les plus pauvres, hors des conventions, loin des bourgeois, presque hors la loi. Le film baigne dans une atmosphère flamande, de réjouissances, de kermesses, de bien-boire et de bien-manger. Comme Cyrano de Bergerac, Benjamin-Brel a la réplique vive et colorée. Il tient tête avec le verbe et le fleuret. Alerte, au-delà de son goût pour la gaudriole, Benjamin est un prérévolutionnaire bon enfant. Baisant le cul d'un marquis, il saura se venger.

— Je ne veux pas finir ma vie dans la peau d'un médecin de campagne, et le monde est grand ! proclame Benjamin.

Ni dans celle d'un acteur, pense Brel. Benjamin chante Brel :

> Le cœur appuyé sur les amis de toujours
> Mourir pour mourir
> Je veux mourir de tendresse
> Car mourir d'amour ce n'est mourir qu'à moitié
> Je veux mourir ma vie avant qu'elle ne soit vieille
> Entre le cul des filles et le cul des bouteilles.

Jean Epstein disait : « Jouer n'est pas vivre, c'est être. » Frank Capra affirmait : « Tout acteur atteint son sommet quand il peut s'exprimer dans un personnage qui lui ressemble comme un frère [1]. » Toutes les conditions sont réunies pour un excellent film : Alain Levent est directeur de la photo, François de Lamotte travaille les décors, François Rauber et Jacques Brel composent la musique et trois chansons.

Les extérieurs du film se tournent dans la région de Vézelay, par un temps superbe. Le soir, Jacques rassemble quinze à vingt personnes à sa table. Parfois, après une nuit de discussion, Alain Levent et Jacques Brel voient le jour se lever.

Pour la première fois, Jacques s'ouvre à Alain d'un projet : il veut devenir réalisateur.

Jacques alors possède déjà un avion. Quand on n'a pas besoin de lui, il s'envole. Les producteurs n'apprécient pas ces fantaisies. La Lloyds de Londres l'assure. Drame durant ce tournage, la femme de Molinaro, monitrice de pilotage, ne redresse pas son appareil et se tue. Jacques manifeste sa sympathie à Édouard. Sympathiser au sens strict : souffrir avec.

Dans ses interviews et en privé, Jacques dit combien il aime le film :

---

1. *Cf.* Edgar Morin, *Les Stars*, Éditions du Seuil, Paris, 1972.

— C'est une chronique à la Diderot exprimant une rage de vivre.

Jacques a quitté Sophie. Elle est remplacée par Marianne à laquelle il envoie des lettres joyeuses.

« Tu sais, j'ai envie de faire plein de choses belles pour t'épater, comme un gamin

Il faut que tu saches que tu es un moteur pour moi.

Mes mots d'amour c'est mon travail

Parce que je pense que c'est ainsi qu'un homme doit aimer

C'est la première fois que j'aime " en liberté " je veux dire que tu n'es pas mon esclave et je ne suis pas le tien.

Et il me semble bien rare de constater un amour qui provoque une telle soif de liberté. J'aime cela. »

Dans *Mont-Dragon*, Brel se sent obligé de prendre le film en main car le réalisateur, Jean Valère, manque de fermeté. Trop souvent, Valère passe une heure à établir ses plans alors que comédiens et techniciens attendent. Alors Brel et Levent, directeur de la photo, prennent des initiatives. Valère accepte les suggestions. Ici, on n'a pas de champ. Là, il va nous manquer un contre-champ. Les rapports entre l'acteur principal et le metteur en scène sont tendus.

Levent remarque :

— Jacques est toujours de dos dans cette scène.

Valère répond d'un merveilleux :

— Mais enfin, Alain, vous ne comprenez rien ? Le dos, c'est la vie !

A nouveau moustachu, en officier dégradé, raide, qui s'occupe du haras d'un château où vivent la femme et la fille de son ancien colonel, Jacques est insupportable. Pas une seconde, on ne croit à ce Darmont soudard qui cite Montaigne et Sade. Darmont rime peut-être avec Valmont, pas avec Brel. Jacques Brel déguste mal les trop exquises friandises de la perversité. Les tentures, les boiseries, les paysages des environs de Mende sont splendides, mais il n'y a pas une scène sans grandiloquence. L'osé n'est que comique. Brel-Darmont, en bottes, marche la nuit autour de la femme du colonel, Germaine de Boisménil, jouée, aussi bien que possible, par Françoise Prévost, nue sur un cheval au clair de lune.

Brel ânonne ses répliques. *Prévost-Germaine*, d'un ton vaporeux :

— Vous aimez la musique ?

Brel-Darmont :

— Le clairon, madame.

Pourquoi Jacques a-t-il accepté ce personnage de lieutenant, caricatural, cultivé et baiseur ? Dans la vie, entre hommes, un soir de soûlographie avec Jojo, deux soirs avec une femme de rencontre, Brel peut jouer Raphaël le Débauché, prétendre qu'il a lu tous les livres, improviser des tirades de grand mâle, jeter des regards méprisants. Une certaine « perversité » règne dans quelques milieux du disque. Jacques dit à sa fille France :

— Il n'y a rien de plus beau que deux femmes faisant l'amour ensemble.

Mais il a vite fait le tour de cet univers. Darmont l'intéresse, pourtant, rien ne rattache Brel à ce Valmont de quincaillerie. Dans la vie, Brel est plus romantique que libertin. Darmont n'est qu'un libertin lourd et prétentieux.

Avec *Les Assassins de l'ordre,* la justice ne triomphe pas comme dans *Les Risques du métier.* Jacques se trouve au cœur du dispositif, en juge d'instruction convaincu que des policiers ont passé à tabac et tué un petit truand. A la fin si convenue, Charles Denner, avocat satanique des policiers coupables et acquittés, fait remarquer au juge qu'il a vécu son Mai 68, ajoutant :

— Moi aussi, j'ai lu *Don Quichotte.*

La situation civile du juge Lebel rappelle un peu celle de l'homme Brel. La femme de Lebel — séparé, divorcé ? — n'existe pas dans le film. Lebel a une maîtresse et un fils qui l'admire. Ce fils emploie des formules qu'on imagine volontiers dans la bouche de Chantal, de France ou d'Isabelle Brel parlant de Jacques :

— Mon père, quand il commence, il va jusqu'au bout.

Les scènes entre le fils et le père Lebel ont le parfum de celles qui opposent Jacques à ses filles. Ce consciencieux juge va-t-il céder au chantage de ses supérieurs qui étouffent l'affaire ? se demande son fils.

— C'est pas un p'tit con comme toi qui va m'apprendre mon métier, répond Lebel.

Les réconciliations façon Brel sont là. Fils et père s'affrontent et, après, le juge va boire un pot avec son grand garçon Comme Brel, quand il partait danser avec sa fille Chantal après une engueulade.

Brel donne la réplique à des acteurs plus fins que ceux de son premier film. Michael Lonsdale, bouche amère et sourcils barbelés, commissaire divisionnaire, est un partenaire sérieux.

Jacques jauge assez bien son personnage :

— Un juge d'instruction un peu scout attardé [1]

Franche Cordée, en somme.

---

1. « Le Carrousel », RTB, 23 février 1971

Brel est convoqué par Lelouch, dans son bureau, 13 avenue Hoche.

— Je pense à vous pour mon prochain film, dit Lelouch.

— Formidable.

— J'ai l'habitude de ne pas faire lire le scénario aux acteurs.

— C'est beaucoup mieux.

— Je vais vous raconter l'histoire.

— Ce n'est pas la peine. J'ai envie de voir comment vous travaillez.

« Brel est le seul acteur qui m'ait tenu ce langage d'emblée, note Lelouch. Les autres s'intéressent toujours à leur rôle, à l'intrigue. Je n'ai jamais eu un entretien plus court avec un acteur la première fois. »

Brel accepte un rôle de truand qu'il a souvent refusé. *L'Aventure, c'est l'aventure,* succès public considérable, n'est pas le meilleur film de Lelouch.

Claude songe d'abord à Jean-Louis Trintignant en composant sa brochette de gangsters internationaux, décidés à élargir leurs activités, enlevant Johnny Halliday ou le pape.

La coproduction est assurée par Alexandre Mouchkine :

— Vous me donnez ce que vous voulez, a dit Jacques.

Les acteurs passent par leur agent ou leur imprésario Brel a tellement envie de voir travailler Lelouch qu'il se dispense de cette formalité. Il a pris sa décision avant d'entrer dans le bureau de l'avenue Hoche :

— J'ai l'intention d'être bête pendant tout le tournage, dit-il à Lelouch. Vous faites ce que vous voulez. Je sais que vous avez besoin de disponibilité. J'ai entendu parler de votre façon de tourner. Je serai disponible à cent pour cent. Vous pouvez me faire faire ce que vous voulez.

Comment ne pas aimer un comédien si modeste ? Réalisateur et acteur se revoient pour une deuxième séance de travail. Contrat signé, Jacques sait qu'il ne pourra reculer. En privé, Jacques — euphémisme — est velléitaire. Quand il s'agit de son métier, son *oui* et son *non* sont massifs. Au départ, le scénario l'amuse. L'équipe tourne dans plusieurs pays, avec des moyens considérables. Techniciens et acteurs circulent aux États-Unis, en France, en Italie, dans les Caraïbes. Plusieurs jeunes femmes engagées pour des petits rôles arrivent à Antigua, le 17 novembre 1971. Parmi elles se trouve Maddly Bamy, Guadeloupéenne de vingt-huit ans, aux cheveux courts, très belle, longue, souple, une liane, pleine de gaieté, attirante. Quelques acteurs, dont Brel, attendent ces figurantes au pied de la passerelle. Avec la secrétaire de production, Maddly monte dans la même voiture que Jacques.

— Je n'ai vu que lui. Il m'a vue, dit-elle.

Sur les tournages, des couples se forment et se défont. Jacques et Maddly deviennent un couple. Elle reste persuadée que Jacques lui a dit :

— Si je te prends, c'est pour toujours.

Histoire écoutée ou entendue aux portes de la légende ? Ce ne serait pas la première fois que Jacques s'offre gaiement une dame au passage. Même si Maddly, Hélène Bamy, demeure à ses côtés, Brel continue d'écrire et de voir les unes et les autres.

Jacques n'est ni Tristan ni Roméo. Maddly, qualités et défauts compris, n'est pas Yseult ou Juliette. Elle laisse flotter cette version du coup de foudre mutuel, *love at first sight*. Les faits et la personnalité de Jacques prouvent que cette liaison fut plus compliquée, ce qui n'enlève rien à l'attachement profond, plus tard, de Jacques et Maddly. Pendant le tournage de *L'Aventure, c'est l'aventure,* ils sont heureux.

De Pointe-à-Pitre, Maddly est arrivée à Paris en 1953 avec sa mère, ses quatre frères et sœurs. Son père, employé par l'agence Gardel dans la canne à sucre, reste aux Antilles. Madou, sa femme, et les enfants s'installent à Longjumeau, puis à Rueil jusqu'en 1962. Maddly passe par une école ménagère, le cours Fides, le lycée Molière, obtient son BEPC, refuse de poursuivre ses études jusqu'au bac. Elle travaille chez un producteur comme hôtesse, joue un peu du piano, fait de la figuration dans un film où débute Eddy Constantine. Par accident, elle se trouve dans le champ.

— Faut revenir, vous êtes raccord, dit un assistant.

Maddly fréquente les milieux du show-biz et du cinéma. Son frère Éric écrit la musique de chansons pour Johnny Halliday. Télévision, théâtre, ballet... Maddly joue le rôle de Lili, esclave dans *La Case de l'oncle Tom,* tourné par Jean-Christophe Averty. Autre film, *Madly,* avec Alain Delon et Mireille Darc, petit rôle dans *Le Soulier de satin,* monté à l'Odéon par Jean-Louis Barrault. On voit Maddly dans « Les Cinq dernières minutes », série policière de la télévision. Elle danse autour de Claude François auquel Éric l'a présentée en 1968. Elle a toujours vaguement pensé « être artiste. . C'était flou ». Elle imagine une présentation de mode dansée pour des collections de prêt-à-porter. Delon lui suggère de monter sa société pour ses présentations de mode. Maddly Productions sommeillera. Quand elle rencontre Jacques, Maddly Bamy connaît mieux les chansons de Paul Anka que celles de Brel.

Lelouch a prévenu son monde. On ne tourne pas un film grave, mais une comédie. Des voyous se dédouanent en affirmant qu'ils font de la politique. Jacques ne prend pas son rôle autant au sérieux que les autres gangsters de la bande, Lino Ventura, Charles Denner, Aldo Maccione, Charles Gérard. A ceux-là Lelouch a vendu leur rôle. A Jacques il vend son film.

Jacques déride Lino Ventura, surtout dans les meilleures improvisations de Lelouch. Un dimanche, l'équipe ne tourne pas. Maccione marche le long de la plage. Bras ballants, démarche chaloupée, il s'imite. Trouvaille ! Lelouch propose aux cinq acteurs de défiler les uns derrière les autres sous le nez de quelques baigneuses au soleil. Ventura s'abstient, Brel l'entraîne. Lelouch décide de filmer cette scène. L'ingénieur du son n'est pas là. Lelouch tourne seul. Filmée normalement, cette séquence n'aurait pas été aussi délirante. Même Ventura et Denner font les gugusses. Les acteurs ne pensent pas que Lelouch montera cette scène. Souvent dans un film *un* acteur donne le ton. Ici, c'est Brel. Pour Lino, Jacques est un génie et un ami. Lelouch comprend le pouvoir de Brel sur Ventura.

D'Antigua, Jacques écrit à Marianne :

« Ça turbine comme une folie, ± 16 h par jour et il fait chaud ! heureusement la bande est très très bien... »

Toujours à Marianne :

« L'Équipe du Film est assez formidable. Ça bouge ça bouscule et avec Lelouch cela " colle " très bien.

C'est une île assez étrange : on boit de l'eau de mer et la farine vient de Montréal de plus le Ministre de l'Intérieur a exigé de tourner dans le film !

Le régime de Travail est assez élevé debout 5 h 1/2 tous les jours, tournage jusqu'à 17 h puis préparation du lendemain. La Technique de Lelouch est extraordinaire c'est d'une précision folle mais en même temps d'une grande liberté. »

Jacques éprouve des doutes quant à la tonalité du film. Lelouch trouve qu'on ramène tout à la politique en 1971. Les gangsters sont à la pointe de l'information. Intelligents, ils se serviraient donc de la politique. Sur le plan juridique, attentats, détournements d'avions, tout ce qui se fait au nom d'un idéal politique n'est pas traité comme un crime ordinaire. En Amérique du Sud, les enlèvements sont quotidiens. Jacques ne se sent pas à l'aise dans ce climat. Il s'intéresse moins à la politique qu'autrefois. La gigantesque farce de *L'Aventure, c'est l'aventure* le gêne, comme Jojo. A cause de la morale implicite du film, Jean-Louis Trintignant a refusé le rôle que tient Jacques Brel.

Jacques et Claude ne philosophent pas, ils parlent technique.

Hasard, bien sûr, Jacques propose une scène belge. Cigare au bec, cheveux longs, il improvise un sketch dans un avion détourné par les gangsters. Immense sourire béat, Brel commande plusieurs verres de champagne à une hôtesse de l'air :

— J' gagne septante mille francs... belges.

Jacques place ainsi à l'écran un de ses numéros préférés à la ville. Gangster, Jacques déclare :

— Si j'aime les hommes, c'est surtout parce que c'est pas des femmes.

Lelouch garantit qu'une réplique est de Jacques : à la question « Qu'est-ce, un homme ? » il répond :

— C'est une femme qui ne pleure jamais.

Le film est présenté à Cannes. Jacques se rend au festival avec Claude :

— Tu vas voir, tous les cons qui ne vont rien comprendre ! Le grand public va rentrer là-dedans comme un canon, dit Brel à Lelouch. C'est limpide. Les intellectuels ne vont rien comprendre. On va voir les cons à la loupe.

Le grand public suit Lelouch, pas la critique. Lorsqu'il parle de *L'Aventure, c'est l'aventure* à Jojo, Miche ou Marianne, Jacques est moins heureux. Alors, il n'aime pas le film, ni son personnage. *L'Aventure, c'est l'aventure,* en effet, n'aurait pu être filmé par Fellini, Bergman, Godard, Bresson ou Duras.

Sur le tournage de *L'Aventure, c'est l'aventure,* Jacques a rencontré un homme : Lino Ventura.

L'amitié est réciproque. Pudique, Ventura se livre difficilement :

— L'amitié ne se dit pas... Pour moi, c'est une rencontre dans la vie. Jacques Brel, c'est comme Gabin, c'est comme Brassens [1].

Palette large, Brel passe d'un métier à l'autre. Être acteur, ce n'est plus chanter. Ventura est d'abord un acteur de cinéma coincé — injustement ? — dans les rôles de gangster ou de flic. Menton serré, visage fermé, Ventura joue au flic qui joue au gangster qui rejoue à Ventura. A la ville, ce père de famille fascine Jacques, moins conventionnel et paternel.

L'Aventure, c'est l'aventure entraîne l'équipe à la Guadeloupe. Le plan de tournage n'exige pas la présence de Maddly. Elle suit Jacques. Il lui parle de sa famille à Bruxelles, et de Marianne. Elle répond :

— Vous n'avez qu'à vous organiser. Prenez votre temps. C'est pas grave.

---

1. « Première Magazine », RTB, 12 mai 1978

De retour en France, Jacques s'organise, comme il sait fort bien le faire. A Jojo et Alice Pasquier, il dit que Maddly le fatigue.

La véritable et la grande aventure du film de Lelouch pour Brel, c'est pourtant la rencontre avec Maddly Bamy.

Jacques Brel ressemble, d'assez loin il est vrai, au personnage du trappeur Van Horst que lui propose Alain Levent dans *Le Bar de La Fourche*. Le Canada est reconstruit en Bretagne. Le scénario est mou. Van Horst se promène dans un Québec 1900, rencontre un jeune garçon, retrouve une vieille maîtresse et affronte une jeune femme perverse...

Levent veut devenir réalisateur. Dès le départ, il pense à Brel, à son côté grande gueule. Vite, Levent se sent dépassé. Au bout de trois jours de tournage, il se dit : « Et si j'arrêtais ? » Dès le départ, Jacques est mécontent. L'adaptation lui semble ratée, il veut la travailler, mettre sa patte, l'arranger. Un peu tard. Il pleut, sans arrêt. Quand il vient à Paris, Jacques se plaint. A Jacqueline Thiédot, monteuse :

— Ça se présente mal.

Dans les décors naturels, les pluies provoquent des inondations qui ne sont pas prévues par le scénario :

— On tourne avec des bottes d'égoutiers, plaisante Jacques.

Les rapports entre une vedette installée et un réalisateur débutant sont en tout cas difficiles[1]. Levent rate son coup. Le scénario n'en finit pas de commencer. Levent a tourné trente films comme cameraman, mais le montage lui échappe comme le tournage.

De plus, Brel n'est pas satisfait de ses partenaires, surtout du jeune garçon. La jeune fille qu'on n'a guère vue à l'écran a de la présence :

— Le type, non. La fille, formidable !

Il s'agit d'une certaine Isabelle Huppert. Les résultats ne sont pas désastreux : cent mille entrées. Par l'intermédiaire de Marouani, Jacques a obtenu sept cent mille nouveaux francs du producteur Georges de Beauregard, prêt à monter jusqu'à un million. *Le Bar de La Fourche* reste aussi poétique que pluvieux. Le ratage passe aussi dans la chanson de Van Horst, répétitive, sans inspiration ou bâclée, que Jacques écrit pour le film :

> De Rotterdam à Santiago
> Et d'Amsterdam à Varsovie
> De Cracovie à San Diego
> De drame en dame

---

1. D'autant plus que Brel, alors, a réalisé *Franz*. Voir le chapitre x.

Passe la vie
De peu en peu
De cœur en cœur
De peur en peur
De port en port
Le temps d'une fleur
Et l'on s'endort
Le temps d'un rêve
Et l'on est mort...

Brel ne lit pas de romans policiers ni de bandes dessinées. Mais, parfois, ses lettres à Marianne sont des BD (voir ci-contre).

Dans *L'Emmerdeur,* son dernier rôle au cinéma, l'homme Brel ressemble par moments au personnage de François Pignon qu'il incarne, rêveur et gaffeur à la recherche de sa femme. Il donne la réplique au gangster Félix Milou joué, encore, par Lino Ventura.

Pour ce deuxième film avec Brel, Molinaro est moins inspiré que pour *Mon oncle Benjamin.* Brel compose un amoureux malheureux. Brel-Pignon dit :

— Je t'aime, Louise, tu sais bien que je t'aime.

Jacques lança cela fort joliment. Les autres répliques sortent mal. L'homme Brel fait souffrir des femmes, donc cet aspect-là du personnage lui est familier. Mais Brel se déplace mal dans le vaudeville. Ce film sent le fabriqué. D'ailleurs, il a été fabriqué par le producteur et le scénariste, Francis Weber : ils ont construit le film autour du couple Ventura-Brel. L'homme qui a joué la passion du Christ, la mort de Don Quichotte quatre ans avant, n'est pas mûr pour le boulevard. Jacques se sent peu à l'aise dans les scènes de pure comédie. Il faut l'aider. Il déteste les gags avec tuyaux crevés décrochés, promenades sur les toits, scènes de suicide raté dans les cabinets :

— J'ai passé ma journée sur le siège des chiottes ! Une vulgarité exemplaire dit Jacques à Jacqueline Thiédot.

Ventura, cette fois, aide Brel. Il pousse Jacques, qui n'y réussit pas, à jouer d'une manière réaliste ce théâtre de boulevard :

— Ça va, dit-il. Sois toi-même. Joue relaxe, tranquille. Ne cherche pas à faire rire.

Ventura avance avec superbe, gueule cassée, l'œil plus noir que jamais, dans son rôle de dur des durs. Brel fait du surplace. Le personnage de Pignon paraît brumeux. En privé, Jacques confie à Miche, à Jojo, à Marianne et à d'autres qu'il déteste ce film. Courtois, il ne fait pas part de sa déception à Molinaro qui, pourtant, fait ressortir une certaine tendresse désespérée et fragile de Jacques.

Communiqué par Marianne.

Les deux films de Molinaro sont des succès commerciaux. Jacques ne mesure pas la valeur d'un film au nombre de ses entrées. *L'Emmerdeur* sera le dernier long métrage tourné avec Jacques.

Avant de retrouver Molinaro, il a réalisé deux films dans lesquels Jacques Brel surgit tout entier.

De 1967 à 1973, acteur et cinéaste, Jacques Brel dépose le copyright d'une vingtaine de chansons. Il ne veut pas tricher en se répétant. Il n'a pas non plus besoin de débiter de la chanson pour vivre. Au contraire !

Preuve de la célébrité de Brel, froide mais incontestable, et de l'attachement du public pour le chanteur. Voici les revenus de Jacques Brel pour ses cassettes et disques français entre 1965 et 1977[1]. Ces sommes ne comprennent pas les royalties pour les « passages » sur les antennes des radios, ni divers cachets touchés par Jacques.

Année	Philips (NF)	Barclay (NF)
1965	21 610	99 050
1966	24 294	300 000
1967	39 384	183 251
(Tour de chant terminé)		
1968		179 568 (total)
1969	25 328	220 708
1970	18 563	194 170
1971	25 554	73 071
1972	40 905	115 523
1973	65 017	223 119
1974	101 100	258 490
1975	133 141	326 655
1976	245 788	674 134
1977	364 754	890 562

---

1. Communiqué par Philips et Barclay, avec l'autorisation de Mmes Jacques Brel, Chantal Camerman-Brel, France Brel, Isabelle Brel.

Ces chiffres démontrent que Jacques Brel vend plus de disques et de cassettes après avoir abandonné le tour de chant qu'avant. Ses arrières financiers assurés, Jacques Brel peut se lancer dans ce qui est toujours une aventure, si l'on a une certaine ambition esthétique : la réalisation cinématographique.

X.

Réalisateur

Marianne vit loin de Paris. Maddly occupe un appartement rue de la Tour-d'Auvergne dans le IXe arrondissement. Jacques conserve — comme fétiche ? — sa chambre de la cité Lemercier et achète un grand studio à Neuilly, 51, rue Édouard-Nortier. Il y installe une table et une télévision toute neuve qu'il ne regarde jamais.

A Brel, couvert de femmes, une chose paraît claire : le quotidien tue la vie du couple. Découverte tardive ! Il n'aura pas, croit-il, de « troisième mariage ». Marianne le comprend et l'éloignement rend ses rencontres avec Jacques plus intenses.

Maddly habite Paris. Elle a décidé que Jacques sera l'homme de sa vie. Alice et Jojo ne sont pas ses alliés. Elle dispose de quelques atouts. Avec sa jeunesse, le principal est sans doute sa gaieté. Elle fait rire Jacques. Mais la chronologie d'une vie doit être respectée dans sa richesse, ce que n'a pas fait une récente émission de télévision[1], qui présente Maddly Bamy comme l'inspiratrice de la plus belle aventure cinématographique de Jacques, *Franz*. Ce film, Jacques y songe depuis longtemps. Il le tourne sur la côte belge en juin 1971, alors qu'il n'a rencontré Maddly qu'en décembre 1971.

Brel s'est entretenu de *Franz* avec Jacqueline Thiédot dans le bar des studios de Boulogne-Billancourt, pendant qu'il jouait le juge des *Assassins de l'ordre*.

Il ébauche la mise en scène de *Franz* à la Guadeloupe au long de vacances à l'hôtel Caravelle avec Miche et Isabelle, en février 1971. Il

---

1. « Si tu étais le bon Dieu », TF 1, réalisation d'Éric Le Hung, 1983.

se lève après 10 heures, elles vont admirer les plantations et le volcan de la Soufrière. Jacques se baigne un peu — il nage mal — ou se bronze, lit un journal, travaille surtout la préparation et la réalisation de ce film. Méthode intéressante, il ne rédige pas un synopsis, mais des scènes les unes après les autres. Comme des chansons ? Comme des tableaux ?

— C'est une histoire d'amour entre deux paumés, deux ratés, deux pas beaux, explique-t-il à Miche.

Il tournera en Belgique dans des coins qu'il connaît, surtout « à la côte » belge. Petit budget : cent trente millions d'anciens francs français. Jacques a de la sympathie pour son producteur, Michel Ardan. Financier de Carné, Ardan s'affairait autour des acteurs des *Assassins de l'ordre*. Il préparait même des sandwiches pour l'équipe. Jacques n'a jamais vu un producteur aussi aimable.

Brel apporte beaucoup à *Franz* financièrement car il écrit le scénario, en est la vedette et le metteur en scène. Cette participation représente la moitié sinon les deux tiers du budget.

A Alain Levent Brel présente trente pages. Les repérages avec Levent se font en quelques jours. Le directeur de la photographie participe à la préparation. Il passe des mois avec Brel dans son pays natal.

Parce qu'elle touche l'homme Brel et court à travers tout le film, Jacques pose une question à haute voix devant sa fille France :

— Pourquoi un homme ment-il à une femme ? Pour lui faire la cour ?

A Bruxelles, Jacques s'adresse à toutes les femmes de sa maisonnée. Ont-elles plus d'imagination que lui ? Il a aussi les côtés d'un petit homme — pas un homme petit — par le caractère, l'intelligence, la sensibilité. En Brel, Levent découvre la truculence de Benjamin, et la fragilité du héros de *Franz*.

Depuis son enfance, Jacques « sait » très bien ces soixante kilomètres de côte, surtout cette bande de ports, de dunes, de plages entre Ostende et Knokke. Jacques y retrouve Franz Jacobs qui trône dans son bar, *The Gallery*, près du casino, avec sa compagne Zozo.

Franz, œuvre biographique en négatif, commence sur une chanson de Brel, somptueusement interprétée en néerlandais par la riche voix veloutée de Lisbeth List, *Les Désespérés*. Brel aime les attaques sur un verbe, soulignées par l'absence du pronom personnel :

> Se tiennent par la main et marchent en silence
> Dans ces villes éteintes que le crachin balance
> Ne sonnent que leur pas, pas à pas fredonnés
> Ils marchent en silence les désespérés

Ils ont brûlé leurs ailes, ils ont perdu leurs branches
Tellement naufragés que la mort paraît blanche
Ils reviennent d'amour ils se sont réveillés
Ils marchent en silence les désespérés...

Est-ce le chanteur ou l'homme qui se glisse dans sa chanson ?

Et je sais leur chemin pour l'avoir cheminé...

Un Jacques Brel est présent jusqu'à la chute :

Ça s'oublie en silence ceux qui ont espéré.

On a vu le Brel rose de 1951 à 1953, optimiste, idéaliste. Puis un Brel tournant au gris de 1953 à 1967, romantique, réaliste. Le Brel noir et pessimiste apparaît dans *Franz,* lançant des coups de poing, gais ou tristes comme ses chansons. Avec *Franz,* Jacques fait aussi un autre long tour de chant. Le film a eu plusieurs titres, *Les Moules, Léon,* puis *Franz* à cause de son ami Jacobs auquel Jacques dit :

— Je t'avais promis de te dédier une chanson. Voilà, tu as ton film.

La médiocrité, l'absurdité de la sincérité comme du mensonge fascinent Jacques. L'histoire imaginée, mise en continuité avec Paul Andréota, est rigoureuse. Des fonctionnaires, Pascal, Arnaud, Antoine, Serge, sont en convalescence dans la Pension du Soleil, au bord d'une plage de la mer du Nord « toujours recommencée ».

Brel joue Léon, le petit homme, le paumé, menteur imaginatif qui cherche l'amour. Il est dominé de loin par sa mère, lui écrit tous les jours, envoyant un de ses vingt-sept pigeons. Inattendues, deux femmes débarquent dans la pension. Catherine, jouée par Danièle Évenou, est blonde, jolie, provocatrice, sensuelle. Léonie, plus âgée, brune, incarnée par Barbara, paraît idéaliste, vaporeuse et se méfie des tentations de la chair. Léon séjourne dans ce centre pour convalescents car il a de l'albumine. Les autres petits fonctionnaires persécutent Léon. Il tombe amoureux de Léonie.

Léon va plonger dans les seins de Catherine et les minauderies de Léonie, faisant croire, et croyant, qu'il fut mercenaire au Katanga avec un certain Franz, mort depuis longtemps, s'il a jamais existé. Ce Franz fantasmatique est l'homme que Léon aurait souhaité être. Mimant dans une casemate un combat en Afrique, il prétend qu'il souffre d'une blessure de guerre. Léonie se pâme. Tous les thèmes des chansons de Brel sont tissés dans ce film, la tendresse nécessaire, l'amour impossible, le désespoir, la bêtise, l'échec inévitable, la mort. Et le rire :

— Ce que j'aime surtout, dit Léon, c'est rigoler. Ça fait du bien.

Les blagues que lui jouent Antoine, Serge, Arnaud et Pascal — mettre Catherine nue dans son lit, placer un pigeon mort dans sa serviette de table — sont celles qu'adoraient Jojo et les musiciens en tournée. Gauche, maladroit, Léon souffre en silence.

Ce personnage de Léon n'est pas cohérent. Il semble d'une naïveté excessive au début, d'une lucidité exagérée à la fin . En une heure quarante-cinq, Jacques Brel résume la vie qu'il aurait eue s'il n'avait pas quitté la Belgique. Il n'aurait pas travaillé dans une perception, mais chez Vanneste et Brel. Pendant ses marathons de chanteur, il a croisé tant de médiocres ! Combien de petits fonctionnaires, comme cette bande de convalescents, n'a-t-il pas rencontrés dans les sous-préfectures de France et les petites villes de Belgique ? Arnaud, Pascal, Antoine et Serge, quelle médiocratie ! C'est l'humanité telle que Jacques Brel la voit en 1971. Ils parlent argent, eux qui n'en ont pas. Ils évoquent de mesquins problèmes d'avancement. Avec sa mère, dominatrice, formidablement jouée par l'énorme, énaurme, éblouissante Simone Max, actrice fantaisiste bruxelloise, Léon accepte des rapports de soumission totale. Elle débarque, lui intimant l'ordre de rentrer à la maison sous prétexte qu'il n'a pas de quoi entretenir une épouse. Il se soumet. Pourtant, Léon dit à Léonie :

— Ma mère, une femme d'élite...

Ou encore :

— Faut pas rêver avec la tendresse. Maman dit toujours que l'amour se transforme en tendresse.

Leitmotiv brélien, ce manque de tendresse. Léon-Jacques :

— Avec les hommes ça va bien, mais avec les femmes...

Ici, Léon ressemble à Jacques.

— J'ai pratiquement été élevé par ma maman.

Là, Jacques ne ment pas. Léonie demande à Léon :

— Qu'est-ce que ça vous fait, de vous promener avec moi ?

— Ça me fait fier.

Brel fut fier de se promener avec Catherine Sauvage. Léonie lui fait une scène. Elle tombe d'accord avec les amis de Léon à la pension :

— Vous êtes un con.

Lui, d'ailleurs, il justifie le mépris petit-bourgeois et snob de Léonie :

— Ce que j'aime surtout, c'est Ouahgner (Wagner).

Le personnage imaginaire de Franz meurt comme si Brel était mort à lui-même. Léon aligne les commentaires sur la condition humaine. Les hommes ont surtout « peur ». Le caractère autobiographique au second degré du film est évident. Ces années-là. Jacques n'aime toujours pas se fixer, va d'un appartement à l'autre, rêve de posséder une maison au Pays Basque. Léon parle de ce havre qu'il voudrait posséder.

— Où la voyez-vous, cette maison ? demande Léonie.

— Au Texas, répond Léon.

Quelques traits de ce Franz imaginaire sont empruntés à Franz Jacobs. Brel s'extasie devant Jacobs, sa stature, sa résistance physique. Il ne fut pas mercenaire au Katanga, mais soldat en Corée. Léon admire son Franz viril et bagarreur, capable d'ingurgiter deux litres de whisky par jour. Léon :

— Franz, un mec nonante ! Deux litres de whisky par jour !

Franz Jacobs est célèbre sur la côte belge : il pouvait boire jusqu'à cinquante whiskies par nuit.

Léon a un côté scout, celui du jeune Jacques. Léon croit au bien et au mal. Il vit une passion. Catherine représente la sensualité. Léonie n'est qu'une petite-bourgeoise qui joue à aimer Léon, avant de retourner vers son mari et son enfant — encore une biche.

Quand Léon invite Léonie à dîner, elle porte une perruque blonde — parce qu'une femme pense parfois devenir belle en se transformant ainsi ?

Brel se glisse un peu dans tous ses personnages. La blonde Catherine emploie à l'écran une des formules préférées de Jacques à la ville :

— Parle à mon cul, ma tete est malade.

Comme Brel le chanteur, Léon avoue :

— ... La peur, ça donne envie de vomir.

Brel réalisateur tourne en dérision Brel chanteur. Ivre, Léon déclame :

— L'amour, tôûjôûrs l'amôûr...

Comme si Jacques disait : la chanson, je sais ce que c'est. Toujours la même chose, avec les refrains les plus idiots. Léon pisse avec un compère :

— Toi, tu es Belge.

— A quoi tu vois ça ? demande Léon.

— Tu fais ça prudemment.

Le réalisateur Brel fait dire à Léon :

— ... La Belgique, c'est un terrain vague où des minorités se disputent au nom de deux cultures qui n'existent pas.

Au montage, Jacques conserve la scène, mais rend cette phrase inaudible.

Jacques s'inspire de sa vie en 1971, de l'immédiat. Dans une scène émouvante, Léon, seul au lit, un pigeon entre les mains, déclame. Au tournage, Jacques arrive à pleurer en récitant son monologue !

« Je t'aime, je t'aime, dit Léon.

Tu sais, je crois que je n'ai jamais rien fait d'autre que t'aimer.

Tu ne le savais pas...

Moi non plus, je ne le savais pas.

Il m'a tout de même fallu te rencontrer.

Tu es trop belle pour moi.

Peut-être que je n'ai pas le droit de recevoir le *soleil*...

Tu es un tel *cadeau*.

Je n'ai encore rien fait pour te mériter.

J'existe, c'est tout.

Alors que toi...

Je t'aime... je t'aime...

C'est la première et la dernière fois...

Parce que quand je t'aurais aimée comme je t'aime, je serai brûlé...

[en cendre.

J'aimerais tout savoir pour tout t'apprendre, tout avoir pour tout te

[donner.

Que tu sois au chaud, au tendre, à l'honneur.

Tu es mon merveilleux petit soleil.

Je t'aime, je t'aime, je t'aime.

Tu verras... je t'aime. »

L'homme Brel parle et dit : au-delà de toi, j'ai toujours aimé. Tu es trop belle pour moi, je n'ai pas le droit à l'amour. Au-delà de la passion, des brûlures, de la désespérance et de l'espoir, on retrouve l'amour cendre et le merveilleux. Avant tout, la femme totalement aimée, imméritée, reste un cadeau.

En juillet 1971, pendant ce tournage, Jacques écrit à Marianne — toujours son « soleil » dans ses lettres — de l'hôtel de Blanken-berge où l'équipe s'est installée :

« Tu es tout le temps là, tu m'aides, tu me réconfortes, et souvent ton rire me chante dans la tête, quel *cadeau* ! »

Aucun doute, la tirade de Léon-Jacques est adressée à Marianne.

Dans le rôle de Léonie, Barbara est presque aussi remarquable que Jacques en Léon. Barbara a commencé sa carrière en Belgique. Jacques admire son talent et son endurance :

— Barbara, c'est une fille bien, dit-il volontiers. Elle a un grain, mais un beau grain. On est un peu amoureux, comme ça, depuis longtemps.

Jacques a prévenu Barbara et donné ses consignes à Levent :

— Léonie est laide.

Il ne faut surtout pas adoucir les traits de Barbara :

— Tu vois, dit le réalisateur au directeur de la photo, de profil, là, avec son nez d'aigle : c'est ça que je veux.

Michel Ardan, le producteur, aurait préféré engager Annie Girardot. Jacques voulait le physique de Barbara, son côté fou de cartomancienne. On lui aurait offert Marilyn Monroe ou Catherine Deneuve, et cinq cents millions de plus, il les aurait refusés.

Il ménage et protège sa camarade Barbara, lui donne confiance en elle :

— Bonjour, la diva... Tu vas voir, il y a des gens partout, comme lorsque l'on est en tournée. Il y a trois types importants. Tu les suis. Un point c'est tout.

Ces trois hommes sont le réalisateur, Jacques, le directeur de la photo, Alain, et son assistant-opérateur, Armand Marco. Autre personnage qu'il faut surveiller, le chef électricien, Roger Delattre. Barbara colle au rôle de Léonie, rêveuse et tricheuse. Léonie pourrait chanter comme Barbara :

> Je suis
> la très mystérieuse...
> la mante religieuse
> ni belle ni bonne
> je n'aime personne
> et je passe
> bonjour [1].

En Catherine, Danièle Évenou est une parfaite Marie-couche-toi-là, contrepoint de Léonie, moins saine, vraie salope. Ces deux femmes, la dernière, petite menteuse, trichant plus encore que la première, grande baiseuse, sont des biches. Maniérée et naturelle, jouant de ses longs bras et de ses cils, Barbara passe bien. Dans les costumes que Jacques a choisis comme dans certaines fortes scènes du film — longue promenade de Léon et de Léonie sur la plage, balades à vélo le long des canaux —, Barbara devient belle malgré les instructions du réalisateur.

La scène du char à voile sur la plage semble très brélienne : Léon doit se lancer un défi, comme Jacques, lorsqu'il se trouve sur un bateau ou dans un avion. La notion de possibilité physique est fondamentale chez lui. Brel n'est pas fluet, mais il n'a pas un corps d'athlète. Il lui arrive d'être épaté par un costaud couvert de poils. Pour *Mon oncle Benjamin* ou *Mont-Dragon*, Brel a appris à monter à cheval. Léon ne parvient pas à maîtriser un char à voile ou un vélo ! Maldonnes successives.

---

1. *Ni belle ni bonne.*

On trouve des séquences d'anthologie dans *Franz* : un combat de coqs tourné dans une grange où Brel habille les participants en smoking et haut-de-forme, fait songer à l'expressionnisme d'un Murnau. Franz Jacobs, bien entendu, Jojo et Édouard Caillau sont embauchés comme figurants.

Brel n'est pas cinéphile. Il a pourtant retenu quelques leçons, l'utilisation de l'hélicoptère pour de longs travellings sur la mer du Nord ou le plat pays. Musicien, Brel emploie une valse de Rauber ou du Wagner. Belge, il se sert de l'accordéon et de l'orgue de Barbarie.

Avant de se lancer dans ce premier film, il disait à Levent comme à Thiédot :

— Je ne suis pas très sûr de moi. Si ça ne va pas, il faut le dire.

Dès la première semaine, les techniciens sentent qu'ils n'ont pas grand-chose à redire. Édouard Molinaro et Claude Lelouch viennent sur les lieux du tournage. Même constatation : réalisateur, Brel n'hésite pas deux heures pour planter sa caméra. Il a posé les questions nécessaires sur les objectifs et les cadrages. Moins fort quant aux éclairages, il sait expliquer quels effets de lumière il souhaite, comme il pouvait, chanteur, obtenir ses effets musicaux de Gérard Jouannest ou François Rauber.

Un des premiers en Europe, Jacques se sert d'une vidéo, installée dans une petite 4 L, pour voir immédiatement ce qu'il va tourner. Le metteur en scène, plaçant d'abord la caméra vidéo à côté de la caméra film, enregistre une répétition. Sur-le-champ, à quelques centimètres près, il sait quel résultat il obtiendra. Jacques gagne en assurance. Ardan proteste. L'installation vidéo coûte cher. Mais elle économise la pellicule.

Alain persuade Jacques qu'il ne faut pas travailler avec vingt conseilleurs. En général, un réalisateur fait sept ou huit prises. Claude Chabrol en tourne deux, Robert Bresson dépasse les trente. Jacques Brel ? Trois ou quatre. Autre avantage de la vidéo, Brel n'a pas besoin d'attendre le visionnement des rushes.

Jacques veut donner à son film des tonalités de peinture flamande. Il risque gros avec le choix de sa pellicule. La Kodak en 1971 est superbe mais ne satisfait pas ce réalisateur débutant. Levent tourne le même plan avec deux bobines, une Kodak, une Gevaert, pellicule belge, encore imparfaite, comme la Ferraniacolor italienne. Jacques cherche une froideur veloutée. Il l'obtient avec la Gevaert et se bat contre Ardan, convaincu, lui, qu'au bout de six mois la pellicule jaunira ou brunira comme les clichés d'un appareil de photographie à développement instantané.

Enthousiaste au départ, Ardan s'affole en regardant les premières séquences. Il produit aussi un film de Claude Zidi, *Les Bidasses en folie,* avec les Charlots, le comique français gras. Ardan répète à Brel :

— Je fais un film formidable. Tout se passe très bien. Vous, vous ne savez pas où vous allez.

Ardan prend Jacques à part :

— Non, c'est pas possible ! Écoute, Molinaro est conseiller technique. Il va venir ici. On ne le saura pas. Tu seras acteur. Il fera la mise en scène.

Jacques est abasourdi :

— Là, ça me fait mal, dit-il à Levent qui lui conseille de tenir bon.

— Passe au-dessus de ça, Jacques. Les rushes qu'on a vus sont formidables.

Justement, ils tournent les très belles scènes de Léon et Léonie à vélo, le long d'un canal, sous les peupliers du plat pays. Ardan se calme. Le nom de Molinaro figure au générique, comme conseiller technique en effet. Doudou affirme que Jacques s'en sort très bien seul.

La Gevaert n'est développée qu'aux Pays-Bas. On ne sait pas la traiter ailleurs. Pour la première bobine, le directeur du laboratoire belge d'une petite entreprise, Dassonville, à Bruxelles, appelle la monteuse, Jacqueline Thiédot :

— Venez voir ça avant Jacques. C'est beau ! On lui a fait quelque chose de très gai, très brillant.

Avec la meilleure volonté du monde, le laboratoire a tiré une bobine bleu-des-mers-du-Sud. Rien à voir avec la mer du Nord ! Jacques est furieux. On retraite le négatif. Les beiges et les gris attendus ressortent enfin.

Jacques se donne autant en acteur qu'en chanteur.

Chanteur, acteur ou réalisateur, Jacques n'aime pas voir ses femmes ou ses filles pendant ses tournées ou sur ses tournages. Mais Bruxelles est si proche, à un peu plus d'une heure de voiture. Il ne peut refuser, de temps en temps, la présence de Miche, de Chantal, de France ou d'Isabelle. Son aînée a vingt ans, la plus petite treize. France, dix-huit ans, cherche à dialoguer avec son père.

Jacques improvise :

— On fait toujours des dîners pendant les tournages, moi j'offre un dîner de femmes pour celles qui travaillent sur mon film.

De Barbara à la scripte Sylvette Baudrot, en ciré jaune, efficace — encore un « mec » —, Jacques les invite toutes dans un restaurant près de Bruges, avec Alice Pasquier.

Georges Pasquier n'est plus le dynamique et rieur Jojo. Il est souvent séparé de Jacques, et de plus très malade.

En fin d'après-midi, Jacques et sa bande débarquent dans le bar de Franz Jacobs à Knokke. Pour faire honneur à Brel, Franz avale ses cinquante-cinq whiskies et fume ses cent cigarettes quotidiennes.

— Tu te saoules trop, dit Jacques. Il va t'arriver des bricoles.

Brel joue à Brel devant Zozo et Franz. Il tient toujours bien la Maes Pils, qui titre huit ou neuf degrés, se livre aux provocations et séductions qu'il adore. The Gallery n'est pas un bar à paumés. On y reçoit le beau monde de la côte, médecins, industriels, diamantaires d'Anvers. Alain Levent s'étonne lorsqu'un homme, avec la familiarité spontanée des cafés et bars belges, lui présente deux femmes :

— Salut ! Bonjour ! Ça va ? Mon épouse, ma maîtresse...

Une dame couverte de bijoux ne cesse de parler de ses richesses et possession : moi j'ai, moi j'ai, moi j'ai...

Jacques, très haut :

— Moi, j'ai mon cul.

Un groupe de vingt-cinq Flamandes fait irruption dans le bar. Elles regardent ce Brel d'un mauvais œil. Il décide de les charmer et offre une tournée générale de Black Russian. Assez raide, la vodka additionnée de liqueur de café. Puis Brel chante avec toutes ces femmes, enchantées :

> ... Les Flamandes dansent sans frémir
> Sans frémir aux dimanches sonnants
> Les Flamandes dansent sans frémir
> Les Flamandes ça n'est pas frémissant
> Si elles dansent c'est parce qu'elles ont trente ans
> Et qu'à trente ans il est bon de montrer
> Que tout va bien que poussent les enfants
> Et le houblon et le blé dans le pré
> Elles font la fierté de leurs parents[1]...

Lelouch arrive avec Ventura. Jacques et Lino rient toute la journée. Le contact est établi. Quelques mois après, Lino et Jacques se retrouveront dans *L'Aventure, c'est l'aventure*[2].

Jacques maîtrise ce métier de réalisateur : le plan de travail prévoyait dix semaines, et en neuf le tournage est terminé.

Les difficultés de Jacques Brel réalisateur commencent au montage. Malgré l'aide de Jacqueline Thiédot, il monte moins aisément qu'il ne tourne. Jacques ressemble à un enfant devant des crayons de couleurs. Il sait que le rouge est rouge, le jaune jaune,

---

1. *Les Flamandes.*
2. Voir chapitre précédent.

mais ne voit pas les rapports entre le jaune et le rouge. Très beau, le film est parfois lent. Il dure une heure quarante-cinq. Jacques aurait pu couper vingt minutes sans l'affaiblir.

Franz est un grand film avec des défauts, une superbe rédaction avec des fautes d'orthographe. Certaines longueurs sont justifiées, voulues, d'autres moins. Jacques n'arrive pas à resserrer une séquence. Il veut tout mettre sur sa toile. Devant un tableau, on a le temps de savourer chaque détail. Une séquence de film passe trop vite pour qu'on puisse tout y saisir.

Brel paraît satisfait du résultat final.

La première de *Franz* a lieu le 1ᵉʳ mars 1972 à Paris, au cinéma Marivaux, sur les grands boulevards. Le film sort aussi au Publicis-Saint-Germain, au George-V, au Paramount-Élysée et à l'Alpha-Argenteuil, puis à Bruxelles. Dans les journaux, la publicité placarde une citation de Lelouch : « Un cinéaste qui prend des risques à chaque plan, ON N'A PAS VU ÇA DEPUIS DIX ANS. »

Les entrées, soixante-dix mille, ne sont pas bonnes. A Paris la critique est honorable. On admet que Brel a un ton, une manière personnelle. Brel n'impose pas son style au grand public. Peu de spectateurs retrouvent le monde du chanteur chez le cinéaste. Des admirateurs soulignent les maladresses de *Franz*. On reconnaît un morceau de cinéma d'auteur, un film ambitieux malgré ses hésitations entre l'intimisme et le surréalisme. Jacques n'en demande pas plus. Il n'attendait pas un succès extraordinaire. Il peut continuer. Sur la table de nuit de Léon, on voit un livre au titre très lisible : *Le Far West*.

Encouragé par le succès d'estime de ce premier film, six mois après sa sortie sur les écrans parisiens, Brel se lance dans un second long métrage. *Franz* sort à Bruxelles en mars 1972, et en août Jacques commence à tourner *Far West*.

Jacques a parlé très tôt aussi de ce film à Miche, pendant le tournage de *Franz* :

— Tu vas être le producteur.

Miche, comme d'habitude, a répondu :

— Je ne sais pas comment faire...

— Ça n'a pas d'importance, les autres non plus.

Ils ont eu la même conversation pour fonder les Éditions Pouchenel. Miche organise un département production-cinéma. Le budget de ce second film est de quatorze millions de francs belges, deux cents millions d'anciens francs français. Ce budget sera respecté. Avec son côté écossais, Miche établit ses calculs au jour le jour. Les Belges, Brel et le ministère de la Culture, fournissent soixante-treize pour cent du budget total. Par amitié, Lelouch prend une participation de vingt-sept pour cent dans *Far West*.

La préparation et le tournage du film se déroulent dans un climat différent de *Franz*, malgré l'aide et la constante bonne humeur de l'assistant, Paul, fils de Jacques Feyder. Si Brel était détendu, blagueur pendant le tournage de *Franz,* il paraît souvent sombre, parfois autocratique et cassant au cours de celui de *Far West.* Il se met souvent en colère, en *rote.*

A Jacqueline Thiédot, il dit :

— Je ne vais pas me laisser emmerder par le producteur. C'est moi le patron. Je vais enfin pouvoir faire ce que je veux.

Le producteur c'est Miche, et Miche c'est Jacques.

Il prépare le scénario, comme celui de *Franz*, avec Paul Andréota, mais en le fouillant moins. Le script original comprend des blancs avec des indications vagues : « Trente-six bis. Extérieur jour. Rue Centrale du camp. L'attaque du train d'or par la bande à Peter (à découper sur place). » Ou trop rapides : « Trente-deux. Extérieur nuit : tous ceux du camp assis, muets, devant le tas d'or. »

Plus fini, *Franz* serre de près le scénario original. Entre son premier et son deuxième film, Jacques a tourné avec Claude Lelouch et l'a vu improviser. N'est pas Lelouch qui veut, et improvise qui sait.

Franz décrit un univers d'adultes rassis. Pour Jacques, l'humanité est authentique lorsqu'elle retrouve le monde des enfants. Eux seuls savent rêver, affirme-t-il depuis ses seize ans. Avec *Far West,* il tente de recréer un monde d'adultes vivant des rêves d'enfants. En 1964, Jean Clouzet lui demandait : « Quand vous parlez de l'enfance, vous faites souvent intervenir le mot " Far West "... Quel était votre " Far West " lorsque vous étiez enfant[1] ? » Jacques s'exclame :

— Mais je n'ai jamais eu de Far West. On me l'a volé. Ou plutôt on ne me l'a pas donné. On me l'a volé dès l'instant où on m'en a parlé, dès l'instant où on me l'a vaguement promis. On nous promet de la même manière le père Noël, et on nous assure que l'amour est éternel, jusqu'au jour où on nous avoue qu'il s'agissait de farces. Quand j'étais petit, on a oublié de m'avertir que le Far West et l'amour n'étaient que des farces. Aujourd'hui les enfants ont tellement « mal au Far West » qu'ils s'habillent tous plus ou moins en cow-boys. Mais il n'y a plus de Far West. Il n'y a plus que des cours d'usines, des feux rouges, des flics et la pension. J'aurais voulu avoir un vrai Far West, mais ce n'est pas possible. Et c'est sans doute pour cela que de temps à autre j'ai de grands coups de pompe. Je sais qu'il n'y a plus d'un côté les bons et de l'autre les mauvais. Il n'y a plus d'Indiens. Il y a des gens qui par moments sont Indiens et par moments Buffalo Bill. C'est peut-être aussi la raison pour laquelle

---

1. Jacques Brel, *Poésies et chansons,* Seghers, 1967.

mes premières chansons étaient plus entières que maintenant. Moins réticentes.

Avec *Franz,* Jacques verse dans un réalisme poussé jusqu'au naturalisme. Avec *Far West,* il traverse le miroir de la réalité et mise sur l'imaginaire pur :

« Il s'agit d'un rêve, dit-il[1], j'ai imaginé des personnages de quarante-cinq ans, c'est-à-dire vrais, refusant la sécurité, la prudence... »

S'accompagnant d'une guitare, Brel souligne ses intentions en chantant :

> L'enfance,
> Qui peut nous dire quand ça finit,
> Qui peut nous dire quand ça commence,
> C'est rien, avec de l'imprudence,
> C'est tout ce qui n'est pas écrit,

> L'enfance,
> Qui nous empêche de la vivre
> De la revivre infiniment
> De vivre à remonter le temps,
> De déchirer la fin du livre

> L'enfance,
> Qui se dépose sur nos rides
> Pour faire de nous de vieux enfants[2]...

L'histoire que Jacques tente d' « écrire » avec sa caméra est passablement embrouillée. Les héros, Jack, Gabriel, Lina[3], Marcelin, Frankie, Peter et Margaret Van Cleff, le Sudiste, Julius, Danièle, sont des Belges. Déguisés en cow-boys, trappeurs, indiens, soldats de la guerre de Sécession, ils suivent Jacques qui va leur faire découvrir le Far West de leurs enfances et la Vallée sacrée, à Herstal, près de Liège. En route pour ce Far West aménagé, Jacques a rencontré une jeune Noire paralysée, assise dans un fauteuil roulant. Ce personnage est inspiré de Maddly. L'homme qui veut l'enlever est joué par son frère, Éric Bamy. Les compagnons de Jacques veulent aussi trouver de l'or. Ils transforment un charbonnage en ville du Far West. Ils scient, rabotent, transportent des poutres, construisent un saloon, rafistolent une locomotive en machine de la grande épopée vers l'Ouest :

TRANS PA CI
FIC

lit-on sur la machine à vapeur.

---

1. « Le Carrousel aux images » (émission TV, 1973).
2. *L'Enfance.*
3. Lina, féminin de Lino ?

Le héros est bien entendu Jack, joué par Brel. Sur le script original, il s'appelle Jack. Dans le film, ses amis disent tout simplement « Jacques ».

Les intentions et l'inspiration biographiques sont encore plus claires dans certaines scènes du script original qui ne seront pas tournées ou montées. Jacques le cow-boy se retrouve en prison. Les détenus, alignés au garde-à-vous, devant leurs cellules, répondent à l'appel de leur nom. Le gardien (séquence 41) arrive au cow-boy. Il crie :

— BREL, Jack ?

Ailleurs, électrodes sur le crâne, reliées par des fils à un encéphalographe Brel est attaché sur un fauteuil. Un psychiatre joué par Claude Lelouch l'interroge :

— Je dis « Napoléon », qu'est-ce que ça vous fait ?

Jack

— Rien !

Le médecin

— Je dis « Bonaparte », qu'est-ce que ça vous fait ?...

Jack

— Rien non plus...

Le médecin

— Je dis « Don Quichotte »

Jack

— Ah ! j'aimais bien...

Le médecin

— Vous aimiez bien ?...

Jack

— Oui... j'ai essayé d'être Don Quichotte

Le médecin

— Et vous avez arrêté ?

Jack

— Oui, à cause des femmes

Le médecin

— Des femmes ?...

Jack

— Oui, elles vous réveillent tout le temps...

Le personnage de Don Quichotte hante le film, avec des allusions trop rapides, incompréhensibles pour ceux qui n'ont pas vu *L'Homme de la Mancha*.

Pendant une bagarre, Jacques se déguise en Don Quichotte, avec des moustaches et une barbe en coton, une lance, un bouclier. Le cow-boy a reçu d'un fakir le don de faire tomber les murs en les touchant. Brel se caricature. Brel veut aussi faire de son film une féerie à base de Buffalo Bill, de Nick Carter, de mormons et d'un peu de science-fiction.

Jacques prend ses distances avec Alain Levent. Sur ce film, Jacques accepte moins les suggestions et il préjuge de ses forces.

— Quelque chose le rongeait, dit Levent.

Aucun membre de l'équipe n'a oublié une scène : Jacques marche vers un hélicoptère posé au bord de l'autoroute. Un nœud coulant passe autour de la main de Jacques. L'hélicoptère s'élève. Suspendu dans le vide pendant douze minutes, Jacques n'accepte pas de se faire doubler, ce qui eût été prudent pour la production. Il redescend, livide. Brel doit se dépasser dans la vie, sur les planches, à l'écran.

Le réalisateur accepte mal les incidents. Il a encore engagé Danièle Évenou. Son rôle de gommeuse 1900 oblige l'actrice à se couler dans un justaucorps serré, à défiler devant la bande des hommes. Elle exhibe son ventre, ses seins. Enceinte, Danièle Évenou n'a pas prévenu Jacques.

— Cette salope ! s'exclame-t-il. Vous vous rendez compte, elle arrive tard, me réveille : « Jacques, je suis enceinte, mais pas de beaucoup, hein ! »

Ce qui n'empêche pas Brel de se montrer charmeur quand il le faut. Il a besoin d'un bâtiment moderne. En route vers son Far West, la bande rencontre un homme d'affaires, petit rôle joué par Michel Piccoli. Plumes d'Indien sur la tête, il les reçoit au pied d'un building. Jacques a décidé de filmer devant le bâtiment des Ciments et Briqueteries réunis (CBR), grands modules, vastes vitres, à Bruxelles, sur la chaussée de la Hulpe. Erreur du régisseur, qui obtient une autorisation de la Royale Belge, compagnie d'assurances. L'équipe s'installe devant la CBR. Le lendemain la compagnie proteste. Elle n'entend pas autoriser la projection de cette scène. Si Brel passe outre, on lui réclamera des dommages et intérêts. Avec son avocat, Roger Lallemand, Jacques se rend à la CBR. Ses dirigeants ne sont pas poètes. En blouson et jeans, Brel les injurie, puis les cajole. Jacques trouve la solution, jouant le chaud et le froid, passant de la bravade à la cordialité. La CBR cède. Lallemand n'a pas à intervenir

Brel dit volontiers à Levent :

— Tu as vu ce plan-là. C'est pas en France qu'on ferait ça !

Brel l'orgueilleux verse dans la vanité.

Malgré le montage décousu du film, quelques plans superbes et oniriques s'imposent : la troupe défilant sur des terrils, la bande déguisée, avançant à pied sur une autoroute.

Dérapage total lorsque surgissent de méchants Indiens qui font sauter les bâtiments de la cité du rêve.

> ... Les adultes sont déserteurs
> Tous les bourgeois sont des Indiens [1]...

chante Jacques. Des scènes inutiles sont plaquées sur le scénario. Parfois grotesques, elles font perdre le fil de l'histoire : pour l'amour de Lina la paralysée, Jacques le cow-boy se bagarre avec Éric, l'homme fantôme qui veut enlever la jeune femme. Dans *Far West*, Brel est entraîné par des inspirations poétiques mais aussi par des accès de mégalomanie. Il veut aussi tout exprimer, et en même temps brouiller les pistes.

Décrivant avec plus d'humour ce groupe de marginaux réalisant un rêve d'enfance, ce film aurait plus d'homogénéité.

Sa bande trouve de l'or. Jacques décide de le remettre au roi des Belges. Avec Lina, il se rend au palais — scène filmée dans le monumental palais de justice de Bruxelles. Tout d'un coup, gags comiques qui détonnent, les deux amoureux sont reçus par un huissier, un deuxième, un troisième, puis le roi, tous joués par le premier huissier.

Huissier-Roi

— Eh oui, je sais bien, mais vous comprenez, c'est les vacances... alors on se remplace... ici, c'est une grande famille... Alors c'est à quel sujet ?...

(Cut)

A travers une séquence buñuelesque, dans la « salle du présidium », de vieux ministres couverts de toiles d'araignée, attendant les nouvelles : où est l'or ? Jacques et Lina, rentrés au Far West, trouvent le camp vide. Les membres de la bande sont partis avec cet or maléfique. Moralité : l'argent pourrit tout. Il faut être un chercheur d'or, mais surtout ne pas en trouver.

> ... L'enfance
> C'est encore le droit de rêver,
> Et le droit de rêver encore,
> Mon père était un chercheur d'or,
> L'ennui, c'est qu'il en a trouvé [2]...

La fin du film s'éloigne du Far West et de la féerie. Le cow-boy et Lina sont cernés par des chars, des mitrailleuses, des pièces d'artillerie et ils meurent.

Pour tourner cette grandiose chute antimilitariste, Jacques Brel fait appel à l'armée et à la gendarmerie belges. En Belgique, comme aux États-Unis et dans d'autres pays démocratiques — dont la France

---

1. *L'Enfance*
2 *Ibid.*

ne fait pas partie, là —, l'État, l'Administration, le ministère de la Guerre fournissent à des réalisateurs les moyens de critiquer la société et les institutions qu'ils incarnent.

Dans son scénario original, Jacques Brel avait imaginé une fin plus poétique et convaincante. Jacques, Lina et Gabriel galopaient « follement dans un paysage superbe et classique de western : canyonz (sic), rivières, cactus, vastes espaces : le vrai FAR WEST enfin atteint ».

Lina est plus silencieuse que son cow-boy. Il la pousse dans sa petite voiture à travers une ville. Elle parle lorsqu'ils sont immobilisés par un feu rouge. Symbolisme voulu, chez Brel : l'homme — Jacques — est en mouvement, la femme — Lina —, immobile, paralyse l'homme.

« Les femmes, c'est autre chose, n'est-ce pas, dit le cow-boy. Ce qui les préoccupe surtout, c'est la sécurité. L'homme est un nomade, il est fait pour aller voir ce qu'il y a de l'autre côté de la colline. Et puis, il se laisse prendre au jeu de la femme.

(Feu rouge)

Lina

— Je t'aime.

Le feu passe au vert et la marche reprend. Jouant à celui qui n'a pas entendu, Jack reprend :

— Alors, la femme pond un œuf, ce qui est bien en soi, d'accord, mais il faut de la paille, au-dessous de cet œuf, alors l'homme va chercher la paille, et puis, il lui faut bâtir des murs autour de la paille pour protéger l'œuf contre le vent. »

A propos de la femme qui fabrique des enfants, Brel reprend le mot de Gauguin : « Je vais être prochainement père d'un demi-jaune ; ma charmante Dulcinée s'est décidée à vouloir *pondre...* [1] »

Lina répète :

— Je t'aime...

Le feu passe au vert et la marche reprend.

Jack

— Et puis, un jour il pleut, alors toujours pour protéger l'œuf, l'homme est obligé de construire un toit...

(Feu rouge)

— ... Et puis, il lui faut consolider cette maison pour qu'elle puisse servir à ses enfants et aux enfants de ses enfants C'est comme ça que l'amour fait d'un homme libre un esclave.

A la fin de l'année 1973, Brel se partage entre Maddly, Marianne

---

1 « Lettre à Monfreid », dans *Oviri, écrits d'un sauvage,* « Idées » Gallimard, 1974

et Miche. Aujourd'hui, Maddly dit volontiers que Marianne ne comptait plus.

En mai 1972, Jacques, malgré les conseils de Jojo et d'Alice Pasquier, a été l'acteur d'un vrai vaudeville : un constat d'adultère qui l'implique dans un divorce. Brel s'en tire le mieux possible, offrant à boire aux policiers.

En juin 1972, Jacques écrit à Marianne :

« Nous serons " deux ".

Déjà je te sens plus libre plus détendue et c'est formidable ainsi.

Tu sais, je crois qu'il ne faut jamais signaler le drame aux enfants.

Ils auraient ainsi trop tendance a le croire quotidien. Le Drame absent de leur enfance, ils croiront l' " inventer " plus tard et de ce fait le respecteront, car un drame, cela se respecte.

Merde, je suis bien grâve face à tant de bonheur ! »

Dans ses lettres à Marianne, Jacques se dessine en Chinois :

Il dit souvent, en privé : « Je suis Chinois. » Par là, il entend qu'il a un côté qui échappe aux Occidentaux. On ne sait jamais ce que les autres pensent. De toute manière, on ne donnera jamais aux autres qu'une image aimable de soi. Je ne souris pas, mais vous ne saurez pas vraiment ce que je pense [1].

Le divorce ne sera pas ébruité. Marianne est convaincu qu'aux yeux des juges français, la notoriété de Jacques Brel joue en sa défaveur. Jacques reste très attaché à Marianne. Il est à ses côtés pendant le procès. Vivant en France, elle ne se rend pas à Herstal, sur le tournage de *Far West*.

Maddly, elle, va à Herstal.

Liège est aussi proche de Bruxelles que Knokke. Pour la première fois, une fille de Brel, France, voit une compagne de Jacques. Les deux aînées, Chantal et France, savent enfin que

---

1. Brel fait allusion au Chinois inscrutable dans deux textes. *Le Dernier Repas* :

>   Je veux voir mes voisins
>   Et puis quelques Chinois
>   En guise de cousins.

Et dans *Les F...*, s'en prenant aux Flamingants :

>   ... Vous êtes tellement beaucoup trop lourds
>   Que quand les soirs d'orages des Chinois cultivés
>   Me demandent d'où je suis je réponds fatigué
>   Et des larmes aux dents « Ik ben van Luxembourg... »

Le Chinois incarne la pudeur et la finesse. Il est impoli d'être pesant, d'étaler ses états d'âme. Brel ne pousse pas plus loin sa tentation de l'Orient.

En bruxellois on dit volontiers « imbécile chinois ». Un *chinuuse stuut* : un truc compliqué.

HOTEL "LA TOUR D'AUVERGNE" ★ ★ ▲
LE GARS-GESTIN, Propriétaire
13, Rue des Reguaires, 13
QUIMPER
TÉL. (98) 95-08-70   Quimper, le

＊

Mais fin mars je serai plus libre avec ce putain de cinéma.

Communiqué par Marianne

Jacques, lorsqu'il n'est pas à Bruxelles, ne vit pas seul. Jusqu'alors, aucune de ces jeunes femmes — Chantal a vingt-deux ans, France vingt — n'a rencontré la « deuxième » ou la « troisième » femme de Brel. Arrivée à l'improviste, sur un lieu de tournage près de Bruxelles, France le trouve dans une cafétéria. La jeune Brel sent la connivence entre son père et cette étrangère, Maddly Bamy. Embarrassé, Jacques fait les présentations. France est agacée par l'air contrit de Jacques. Après tout, il n'y a pas de quoi en faire un fromage !

Jacques n'a jamais dit à ses filles que Miche n'est pas la seule femme dans sa vie. Il adore une formule qu'il lance souvent aux petites Brel :

— Les femmes, toutes des salopes ! Sauf ta mère. Elle, c'est une sainte.

Formule rhétorique et excessive. Jacques et Miche ont leurs accords. *Our way of life,* toujours. Miche est une sainte de la méthode, de l'organisation et de la tolérance réciproque.

Ayant expédié Jojo et Maddly à l'hôtel dans une voiture, seul avec France, Jacques développe des théories dithyrambiques comme pour s'excuser de la présence de Maddly. Très enveloppant, il prend sa fille par les épaules, son geste de tendresse :

— Tu sais, France, ta mère, c'est une femme très bien. Mais avec cette femme-ci, je fais l'amour comme un fou. C'est fabuleux.

France affirme que tout cela ne la dérange pas. Simplement, au premier abord, elle n'a pas aimé cette Maddly. Sa jupe était trop courte.

A Marianne, comme à tant d'autres, Jacques dit :

— France, au moins, elle a une lueur.

Jacques répète que ses filles l'ont déçu. Il ne se demande pas si lui ne les déçoit pas.

Pendant le montage du film, à la Société industrielle de sonorisation à Paris, devant Jacqueline Thiédot, Jacques passe de l'euphorie au découragement :

— J'ai fait quelque chose de bien... Peut-être que c'est de la merde...

Tout créateur, lorsqu'il taille dans l'œuvre à peine achevée, glisse de l'enthousiasme à la déception. Les problèmes d'un réalisateur sont multipliés par l'environnement. Synchronisées, les séquences défilent sur la table de montage. On les fait avancer, reculer. A côté de la monteuse, pendent les images et la piste brune du son. Faut-il ajouter ce plan, enlever celui-là ? Plus que tout art, le cinéma exige un esprit de synthèse. Jacques ne l'a pas sur une longue durée.

Jacques part avec Maddly aux Antilles.

Il revient, en proie aux doutes. Il n'y voit pas clair.

— Le tournage terminé, je ne voulais pas finir le film, dit-il à Jacqueline Thiédot.

Il paraît plus heureux lorsqu'il travaille la musique, dans une petite pièce à côté de la salle de montage. Il cherche des thèmes, grattouille sa guitare, reprend courage.

— Si *Far West* marche, on va continuer. J'ai des scénarios plein mes tiroirs. J'ai déjà déposé un dossier à la Commission d'avances sur recettes.

Lettre de Jacques à Marianne : « Le film va. Je t'expliquerai. » Le film ne va pas, mais Jacques ne peut expliquer pourquoi. Brel est surtout satisfait de certaines scènes tournées par Levent en Panavision et Eastmancolor. Ah ! cette chasse au bison, joué par un homme vêtu d'un masque surmontant une fourrure !

Le film représente la Belgique au Festival de Cannes, en mai 1973. Concurrence sérieuse, Marco Ferreri est là avec *La Grande Bouffe*. La veille de la projection, Jacques Brel est l'invité de Jacques Chancel à « Radioscopie ».

— Si vous aviez été beau ? suggère Chancel.

— Je crois que je n'aurais pas eu de carrière.

Les deux interlocuteurs parlent de la souffrance et de la pudeur. Chancel demande à Brel quelle est, selon lui, l'injustice la plus flagrante.

— Le comportement des adultes quand quelqu'un a dix ou quinze ans...

— Votre idéal ?

— Essayer.

— Le verdict vous fait peur ? demande Chancel.

— Oh *(pause presque imperceptible)* non ! dit Jacques.

Le festival parle de Ferreri. *Far West* est présenté le lendemain et déroule ses bobines dans un anonymat hostile. Venu de Knokke pour voir le film, amateur de westerns classiques encore plus que de westerns spaghettis, Franz Jacobs maugrée :

— *Far West*, c'est une connerie sur le western.

Le verdict, très mauvais, tombe à Cannes. Déçu, Jacques Brel ? Oui. De fait, il est accablé :

— Ils n'ont rien compris, répète-t-il.

Claude Lelouch et une de ses collaboratrices, Arlette Lindon, sont venus soutenir Jacques. *Far West* sera un désastre. Toujours malade, Jojo est aussi malheureux que Jacques. *Far West* ne peut marcher sans, encore moins contre, les critiques.

Sur le moment, les amis n'ont pas le courage de souligner les défauts de ce deuxième long métrage. Quel auteur ou réalisateur accepte immédiatement la critique ? Lorsqu'on connaît la vie de Jacques Brel, *Far West*, mal ficelé, paraît tendre, poétique, imaginatif. On y retrouve les obsessions et les dénonciations de Jacques, chanteur et homme : la bureaucratie, la royauté, le gouvernement, les hommes politiques, la police, l'armée, l'Église et même le monde médical. On ne peut exiger des spectateurs qu'ils connaissent la vie de Brel, qu'ils possèdent la grille biographique.

Jacques est aussi victime d'un phénomène courant : à la deuxième tentative, deuxième roman ou film, les critiques vous attendent. Un faux pas, et ils ne vous ratent pas.

Jacques téléphone à Maddly. Avec elle il séjourne trente-six heures, prostré, à l'hôtel Normandie. Dieu que c'est triste dans ces conditions, Deauville !

Maddly affirme que Lelouch a lâché Jacques, acceptant que ce dernier lui rende l'argent de sa participation au film. Lelouch possède encore ses droits sur le film et il les a même renouvelés, par contrat, avec Miche, en 1982. Les souvenirs de Maddly sont confus ou Jacques dramatise.

Far West, comme *Franz*, prouve que Jacques sait manier une caméra et diriger des acteurs. Mais Brel ne parvient pas à construire un récit. Un film, c'est d'abord une histoire. Brel aurait eu besoin d'un scénariste plus exigeant. Jacques pense qu'un film ressemble à une longue chanson.

Demeurent, dans *Far West*, les rites auxquels Jacques est attaché, scènes d'enterrement, de mariage, comme dans *Franz* ces rituels belges, concours de châteaux de sable, voyage en char à voile, combats de coqs.

Franz et *Far West* ont des thèmes communs, la nécessaire fraternité entre hommes, et, en contrepoint, l'ignominie des femmes. Dans *Far West*, il y a une morale noire : on ne réussit que ses rêves, on raconte ses échecs. Léon rate son amour, la bande de *Far West* sa recherche de l'éden. La bêtise est la sorcière du monde et l'argent détruit tout. Dans *Far West*, la bande d'illuminés se défait en trouvant de l'or, et l'enfance rose devient grise. Les deux films se terminent avec la mort. Léon se suicide, marchant vers le large, Jacques et Lina sont massacrés. Jacques constate que le Far West n'a jamais existé. Les personnages du deuxième film sont des adultes enfantins.

Un an avant le tournage de *Far West*, Jacques disait [1] :

— Je crois qu'en fait un homme passe sa vie à compenser son enfance. Je m'explique : je crois qu'un homme se termine vers seize, dix-sept ans. Il a eu tous ses rêves. Il ne les connaît pas. Mais ils sont

---

1. « Brel parle ».

passés en lui. Il sait s'il a envie de brillance, de sécurité ou d'aventure. Il ne le sait pas bien, mais il a ressenti le goût des choses, comme le goût du chocolat, de la soupe aux choux. Et il passe sa vie à vouloir réaliser ses rêves. Je crois qu'à dix-sept ans, un homme est mort. Ou il peut mourir. Je sais en tout cas que moi, j'essaie de réaliser des étonnements plutôt que des rêves, que j'ai eus jusqu'à, disons, vingt ans. Et à quarante ans, on s'en aperçoit. C'est un autre problème. A quarante ans, on le sait. Jusqu'à quarante ans, je ne le savais pas. Maintenant je sais que c'est comme ça. Peut-être qu'à soixante ans je vais découvrir autre chose.

Brel chante une enfance abstraite. Aime-t-il tellement les enfants ? Réplique coupée dans *Far West* quand le psychiatre examine Jacques :

— Les enfants nous emmerdent !

Jacques fait-il partie de ces hommes qui, dans la vie quotidienne, aiment leurs enfants, bien ou mal, mais ne les supportent pas ?

Peu étonnant donc que Jacques ait été d'assez mauvaise humeur en commençant pendant ce triste mai 1973 le tournage de *L'Emmerdeur* : il cuve l'échec de *Far West*.

Il aurait aimé non pas une autre carrière cinématographique, mais une autre vie par le cinéma. Il souhaitait réaliser un film dont le personnage principal aurait été un avion. Il en parle à Marianne. Il ne veut pas jouer Lindbergh ou un héros de Saint-Ex. Le film aurait présenté un *petit* personnage qui traversait l'Atlantique à l'époque héroïque sur un *petit* avion.

Claude Lelouch voulait offrir à Jacques le principal rôle masculin d'un film qu'il tournera avec Rufus, *Le Mariage* : un couple, le jour de son mariage, puis vingt et quarante ans après. Trois époques, trois temps que Jacques a symboliquement vécus. Le mari sera Rufus. Jacques a hésité devant la proposition de Lelouch :

— Claude, es-tu sûr de faire ce film en deux semaines ?

En 1974, Lelouch voulait aussi travailler avec Jacques comme coscénariste. Jacques peut comprendre le sujet de l'intérieur. Jacques se récuse :

— J'ai un problème en ce moment, Claude, mon bateau.

Jojo est malade, mais ne le dit pas à Lelouch.

Jacques a été voir *ailleurs,* des deux côtés de la caméra. Aujourd'hui, le public se souvient surtout de l'acteur employé, bien ou mal, par d'autres réalisateurs. Même les fans de Brel chanteur ignorent souvent qu'il a réalisé deux longs métrages. Et avec quel entêtement, quelle énergie, quelle endurance !

Jacques, qui a décroché du tour de chant en 1967, décroche d'une deuxième vie, dans le cinéma, en 1973. Six ans avant, quittant les planches du music-hall, il disait qu'il cherchait la tranquillité. Ces six dernières années ont été chargées. Jacques n'a pas trouvé la sérénité. On pense à un texte d'Henri Michaux, que Brel n'appréciait pas, *Vers la sérénité :*

« Celui qui n'accepte pas ce monde n'y bâtit pas de maison. S'il a froid, c'est sans avoir froid. Il a chaud sans chaleur. S'il abat des bouleaux, c'est comme s'il n'abattait rien ; mais les bouleaux sont là, par terre et il reçoit l'argent convenu, ou bien il ne reçoit que des coups. Il reçoit les coups comme un don sans signification, et il repart sans s'étonner[1]. »

Brel n'a pas reçu que des coups. Il vit encore sa célébrité de chanteur avec une juste fierté. Sa notoriété d'acteur ? Avec une vague gêne. Il s'étonne de ne pas être reconnu comme écrivain de film. Avec le bateau et l'avion, il s'engouffre dans deux autres vies. Il va apprendre à faire le point sur la mer et sur les océans, dans les cieux d'Europe et plus loin. Il peut aussi essayer de faire le point sur lui-même. Il cherche de plus en plus l'île :

... Espérante comme un désert
Qu'un nuage de pluie caresse
Viens
Viens mon amour
Là-bas ne seraient point ces fous
Qui nous cachent les longues plages
Viens mon amour
Fuyons l'orage
Voici venu le temps de vivre
Voici venu le temps d'aimer[2]...

---

1. *La Nuit remue,* Gallimard, 1935.
2. *Une île.*

XI.

Passions

> ... Je sais, je sais, sans savoir ton prénom
> Que je serai ta prochaine capture
> Je sais déjà que c'est par leur murmure
> Que les étangs mettent les fleuves en prison...
> Je sais, pourtant que ce prochain amour
> Ne vivra pas jusqu'au prochain été
> Je sais déjà que le temps des baisers
> Pour deux chemins ne dure qu'un carrefour[1]...

Jacques aime encore plusieurs femmes mais il a surtout l'impression d'avoir été exploité par les femmes.

En 1973, mentant à toutes et peut-être à lui-même, il se partage entre Marianne, Miche et Maddly. Il ment aussi bien que Victor Hugo, Sartre ou tant d'autres. Mensonges défendables ? Avouer, c'est se donner bonne conscience parce que, blessant l'autre, on dit la vérité. Jacques n'a pas développé une théorie de ses amours. Il ne dit pas qu'une de ses femmes est nécessaire et les autres contingentes. Toutes lui sont indispensables.

Dans son œuvre, il s'enferme dans un univers manichéen opposant femmes et hommes. Le cinéaste a surtout dépeint des salopes, comme Léonie ou Catherine, et, à côté d'elles, les gentilles comme Lina ne pèsent pas lourd.

Passant de la fleur bleue à la dénonciation, le chanteur parvient à

---

1. *Le Prochain Amour.*

la même conclusion bien avant le cinéaste : le bonheur du couple est impossible dans la durée. L'homme Brel se sent partagé entre son goût du bonheur et sa lucidité, face à l'inévitable défaite qui rime trop bien avec conquête. Monique Watrin écrit : « Brel, au fond, ne pardonnera jamais à la femme de ne pas lui avoir ouvert les portes du paradis[1]. » Et de ne pas lui avoir fait découvrir le Far West. Vers 1967, le chanteur décide que l'amour est une supercherie, un mythe, surtout l'amour conjugal. Brel cherche la formule chimique de l'amour parfait : compréhension intellectuelle et affective, appui dans la vie quotidienne et professionnelle, sensualité, épanouissement total. Cette formule n'existe pas, donc il parlera plus de tendresse et « elle ira... à des personnages comme les vieux, les bergers, à des amis comme Jef, Fernand ou Jojo, à des sites comme le plat pays ou les Marquises, tandis que son agressivité envers le monde féminin ne cessera de croître[2] ».

> ... Non Jef t'es pas tout seul
> Mais tu fais honte à voir
> Les gens se paient notre tête
> Foutons le camp de ce trottoir
> Allez viens Jef viens viens[3]...

La conception brélienne de l'amour devient de plus en plus tragique, et sardonique. La femme est figée en putain, en être angélique, en femme soumise. La plupart des héroïnes de Brel sont des ennemies qui dévirilisent l'homme. On a donc beaucoup dit que l'homme Brel, comme le chanteur, le créateur, était misogyne.

Interviewé, sommé de s'expliquer, Brel ne dissipe pas cette appréciation globale. Se serait-il coincé dans un rôle de misogyne tournant au misanthrope ? Partout, Brel en rajoute, qu'il s'adresse à la grande presse féminine ou au public des émissions de radio, qu'il s'ouvre à Marcelle Auclair pour Radio Luxembourg et *Marie-Claire*, ou à Dominique Arban, spécialiste de Dostoïevski, pour France Inter.

A la première, sur un ton provocateur, se livrant quand même, il déclare :

— La patience, la tendresse sont les ennemies du grand amour... Le grand amour est un ennemi social. Ceux qui en sont la proie sont détruits. Sans remède.

---

1. Monique Watrin, *Dieu et le sens de la vie dans la chanson contemporaine*, Metz, 1978, et *La Quête du bonheur chez Jacques Brel*, Strasbourg, 1982.
2. *Ibid.*
3. *Jef.*

Songe-t-il à Sophie et à ce « deuxième » long mariage de dix ans ?

Brel généralise vite :

— ... Que de fois j'ai entendu dire cela : « J'ai plus besoin de toi que tu n'as besoin de moi... Je t'aime plus que tu m'aimes... » Les femmes ont toutes [1] cette tendance, on dirait que cela leur fait du bien de le dire et de le penser, à tel point qu'on n'ose guère leur soutenir le contraire..., comme si la souffrance d'aimer plus qu'elles ne sont aimées était nécessaire à leur équilibre...

Ses femmes ont plus besoin de Jacques que lui d'elles. Brel poursuit :

— Cet abandon total, pour moi, c'est une fausse vertu. Je risque de vous choquer, mais je ne puis souffrir cette soumission des femmes qui se drapent dans leur grandeur : Je lui ai tout donné... Je lui suis entièrement soumise... En fait, c'est de la paresse.

Jacques aime la soumission. Pour Miche, c'est évident. Sophie se plaint, Miche est plus diplomate, les deux sont obéissantes.

Dans son rôle ou sa pose, aussi sincère que cabotin, Brel déclare :

— Je n'aime pas beaucoup les femmes, parce qu'elles sont un peu l'ennemi — ceux qui les adorent ne s'en rendent pas compte, qu'elles sont l'ennemi. Je ne suis pas misogyne, mais je me méfie d'elles profondément, je m'en méfie parce que j'ai horreur de souffrir, d'avoir mal aux dents, et puis ça ne sert à rien... D'après l'expérience que j'ai des femmes, je pense que les hommes devraient avancer au milieu d'elles comme des chats... Bien voir où ils posent leurs pattes... L'homme, lui, est plein d'illusions au démarrage. Ah ! en réalité, l'homme est fou. Et puis, pour nous, la femme, c'est le mystère... Moi, je l'avoue : une femme, pour moi, c'est aussi compliqué que le mystère de la Trinité... Sur le moment, je n'y comprends rien. Un an après, je cherche à comprendre, mais j'y parviens rarement. Je comprends deux ou trois petites choses... Au mieux, je vois si l'on a essayé de me faire du mal ou pas... Ça doit être un réflexe d'homme, de mâle, la peur qu'une femme cherche à vous faire du mal. L'homme est très sensible...

Marcelle Auclair lui demande s'il croit vraiment que certaines femmes font souffrir volontairement. Brel recule un peu :

— ... L'homme est porté à le croire. Il ne comprend pas le processus mental de la dame, et il a mal. Ce que fait la dame, ce qu'elle dit, tout cela le blesse, il ne lui vient pas à l'idée que c'est maladresse ou accident. Il sait, lui, que lorsqu'il fait mal à une femme, il le fait exprès... Car l'homme fait mal exprès, ça, j'en suis sûr !

> ... A cheval sur un chagrin d'amour
> Et pour mieux fêter son retour
> Toute la sainte famille sera là
> Et elle me rechantera les chansons
> Les chansons que j'aimais tellement
> On a tellement besoin de chansons
> Quand il paraît qu'on a vingt ans[1]...

Jacques Brel prétend que tous les hommes sont convaincus qu'un jour leur mère a vécu un grand amour. L'idée séduit Marcelle Auclair. Brel n'est pas homme à laisser filer une idée qui plaît. Gravement, il poursuit :

— ... J'observe cela depuis longtemps et je me plais moi-même à cultiver ce mythe... J'ai perdu ma mère il n'y a pas si longtemps, et je me suis surpris un jour à dire d'elle : « Cette femme, ma mère, elle a mené une vie abominablement terne, mais elle a dû avoir un grand amour... » Et je sens que j'invente doucement une légende au sujet de ma mère, je n'y échapperai pas...

Brel n'est pas un grand lecteur de Freud, mais il sent que les rapports de fils à mère ne sont pas simples. A Dominique Arban il déclare, impavide :

— Les femmes ont peur, ce n'est pas de leur faute. Entendons-nous. Je constate que les femmes ont peur, je le crois, j'en suis même convaincu. Voyant la tour de Pise pour la première fois, un homme se dit que c'est beau, et une femme se dit, tiens, elle va tomber.

Et si Jacques avait peur ? S'il projetait sa peur ? Dominique Arban veut le faire échapper à ses généralités. A-t-il jamais vu un homme qui se dise : la tour de Pise va tomber ? Jacques pirouette :

— Si, mais entendons-nous, il y a beaucoup plus de femmes qu'on ne le croit.

Ce n'est pas une réponse à la question posée. Brel se cabre :

— Absolument ! Parce que vous dites que les femmes sont dominées par le rêve, enfin possèdent plus de rêve que l'homme. Je vous dis : non, un rêve qui est fondé sur la peur n'est plus un rêve, c'est un cauchemar... Parce que les femmes ont peur.

Si Jacques Brel avait eu peur des femmes au-delà de la timidité ? Ses proches, ses amis, ses camarades ne le voient pas tous de la même manière.

Jacqueline Thiédot, son amie monteuse :

— Généralement, il disait des choses abominables sur toutes les dames qu'il connaissait.

---

1. *Quand maman reviendra.*

Jacques Martin, comédien, qui a vu Brel « monter » :

— La misogynie, ça s'explique : c'est un règlement de comptes entre la mère et le fils.

Danièle Heymann, journaliste, qui suit Brel depuis longtemps :

— Il avait peur de ne pas être aimé. Il était désagréable — comme lorsque tu as peur de recevoir une baffe. Quand tu es petit, tu mords tout de suite.

Juliette Gréco, chanteuse, « un mec » pour Brel :

— Il aimait les femmes d'une manière désespérée, follement. Mais Jacques était un homme à hommes.

Gérard Jouannest, pianiste, collaborateur de Brel pendant plus de vingt ans :

— Il aimait bien les femmes, contrairement à ce qu'on croit. Mais il en avait peur, il avait peur d'être pris.

Claude Lelouch, réalisateur, qui saisit l'homme sous l'acteur :

— Il avait peur des femmes. C'était flagrant. Jacques avait peur de passer des examens de passage. Il m'a dit que rien ne le terrorisait plus qu'une femme. Mais il avait peur aussi de monter sur scène.

Jacques, en tout cas, a connu des femmes très différentes. Il n'était pas comme ces hommes qui, sans le savoir, cherchent et retrouvent toujours la même.

Arthur Gelin, chirurgien, auquel Jacques se livre :

— C'est un problème dont nous avons beaucoup discuté [les femmes], il ne les prenait pas très au sérieux. Mais il les aimait beaucoup. Il se révoltait face aux innombrables aliénations des hommes vis-à-vis de leurs bonnes femmes. Il n'acceptait pas de voir des types minimisés par leur femme. Il n'admettait pas de voir des femmes se permettant, en public, de dire du mal de leur mari ou de leur amant. Il aimait l'homme dans sa dignité. Il ne pouvait supporter l'idée qu'un homme accepte qu'une bonne femme se livre à des agressions à son égard. Le thème qu'il développait constamment : il faut jeter ce qui vous fait chagrin, il ne faut plus voir, ça ne sert à rien, la vie est trop courte... Il était convaincu... que les mécanismes mentaux, affectifs, de l'homme et de la femme ne sont pas les mêmes. Et que nos inhibitions et nos pudeurs à nous, hommes, contrastent avec l'impudeur des femmes.

> On a beau faire, on a beau dire,
> Qu'un homme averti en vaut deux
> On a beau faire, on a beau dire,
> Ça fait du bien d'être amoureux[1]...

---

1. *Le Prochain Amour.*

Marianne, une de ses compagnes :

— Je pense qu'il avait effectivement une certaine timidité vis-à-vis des femmes. Il n'était pas du tout misogyne. Il avait une certaine appréhension à aborder les femmes.

Jacques avoue qu'avant de faire sa déclaration sans ambiguïté à Marianne, il a bu une rasade de whisky — comme un collégien. L'homme Brel n'a jamais été aussi misogyne que le chanteur ou le cinéaste.

Personne n'a jamais avancé que Jacques Brel, jeune ou sur le tard, comme quelques acteurs, écrivains ou journalistes célèbres, a goûté à l'homosexualité. A partir de ses tirades souvent vulgaires contre les homosexuels, masculins surtout, il serait trop facile de conclure que ses injures sont suspectes. Ou de suggérer que son culte de l'amitié masquait une homosexualité latente.

En pratique, Jacques est d'une extrême courtoisie, chevaleresque même. Il y a presque toujours un deuxième et un troisième degrés chez Brel, qu'il ne faut jamais oublier quand il parle de lui-même et des autres, surtout des femmes. A Alice Pasquier, chargée avec Jojo d'aller chercher quelques vêtements dans l'appartement de la rue Darreau où Jacques a laissé — ou abandonné — Sophie, Brel, sarcastique, dit :

— C'est moi qui ai payé le plus de chambres à coucher.

Il critique volontiers la femme et même ses femmes, dit du mal de l'une à l'autre, comme Sartre, mais Brel a ses limites : il n'accepte pas que d'autres les critiquent. Il n'aime pas la manière acerbe qu'a Jojo de le mettre en garde contre Maddly. Jacques se donne le droit de se plaindre de Miche. Qu'un quidam se permette une remarque à son endroit, aussitôt, Brel le rabroue. Jacques invite Miche qui revient des Bahamas dans un restaurant de Bruxelles. Un scandale immobilier a éclaté aux Bahamas. Un inconnu reconnaît Jacques et, persuadé que Mme Brel a fait un placement là-bas, s'adresse à elle :

— Ah ! Vous aussi, vous êtes dans cette histoire des Bahamas ! C'est honteux ! Une escroquerie !

Miche répond :

— Pas du tout. J'étais là-bas pour mon plaisir, en voyage d'agrément.

Jacques, son œil des mauvais jours, lève le nez de son assiette :

— Je suis le mari de madame. Vous me reconnaissez ?

— Oui. Bonjour, monsieur Brel.

— Et que lui voulez-vous à ma femme ?

— Rien. C'était pour nous défendre. Nous sommes tombés sur un escroc.

Jacques hausse le ton :

— Monsieur, vous êtes trop jobard aussi ! Alors moi, je vais vous raconter que mes couilles sont un melon, et je vais vous en servir une tranche ! Et vous allez trouver ça très bon ?

L'interlocuteur ne réagit pas. Jacques, goguenard :

— D'ailleurs cet argent, puisque vous l'avez placé, vous n'en avez pas besoin, monsieur. Alors vous pouvez bien le perdre, il ne vous sert à rien.

Le bonhomme part en saluant aimablement. Assez content de sa performance, Jacques :

— On peut tout leur dire ! Tout. On ne va jamais assez loin. Demain, ce type va voir ses copains : « Ah ! J'ai passé la soirée avec Brel, à la Taverne du Passage. Il a été charmant. »

Brel peut se montrer d'une extrême délicatesse avec les femmes, ces chiennes, ces biches. Après le désastre de *Far West* — vingt mille entrées — sachant qu'Arlette Lindon et Jacqueline Thiédot rêvent de voyager, Jacques leur offre non pas un projet de voyage, mais les billets. Il l'aurait fait aussi pour un homme ? Il a payé plusieurs croisières aux Canaries à son ami Céel. Sans doute, mais, au jour le jour, Brel n'est en rien misogyne. Reste qu'il accepte plus facilement un monde d'hommes.

Il tient des propos antiféministes plus fondés sur ses convictions que sur ses expériences. Grâce à Jojo, il constate que l'amitié survit plus longtemps que l'amour. Brel se complaît à jouer au misogyne. Il rabâche : devant les femmes, je suis un lâche ; sans aller jusqu'à dire : je suis un salaud. Il est plus facile d'ânonner « toutes des salopes » que de voir la fêlure en soi. Pourtant Brel la percevait souvent.

Brel veut que l'amour soit une passion permanente. A Marianne — aveu de la sensualité découverte ? — il a écrit : « Avec toi, c'est la première fois que j'aime en liberté. »

Jacques est un polygame qui s'accepte mal, même s'il échappe à l'idée de l'amour-piège :

> ... Tu m'as gardé de piège en piège
> Je t'ai perdue de temps en temps [1]...

Gaiement un jour, il lâche à Jacqueline Thiédot :

— Moi, j'aimerais avoir quarante femmes, beaucoup d'argent, et leur offrir tout ce qu'elles voudraient au monde.

Sa fille France, toujours fascinée par son père, parle maintenant. Devant Arthur Gelin, Jacques et France ont cet échange à Bruxelles :

---

1. *La Chanson des vieux amants.*

— Et toi, France, demande Arthur, quelle est la chanson de ton père que tu préfères ?

— *Heureux.*

> Heureux qui chante pour l'enfant
> Et qui sans jamais rien lui dire
> Le guide au chemin triomphant [1]...

Arthur :

— Dans le fond, tu aimes bien ton père, France.

Elle ose répondre :

— Je sais que je suis amoureuse de Jacques. D'ailleurs, papa le sait très bien, n'est-ce pas ?

La fille se retourne vers son père qui sourit :

— Oui, bien sûr, que je le sais.

Jacques se rapproche de France et de Chantal, plus indépendante. De passage à Paris, France voit Jacques. Ils passent une soirée ensemble. Dans la Jaguar de Brel, ils vont dans une boîte de nuit à Versailles. Au fond du brouillard jaune sur l'autoroute, Jacques s'énerve.

Enfin sortie des silences dans lesquels elle se murait, provocatrice, comme son père, France demande à Jacques :

— Quelle est la sensation que tu préfères sur terre ?

— C'est d'avoir une femme au-dessous de moi qui a un mouvement des yeux très particulier juste avant qu'elle ne jouisse.

— Avant de mourir, quel sera le prénom de femme qui te viendra à l'esprit ?

— Je ne crois pas qu'il y aura un prénom de femme. Je crois qu'il y aura simplement le mot « femmes » au pluriel.

Autrefois, quelques années avant, il chantait :

> ... Dans ma pipe je brûlerai
> Mes souvenirs d'enfance
> Mes rêves inachevés
> Mes rêves d'espérance
> Et je ne garderai
> Pour habiller mon âme
> Que l'idée d'un rosier
> Et qu'un prénom de femme [2]...

Avec ses filles aînées, Jacques peut passer de la distance glaçante à l'intimité délicieuse — pour lui.

---

1. *Heureux.*
2. *Le Dernier Repas.*

L'avion entre par hasard dans la vie de Brel le 30 août 1964.

Jacques donne un gala à Biarritz. Le lendemain, il doit chanter à Charleville après la course cycliste Paris-Luxembourg organisée par RTL. C'est loin, prenons un avion. Charley Marouani loue deux petits quadriplaces pour Jacques et ses musiciens.

En fin de matinée, sur le terrain de Parme, à Biarritz, les deux avions attendent l'équipe Brel. L'un a pour commandant de bord Paul Lepanse, jovial, bon vivant. Après douze années dans l'Aéronavale, Lepanse est pilote d'essai chez Bréguet et à Sud-Aviation. Dans le Gardan, un avion à hélices, s'embarquent Jacques Brel, Gérard Jouannest et Jean Corti. Jojo rejoindra Luxembourg par la route avec le matériel. Lepanse décolle vers 13 heures, le temps est maussade. L'avion vole à deux cent cinquante kilomètres à l'heure. Il atterrit vers 17 heures à Charleville. Brel chante sur un podium où il retrouve Jacques Martin.

Le Gardan passe à travers puis au-dessus des nuages. Jacques est assis à droite de Lepanse, sur le siège du copilote. Jouannest est malade en avion.

On vole à deux mille mètres d'altitude. Lepanse sent l'enthousiasme de Jacques. Les mains de Brel sont impatientes. Le pilote explique au chanteur le b.a.ba du pilotage : tenir la ligne de vol quand l'avion se stabilise sur sa trajectoire. Là-haut, il y a une autre dimension. Elle oblige à monter, à descendre. Il faut éviter l'ondulation, comprendre quel est le point milieu, le point neutre autour duquel l'avion est, justement, stabilisé. Image rêvée pour l'équilibre brélien : dans la vie, Jacques Brel a besoin de se sentir en déséquilibre pour chercher et trouver un équilibre, afin de se voir en mouvement et vivant. L'avion offre un risque permanent. Cloué au sol, un avion ne sert à rien. Cloué au sol, un Brel ne vit pas.

Lepanse déplie sa carte, donne des explications, indique comment on repère les balises, comment on est limité par le carburant et le temps. Pas question de faire l'école buissonnière ou d'aller flâner autour d'une cathédrale, à Reims ou ailleurs. Ce mélange de rigueur et de liberté excite Brel.

Jacques se régale :

— C'est chouette... C'est rigolo.

Paul Lepanse lui passe les commandes. Ils étaient partis dans les nuages. Le retour profite d'un beau temps. Escale à Blois. Ils contemplent quelques châteaux de la Loire. Lepanse se livre à des acrobaties, saluant sa femme au-dessus d'un village près de Nantes. L'avion atterrit à Bayonne. Impulsif organisé, Jacques prend sa décision. Il va apprendre à piloter.

Il déclare :

— Je n'aurais jamais été chanteur si j'avais pu être Blériot.

D'abord, l'avion fait gagner du temps au chanteur. Ses moyens lui permettraient de louer un avion. Non. Brel veut piloter, et piloter *son* avion. Dans ses folies raisonnables, on décèle toujours une méthode. Lepanse fait les relations publiques de sa société, il est un peu marchand de voitures. Vendre un avion à Brel ! Lepanse entraînera Brel en utilisant la méthode française de pilotage. Les tournées ont des trous, les leçons de pilotage seront irrégulières, mais la concentration de l'élève Brel est permanente. Il téléphone :

— T'es libre, Paul ? On se retrouve pour déjeuner à Toussus-le-Noble. On fait un petit tour ? A 15 heures, il faut que je sois rue Cognacq-Jay pour une émission de télé.

Brel ne peut suivre les cours théoriques en classe. Donc Lepanse les lui donne à terre, lui faisant lire des manuels en vol. Jacques apprend vite la mise en route. Comment il faut tourner autour de l'avion, vérifier la check-list, extérieure et intérieure, le décollage, les consignes pour chaque terrain. Comment on décolle plein moteur, comment on réduit la vitesse à deux ou trois cents mètres d'altitude, pour dessiner autour du terrain un carré ou un rectangle. Comment on revient dans l'axe du terrain. Le tour de piste est à l'avion ce que le manège est au cheval. Par plaisir ou pour économiser du temps, dans les années soixante, beaucoup de gens aisés se mettent au pilotage. Avant la Seconde Guerre mondiale, la France a connu l'aviation populaire. Il faudra longtemps avant que certaines classes sociales puissent faire de l'avion aussi facilement que du voilier.

Jacques n'a jamais été bon en mathématiques. Mais dans l'aviation il s'agit plus de géométrie, de trigonométrie et de mécanique que d'algèbre. Avion métallique, avion en bois, tant de charge utile. J'ai trois copains qui pèsent pas lourd et je monte dans l'avion... La météo. Ce plan horizontal. Mon angle de montée. Mon plan de vol. La composition des mouvements. Ici je ne travaille plus dans le sens de la hauteur, mais dans la translation. Quand une commande prend de l'importance, l'autre en perd...

Ce n'est pas l'affection ou l'admiration qui l'emporte, quand Paul Lepanse trouve Jacques surdoué pour le pilotage. Lepanse a entraîné plus de cinq cents candidats. A Brel, on n'a pas besoin de répéter deux fois la même consigne. Un moniteur souhaite que les éléments enseignés la veille soient connus et exécutés le lendemain. Avec Jacques, c'est presque toujours le cas. En retard d'un geste, il se corrige vite :

— J'ai oublié de...

Jojo apprécie l'avion, il n'aimera pas le bateau. Quand il le peut, Jojo vole avec Jacques et Paul, et passe, lui aussi, un brevet.

En moyenne, on lâche un débutant après treize ou quatorze heures de vol. Après sept heures, Lepanse dit à Jojo :

— Je ne le dirai pas à Jacques, mais il est prêt à être lâché, ce con.

Pour son premier degré, on laisse Brel voler seul au bout de dix heures.

Jacques achète le premier modèle de Gardan, autour de cinq millions d'anciens francs. Une voiture moyenne à cette époque coûte dans les six cent mille francs. Ce premier avion est assez bien pourvu en équipements. Il possède une radio, mais n'a pas été prévu pour l'installation de certains instruments d'avions de ligne, radio-compas ou dispositifs de navigation électriques. Le Gardan de Jacques a un compas à lecture directe. Son Gardan Horizon, blanc cassé s'appelle le *FBLPG*, le *(France) Bravo Lima Papa Golf*.

Jacques adore l'atmosphère de camaraderie sur les terrains, à Toussus-le-Noble ou au centre d'essais de Brétigny, les conversations au bar, les discussions entre pilotes. Saint-Exupéry remonte en Brel. Il aime les hangars, les avions, comme un enfant admire des vitrines de jouets. Il ne pratique pas le manège, le « tour de piste à la ficelle » comme la plupart des élèves. Conditions idéales, il apprend à piloter en travaillant.

Il a commencé ses cours de pilotage en août 1964. Dès le mois d'octobre, il voyage. Le 17, il est à Château-Thierry, le 20 à Strasbourg, le 21 à Colmar. Le 24, il se laisse filmer par la télévision devant un avion...

Dans sa passion pour l'aviation, au-delà de la maîtrise d'une technique, se retrouve son goût de la peur dominée. Après son premier brevet, les vols en double commande, il passe son deuxième degré, qui lui donne une licence de pilote privé. Le brevet, c'est ce qu'on présente avec les papiers de l'avion à Bruxelles, Stuttgart ou ailleurs. On est habilité à transporter le nombre de passagers autorisé par un certain type d'avion.

Brel conserve son *Papa Golf* trois ans, jusqu'en avril 1967. Il veut aller plus loin, jusqu'au vol aux instruments, l'IFR [1].

Va-t-il goûter au planeur ? Brel est tenté mais y renonce :

— Si je commence, je n'arrêterai plus jamais. Le planeur, c'est une drogue. Je monte dedans et je ne descends plus.

Brel choisit ses passions.

Il atterrit près de Hyères, sur le terrain militaire de Cuers

---

1 *Instrument Flight Rules.*

Dans ce petit aéroclub, Miche fait quelques heures d'avion. Les Brel ont alors un appartement au Lavandou — pas à Saint-Tropez ou Ramatuelle.

A bord de son avion — il en sera de même lorsqu'il aura acheté son bateau —, Brel veut que les autres, sa femme, ses compagnes, ses filles soient disciplinées, suivent les différentes phases du vol. Il a une façon impérieuse de montrer l'altimètre, l'anémomètre ou le compas :

— Ça sert à quoi, ça ?

Il aime que son passager ou sa passagère sache au moins tenir l'avion en l'air. Il fait semblant de s'offrir une petite sieste :

— Tu tiens l'avion pendant que je dors. Quand il y a un nuage, tu passes au-dessous ou au-dessus... Il y a une aiguille, là... Tu vas par là, avec cette boule-là.

Mais Brel ne dort que d'un œil. Petit avion, le Gardan est assez facile à tenir si ça ne chahute pas autour de l'appareil. Mais le pilotage est fatigant. On doit faire des calculs tout le temps, écrire, contacter les tours de contrôle. Les filles de Brel, comme Sophie, aiment moins ce sport que Marianne ou, plus tard, Maddly qui fera cinq heures un quart d'entraînement avec le pilote Michel Perregaux sur un Twin Bonanza à Genève.

Jacques a une plus grande marge de sécurité, avec ce deuxième avion, car il permet des changements d'altitude, d'éviter les zones givrantes. Si la voilure se couvre de glace, on n'a plus un avion mais une machine à coudre entre les mains.

Il connaît la plupart des terrains de France. Pour s'entraîner il va plus souvent à Nîmes, Marignane ou Montpellier qu'à Nice dont le ciel est trop peuplé. Les petits avions y gênent le trafic.

Troisième avion en novembre 1969. Jacques achète un Wasmer, joli quadriplace sur lequel Irissa Pélissier a traversé l'Atlantique. Lepanse est perplexe. Avec le Wasmer, Jacques passe de ses avions métalliques à un avion en bois et toile. Le Wasmer vole à trois cents kilomètres à l'heure.

Lepanse imaginait que Brel achèterait un avion américain, comme le Bonanza, ou plus rapide, mais toujours métallique, ou carrément un bimoteur. Pourquoi diable Brel veut-il un Wasmer 421 ? A Issoire, le Wasmer est fabriqué d'une manière artisanale par une cinquantaine d'ouvriers.

— Ça m'attendrit, cette usine, dit Brel. C'est touchant de les voir bosser. Il faut que je leur fasse plaisir, que je les encourage, ces gars. Ils tripotent leurs petits bouts de bois pour faire un avion. Je trouve ça merveilleux.

Jacques aime se sentir émerveillé Il fréquentera assidûment des restaurants qui marchent mal, pour aider les patrons. Gastronome, Brel prend aussi son avion pour se rendre chez Brazier à Lyon ou chez Troisgros à Roanne.

Jacques n'est pas qualifié pour le vol en montagne. Avec Lepanse, il peut arriver par le travers du massif du Mont-Blanc et s'amuser à identifier les aiguilles, les villages. Tiens, le Vercors ! Tiens, Saint-Pierre-de-Chartreuse !

Il connaît les trois terrains de Corse et presque tous les aéroports bretons. Très amusant de piloter au-dessus de Belle-Ile.

Jacques ayant obtenu un gros cachet en Suisse, à Gstaadt, annonce triomphalement à Paul :

— On va pouvoir se payer une grande balade.

Son premier long voyage dans un petit avion, Brel le fait avec Lepanse et André Dorfanis, ancien officier mécanicien navigant d'Indochine. Les trois compères déposent leur plan de vol à Nice qu'ils quittent le 10 juin 1966.

Nice-Bastia-Naples. Naples-Brindisi-Athènes — où ils passent deux jours. Le 14, ils gagnent Rhodes. Comme toujours avec Jacques, tour rapide des sites. Le 16, Rhodes-Nicosi-la Crète, qui mériterait pourtant quelques jours de visite. Puis Beyrouth : quatre jours dans la capitale libanaise, alors sans doute la ville la plus civilisée et la plus détendue du Moyen-Orient. Pendant ce voyage, Jacques trouve des rimes et le refrain d'une chanson. Il fredonne :

— ... pièges, sortilèges, cortège...

... Oh, mon amour...
Mon doux mon tendre mon merveilleux amour
De l'aube claire jusqu'à la fin du jour
Je t'aime encore tu sais je t'aime [1]...

On dirait de l'Aragon, presque chanté par Jean Ferrat. L'interprète fait passer le parolier et jour-amour...

A Beyrouth, Brel fréquente des gens du spectacle, des filles qui furent animatrices au Cabaret du Byblos à Saint-Tropez, le directeur du casino, pas des militants politiques. Brel aimerait se rendre en Israël. On ne passe pas facilement d'un pays arabe chez les Israeliens. Obtenons une dispense ! Faire ce que les autres ne sont pas autorisés à réaliser, voilà qui plairait à Brel. Paul se charge des démarches. Refus. Ils se dirigent vers la côte turque, survolent le plateau d'Anatolie. 24 juin, Ankara-Istanbul. Le 26, Istanbul-Salonique. Le 27, Salonique-Corfou. Puis Corfou-Naples, Naples-Bastia, Bastia-Calvi, Calvi-Cannes. Décidément, Jacques n'a pas un

---

1. *La Chanson des vieux amants.*

Baedeker dans la tête. Les mosquées et les musées, les églises et les cathédrales, bof! En revanche, les modes de vie des Italiens, des Grecs ou des Turcs attirent Brel.

Lepanse vit dans le Midi. L'avion de Jacques est basé à Cannes-Mandelieu, Lepanse assure son entretien. Parfois, Jacques prête son avion à Lepanse pour qu'il accompagne Jacques Martin ou Johnny Halliday.

Le Wasmer, trente litres à l'heure, a un bon rayon d'action qui permet de rester assez longtemps en l'air. Mais il faut aller toujours plus loin. Jacques achète donc un autre appareil, un Baron Beechcraft B 55, deux moteurs de 260 CV, presque un petit avion de ligne. Encore plus loin, toujours plus haut, loin de la Belgique, de la France, loin des journalistes, notre Jonathan Livingstone.

Jacques, professionnel, veut être plus « pro » que la plupart des professionnels, dans l'aviation comme dans la chanson.

A l'automne de 1969, Brel prend des renseignements à l'école Les Ailes à Genève. Les bâtiments de cet institut privé, un des rares du genre survivant en Europe, se dressent près de l'aéroport international de Cointrin. Le directeur Ernest Saxer, Suisse allemand, reconnaît à peine ce client. Le programme des Ailes est flexible, à la carte. La formation IFR dure dix semaines.

Brel arrive en retard. On l'affecte au groupe Liardon.

Jean Liardon, Vaudois, d'aspect calme et méthodique, né en 1941, est architecte de formation. Son père est inspecteur de l'office fédéral de l'air suisse. Tradition oblige, après son service militaire comme sous-officier dans l'armée de l'air, Jean Liardon en finit avec le béton et devient instructeur de l'aviation civile.

Liardon donne quelques leçons en privé à Brel, d'abord avec un net scepticisme. Un homme d'affaires qui suit des cours, s'il abandonne à la quatrième séance, on suppose qu'en tout cas il louera un avion avec pilote. Une vedette, c'est moins sûr. Ces gens-là n'ont pas le temps, ils arrivent et repartent. Liardon garde ses distances avec ses élèves. Jacques rattrape son retard, se présente à l'examen théorique en mars 1970, est reçu. Avec deux Français, un Grec et deux Suisses, Brel se trouve dans une classe moyenne. Comme les autres candidats, il a de nombreuses heures de vol derrière lui. Pas question de chahuter ici comme à l'Institut Saint-Louis ou en tournée. Brel est très bon en navigation mais reste « artiste ». Il faut lui faire remarquer qu'il n'a pas compris ce message radio d'un contrôleur au sol. Il croit, lui, Brel, que le contrôleur a bafouillé. Habitué à donner des ordres, Brel veut se discipliner et obéir. C'est dur. Il acquiert plus difficilement les connaissances techniques. Que c'est compliqué un réacteur, et le vol IFR ! L'approche d'un terrain aux instruments est plus technique que le vol à vue.

Après ses cours théoriques, Jacques passe entre dix-sept et dix-neuf heures au simulateur. Ensuite, il va prendre un pot au bar du restaurant, *Le 33,* face à l'école des Ailes :

— Je vais boire un verre avec mes ivrognes !

> ... L'amour leur déchire le foie
> C'était, c'était, c'était si bien
> C'était... vous ne comprendriez pas...
> Les paumés du petit matin [1]...

Des paumés de l'après-midi, des vieux, quelques clochards fréquentent *Le 33.*

Il aide ceux qui, passionnés aussi, veulent vraiment faire et « voir ailleurs ». Un pompier français suit les cours. Il n'a pas les moyens financiers qui lui permettraient de terminer sa scolarité d'aviateur

— La facture est pour moi, dit Brel.

Un autre élève traîne, se décourage. Brel le prend en charge aussi, dans un style différent :

— On va à Bruxelles, toi et moi.

Là, ils parlent, guindaillent, vont au bordel. Liardon jure qu'à son retour le protégé de Jacques Brel paraît transformé. Comme le pompier, il obtiendra sa licence. Tu seras un homme, mon fils, mon frère, mon copain... Encore que ce ne soit pas tout à fait la morale appliquée de Kipling. Selon Jacques, comme lui, d'autres peuvent s'ils veulent. L'aviation, c'est comme la chanson : du travail, de l'endurance — et la chance de rencontrer Brel, compagnon d'armes, camarade jusqu'au but fixé et atteint.

Troisième partie du cours : vols IFR sur bimoteur Beechcraft B55. Jacques se lance. Le 17 avril, sur son carnet, face à *Brel,* Liardon écrit : « Check ! » Jacques est qualifié IFR. A Knokke, plus tard, il plaisante en se vantant au bar de Franz Jacobs et gagne quelques paris :

— Je peux piloter un Boeing ou un DC10, moi !

Vrai et faux. La licence IFR qualifie pour le vol aux instruments et donne la possibilité d'être pilote professionnel. Le titulaire peut obtenir une place de copilote dans une petite compagnie ou une grande s'il est jeune. Il peut voler par tous les temps et de nuit. La licence IFR est une sorte de baccalauréat général. Avec cette licence,

---

1. *Les Paumés du petit matin.*

on a le droit de voler sur monomoteur et multimoteur, l'autorisation de piloter n'importe quel type d'avion pour lequel on a une qualification. Alors, pour décrocher la « qualif » 747 ou DC10, on doit suivre un cours technique avec un entraînement sur ce type d'appareil.

Jacques Brel obtient sa « qualif » de copilote de Lear Jet. Puis il se balade avec Liardon, souvent vers la ville où vit Marianne — le carnet de bord de Liardon en témoigne. Jacques est du niveau d'un pilote professionnel. Il ralentit en vol pour dire à Liardon :

— Que c'est beau, regarde comme c'est beau !

Il adore faire des projets, des plans de vol. Il propose un « coup », aime-t-il dire, une tournée en avion : l'Espagne, l'Algérie, la Tunisie, la Corse. Ses filles refusent. Amer, Jacques dit à Liardon :

— J'en ai marre de la famille et de me faire traiter de capitaliste !

Pourtant, tout était prêt. Jacques adore organiser, mener, pousser. On lui résiste ! Et sur quel ton ! A Chantal et France, il offre un voyage en Lear Jet jusqu'à Marrakech. La Mamounia !

— Non, disent Chantal et France. Si on va au Maroc, ça sera avec notre argent, le sac au dos.

Pourtant ses filles ont l'impression de lui faire plaisir en lui répondant ainsi. Jacques est vexé, blessé. Du coup, Brel partira à la Guadeloupe avec Miche et Isabelle, pour punir Chantal et France.

Ces jeunes sont incompréhensibles, odieuses.

En 1971, Jacques dîne dans un restaurant de Rueil-Malmaison avec Jojo, Alice et Laetitia, antiquaire, sœur d'Alice :

— Ça vous ferait plaisir, Laetitia, de faire un voyage ?

— Oui.

Jojo a les traits tirés

— J'ai envie de faire ça pour Jojo, pour lui changer les idées. Et si on partait tous ?

Jacques plaisante, sans doute. Le lendemain, à Laetitia qu'il connaît peu, Jacques dit :

— J'ai tout arrangé. On part ensemble, à la Guadeloupe

Jacques a prévenu ses invités, Alice et Jojo Pasquier, Laetitia et sa fille, Jean Liardon et sa femme Janine, comme Maddly :

— Des robes légères, des bikinis, le minimum.

Les soutes à bagages du Lear Jet de Jacques sont petites. Le rayon d'action de cet appareil exige qu'on passe par la route du Nord : Paris-Prestwick en Écosse, Keflavik en Islande, Narssarssuaq au Groenland. Jacques est copilote. Là, le pilote Ledoux a un pépin. Il endommage le compas du train d'atterrissage.

Jolie scène, que tout ce petit monde en tenue d'été dans l'air glacé à − 15 °C, par des vents de quatre-vingts kilomètres à l'heure.

Impossible, une fois qu'on l'atteint, de sortir du bâtiment de l'aéroport. Brel et ses amis regardent plusieurs fois *Singing in the rain* sur le circuit de télévision intérieur. La vidéo n'est pas encore répandue à travers le monde. Putain ! Quel talent, ce Gene Kelly. Un avion arrive avec la pièce de rechange nécessaire, et les vacanciers, via Portland et Wilmington, aux États-Unis, Nassau aux Bahamas, atteignent Pointe-à-Pitre. Ils passent six jours sur l'île natale de Maddly. Jacques est ravi. Jean trouve l'hôtel *Caravelle* superbe. Mais quelle pauvreté tout autour. Jojo est malade. Tout le monde sait : le cancer... Personne n'en parle. Jacques dit à Jean :

— Ce n'est plus le Jojo des tournées.

On a prétendu que Jacques envisageait de devenir pilote en Afrique, mercenaire même — de gauche ? On a dit que la Sabena lui avait proposé un poste de pilote. On ne devient pas copilote de ligne à quarante-quatre ans. Aucune compagnie établie, pas plus la Sabena qu'Air-France ou UTA n'aurait cette idée saugrenue.

Mais, en 1973, Jacques veut devenir instructeur à l'école des Ailes. Jean Liardon est prêt à le former. Les autres instructeurs renâclent. Quoi, une vedette qui veut devenir moniteur ? Et puis l'artiste serait-il assez rigoureux ? Le projet n'aboutit pas.

De 1968 à 1978, Jacques passe presque douze mois en Suisse. Seul, il descend dans de petits hôtels comme L'Escale, près de l'école des Ailes. Parfois il loue un studio en ville — où Marianne le rejoint.

Avec Maddly ou Miche, Jacques s'installe au *Beau-Rivage* sur le lac ou au *Président*.

Jacques devient le parrain de Maud, fille de Jean Liardon Liardon épate Jacques. Voilà donc un type qui bouge autant et plus que moi, Jacques Brel ? Le ciment de cette amitié, c'est le mouvement. Jean n'interroge pas Jacques sur son passé. Il comprend et accepte toute la vie de Brel.

Pourquoi Jacques Brel veut-il s'établir en Suisse ? Là, on ne le harcèle pas. Il a une quarantaine de copains chaleureux parmi les pilotes. On parle français à Genève, ville bien placée de surcroît quant aux communications. Brel aime le sérieux du travail suisse. Il a envie de partager ses enthousiasmes aéronautiques avec d'autres Quatre communautés linguistiques survivent, relativement en paix, dans ce petit pays :

— Ici, dit Jacques à Jean Liardon, vous ne vous tapez pas dessus pour des questions de langue.

La Suisse, havre idéal, n'est-elle pas aux yeux de Jacques Brel une Belgique qui aurait réussi ? Son regard sur la Confédération helvétique est sans doute un peu idéalisé malgré la réussite suisse

Il prend l'escale
Pour un détour[1]...

Jacques est un homme qui bouge — pas un homme presse. Il n'aime ni dormir ni se reposer. Il a rarement passé des journées à regarder fixement un plafond. Dans son métier d'artiste de variétés, le dimanche on travaille souvent plus que les autres jours. On est forcé de donner une matinée, parfois deux, et une soirée. Dormir, pour Brel, c'est perdre son temps. Il se croit et se veut infatigable.

En 1967, Jacques et un ami achètent un bateau. Ils font plusieurs croisières avec Sophie et Marianne. C'est en 1970, pendant une de ces croisières, face à l'irritation très compréhensible de Sophie et du mari de Marianne, que l'amitié de Jacques et Marianne s'est transformée en liaison passionnée.

Avec le bateau, comme pour le chant, ou le cinéma, Jacques veut « aller voir ailleurs ». L'adulte chez lui doit toujours se dépasser, comme Jacky, le « Ketje » qui pédalait jusqu'à l'épuisement sur les pavés des chaussées ou le goudron des avenues de Bruxelles. Jacques Brel veut se prouver qu'il est capable de *faire* et de *tenir* :

— Je me suis refusé tellement d'envies, dit-il, que maintenant, je veux me les assumer.

Ou, avec autant de conviction :

— J'ai envie de faire autre chose que ce que je sais faire.

Il goûte un temps les joies de la plaisance. Pour une vedette reconnue et pourchassée, quel soulagement de passer inaperçu ! Jacques aime le climat des ports. Il trouve son nomadisme sédentaire avec la navigation. C'est une des raisons qui le détacheront de Sophie et le pousseront vers Marianne : Sophie déteste l'avion et le bateau. Plus sportive, ayant plus d'entraînement, Marianne les aime.

Brel hait l'amateurisme et se donne à fond. Le bateau ne sera pas simplement une forme de liberté l'éloignant de la terre. Il va se prouver que, dans ce domaine comme à la scène et dans un avion, il peut devenir professionnel.

Il se rapproche de ses enfants.

Que ressentent ses filles ? Chantal est révoltée. Ils ont raison de se révolter, les jeunes, pense Brel. Si elle allait faire un stage à New York, Chantal ? Marianne est assistante sociale, cela aide Jacques à comprendre France qui fait des études d'assistante sociale. Isabelle parle peu. Elle doit donc être très intelligente, se dit Jacques.

---

1. *L'Ostendaise*

Il devrait comprendre qu'on ne regagne pas le temps passé, le temps perdu face à ses enfants. Mais il veut *faire* quelque chose. L'été 1973, il invite ses filles à naviguer avec lui en France et en Italie. Il prend le temps de les regarder, pas celui de les écouter. Lors de ces vacances, Chantal, France et Isabelle, maintenant amusées, se rendent compte que leur père est pris, hors de Belgique, entre Marianne et Maddly. Un après-midi, les trois filles se bronzent sur le pont du bateau. Elles écoutent de la musique. En bas, Jacques téléphone à Marianne. Les filles entendent la conversation qui passe dans le transistor. Il prend rendez-vous avec une femme qu'il appelle « Gladys ». Le soir, au port, il apparaît rasé, parfumé, avec une négligence feinte :

— Ce soir, je sors.

Le lendemain, Jacques revient avec la tête d'un homme qui se sent bien.

Il cherche à établir un contact avec ses filles qui ne sont plus des enfants.

Pour son vingtième anniversaire, la même année, France se trouve en Italie à Otrante. Jacques lui envoie de Paris un étrange et fort égocentrique télégramme de vœux :

HEUREUX DE CONSTATER QUE JE NE SUIS PAS LE SEUL À VIEILLIR JE T'EMBRASSE

LE VIEUX.

Jacques Brel a quarante-quatre ans.

Avec ses filles, Brel a ce qu'il appelle encore, en toute bonne foi, des conversations. Il monologue. Mais au-delà des mots, les Brel père et filles ont des complicités de cœur, de regards et de silences.

Jacques décoche des tirades contre la jeunesse avec un sérieux et malin plaisir. Oui, là, Brel vieillit. Il n'y a plus d'Amérique, jure-t-il. Maintenant, on va sur la Lune ! Sans rêves, sans ambitions, les jeunes ne sont plus les jeunes d'avant. Ils ne font plus rien. France et Chantal protestent. Dans un port italien, il termine une charge de la même veine. France le prévient : elle n'acceptera pas une autre tirade. Provocation pour provocation, Jacques repart sur l'épouvantable, l'abominable, la minable jeunesse d'aujourd'hui. France se lève et va se promener. Jacques se tait. La réaction de sa fille lui plaît assez car il aime les rebelles. De Jacques et France, qui domptera l'autre ?

La navigation en famille ne dure pas. Brel est impatient et pressé.

Jojo n'aime pas le bateau, ce sport farfelu. Qu'a-t-il besoin de ça, Jacques ? Et puis si Brel se promène dans le monde, il va s'éloigner de Jojo. Brel débarque à Bruxelles :

— Et si je faisais le tour du monde en bateau ? Es-tu d'accord ? demande-t-il à Miche.

La question implique sa réponse. Jacques a toujours besoin non de la permission, mais de l'assentiment de Miche. Pour Brel, Miche est aussi sa quatrième fille, l'aînée, sa sœur et sa seconde mère. Devant un « non » de Jacques, Miche laisse filer la ligne. Aucune féministe ne décorera Miche, virtuose du oui mais on verra, peut-être...

Jojo est de plus en plus malade. Il proteste : à la rigueur, que Jacques fasse du bateau. Mais pourquoi un tour du monde ?

A la fin de 1973, pour s'entraîner Jacques embarque sur un voilier, un charter-école, avec cinq compagnons, et pour la première fois traverse l'Océan. Dans ses lettres à Miche, il montre le plaisir qu'il prend à cette expérience sur l'Atlantique. Ses intentions sont claires. De Las Palmas, le 18 novembre :

                                      « et le bateau roule en rade !
      Ma Miche.

Après 9 jours de navigation par temps maussade et froid, nous voila à Las Palmas ville hideuse sale et chrétienne...

La " Korrig " est vraiment un bon bateau et les hommes avec moi sont ce qu'ils sont mais c'est plutôt bien.

... mais je m'étais trouvé sans nouvelle de toi à Gibraltar.

Tu dois être heureuse d'être en pays civilisé sans pétrole et sans voiture le dimanche !... »

Miche est en Belgique. La crise pétrolière frappe le monde. A Bruxelles, le dimanche, les voitures privées ne circulent pas. Que cette ville est belle, surtout quand il n'y a pas de circulation automobile, là où le boom immobilier ne l'a pas défigurée, comme rue de la Montagne !

« Tu as l'air d'aller et les enfants aussi cela est bien.

D'ailleurs, tu as toujours été ce qui allait de mieux dans ma vie.

Les vents étant tout à fait défavorables pour l'instant nous ne savons pas du tout quant nous partirons

mais je trouve que ce serait idiot de traîner dans ce coin.

Il y a dans le port plus d'un centimetre de mazout et il faut des laissez-passer pour aller à terre (je n'y ai pas encore été). »

Las Palmas, aux Canaries, est territoire espagnol. Jacques a juré de ne pas mettre les pieds en Espagne sous Francisco Franco, attitude de beaucoup d'écrivains et d'artistes occidentaux.

« Moi je suis un peu claqué mais en pleine forme.

Tu sais, le bateau me botte bien. C'est dur, très, mais il se passe quelque chose

Je ne sais toujours pas ce que je ferai après mais ainsi je suis en paix et ne pas voir le monde est une récompense admirable. »

En mer, Brel est loin de ses femmes, des hommes et d'un monde qui le déçoit. Il n'a pas accepté l'échec de son second film. Sa feinte misogynie tourne à la vraie misanthropie. Pour Jacques, il y a deux types d'hommes, ceux qui font du surplace et ceux qui bougent. Lui, sur l'Océan, il n'est pas immobile :

> ... Il y a deux sortes de temps
> Il y a le temps qui attend
> Et le temps qui espère
> Il y a deux sortes de gens
> Il y a les vivants...
> Et moi je suis en mer [1].

Moi et les autres !

« Il n'est peut-être pas sans intérêt que tu saches bien (ainsi que les filles) a quel point j'ai pour vous toutes de l'amour de la tendresse et du respect. A quel point aussi je suis usé par une vie passionnante mais très au-dessus des forces d'un homme normal.

Tu vois je suis profondément heureux de ne pas avoir de fils je ne saurais vraiment que lui dire.

J'ose encore parler d'amour aux filles parce que je pense encore que telle est leur fonction organique mais devant un fils je resterais muet, trop troublé moi-même que (*belgicisme*) pour tenter de l'éveiller à quoi que ce soit.

Je crois qu'etre vieux c'est ne plus pouvoir porter le poids des autres.

Moi, je me porte ! »

Vingt ans après son arrivée à Paris, Brel entretient son ton de confidence confiante et complice avec Miche, et il retrouve même la forme des lettres du débutant qui tenait à Paris un journal de bord pour sa femme :

« le 19 (novembre)

Mauvais temps au port nous ne partirons certainement que dans 2 jours ce qui doit nous mener à La Barbade vers le 15 décembre.

Pour le bateau je ne suis pas encore complètement décidé mais je crois que je vais le faire. »

Il retourne une idée dans sa tête : acheter un voilier, et demande à Miche de s'informer. Quels papiers faut-il pour acheter un bateau en Belgique ou à l'étranger ? Quelles qualifications aussi ?

---

1. *L'Ostendaise.*

Sur la même lettre :

« le 20

Toujours ici mais nous partons demain à l'aube.
Cela fera peut-être long mais il faut aller voir.
Je t'écrirais de la bas... »

Aller voir : longue obsession, toujours recommencée. Trouver la paix : vieille ambition. Être usé, dernière et profonde conviction.

« Je t'embrasse je vous embrasse toutes trois
Tendrement
    A Bientôt ma belle
      Ton vieux Jacques »

Pour exprimer sa fatigue, Jacques se sert souvent de l'expression « se racrapoter ». Il conserve son goût des néologismes. Il relève le défi qu'il s'est lancé. Arrivé à La Barbade, il écrit à de nombreux amis. A l'Ancre aussi, bien sûr, le 21 décembre :

    « Ma Miche
Ça y est. L'Atlantique est derriere nous !
27 jours merveilleux de solitude et de besogne bien faite.
Maintenant je sais que j'aurai un bateau et qu'il bougera longtemps. »

La décision de Jacques est prise. Il compte sur sa femme — sur cette femme — pour trouver les dossiers et les catalogues, tous les modèles de bateaux, et les formulaires qu'elle lui montrera lorsqu'il reviendra en Belgique. Miche, c'est toujours la logistique.

« Tu sais, je crois rentrer vers le 20 janvier et j'aimerais tant vous voir toutes un soir car vous me manquez bien !
Reçu aussi une adorable lettre de France qui m'a fait grande joie.
Je vais lui répondre dans quelques jours car nous partons demain matin.
En fait je suis très en forme. Très maigre aussi mais en joie.
Dès que ce n'est pas facile je suis assez heureux assez en équilibre.
Voilà, c'est presque impossible à décrire, une traversée mais je te raconterai.
A Bientôt ma belle
    je t'embrasse, Bon Noël bonne fin d'année à vous toutes.
    je pense bien à vous
      Votre Vieux qui vous aime
      Jacques. »

On maigrit souvent en mer. A ses yeux, Jacques n'est pas malade. Une traversée de l'Atlantique en voilier fait dépenser beaucoup d'énergie, c'est tout. Moralement Brel se sent usé. Physiquement, il récupérera toujours. Quand n'a-t-il pas rebondi, Jacques Brel ?

A Marianne, de l'île de Grenade, le 23 décembre, avec cette mélancolie douceâtre qui s'insinue souvent dans un solitaire :

« Chose étrange, plus du tout envie d'aller à terre. Je préfère un coin de port plutôt que voir les hommes.

En plus j'avoue être crevé tous les soirs car un bateau lourd demande pas mal de besogne.

A la barre, souvent je te parle.

... Je sais déjà une chose de façon certaine c'est que ce voyage me fait un bien fou.

Ça n'est pas très facile (donc j'aime) c'est dur (donc j'aime) et c'est superbe (donc j'aime).

Tout cela pour te dire que je vais plutôt bien... »

Pense-t-il à ses vieilles chansons, à ce qu'il confessait à moitié ?

> Et je n'aime plus personne
> Et plus personne ne m'aime
> On ne m'attend nulle part
> Je n'attends que le hasard
> Je suis bien [1]...

Cette fois, il ne passera pas les fêtes de Noël avec Miche et les filles dans le chalet de Saint-Pierre-de-Chartreuse. Il peut y rêver. A cinq kilomètres de ce village, Brel a acheté en 1965 une ancienne bergerie que Miche transformera en chalet : une grande pièce, une cuisine au rez-de-chaussée, deux chambres à coucher au premier étage. Depuis que la crémaillère a été pendue, à la Noël 1967, Jacques adore arriver le 24 décembre les bras chargés de victuailles et de cadeaux. Jacques, là, aime le baromètre, la pendule à balancier, un fauteuil Louis XIII. Il ne skie pas. Il se fabrique un bar en glace devant le chalet et y convoque son monde pour l'apéritif.

Pour cette fête chrétienne, il organise soigneusement ses rituels païens. Cette année, voilà, on se déguise en Marocains, en Russes. Tout est prêt, la famille descend les escaliers, Jacques le premier. Deux ou trois jours après, Brel repart.

A La Barbade, il ne sait pas qu'il ne retournera jamais à Saint-Pierre.

A Miche, de l'île d'Union :

---

1. *Je suis bien.*

« le 28 après midi
A bord

Petit mot rapide sous la pluie chaude.

Arrivé depuis une heure dans une petite baie dangereuse à cause des fonds.

Je continue à être un peu crevé mais en pleine forme.

Je trouve sur le bateau la liberté et la discipline que j'aime.

Je sais que je repartirai. Et si je peux aller encore plus loin j'irai plus loin des hommes et d'une forme de vie que je trouve vraiment trop terne, trop médiocre.

Je rentrerai vers le 15-20 janvier et je chercherai un bon bateau.

Je te parlerai de toutes ces choses je t'embrasse et puis aussi les enfants.

Vous me manquez

    A Bientôt   Le Vieux »

Jacky et le grand Jacques sont loin, avec Petit Papa Pitouche. Le Vieux Jacques devient le Vieux tout court.

Aux Antilles, Jacques rencontre un Robinson navigateur, belge. Vick, industriel, barbu chaleureux, voyage avec sa deuxième fille, Claude.

Il n'y a pas d'autre femme à bord du bateau de Vick.

Pas encore.

XII.

La traversée de l'Atlantique

— Tu envisages de partir longtemps et loin. Tu devrais mettre tes affaires en ordre.

Sur les conseils de son ami notaire, le Bruxellois Jacques Delcroix, Brel rédige un court testament le 7 janvier 1973.

Jacques institue Miche son légataire universel. Il lui lègue « le maximum de la quotité disponible tant en pleine propriété qu'en usufruit ». Tout époux soumis aux lois belges pouvait alors déshériter sa femme et même la priver de son usufruit successoral. Depuis, le droit belge s'est modernisé. Jacques, cette année-là, se confie à Jean Liardon :

— Jamais je ne lâcherai Miche. Cette femme m'a supporté à mes débuts.

Pendant les deux premiers mois de 1974, Brel a pris une décision. Il va partir, quitter cet insupportable monde qu'il ne tolère plus.

> Écoute-moi
> Pauvre monde, insupportable monde
> C'en est trop, tu es tombé trop bas
> Tu es trop gris, tu es trop laid
> Abominable monde[1]...

Brel a lu Saint-John Perse.

« La Mer, en nous portée, jusqu'à la satiété du souffle et la péroraison du souffle,

---

1. *L'Homme de la Mancha.*

« La Mer, en nous, portant son bruit soyeux du large et toute sa grande fraîcheur d'aubaine pour le monde...

« ... La Mer, en nous tissée, jusqu'à ses ronceraies d'abîme, la Mer, en nous tissant ses grandes heures de lumières et ses grandes pistes de ténèbres [1] »

Dans les mots d'*Amers,* Brel peut se nourrir du long rêve des îles qui poussa Paul Gauguin ou Victor Segalen et tant d'inconnus aujourd'hui encore. Que ressentent la lassitude et l'orgueil de Jacques Brel à la chute du grand poème de Saint-John Perse ? « Ceux-là qui, de naissance tiennent leur connaissance au-dessus du savoir ? »

Brel souhaite oublier son ancien monde professionnel. Il veut et ne veut pas rompre les liens avec les trois femmes qui comptent tant dans sa vie, Marianne, Maddly, Miche, et pourtant il rêve de bouger.

En janvier 1974, un Brel solennel convoque sa fille France qui a un peu plus de vingt ans. Toujours élève assistante sociale, elle travaille dans un foyer de jeunes travailleurs. Jacques déclare qu'il lui parlera après le dîner. Jacques a mis dehors les autres membres de la famille. Le père et la fille sont tête à tête dans la pièce principale de l'appartement, avenue Winston-Churchill à Bruxelles. Soigneuse mise en scène, Jacques dit à sa fille :

— J'ai l'intention d'acheter un bateau ou de le faire construire.

Il souhaite faire le tour du monde pendant cinq ans. France veut-elle l'accompagner ? De temps en temps, d'autres femmes, dont Miche, viendront à bord. A France il semble évident qu'il fait allusion à Marianne. Jacques ajoute :

— Surtout, France, ne me donne pas ta réponse aujourd'hui. Réfléchis bien.

Pourquoi France, pas Chantal ou Isabelle ? Chantal, vingt-deux ans, connaît déjà son futur mari, Michel Camerman, ingénieur urbaniste. Isabelle, quinze ans, ne finit pas sa scolarité et commence des études de secrétaire médicale.

France est ravie. Pour souligner l'importance de sa proposition, Brel se sert un cognac. Que France en prenne un. Jacques sait pourtant que sa fille n'aime pas l'alcool et, de plus, il ne supporte pas les femmes qui boivent. Rituel, toujours.

Quelques jours après, Jacques et France se retrouvent dans un restaurant de Bruxelles, *Le Meiser.* Elle accepte officiellement la proposition de son père.

— Nous sommes en janvier, dit Jacques. Je vais de nouveau me rendre en Angleterre avec ta mère pour voir quelques bateaux. Si le dernier jour du mois de février je n'en ai pas trouvé un, je le ferai

---

1. *Amers,* Pléiade, Gallimard.

construire... Nous partirons quand le bateau sera prêt. Ce sera *ton*
bateau...

Brel découvre son bateau à Anvers le dernier jour de février. A
Bruxelles, ce soir-là, France, toujours très portée sur le pressenti-
ment, sent qu'elle doit rentrer chez ses parents. Jacques, allongé sur
le divan du salon, contemple les plans du bateau épinglés au mur :

— Viens voir ton bateau, dit Brel. Il est fabuleux. Ça, c'est ta
cabine. Voici la mienne.

Superbe, l'*Askoy II,* conçu par Hugo Van Kuyk, un fou de
marine, architecte à Anvers. Le nom de ce bateau vient d'une petite
île face à Bergen, en Norvège. On change rarement le nom d'un
bateau, cela porte malheur. Jacques l'achète pour la somme de cinq
cent cinquante mille nouveaux francs français. L'*Askoy* reste
l'*Askoy.* Magnifique, il étincelle de cuivres à astiquer et de bois à
vernir. Il ne ressemble à aucun autre bateau, pas plus que Brel ne
rappelle la plupart des hommes. Dix-sept mètres de long, quarante-
deux tonnes, l'*Askoy* est en acier. Par endroits, la coque a des
renforcements de sept millimètres d'épaisseur. Sur le pont, peint en
blanc, se dresse un mât de vingt-deux mètres et le mât d'artimon. Le
bateau est lourd, sans barre hydraulique. Merveilleux à regarder, ce
système de poulies en bois, mais pas facile à manier.

On installe un pilote automatique qui marche quelquefois. Donc,
il faut barrer. En bas, partout, le bois de teck luit. Brel fait aménager
un grand lit dans la cabine arrière. Des marches mènent au roof.
Vaste carré. La première cabine, celle du capitaine, logera France.
En face, une salle de bains. Plus loin, la cabine des amis et la
cambuse, bien équipée, avec un réfrigérateur et deux becs à pétrole.
Puis le poste avant où dormira l'équipage. Splendide, l'*Askoy,* pas
moderne. Point de hublot, des claires-voies. Le cockpit, où se trouve
la barre, n'est pas protégé.

Le dimanche 19 mai, écoutant les informations de 20 heures à la
radio, Brel apprend la victoire de Valéry Giscard d'Estaing à
l'élection présidentielle française, avec 50,8 pour 100 des suffrages
valables. Ayant souhaité presque autant que Jojo la victoire du
candidat de la gauche François Mitterrand, Brel, déçu, bougonne :

— Ça ne sera pas encore pour cette fois.

Brel ne fait aucun commentaire sur la personnalité du vainqueur
ou du vaincu. Maddly, sans aucune passion politique affirmée
d'ailleurs, a fréquenté l'entourage de Giscard, Jacques s'abstient de
dénigrer le nouveau président. Parfois, Brel jette, riant jaune :

— On est plus voyant en compagnie d'un homme politique
qu'avec un chanteur.

Jacques veut que tout le monde apprenne à naviguer, et connaisse les noms des cent objets bizarres que renferme un yacht, et la signification des petits pavillons, et la disposition de la salle des machines. Quand Brel a potassé un manuel, il le passe à sa fille, que ça n'arrange pas puisqu'elle n'a pas terminé ses stages d'assistante sociale. Elle doit encore rédiger un mémoire de fin d'études et passer des examens.France constate que Maddly aide à préparer le voyage, mais ne sait pas encore que la belle Guadeloupéenne partira aussi.

Avec France, Jacques louvoie quant aux « dames » qui surgiront au cours du voyage. Marianne et Maddly viennent voir l'*Askoy* à Anvers. Jacques prend France à part :

— Surtout, ne dis pas à Maddly que j'ai été à X... hier. Tu expliqueras que je me suis rendu à Perpignan avec ta mère.

Qu'est-ce cette histoire ? France suppose que Jacques est allé à X... pour voir Marianne et lui demander de partir avec lui. Miche ne connaît pas le rôle de Maddly dans la vie de Jacques. Marianne aurait volontiers accompagné Jacques, mais elle veut rester près de son enfant, qui vit avec son père. Marianne perd d'abord son fils à cause de Jacques. Elle va perdre Jacques, en partie, à cause de son fils.

Le 1er juin, les trois filles de Brel décident d'organiser une fête à bord de l'*Askoy* pour célébrer l'anniversaire de mariage de leurs parents. La fête a lieu dans le carré, en présence de Conan, un homme d'équipage rencontré par Jacques au cours de sa première traversée de l'Atlantique.

L'ambiance est tendue. Jacques et Chantal, très agressifs, se querellent. Il ne cesse de dire qu'il faut « aller voir ailleurs ». Jacques devrait donc être content de sa fille aînée : elle a travaillé dans un service de cancérologie, voyagé trois mois seule aux États-Unis, avec peu d'argent. Mais Jacques ne pose pas une seule question à Chantal. Il l'ignore. Vers la fin du repas, antienne, elle lui dit :

— Enfin, il faut tout de même dire que tu as toujours été un mauvais père.

Chantal a suivi des cours de psychologie, elle les applique. En gros, elle dit à Jacques : si j'ai des troubles affectifs, c'est à cause de mes parents. On ne m'a pas donné assez de tendresse. Si je suce encore mon pouce à mon âge, c'est parce que je n'ai pas été assez dans les bras de ma mère. Toi, en père, tu as été inexistant.

Isabelle et France se taisent, Miche est atterrée, Conan ne sait que faire. Jacques se lève, rejoint France qui prépare du café dans la cambuse :

— Il faut que vous partiez, dit-il, parce que je vais m'énerver. Je ne veux pas taper dessus. C'est ma fille, mais j'ai vraiment envie... de la jeter à la flotte.

France tente de calmer son père :

— O.K., on va s'en aller.

Les filles et la mère rentrent à Bruxelles en voiture. Miche pleure. Jacques reste sur le bateau. Quand la Volvo arrive devant son immeuble, Miche dit :

— Je vous débarque. Je ne passe pas la nuit ici.

Pour la première fois de sa vie, devant ses filles ébahies, Miche découche ce soir-là. Elle va passer la nuit toute seule dans un fauteuil de son bureau des éditions Pouchenel, rue Gabrielle.

Ce 1er juin 1974, Chantal, elle, a vu son père debout pour la dernière fois.

— Ta mère, dit Jacques à France, quelques jours avant de partir, je ne saurai jamais si c'est une petite fille qui joue à la grande dame ou une grande dame qui joue à la petite fille.

Ayant fait un stage dans une école de voile et suivi des cours par correspondance, le 1er juillet 1974, Jacques Brel obtient son brevet de yachtman, à Ostende, « avec distinction ». Le brevet est signé le 13 septembre.

Brel retarde son départ. Jojo est de plus en plus malade. Avant de partir Jacques veut le voir, lui télégraphier, lui téléphoner. Incident à la poste d'Anvers, un employé flamand ne parle pas français ou fait semblant de ne pas comprendre cette langue.

Jacques écrit à Jojo ce 1er juillet :

« Mon Jojo Tendre,

Tu sais les problèmes de téléphone à Anvers, alors je préfère un petit mot.

D'abord, je t'espère en pleine forme et bondissant comme une jeune biche ! Ici on pense bien à toi et on a bien envie de te revoir a bord ! Tu verras le bateau devient vraiment un bateau et ta cabine est presque prête pour quelques belles balades.

Ce soir je suis content car les examens sont passés et j'ai réussi (75 %).

Tu vois, les vieilles bêtes ca peut encore servir.

Vu Céel qui va toujours et qui t'embrasse fort.

Demain nous sortons jusqu'à vendredi après midi et j'espère être déjà a Paris samedi soir avec La Doudou [*c'est, bien sûr, le surnom antillais de Maddly*].

Je passerai te voir s'il n'est pas trop tard.

Voilà toutes les nouvelles : Tu vois on continue

Tout l'équipage t'embrasse et Alice aussi.

A la joie de te revoir

Je t'embrasse aussi

et sans doute a samedi

Jacques »

Jojo n'est pas un inconditionnel de Maddly. Il se méfie toujours d'elle. A-t-il l'amitié possessive ou protectrice ? A Jojo et à Alice, Jacques dit qu'il ne voulait pas partir avec des « bonnes femmes ». Il va faire le tour du monde avec France. Les femmes, ça sera pour les ports.

A Jacqueline Thiédot, moins concernée que Miche, Marianne ou Maddly, Brel déclare :

— J'en ai marre. Je m'emmerde. Je me tire. Ils me font chier ! La famille, le reste, oh ! la-la. Je m'en vais et je n'emmène que France.

De fait, il part avec France *et* Maddly. Le jour du départ, Brel écrit plusieurs lettres :

« 24 juillet
aube

Ma Miche

ca est je m'en vais, on s'en va dans 1 h

Le temps est désastreux

Mais nous attendrons que ça s'arrange devant Breskens

La voiture est la, les clefs dans la boîte à gant.

Claqué, France aussi.

Nous allons commencer par dormir un ou deux jours.

Sous la pluie on roupille très bien a bord d'un voilier.

Des que nous serons chez Messieurs les Anglais je te préviendrai

Au revoir Ma Miche, Sois heureuse, vis !

je te remercie pour Tout.

Et surtout d'être ce que tu es.

je t'écrirai plus longuement bientôt

je t'embrasse et isabelle aussi

   il faut vivre

     a Bientot

       Le Vieux »

A Marianne, à l'aube aussi et d'Anvers, sur l'*Askoy* :

« ... Je reviens ici après avoir été voir Jojo à Paris (aller et retour en voiture, c'est long).

Jojo me semble aller nettement mieux.

Vu le Toubib (un nouveau) assez optimiste.

J'avoue que je respire... »

Jacques arrive à faire croire à chaque femme qu'elle est unique à ses yeux. En un sens, chacune l'est, Maddly comme Miche ou Marianne.

Brel veut quitter Anvers, mais, fatigué, il décide de s'ancrer trois jours dans un méandre de l'Escaut, avant les ports de Breskens et

Vlissingen. Personne ne descend à terre. L'équipage contemple les vaches sur le pré à trente mètres de l'*Askoy*. Mais Jacques Brel est parti.

Les premières journées de voyage se passent assez bien malgré un temps épouvantable, le froid, et les gros navires au milieu desquels il faut naviguer. Pendant la traversée de la Manche, Jacques et un matelot se relaient à la barre. Plus tard, tout le monde sera de quart. L'*Askoy* touche les côtes anglaises. Aux îles Scilly, un matelot en remplace un autre. Jacques répartit les tâches. France s'occupe du petit déjeuner, Maddly des autres repas.

— C'est pas parce qu'on est en mer qu'il faut manger comme des cochons, marmonne Jacques.

Il n'a pas oublié sa cocotte-minute.

Il sait que France a peur des explosifs, donc il l'a chargée du pétrole et de l'alcool à brûler. Aux Scilly, Jacques s'intéresse à un prêtre qui tente des cures de désintoxication sur son bateau.

Aux escales, Jacques écrit beaucoup.

Le 31 juillet, de la baie de Mavagissey, près de Falmouth, à Marianne :

« ... France s'habitue doucement au bateau et à la mer. Je lui trouve un certain courage silencieux car, vraiment, ce n'est pas de la tarte pour le moment... »

Il fait part à Marianne de ses états d'âme, lui qui les déteste chez les autres :

« ... Combattre l'usure est un jeu stupide, mais c'est le seul moyen que je sache pour espérer recouvrer une parcelle de talent et de paix.

En fait, je vais en mer comme on va a la bataille. Je refuse de m'avouer vaincu. »

Vaincu par qui, de quoi ? Par lui-même ?

Le 15 août, des îles Scilly, il s'épanche auprès de Miche :

« On y est !

Assez mauvais temps c'est bon tout de même.

Le Bateau est très bien fait, et ma fois, nous on fait ce qu'on peut et ca ne marche pas trop mal.

France s'améliore de jour en jour et je la soupçonne d'être assez heureuse à bord de l'Askoy où elle s'intéresse vraiment aux choses.

Nous évitons dans la mesure du possible, les Ports et les mouillages encombrés ou même habités ce qui explique ma grande Zone de silence.

Je compte quitter les Scilly d'ici 8 à 10 jours pour les Acores que j'estime à 12 ou 15 jours de mer.

J'ai appris que tu avais les " quartz " pour ma radio... »

On a toujours des problèmes de radio à bord d'un bateau.

« ... un peu crevé comme toujours, mais content et loin du monde ce qui n'est pas mal du tout. Je t'espère en pleine forme et je serai bien content de te voir à Las Palmas... »

Jacques cette fois signe :

« Le Vieux Marin »

Parmi d'autres, il a pris un rendez-vous avec Miche. Il lui écrit de nouveau le 20 août.

« Bonjour Ma Miche

Bien reçu ta lettre.

Et bien heureux de voir que tu sembles tenir la grande forme.

... je sais que Jojo est sorti de clinique et qu'il va mieux.

Pour le reste nous avons beau temps, enfin, et sauf imprévu je m'en vais demain pour les Açores... »

Malgré son aversion pour la langue anglaise, Jacques trouve les îles britanniques de la côte Sud très belles.

« ... France a l'air heureuse et en paix avec elle et le monde.

Ce qui me semble pas mal du tout. »

Jacques, qui déteste la mécanique, des bateaux comme des avions, étudie les moteurs.

De nouveau à Miche :

« ... Je t'espère toujours à Las Palmas en novembre avec Ceel et te souhaite une douce vie...

Je t'embrasse ainsi qu'Isabelle.

Ton Vieux qui s'en va pour 1220 M (+ 15 jours) »

Jacques s'interroge sur son talent, ses talents. A aucun moment, il n'oublie son envie d'écrire des chansons. Au large des côtes de Cornouailles, une de ses dernières chansons commence à se former en lui avec précision :

> Prenez une cathédrale
> Et offrez-lui quelques mâts
> Un beaupré, de vastes cales
> Des haubans et halebas
> Prenez une cathédrale
> Haute en ciel et large au ventre
> Une cathédrale à tendre
> De clinfoc et de grand-voiles
> Prenez une cathédrale

> De Picardie ou de Flandre
> Une cathédrale à vendre
> Par des prêtres sans étoile
> Cette cathédrale en pierre
> Qui sera débondieurisée
> Traînez-la à travers prés
> Jusqu'où vient fleurir la mer
> Hissez la voile en riant
> Et filez sur l'Angleterre [1]...

Long et étrange parcours de la création : plus de vingt ans avant, dans une chanson tout à fait inédite, le thème qu'il commence à reprendre en mer figure déjà :

> ... Nous bâtirons des cathédrales
> Nous y accrocherons des voiles...
> Nous bâtirons des cathédrales
> Pour y célébrer nos amours [2]...

Ainsi, *Le Plat Pays* fut écrit en huit jours, *La Cathédrale* en vingt et un ans.

En mer, Jacques adhère à ses anciennes amours, Miche et Marianne, mais célèbre surtout ses nouvelles avec Maddly.

Aux Scilly, Brel engage deux Anglais pour remplacer ses matelots, bavarde avec des pêcheurs qui l'ont aidé à décoincer son ancre prise dans un fil téléphonique de la baie. Brel avait recruté Conan au hasard, sur un coup de cœur. Conan commet une erreur : il ne parle que de Frison-Roche et du désert. Jacques ne supporte pas ces obsessions à contretemps.

— Qu'est-ce que ce con ! Le Sahara !

Des côtes anglaises aux Açores, le climat à bord est bon. Jacques a une légère grippe. Il faudra débarquer le petit matelot anglais qui a trop le mal de mer, comme France. C'est vexant pour la jeune femme, d'autant plus que Maddly et Jacques ne vomissent pas, eux.

L'*Askoy* arrive aux Açores. Maddly et France font les courses. Un télégramme arrive de Paris. Maddly téléphone à Alice Pasquier : Jojo est mort. Du bout du quai, Brel vient vers elle. Maddly annonce à Jacques que Jojo, l'homme qu'il a le plus aimé, est mort. Ces salauds de médecins avaient rassuré Brel. Jojo, prétendaient-ils, allait mieux.

Maddly et Jacques marchent ensemble vers l'*Askoy*. Tirant le caddy dans lequel s'entassent les vivres, France les suit. Selon France,

---

1. *La Cathédrale.*
2. *Toi et moi.* Voir Annexes, p. 411.

à ce moment-là, elle a compris ou décidé qu'elle ne servait à rien. France aurait voulu annoncer l'atroce nouvelle à son père, pouvoir exprimer à Jacques ce qu'il a tant chanté : la tendresse, l'affection. France aurait souhaité consoler son père, qui choisit Maddly comme première consolatrice.

Jacques décide qu'il se rendra seul à l'enterrement de Jojo. Les deux femmes resteront à bord. Une phrase de Brel frappe France de plein fouet :

— Maddly, tu es la patronne du bateau, dit-il.

Maddly, de plus, devient la patronne de ce bateau qui devait être le sien, à elle, France ! En somme, Jacques a offert le bateau à l'une et à l'autre.

Les deux femmes par ailleurs s'entendent bien. Jacques s'y emploie. A France il vante les mérites de Maddly :

— Elle danse merveilleusement, elle est toujours prête à rigoler. Elle a eu du mal à percer et s'en est toujours tirée dignement. Elle a quatre sangs — du blanc, du jaune, du noir et de l'indien. Les mélanges c'est formidable, physiquement et intellectuellement.

A Maddly, Brel explique que France est une fille courageuse.

Jacques donne rendez-vous aux Açores à Vick, l'industriel navigateur qui surgit avec sa fille et une compagne, Prisca. Deux hommes, deux maîtresses, deux filles.

Jacques arrive pour l'enterrement de Georges Pasquier, le 3 septembre à Paris. Jojo est mort d'un cancer de la prostate et d'une occlusion intestinale.

A Paris, Jacques rencontre Marianne. Elle sent la rupture.

> Ils sont plus de deux mille
> Et je ne vois qu'eux deux
> La pluie les a soudés
> Semble-t-il l'un à l'autre
> Ils sont plus de deux mille
> Et je ne vois qu'eux deux
> Et je les sais qui parlent
> Il doit lui dire je t'aime
> Elle doit lui dire je t'aime
> Je crois qu'ils sont en train
> De ne rien se promettre
> Ces deux-là sont trop maigres
> Pour être malhonnêtes [1]...

---

1. *Orly.*

De Paris, la veille de l'enterrement, Jacques téléphone une partie de la nuit à Miche. Elle se trouve à Bruxelles. Désespéré, il ne peut raccrocher. Jojo, explique-t-il, a beaucoup plus compté pour lui que n'importe quelle femme. C'était plus qu'un frère. Brel a passé plus d'heures avec Jojo qu'avec n'importe quelle femme. Pendant la levée du corps, Brel glisse à la belle-sœur de Jojo :

— Le prochain, ce sera moi.

Seul avec Alice, Jacques accompagne le cercueil de son ami en voiture jusqu'à Saint-Cast, en Bretagne.

Brel a chanté beaucoup de morts imaginaires :

> Dire que Fernand est mort
> Dire qu'il est mort Fernand
> Dire que je suis seul derrière
> Dire qu'il est seul devant
> Lui dans sa dernière bière
> Moi dans mon brouillard
> Lui dans son corbillard
> Et moi dans mon désert [1]...

La mort de Georges Pasquier inspire vite à Jacques Brel sans doute la seule de ses chansons qui soit autobiographique à chaque ligne :

> ... Jojo
> Je te quitte au matin
> Pour de vagues besognes
> Parmi quelques ivrognes
> Des amputés du cœur
> Qui ont trop ouvert les mains
> Jojo
> Je ne rentre plus nulle part
> Je m'habille de nos rêves
> Orphelin jusqu'aux lèvres
> Mais heureux de savoir
> Que je te viens déjà [2]...

Chantal s'est mariée le 9 septembre. Peu avant de quitter Anvers en bateau, Jacques avait déclaré au fiancé, Michel Camerman :

— Il faut faire attention avec Chantal parce que c'est quelqu'un de très sensible.

Brel donne volontiers des conseils qu'il n'applique pas. Il a aussi dit à Chantal :

---

1. *Fernand.*
2. *Jojo*

— Le mariage, c'est à éviter.

Chantal et Michel se sont mariés, à leurs yeux, en Algérie à El-Oued, près du Sahara. Il y aura une petite fête avec les deux familles des mariés après la cérémonie civile officielle à Bruxelles. Jacques pourrait y assister. Il s'abstient. Il a le génie des faux pas, du contresens et des malentendus.

Brel repart pour les Açores, très content de retrouver Vick. L'industriel est là avec sa fille et cette Prisca. Jacques se trouve dans la même situation. Il verrait d'un bon œil une aventure entre Vick et France. Quand Jacques revient de Paris, la fille de Vick, Claude, a décidé de quitter le bateau paternel et de rentrer en Europe. Les deux bateaux naviguent ensemble des Açores à Madère.

Là, France part en Belgique pour soutenir son mémoire. Elle retrouvera l'*Askoy* à Las Palmas, aux Canaries. Jacques donne des instructions à France :

— En repartant de Bruxelles, tu vas voir Alice. Tu lui demandes de venir le plus tôt possible sur l'*Askoy*. J'ai toujours dit à Jojo qu'Alice était une sœur pour moi et que ce bateau était le sien.

Bref, ce bateau est à tout le monde. Alice gagnera Las Palmas une semaine après France.

La fille de Brel retourne un problème dans sa tête : à Bruxelles, Miche se propose, comme convenu, de rejoindre l'*Askoy* aux environs de la Toussaint. France a vu que sa mère ne sait pas que Maddly se trouve à bord du bateau. Que faire ? Alice encourage France. France téléphone à Charley Marouani, la boîte aux lettres de Jacques maintenant que Jojo est mort.

— Je vais télégraphier à Jacques qu'il foute Maddly dehors pour que Miche puisse venir, dit Charley.

Atterrissant à Las Palmas, France ne soulève pas le problème de Miche avec son père. Elle annonce l'arrivée d'Alice.

— Je suis fatigué, répond Brel. Je vais passer deux jours avec Maddly à l'hôtel dans les montagnes. Tu surveilles le bateau. Ça n'est pas un problème. Vick est à côté, pour t'aider à le garder.

Double, triple imbroglio.

Le 18 septembre, Jacques écrit à Marianne :

« ... Je suis un aventurier. et c'est donc dans l'aventure et le mouvement que je tente de retrouver mon équilibre. »

Sans doute, mais à la recherche de son équilibre, Jacques ne peut éviter de déstabiliser les autres. Il poursuit :

« Je crois que c'est aussi bête que ça et aussi simple. Je ne veux pas devenir un vieux con grave et lugubre. »

Avec Marianne, il a rompu sans trancher tout à fait.

« ... Bien sûr, je vais revenir, je ne sais quant ni ou. C'est ce que je cherche à présent Ne t'y trompe pas je suis près de toi. »

> ... Infiniment lentement
> Ces deux corps se séparent
> Et en se séparant
> Ces deux corps se déchirent
> Et je vous jure qu'ils crient
> Et puis ils se reprennent
> Redeviennent un seul
> Redeviennent le feu
> Et puis se redéchirent
> Se tiennent par les yeux
> Et puis en reculant
> Comme la mer se retire
> Il consomme l'adieu
> Il bave quelques mots
> Agite une vague main [1]...

Le 17 octobre, Jacques et Maddly sont installés en altitude dans une grande chambre du Parador National Las Canadas Del Teide. Autre lettre à Miche :

« Je suis à la montagne pour 3 jours, c'est bon de dormir de dormir de dormir ! Le Patron avait grand besoin.

Bien reçu tes lettres...

Tout va bien sauf que le bateau est sale sale... (Tu risques donc de débarquer dans les travaux !)

désolé mais avant la Traversé je suis obligé de changer certaines petites choses pour faciliter la manœuvre du bateau que je trouve vraiment trop compliqué.

France est revenue très changée ! Triste, grave, absente, je ne sais qui elle a rencontré en Belgique (elle n'a rien voulu me dire mais on l'a joliment abimée où alors elle joue a avoir des problèmes ! Je ne sais mais ce n'est pas la même qu'avant son voyage en Belgique... »

A Paris, on a fait à France un portrait de Maddly que la fille de Brel ne goûte guère.

Jacques se débarrasse de son équipage, sans vouloir le remplacer :

« ... Les deux Anglais sont rentrés en Angleterre. Alors je n'ai plus personne et je n'ai plus envie de prendre des équipiers... »

Pourtant, l'*Askoy*, difficile à manœuvrer, sans pilote automatique, aurait besoin d'un équipage plus important.

---

1. *Orly.*

« ... Tu sais, je serais bien heureux de te voir à bord et j'aimerais que tu t'y sentes a l'aise et détendue... »

Jacques commande du jambon, des Gallia, ces fameuses cigarettes sans nicotine, et de l'argent. France est chargée de tenir les comptes. Jacques estime que « ce n'est pas la bonne solution ». Il demande à Miche d'arriver avec vingt mille dollars. A part France, il n'a aucun souci :

« ... Tu sais la vie est courte, je le sens de plus en plus.

Je t'embrasse tendrement et je serai là le 16 à 8 h pour t'embrasser... »

Brel avait-il l'intention d'annoncer à Maddly, à l'hôtel, loin du bateau, l'arrivée de Miche ?

France et Alice louent une Volkswagen pour aller chercher Jacques et Maddly au Parador.

Jacques et Maddly s'assoient à l'arrière de la voiture. Brel se sent mal. Les routes aux Canaries sont crevassées. Tout d'un coup, Jacques pousse un cri :

— Je meurs, je meurs !

France freine. Alice est en pleurs. Les femmes allongent Jacques sur le bas-côté de la route. Jacques, toujours brélien :

— Je suis désolé, je vous aurai emmerdées jusqu'au bout.

Curieuse assemblée : Alice qui ne s'est pas remise de la mort de Jojo, Maddly qui ne sait pas que Miche doit arriver, France devant son père qui souffre.

— J'ai mal, j'ai mal, dit Jacques doucement, livide.

On remet Jacques dans la voiture. Ils parviennent au port. France dit à Vick qu'il faut hospitaliser son père. Dieu merci ! Alice parle espagnol. Jacques entre dans une clinique sous le nom de son père : Jacques Romain. Les médecins croient que Brel a la tuberculose. Maddly monte la garde près de Jacques. France et Alice montent la garde sur le bateau.

On ne parle plus de Miche.

Les médecins droguent Jacques. Il décide de s'enfuir de la clinique. A bord de l'*Askoy,* Jacques dit :

— Demain, je pars en Suisse, faire des analyses avec Maddly.

France et Vick les accompagnent à l'aéroport.

— France, tu es une fille bien, dit Brel, mais il n'y a pas beaucoup d'hommes bien. Ça m'étonnerait que tu en rencontres un.

A Alice, il glisse :

— Ce qui serait très bien, c'est qu'à mon retour, Vick puisse repartir avec France sur son bateau et que moi je garde l'*Askoy* avec Maddly.

Dans sa veste de cuir, sous sa casquette, au fond de l'autobus qui le mène à l'avion, Jacques paraît très affaibli.

Confiée à Vick qui refuse ses avances, France, chargée du bateau, consulte les gros manuels de médecine que Jacques souhaitait avoir à bord. Pour elle, c'est sûr, Jacques a un cancer. France le « sait », mais Vick tente de lui prouver le contraire.

Des amis de Jean Liardon lui font savoir par radio, sur HF, que Brel se porte très mal et arrive. Liardon accueille Jacques à Cointrin avec le Dr Louis-Henri France. Jacques veut être examiné en Suisse. Il est convaincu que là on lui dira la vérité.

Ancien élève de l'école des Ailes, le médecin travaille dans une permanence médicale aux Eaux-Vives, à Genève. Après l'atterrissage de l'avion, Liardon et le médecin attendent Jacques une demi-heure. Il a de la peine à marcher. Soutenu par Maddly, il doit s'asseoir tous les cent mètres.

La permanence médicale permet de procéder aux analyses nécessaires. Une bronchoscopie et une biopsie confirment le diagnostic radiologique de « suspicion ». On a repéré un bourgeon dans le lobe pulmonaire gauche supérieur.

Jacques repart aux Canaries, à Las Palmas, pour s'occuper de son bateau. L'*Askoy* doit aller à Porto Rico, dit-il. Il pense que ce sera plus agréable pour France de garder l'*Askoy* à Porto Rico, port de plaisance, qu'à Las Palmas, rempli de cargos. Le 5 novembre, Brel revient à Genève :

— C'est un cancer, dit-il à Liardon. Je ne sais pas ce que je vais faire... On ne le dit à personne.

Charley Marouani, fidèle, vient à Genève.

Jacques reçoit un appel téléphonique de son frère Pierre qui a des problèmes sentimentaux.

— Bon, allons à Bruxelles, décide Brel.

Le 5 au soir, Jean Liardon, Jacques et Maddly sont à Bruxelles. Pierre se confie à Jacques, qui écoute son frère affectueusement, puis il prend Maddly à part :

— Dis-lui, pour moi...

Avec Liardon, Brel boit des Scotchs jusqu'à 3 ou 4 heures du matin. Ils repartent très tôt le 6 pour Genève. A Liardon, Jacques explique qu'il ne veut surtout pas se retrouver diminué comme Jojo. Brel décide de se confier à Gelin son ami chirurgien.

A travers ce chassé-croisé d'avions, Miche est prévenue par Charley Marouani. Il ne faut pas qu'elle se rende aux Canaries, elle n'aura pas trois semaines de vacances au soleil. Elle reçoit un télégramme de France : Jacques arrive. Urgence. Malade.

A l'aéroport de Zaventem, près de Bruxelles, Miche retrouve un mari très malade avec sa compagne, Maddly, une femme que Miche ne connaissait pas, malgré les accords de *our way of life.*

Jacques voit Arthur Gelin.

— Voilà, j'ai un cancer du poumon.

Et il exige qu'Arthur aille prévenir Miche en lui disant la vérité.

— Calme-toi, dit le chirurgien. Montre-moi les radios.

Gelin — il y a plusieurs écoles — pense qu'on ne doit pas la vérité aux cancéreux. Puisque Jacques sait... A Brel, Gelin répétera :

— Tout est affaire de cas d'espèce.

Jacques et Maddly dînent chez Miche, avec Isabelle.

Le lendemain, Arthur reçoit Brel avec un de ses amis interniste. Il décide du programme opératoire. Jacques a un « petit » cancer, cinq millimètres sur le poumon gauche.

Jacques Brel pose ses conditions. Il ne veut pas qu'on le découpe en morceaux, devenir un être diminué. Jojo était si faible vers sa fin. Surtout, Brel veut pouvoir traverser l'Atlantique. Si on doit le réopérer plus tard, qu'on le laisse tranquille.

Il entre dans le service de Gelin à la clinique Édith Cavell. La veille de l'intervention, Brel demande à son ami de passer le soir après sa consultation. Gelin arrive :

— Ferme la porte, dit Jacques. J'ai mis une bouteille de champagne au frigo. Nous allons boire un verre de champagne. J'aime mieux être à ma place qu'à la tienne.

Miche vient au chevet de son mari après Arthur.

Le 15 novembre, Jacques écrit à sa fille France, restée sur son île, chargée d'entretenir l'*Askoy.*

« Ma France,

Comment ça va ? Toute seule sur ton ASKOY.

J'espère que tu es tranquille et confortable à Porto rico.

C'est un coin dont j'ai un bon souvenir et où tu devrais te plaire car il y a pas mal de mouvement et des gens amusants.

Moi je suis coincé à Édith Cavell pour un petit temps. Maddly te tiendra au courant et si cela devait durer elle fera un saut jusqu'à toi.

Mais je ne crois pas que cela dure bien longtemps.

car ma carcasse est encore bien solide.

J'espère que tu n'auras pas trop d'ennuis avec le bateau et que tu pourras bien le soigner pour qu'il soit en pleine forme à mon retour.

Voilà ma France tu me manques bien tu sais et je pense fort à toi

Je t'embrasse tendrement.

Ton vieux Jacques.

Si Vick est encore près de toi ou au large par contact Radio tu l'embrasses pour moi et tu lui dis que je ne sais pas comment le remercier pour son amitié. »

Jacques Brel est opéré le 16 novembre 1974 par le chirurgien Charles Nemry. Gelin l'assiste.

Intervention d'une heure et demie, ablation du lobe supérieur gauche. Un pathologiste vérifie « que tout a été enlevé ». Les médecins consultent des confrères à Bruxelles et dans le nord de la France, pour savoir si le cas de Jacques exigerait un traitement de chimio et de radiothérapie. Réponse négative.

Le cancer du poumon n'est pas — si l'on peut dire — un bon cancer. Pour les statistiques c'est un des plus mauvais. Disons, à l'époque, vingt-cinq pour cent de guérison. Jacques a quelques éléments qui jouent en sa faveur : pas de ganglions, pas de métastases.

En réanimation, après l'intervention, quand il se réveille, Jacques Brel dit à Gelin :

— ... At-Atlantique.

Brel a toujours mené à bien ses entreprises. Il souffre beaucoup, chaque éternuement provoque une douleur atroce. Nemry le constate : Brel éprouve de terribles douleurs. Brel n'accepte pas de renoncer à ses projets, pas plus que de se trouver à la merci des autres.

Ses filles Chantal et Isabelle apprendront après l'intervention chirurgicale que leur père a été opéré d'un cancer.

La psychologie des cancéreux varie. Jacques n'est pas de ceux qui se disent, comme un Roger Vailland : en apparence, je présente tous les symptômes du cancer, mais moi je ne l'ai pas. Brel ne ressemble pas non plus à Pierre Viansson-Ponté, un des meilleurs journalistes de sa génération. Ayant publié avec le cancérologue Léon Schwarzenberg un livre dans lequel les deux auteurs expliquent qu'on doit la vérité aux cancéreux, Viansson-Ponté refuse d'écouter Schwarzenberg lorsque ce dernier lui dit : Pierre tu as un cancer.

Brel déclare :

— Je suis beaucoup plus malade qu'on ne me le laisse entendre.

On lui ment ! On triche toujours avec lui ! Jacques se querelle avec des médecins et en injurie plus d'un. Étrange convalescent qui envoie ses pantoufles à la tête des infirmières, demandant qu'on lui fiche la paix. Il veut mourir seul.

Je suis un homme fini, c'est terminé, dit-il à Miche. Je sortirai de cet établissement les pieds devant.

A sa fille Chantal, il donne l'impression qu'il y a un peu de comédie dans cette tragédie. Brel peut aussi être charmant avec le personnel de la clinique. Face à Charles Nemry, il parle de navigation, d'aviation. Comme ce Brel est direct, simple, chaleureux. Maddly monte sa garde auprès de Jacques. Quand il la voit seule, Miche entend Jacques murmurer, à propos de sa compagne :

— Excuse-moi, je suis désolé de te l'imposer.

Un soir, Miche prend le relais de Maddly au côté de Brel :

— Et j'espère que quelqu'un a été gentil avec toi, dit-il.

— Oui...

Le lendemain, Jacques à Arthur :

— Elle a un amant !

Arthur à Miche :

— On ne dit pas ces choses-là à un malade.

Jacques Brel, dans cette curieuse situation, ne manque pas d'un naïf culot.

Jacques ne veut pas qu'on le sache malade. Il craint les journalistes, les photographes surtout. Dès qu'il peut se tenir debout et marcher, il se promène dans les couloirs, peu voyant bien sûr, en robe de chambre orange vif, faisant la causette avec les infirmières et les malades, allant dévorer des gâteaux partout. Il veut l'anonymat mais ne fait rien pour le préserver. A son grand étonnement la nouvelle filtre. Miche lui conseille de donner une conférence de presse, avec Arthur Gelin à ses côtés. Brel dirait : j'ai été opéré, je vais bien, je repars. Brel refuse cette proposition. Il est ivre de colère lorsqu'une certaine presse annonce qu'il est à l'hôpital et mourant.

Il se connaît bien. En 1967, il écrivait :

Quand je serai vieux, je serai insupportable
Sauf pour mon lit et mon maigre passé
Mon chien sera mort, ma barbe sera minable
Toutes mes morues m'auront laissé tomber [1]...

Aucune de ses femmes n'est une morue et aucune ne l'abandonne. Ses amis l'entourent. Charley Marouani est souvent présent à Bruxelles.

Il passe sa convalescence au Hilton de Bruxelles qui n'est pas vraiment le meilleur endroit pour éviter la presse. Certains journalistes veulent voir Brel, le photographier surtout.

Brel reprend du poil de la bête. Il va repartir, jurant qu'il se reposera jusqu'en février. Il écrit de nouveau à sa fille, le 12 décembre :

« Bonjour ma France,

... Je suis bien content de ta lettre ! Et content de pouvoir t'imaginer dans la peinture jusqu'au cou !

Je suis enfin sorti de clinique...

Suis encore claqué et j'ai pas mal de peine à écrire.

---

1. *La... la... la.*

Nous arriverons le 22 à 10 h 30 du matin de Madrid (Vol 001).

Je serai très heureux de pouvoir t'embrasser.

J'ai hâte d'être là.

Je t'embrasse Ma France et je pense que tu as bien de la chance d'être là-bas car ici, vraiment c'est la merde et rien de mieux.

A dans quelques jours

    Ton vieux père coupé

    et encore vivant. »

Avec Marianne, Brel est laconique :

« Il s'agit bien d'une méchante tumeur et les chances pour le futur ne sont pas gigantesques... »

A Madrid, Jacques est trop fatigué pour aller contempler les Greco du Prado.

Méconnaissable, il revient aux Canaries avec Maddly. Aux yeux de sa fille, c'est un mort-vivant. Alice, la veuve de Jojo, a regagné Paris. Jacques reproche à France de l'avoir laissée partir.

Maddly dit doucement à France :

— Ne t'en fais pas, c'est devenu un autre homme.

France est éberluée. Pourquoi son père lui reproche-t-il d'avoir dépensé trop d'argent ? Elle s'est nourrie de pâtes.

Le 29 décembre, Jacques Brel à Arthur Gelin :

« Cher Arthur,

Revoilà le bateau, le soleil et la mer. Demain, je m'en vais. »

Alors que Brel avait promis de se reposer.

« Un mois de paix, de mer et de silence. Je t'espère en pleine forme et surtout je t'espère serein et heureux. Je te jure qu'il est urgent d'être heureux.

Tu sais que ce bateau est le tien... »

Encore : l'*Askoy* est à toi, à tous, à personne.

Avec Brel, l'urgence est urgente. Chacun maintenant doit exiger le bonheur.

« ... Dès mon arrivée aux Antilles, je t'enverrai mes coordonnées, mais début mars est déjà à portée de la main. Nous t'espérons pour quelques semaines. Je crois que ça peut être bien de se balader un peu dans les îles loin des imbéciles et des sordides, mort aux vaches... »

Le lendemain, — six semaines après son opération — Jacques Brel, Maddly Bamy et France Brel partent seuls pour traverser l'Atlantique. Cette traversée est courante aujourd'hui. Mais dans ces conditions, l'entreprise n'a-t-elle pas un élément suicidaire ? On peut s'interroger : un gros bateau, un grand opéré, deux femmes. A

propos de cette traversée shakespearienne par les éléments — la mer
n'est pas belle — et racinienne quant aux rapports entre les trois
personnes à bord, nous disposons de quatre témoins. Dieu ne parle
pas, Jacques ne parle plus, Maddly Bamy, très discrète à propos de
cette traversée dans son livre [1], et France Brel.

Maddly fait quelques courtes allusions à la fille de Jacques qui
provoque la tristesse de son père : « Il se défendait toujours d'être
triste, il me disait : " J'ai du chagrin. " Et ce chagrin-là venait de sa
fille qui avait montré une humeur terne durant toute la traversée et
qui déjà s'en allait avec des amis de rencontre [2]. »

Sur l'Atlantique, Jacques a un rôle à sa mesure, ou plutôt à sa
démesure.

France s'enferme dans un mutisme boudeur. Pendant un mois,
aux Canaries, seule ou avec des amis, elle a pleuré tout son saoul. Au
départ d'Anvers, elle pensait être sinon la patronne, du moins la
première femme à bord. Maddly a pris, conquis — ou Jacques lui a
accordé, aux yeux de France — la première place.

France trouve son père de plus en plus irritable, prenant la
mouche pour tout :

— Tiens, l'écho sondeur ne marche pas. C'est de ta faute ! Tu as
mal refait les peintures.

France déforme-t-elle l'irritation de Jacques, compréhensible et
due à son affaiblissement ? France a le sentiment de faire son service
militaire, d'être la bonne et le mouton noir d'un vieux couple. Elle
rumine ses rancunes. Par égard pour Miche, elle ne voulait pas que
Maddly se rende à Bruxelles. Pourquoi elle, fille de Jacques, a-t-elle
dû garder le bateau ? De son côté, Jacques doit trouver France bien
indifférente.

Elle ne veut pas dramatiser !

— Qu'est-ce que tu as eu au juste ? demande-t-elle.

— Un cancer.

— Ah bon ! Et on t'a opéré, et c'est fini.

Jacques bougonne :

— Oui, c'est fini.

Quel monstre de froideur, cette France qui ne s'apitoie pas ! Elle
ne fond même pas en larmes.

Jacques pousse sa misanthropie à l'extrême :

— Tu ne peux pas savoir, France, les cons que j'ai rencontrés là-
bas ! Tout m'a déçu ! C'est vraiment un monde pourri !

Il insulte l'univers.

---

1. Maddly Bamy, *Tu leur diras*, Grésivaudan, 1981.
2. *Ibid.*

Travaillant à quelques chansons, songe-t-il à d'autres, assez prémonitoires ?

> ... Je repense à des insultes
> A des ennemis anciens
> Tout ça ne me fait plus rien
> Est-ce que je deviendrais adulte
> Ce serait bien
> Je n'entends que mon cœur de pierre
> Ce soir je ne ferai ni la fête
> Ni la belle ni la bête
> Même mes rides m'indiffèrent
> Je suis bien
> Et j'éteins
> Je suis bien
> Je suis malhonnête[1]...

France supporte mal les deux autres passagers de l'*Askoy*. Son père, qui tient depuis Anvers à se faire appeler Jacques, pas « papa », se fait soigner par cette femme, « Doudou ». Maddly appelle Jacques « Doudou » aussi. Toute la journée sur le bateau, pour France, ce sont des Doudou, Doudou, Doudou, à n'en plus finir. Aux yeux de cette fille de vingt et un ans, des Doudou de vieillards. France ne manifeste aucune compassion, aucune pitié et se mure dans un silence hostile. Vingt-sept jours de traversée, une mer difficile, des vents contraires, parfois des vagues de dix mètres, et Brel a choisi la route la plus directe et la plus dure, sans alizés, par la mer des Sargasses. Les tensions sur l'*Askoy* sont de plus en plus vives. A terre, dans un mas de Provence ou une ferme du Limbourg, n'importe où, l'atmosphère eût été intolérable. En mer, sur cet Océan, la fatigue des quarts aidant, les ressentiments s'épaississent. La logique de la situation est claire : à bord, il y a une personne en trop. La pudeur de France, comme celle de Jacques, crée une situation qui échappe à tous les acteurs. Le moindre geste devient suspect, et chaque mot blessant :

Jacques sait être cruel, croyant plaisanter. Il s'arrête au milieu d'une phrase :

— Je ne parle pas trop vite pour toi, France ?

— Non. Pourquoi ?

Jacques se tourne vers Maddly :

— Les Belges parlent plus lentement que les Français.

Dans un certain genre, il radote :

---

1. *Je suis bien.*

— Savez-vous comment on dit en flamand « Monsieur, je vous prie de bien vouloir m'excuser ? Auriez-vous l'obligeance de répéter ce que vous venez de me dire. » Ça devient « Wade ! »

— France, est-ce que je peux avoir un pastis ? demande Jacques.

Sa fille lui sert un Ricard. Puis elle se rend dans la salle des machines pour verser la dose quotidienne de mazout dans le réservoir du groupe électrogène.

— Tiens, dit Jacques, ce pastis a un drôle de goût ?

Selon France, Maddly répond :

— Je sais bien. France ne fait pas attention. Elle s'en fout complètement. Elle n'a pas pris l'eau la plus fraîche.

Le mutisme de France devient total. De plus, elle souffre encore du mal de mer. En somme, elle dégueule et fait la gueule. Tout en s'excluant elle-même, France a le sentiment d'être l'intruse.

Jacques Brel, qui a vilipendé la charité, voudrait que sa fille se montre plus charitable à son endroit. Après tout, et c'est vrai, Brel est un grand malade héroïque.

L'*Askoy* arrive à la Martinique en janvier 1975. Jacques décide de jeter l'ancre à Fort-de-France. Justement cette ancre est coincée. On a mis trop de peinture sur ses chaînes pendant le dernier carénage aux Canaries. C'est la faute de France. Jacques envoie sa fille chercher du pain à terre.

France découvre une ville grouillante, colorée, vivante. Quel contraste avec ce qu'elle a vu et vécu au long de vingt-sept jours sur l'Océan ! Elle se promène. Quand elle revient, le soir même, son père lui dit :

— Écoute, France, ou bien tu rigoles comme avant, ou bien tu débarques.

— O.K., dit-elle. Je réfléchis. Je te donne ma réponse demain.

Elle a besoin de se changer les idées. Dans un port, d'un yacht à l'autre, les contacts se nouent facilement. France prend un verre ici et là. Elle regrette que Vick ne soit pas encore arrivé au rendez-vous de Fort-de-France.

Entre 2 et 3 heures du matin, France revient à bord de l'*Askoy*. Elle voit un mot sur la table du carré, de l'écriture de Jacques, mais pas signé : « Tu débarques demain. » France reste éveillée toute la nuit, pleurant. Le lendemain, elle se lève, prépare le petit déjeuner. Le mot n'est plus sur la table du carré. France fait son sac. Sa décision est prise. Elle part. Fini ce rêve d'un tour du monde avec Jacques. Brel n'est plus son père. Son père n'est plus papa. L'a-t-il jamais été ?

Ce matin-là, avec un regard de détresse, Jacques demande à sa fille :

— Alors, qu'est-ce que tu fais ?

— Je débarque.

Jacques et France sont-ils l'un et l'autre victimes d'un prodigieux malentendu ? Il est possible, sinon probable, que Jacques a d'abord laissé la feuille de papier avec ses trois mots terribles : « Tu débarques demain. » Puis, pensant que sa fille n'était pas encore rentrée, revenant sur son mouvement d'humeur, et de rage, Brel l'a peut-être enlevé.

En tout cas, France entend son père lui répondre :

— Bon, alors c'est tout de suite. On prend le canot.

France pleure dans les bras de Maddly :

— Je pars sans colère.

Maddly la console :

— Ne t'en fais pas. Ça va s'arranger avec le temps. Il est très irritable pour l'instant.

France se confie à Maddly :

— Surtout, dis-lui que je ne lui en veux pas. Je m'en vais parce que ce n'est plus possible... ce bateau à trois.

Jacques accompagne sa fille à quai, il ne veut pas mettre le moteur du canot en marche. Il a mal aux côtes, grimace à chaque coup de rame. Il entonne son plaidoyer contre les enfants. Il n'a fait que trois connes, les jeunes, tous les mêmes, je ne veux plus vous voir, j'ai vraiment tout raté avec mes filles.

Ils accostent au débarcadère. Formalités : la Martinique est un département français. Belge, France peut séjourner à Fort-de-France trois mois sans visa. En poche, elle a mille francs belges, à peu près soixante-dix nouveaux francs français.

En désespoir de cause, pour lui prouver qu'elle n'a pas de rancœur, du moins c'est ce qu'elle croit, France lance à Jacques :

— Je t'offre une bière ?

— Non. Je n'en ai pas envie.

France, qui sans doute espérait que tout cela était rattrapable, sent que c'est fini :

— Bon, je te dis au revoir.

Jacques :

— Moi, je ne te dis pas au revoir. Je te dis adieu, parce que je sais que je ne te reverrai plus jamais.

La teneur de ce dialogue sera confirmée par Jacques. Y a-t-il malentendu, là aussi ? France pense : mon père a décidé qu'il ne veut plus jamais me revoir. Et si Jacques Brel, alors, était convaincu qu'il va bientôt mourir ? Si c'était l'adieu d'un homme qui se croit mourant ?

Brel travaille depuis longtemps sur plusieurs chansons qu'il ne finira pas avant trois ans. La dernière strophe de *Sans exigences*, dont

Marianne a vu le premier jet, semble presque prémonitoire du départ de France :

> ... Elle est partie comme s'en vont
> Ces oiseaux-là dont on découvre
> Après avoir aimé leurs bonds
> Que le jour où leurs ailes s'ouvrent
> Ils s'ennuyaient entre nos mains
> Elle est partie comme en vacances
> Depuis le ciel est un peu lourd
> Et je me meurs d'indifférence
> Et elle croit se couvrir d'amour.

La joie de vivre de Jacques Brel masquerait-elle en partie une fausse indifférence désespérée ?

France reste à la Martinique, dort quelques nuits dans des voitures abandonnées, rencontre des hommes. Elle n'abandonne pas l'espoir d'aider son père. France sait taper à la machine. Assez vite, elle se fait engager dans une banque. France croit, elle, que son père va bientôt mourir. Tous les matins, elle voit l'*Askoy* dans la rade. Elle écrit à Jacques tous les jours mais n'est pas convaincue qu'il ait reçu ses lettres. Maddly ne se souvient pas de ces lettres. De quatre choses l'une : ou France a rêvé qu'elle les écrivait ; ou la capitainerie du port a égaré ses lettres tous les jours ; ou Jacques les a reçues sans en parler à Maddly ; ou cette dernière ne les lui a pas remises.

Vick surgit et prend le parti de Jacques. Rencontrant France, Vick lui dit :

— J'espère que je te reverrai un jour dans des conditions plus agréables.

France écrit à Miche. Elle dort sur des voiles en guise de matelas, dans la maison d'Yves Pichard, rencontré avec sa famille, le jour de l'arrivée en Martinique. Pichard fait des travaux sur l'*Askoy*. Jacques sait donc où se trouve France. Elle se dit : merde, on est en train de tout laisser filer ! Je vais aller voir le bateau. Elle s'approche sur un dinghy. A cinq mètres de l'*Askoy*, elle entend Maddly :

— Non, France, Jacques préfère ne pas te voir.

La fille de Jacques Brel télégraphie à sa mère, achète un billet d'avion et s'embarque pour Paris où elle arrive le 9 mars 1975. Miche vient chercher sa fille, à Orly. Miche a vieilli de dix ans.

« Nous étions cinq à bord. Le capitaine, le second, la fille du capitaine et deux marins », écrit Maddly racontant le départ d'Anvers. Sur l'*Askoy* maintenant, il n'y a plus que le capitaine et le second[1]. »

---

1. Maddly Bamy, *Tu leur diras.*

Jacques et Maddly cabotent autour des Antilles. Arthur Gelin arrive. Jacques est un hôte parfait. L'*Askoy* retourne dans la baie de Fort-de-France avec Arthur à bord. Jacques lui dit :

— Nous allons faire le plein de carburant et de victuailles. Mais je ne veux pas que tu voies ça. Maddly va te conduire. Tu vas louer une voiture. Tu vas t'installer à l'hôtel et faire le tour de l'île jusqu'à demain soir.

L'*Askoy* navigue avec le bateau de Vick. Vers 16 heures, Jacques sourit :

— Une petite crêpe, peut-être ? Avec un chablis, un sancerre ?

A midi, on déjeune dans le cockpit. Le soir on dîne dans le carré. Pendant un mois, on passe d'une île à l'autre. A l'île Moustique, où la princesse Margaret fait ses frasques. A Sainte-Lucie, Jacques engage un homme d'équipage. Il ne sait pas manœuvrer et il a mal au ventre :

— *I would to go home.*

— Eh bien, qu'il rentre chez lui, je vais lui payer son billet d'avion et son salaire, dit Brel.

Au bord de la mer, dans une gargote que fréquente l'aristocratie de l'île, Arthur retient trois places pour le dîner. Des policiers de Sainte-Lucie abordent Arthur : le marin prétend qu'on l'a mis à la porte et qu'il n'a pas été payé. Les policiers veulent suivre Arthur sur l'*Askoy*.

— Ils ne monteront pas, dit Jacques.

Arthur négocie. Jacques paie à nouveau un mois et demi de salaire et le billet d'avion.

— Tu sais, Arthur, c'est le prix de la paix ! Les faire monter à bord ? Ils vont m'emmerder. Je ne veux pas qu'ils viennent chez moi.

Aux Grenadines, la langouste se vend deux francs le kilo. Vick coupe les langoustes vivantes et les fait griller sur le pont.

Arthur connaît déjà Maddly. Pour lui, c'est une femme coura-geuse, au physique et au moral. Jolie, musclée, robuste, souriante, elle aide beaucoup Jacques. Brel est son Pygmalion. Gentille, très gentille, patiente et soumise. Jacques Brel sait fort bien dire avec amabilité et fermeté :

— Maddly, je te demande de bien vouloir...

Il plaisante :

— Toi, la négresse !

Parfois, il y a des éclats, quelques petites bouderies de la part de Maddly. Jacques n'a jamais été un homme commode. Un jour, Brel dit à Arthur :

— Elle ou une autre...

Maddly se montre très dévouée. Vouée à Brel. Peut-être ne comprend-elle pas toujours que Jacques n'est pas un homme simple, pas un personnage au premier degré. Son affection et son admiration pour Brel poussent souvent Maddly à des interprétations littérales de certaines sorties de Jacques. Elle le prend au pied de la lettre, oubliant que Brel est souvent ironique. Elle rapporte un propos de Jacques : « Je suis heureux d'être orphelin de mes filles. » Il en a mal au ventre, de ses filles ! Il en parle sans cesse à Arthur. Maddly a-t-elle entretenu chez Jacques l'idée qu'il ne devait pas les revoir ? Lui disait-elle : « Ne les vois pas, elles vont te faire du mal » ? Position assez classique d'une maîtresse.

Maddly et Jacques, en symbiose dans leur cocon, ne sécrètent-ils pas malgré eux une certaine agressivité, protectrice d'eux-mêmes, face au monde extérieur, famille ou amis ? Jacques ne fait plus confiance à personne, même si sa jeunesse d'esprit, sa joie de vivre, son refus de parler du cancer et de sa mort sont évidents. L'idée de la mort rôde en lui depuis si longtemps :

> ... Je veux qu'on rie
> Je veux qu'on danse
> Je veux qu'on s'amuse comme des fous
> Je veux qu'on rie
> Je veux qu'on danse
> Quand c'est qu'on me mettra dans le trou[1].

Avec Arthur, il mange, boit, discute, parle du départ de France. La version de Jacques quant à l'arrivée en Martinique n'est pas tout à fait celle de sa fille. A Arthur Jacques dit : « J'ai tout fait. Elle était malade. Je lui ai apporté du thé, des toasts. Mais quand nous sommes arrivés à Fort-de-France, elle s'est réveillée et elle a dit : " Chic ! mes amis m'attendent, je m'en vais. — Écoute, France, je n'en peux plus, je suis mort de fatigue, je veux aller me reposer dans un hôtel pendant huit jours. Elle a dit : — Non, pas question. — Réfléchis. Si demain je trouve tes valises sur le pont, c'est que tu veux partir. " »

Jacques confirme qu'il a bien dit « adieu », pas « au revoir » à sa fille.

France et Miche à Bruxelles se consolent. Miche envoie à Jacques une lettre de reproches. On ne traite pas sa fille ainsi ! Jacques, de Halifax, répond, tel qu'en lui-même il se veut et s'imagine :

> « le 15 avril de l'an de disgrâce
>
> Chère Miche,
> Il faut bien dire que ta dernière lettre n'était pas un cadeau et j'ai cru mieux d'attendre un temps de trop avant de répondre.

---

1. *Le Moribond.*

Nous avons 25 ans de commun cheminement.

Nous nous savons un peu, il serait stupide de succomber à la tentation de colère.

Je sais que tu es une femme et tu sais que je ne suis pas un garçon coiffeur.

Il est certain que je suis usé de vivre et fatigué de patience.

Il est certain que je n'ai point eu de talent en étant époux et père. »

N'est-ce pas de ses talents paternels qu'il s'agit ?

« Il est certain que, bien qu'étant trop malade, il me reste toute une santé qui ne m'autorise pas à vivre en bourgeois.

Il est certain que j'ai croisé mes filles sans les rencontrer jamais et pourtant j'ai tenté : je crois cela vraiment. »

Essayé, vraiment ?

« Mais rien n'est venu d'elles, qui me fut visible, ou signalé, ou vrai, ou chaud ! ou tendre, un peu, un rien. »

Aveugle ou borgne, Jacques, en père ?

« Il est vrai que je ne sais pas les femmes ni leurs jeux, ni leurs refus.

Et je crois indispensable de penser qu'il n'est presque plus possible d'être une chose féminine, tant il est refusé à l'homme le droit de l'être. »

Puis, Brel résume son mariage :

« Miche, tu laboures la vie, je la passionne !
Tu la stabilises et je la jongle.
Qui a raison ?
Sûrement pas toi et absolument pas moi !
Alors ?
Alors que le ridicule nous protège, que le respect de l'un pour l'autre devienne notre médecine.

J'ai toujours su comment l'esprit vient aux femmes, mais il n'est que maintenant que je sais comment il vient aux hommes : il suffit d'un rien de mort, ou de son idée, ou de sa venue, ou de son ombre ! ! !

Et monte de cela un formidable envie de rire que le monde ne partage point ce monde grâve et imbécile que tu es obligée, peut-être, de fréquenter un peu. »

Jacques ne supporte pas les amis, les sorties de Miche. L'aurait-il plus aimée se morfondant, solitaire ?

Jacques Brel poursuit :

« Miche, je t'autorise à me détester mais je ne me l'autoriserai jamais.

Les brisures sont stupides ! et ne servent qu'aux hommes ! Comme la culture ! qui est la mémoire des crétins qui n'ont rien à inventer ! »

Au bord d'une chanson, Brel, là :

« Je n'ai qu'un regret : c'est ton chagrin !
Je n'ai qu'un chagrin ce sont mes filles !
Je n'ai qu'une fille : c'est toi !
J'estime avoir le droit de périr en mer plutôt que de succomber au salon, je veux donc aller un peu trop loin. »

Note suicidaire.

« Il n'est point aisé de tout te dire, tu sais si peu de moi !
Et je sais si peu de toi.
Tu es ce qu'il y a de moi la bas.
Je suis ce qu'il reste de moi en vie.
Tu as tort et je n'ai pas raison.
Tu as attendu de moi ce que nul ne rencontre. Dieu sait que j'ai aimé, qui tu sais que j'aimais !
Je suis lâs, j'ai quinze ans. »

Jacques ne cessera jamais d'employer des accents circonflexes pour souligner la gravité d'un mot.

« et je n'ai pas d'enfants, mes enfants ont cent ans et ils n'ont pas de père, car leur père a 15 ans. »

Il sait fort bien qu'il n'est pas sorti d'une superbe adolescence

Les premières ennemies du chanteur, tricheuses, aux « cheveux en accroche-faon [1] » avaient quinze ans.

« Et m'est perdu l'envie de descendre aussi bas pour saisir leurs sommets
Je t'embrasse et, de loin, te protège,
mon nom est Jacques Brel et je conchies les cons. »

Tout Brel est là, dans la mauvaise foi et la sincérité, l'outrance et la simplicité, tel qu'en lui-même la vie et sa maladie ne l'ont pas changé. Invaincu, voulant aller jusqu'au bout, invincible, dans les comptes à régler avec les autres et avec lui-même, jouant le martyr, prenant des poses grandiloquentes, se souhaitant élégant et exigeant

---

1. *Les Biches.*

plein d'espoir et désespéré. Il veut couper avec ces Brel de Bruxelles et, en même temps, il n'y parvient pas. Pour le moment, que de droits il s'accorde face à sa culpabilité ! D'ailleurs qui pourrait les contester à un homme surmontant sa maladie, son opération, ses souffrances, un artiste qui cherche la paix et le bonheur ?

> ... Ils ont oublié qu'autrefois
> Ils naviguaient de fête en fête
> Quitte à s'inventer à tue-tête
> Des fêtes qui n'existaient pas
> Ils ont oublié les vertus
> De la famine et de la bise
> Quand ils dormaient dans deux valises
> Et, mais nous, ma belle
> Comment vas-tu ?
> Comment vas-tu[1] ?

Pourquoi Brel a-t-il eu un cancer ? Le terrain était favorable, il a fumé plusieurs paquets de cigarettes par jour pendant des années. Il a poussé son corps à l'extrême limite.

On peut aussi spéculer avec prudence. Certains critiques avancent que le poète John Keats *chercha* sa tuberculose, d'autres que le dramaturge Oscar Wilde *rechercha* sa condamnation par un tribunal. Usant de corydrane, Sartre savait bien qu'il ne prolongeait pas l'espérance de vie de son cerveau. Brel *chercha*-t-il une maladie ?

Jacques répète qu'il est usé. Pourquoi, par quoi, par qui ? Usé dans le labyrinthe de sa vie privée et par un échec professionnel, celui de *Far West,* profondément atteint par la mort de Jojo : en profondeur, sur les frontières que cancérologues et psychologues attaquent.

Brel est atteint par tout ce que Jacques appelle, d'un mot d'enfant, le chagrin. Il devait partir, couper tous ses ponts. Dur, cruel même, avec les siens ou ses amis, parfois le sachant, souvent avec la légèreté d'un gosse, il est fidèle à lui-même. Il cherche le Far West, une île et, avec Maddly, la camaraderie dans l'amour, l'amour dans la camaraderie. Maddly devient la dernière maîtresse — dans tous les sens : celle qui possède autant qu'elle aime et protège, l'amante et la compagne

Jacques aime ce beau mot galvaudé, « copain » : celui avec lequel on partage son pain et tant de douceurs.

---

1. *L'Amour est mort*

XIII.

Une île

> ... Il y a deux sortes de temps
> Y a le temps qui attend
> Et le temps qui espère
> Il y a deux sortes de gens
> Il y a les vivants
> Et ceux qui sont en mer[1]...

Brel est en mer et il espère vivre.

Il rumine une pénible rencontre à Porto Rico aux Canaries. Se promenant, il est tombé sur Antoine, chanteur devenu navigateur, photographe et journaliste. Invité par Brel, Antoine prit des photos de Jacques. A Maddly, il demanda un cliché de lui-même en compagnie de Brel. Antoine revendit les photos, clamant que Brel était malade. Bien entendu, il ne parle pas, dit Antoine sur un ton trop parlant. Là, s'installa une fois de plus en Brel l'idée que les photographes le poursuivent, le persécutent.

Avant de franchir le canal de Panama, Jacques songe à s'installer en Guadeloupe. Maddly y possède un terrain. Jacques aime la famille de sa compagne, surtout Madou, sa mère, moins son frère, Éric. Trop de monde aux Antilles. Allons plus loin. Jacques est partagé entre le désir de finir ce tour du monde et l'envie qu'il berce depuis si longtemps :

> ... Une île
> Voici qu'une île est en partance
> Et qui sommeillait en nos yeux

---

1. *L'Ostendaise.*

Depuis les portes de l'enfance
Viens
Viens mon amour
Car c'est là-bas que tout commence
Je crois à la dernière chance[1]...

Brel est alourdi par la fatigue, le besoin de jeter l'ancre quelque part, de faire une pause.

Après ses escarmouches épistolaires avec Miche, à propos de France, Brel fait la paix avec sa famille bruxelloise. Il compose ou recompose un personnage serein. Le 12 juin 1975, récriminations et sermons passés, il écrit à Miche :

« Je suis ce soir près d'un tout petit bout de terre avec la mer et des milliers d'oiseaux par-dessus la tête.

Le bout du monde !...

... Depuis le voyage en Europe c'est, je crois bien, le premier soir de paix. »

Cette paix absolue, inatteignable peut-être, la sérénité parfaite, il ne les a pas trouvées à travers l'océan Atlantique ou les Antilles.

« ... Il faut que tu saches qu'il n'est pas de jour où je ne pense à toi, avec le souci véritable de te désirer bien et décontractée dans ta peau. J'ai trop de respect et de tendresse pour toi que pour pouvoir ne pas souhaiter pour toi un peu plus de douceur ! »

Avec sa « quatrième fille », il apure ses comptes dans la tranquillité. Pas entièrement avec Chantal, France ou Isabelle :

« ... Je pense aussi aux enfants mais je n'y comprends rien, vraiment.

... Tu n'es pas épargnée et moi de même mais c'est la seule preuve de vie que nous puissions rencontrer.

Car je continue à penser que le monde ne vit presque pas et mon dernier passage en Europe n'a fait que confirmer cette idée. »

Un grand convalescent à la prodigieuse énergie écrit à haute voix.

Seul avec Maddly, Jacques traverse le Pacifique en cinquante-neuf jours. Les yachtmen font souvent escale aux Galapagos. Elles dépendent d'un régime totalitaire, Jacques les évite. Il n'éprouve pas non plus l'envie de faire un détour par l'île de Pâques. L'*Askoy* n'avance presque pas pendant dix-sept jours. Où est le vent ? Le bateau languit dans le « pot au noir », zone vraiment trop pacifique. Jamais Jacques Brel n'a été aussi seul, aussi coupé du monde. Enfin,

---

1. *Une île.*

pour une fois, il a le temps d'être tranquille, de réfléchir, de ne pas se sentir poursuivi par les journalistes, les parasites, les faux amis, Maddly et Jacques font au canari César, mort en mer, des funérailles de marin, comme des enfants enterrent un animal. Jacques et Maddly jouent aux petits chevaux. Pour le détail de cette traversée du Pacifique, il faudrait pouvoir consulter le livre de bord de l'*Askoy* jalousement conservé par Maddly.

Jacques éprouve-t-il le sentiment qu'il met sa vie en ordre ? On espère qu'il ressent cette paix, provisoire ou durable, qui envahit parfois un homme laissant derrière lui tant de proches et de problèmes. Brel se prépare doucement une vie sédentaire qu'il croit souhaiter et mériter.

L'*Askoy* se dirige vers la Polynésie française. Comme la plupart des navigateurs, Jacques pourrait faire escale à Tahiti. Il choisit d'aller d'abord aux Marquises. L'*Askoy* arrive en novembre 1975 dans l'anse de Tao-Ku, devant Atuona, seul village de l'île d'Hiva-Oa. Pour Jacques et Maddly, cette île n'est alors qu'une étape. Ils n'ont pu se ravitailler à leur convenance. Le 12 décembre, Jacques écrit à Alice Pasquier :

« ... Merci, le colis est bien arrivé et après deux mois de mer c'est agréable de bien manger.

Je vous espère en pleine forme.

Un mot de vous me ferait plaisir.

Puis-je vous demander un autre colis avec truffes (de Chez Fauchon si possible) (une quinzaine de boîtes). Couscous (Ferrero est le meilleur en boîte × 10 et puis la semoule seule en boîte carton × 10 — et 10 boîtes de foie gras — 5 si possible aussi quelques boîtes de foie gras des landes)...

Merci et à bientôt.

Jacques. »

Le goût du bien-manger ou l'envie de manger aussi bien que possible, mieux qu'en Europe même, se développe chez Brel.

Jacques ne s'installe pas encore à Hiva-Oa. Il cherche un point d'ancrage, ailleurs, en Polynésie. Me Marcel Lejeune, notaire, homme d'affaires et propriétaire à Tahiti, propose de lui vendre un morceau d'atoll, superbe, à une heure de vol de Tahiti, cent cinquante mille cocotiers, du sable blanc. Brel n'aime ni les lagons, ni les coraux, ni les paysages plats des Tuamotou, pas plus que la vie mondaine de Papeete, la capitale.

Brel ne séjourne pas d'une manière ininterrompue à Hiva-Oa. Trente-neuf kilomètres d'est en ouest, dix-neuf du nord au sud, à mille quatre cent trente-trois kilomètres de Tahiti, cette île suinte une beauté âpre et triste. Quand Jacques Brel y arrive, elle n'a pas plus de mille deux cents habitants, moins d'une centaine de Blancs ou de *Popaa* dit-on là-bas.

Tout en hauteur, l'île est une masse basaltique noire s'élevant dès la côte, avec des pics impressionnants, le mont Feani à mille soixante-treize mètres, l'Ootua à neuf cent vingt-quatre. Même lorsque le soleil flambe, des nuages s'accrochent aux pics qui ressemblent alors à des montagnes. Des traînées de latérite rouge parsèment la côte. Les plages sont rares et le sable sombre. Violente, la mer bat contre les falaises abruptes. Vu d'avion ou de la mer, l'aspect rude et sauvage d'Hiva-Oa est atténué par la végétation, avant tout par les larges plaques luisantes de fougères claires et parfois de manguiers rouges. Après les pluies scintillent les stries argentées des torrents. Hiva-Oa est isolée. Pour l'atteindre, il faut passer par l'aéroport de Faaa à Tahiti. A l'ouest, s'étend le Pacifique, jusqu'à l'Amérique. Hiva-Oa se trouve à une dizaine d'heures de voyage, en avion, de Faaa. Cliché classique pour décrire l'isolement des Marquises : collez une carte d'Europe sur la Polynésie française. Papeete c'est Paris, et Hiva-Oa Moscou.

Jusqu'en 1972, seuls des cargos, le *Taporo III*, le *Tamari*, le *Tuamotou*, poétiquement encore appelés « goélettes », assuraient la liaison avec les Marquises à des rythmes irréguliers et imprévisibles.

Hiva-Oa est aussi éloignée dans le temps que dans l'espace. Brel veut mettre beaucoup d'espace entre lui et le monde qu'il vomit, et surtout profiter du temps.

Un petit aéroport est installé à Hiva-Oa entre les monts Feani et Ootua. De l'aéroport pour atteindre le village d'Atuona, où vivent les deux tiers des habitants de l'île, on s'embarque sur une jeep au long d'une piste sinueuse, accidentée, glaiseuse, tracée dans la montagne comme un sentier à travers la jungle. Avec son aéroport, Hiva-Oa est privilégiée par rapport aux îles les plus proches, Tahuata, Motane, Fatu-Hiva. A Hiva-Oa, la plus grande, la plus fertile des Marquises, l'humidité fait briller les plantes et, souvent haleter, le résident ou le touriste. Pour un homme avec un poumon gravement atteint, ce n'était pas recommandable, pas plus que d'autres climats marins.

Atuona, village capitale, est au débouché d'une des neuf vallées encaissées de l'île. A quelques centaines de mètres de la plage de Tao Ku, Atuona — « Rauzy-Ville », du nom de son dynamique et autocratique maire Guy Rauzy — a quelques rues goudronnées. Tous les hameaux de l'île sont reliés à cette « capitale » par des pistes impraticables lorsqu'il pleut. L'aéroport, à dix-sept kilomètres d'Atuona — toujours précis, Jacques mesure la distance au compteur de sa jeep — paraît lui aussi au bout du monde. Comme toutes les îles de la Polynésie française, Hiva-Oa repose sur une économie subventionnée, le coprah. Dès les abords d'Atuona, l'odeur sucrée et surie des noix de coco cassées imprègne l'air.

Aux Marquises, pour la première fois de sa vie, Jacques éprouve le sentiment de la nature. Après quelques recherches, en juin 1976, il loue une maison modeste, près de la gendarmerie sur laquelle flotte le drapeau français, proche aussi des deux épiceries d'Atuona, dont celle de Michel, superbe maison coloniale en bois. Les autres « maisons », en dur, d'Atuona, les villas modernes, où vivent la quarantaine de *Popaa,* fonctionnaires municipaux, médecins, professeurs, instituteurs, sont moins belles que les *farés* traditionnels des Polynésiens. *Farés* gâchés, hélas ! comme toutes les architectures indigènes de l'Afrique à l'Asie, par les toits de tôle ondulée qui permettent de recueillir les eaux de pluie.

La maison de Brel est à cinq minutes du cimetière. Des admirateurs ont volé sur sa tombe, Oviri, la statuette de Gauguin. La maison de Jacques et Maddly est à une vingtaine de mètres d'altitude. Ainsi Brel profite de l'alizé. Jacques n'a jamais attaché beaucoup d'importance aux lieux où il vivait. Même s'il est difficile de se loger à Atuona, il pourrait s'offrir une autre demeure. Terrasse comprise, sa maison n'a pas quinze mètres sur quinze : un grand salon, une cuisine, une chambre, une salle d'eau, un bureau. La « piscine » que Brel installe n'est qu'une grande cuve ronde. Autour de la maison, le terrain se remplit d'arbres, de plantes, de fleurs. Partout éclatent des hibiscus blancs et les vierges d'or jaunes, des frangipaniers rose et rouge, le tiaré sent le jasmin, les citronniers se mêlent aux petits cocos, aux avocatiers, aux mandariniers. Jacques n'aime pas les arbres à pain. Pour éviter de voir certaines maisons du village, il dresse un rideau protecteur de cocotiers. Sa maison est à deux cents mètres de l'église. Brel n'entendra jamais autant la messe. Chaque jour, montent vers la maison les chœurs des Marquisiens :

> *Ia Hano te enata*
> *I te Eukaritia*
> *A titii te mikeo*
> *A ue i te Etua*[1].

Les voix sont chaudes, langoureuses.

Luxuriante, la faune d'Hiva-Oa paraît aussi belle ou étrange que sa flore. Chevaux, chèvres, bœufs, cochons, chats et coqs sauvages déboulent ici et là. Au bord de la mer, volettent d'affreux petits moustiques, les *nonos.* Tapez dessus, ne vous grattez pas, sinon vous

---

1. « Avant de recevoir / L'Eucharistie / Rejetons nos péchés / En suppliant Dieu »

aurez des plaies, des indurations et peut-être un traitement aux antibiotiques.

Comme tous les habitants de Hiva-Oa, Jacques et Maddly dépensent beaucoup de temps à organiser leur vie quotidienne. On ne sait jamais quand la goélette ravitailleuse arrive, si ses marins se seront mutinés, violant quelques touristes imprudentes, ou s'ils débarqueront les bidons d'essence et les vivres commandés.

Jacques plante des fleurs et des légumes et il est, en partie, responsable de l'introduction de la tomate olivette à Hiva-Oa.

Brel doit bouger. Il se promène en jeep. Il ne s'intéresse guère à la vie culturelle polynésienne, sauf pour affirmer, ce qui n'est pas faux, que l'Église — Hiva-Oa est la plus catholique de toutes les îles Marquises — a rasé les *tiki* de bois et de pierre, les *melae,* lieux sacrés, les *paepae,* plates-formes de pierre sur lesquelles reposaient les *farés.* Jacques porte en lui l'idée d'un âge d'or des Marquises et du caractère totalement répressif des missionnaires et des prêtres. Il régale ses visiteurs d'histoires ressassées sur les deux femmes de l'évêque à l'époque de Gauguin. Brel oublie que la culture polyné-sienne, écrasée sans doute par les colonisateurs, prêtres, gendarmes et administrateurs, a surtout une tradition orale, que le seul livre en marquisien à Hiva-Oa, c'est la Bible, souvent l'unique ouvrage qu'on trouve dans les *farés* des hameaux à cinq heures de marche d'Atuona.

Anticlérical militant, Brel se lie avec des religieuses, les sœurs de Cluny. Elles dirigent alors l'école Sainte-Anne, principal établisse-ment d'enseignement pour jeunes filles des Marquises. Fidèle à lui-même, Jacques vomit l'institution, l'église catholique, apostolique et romaine, mais il accepte volontiers ses représentants sur Terre. Il fait des exposés sur son métier devant les élèves de Sainte-Anne. Maddly donne quelques cours de danse, pendant les heures d'enseignement ménager. Certains prétendent que Brel a introduit le cinéma à Hiva-Oa. Deux salles de cinéma existaient déjà avant son arrivée, l'une avec un projecteur de 8 mm, depuis 1958, l'autre avec un projecteur pour des films de 16 mm depuis 1970. Sur ces appareils archaïques, on a présenté *La Belle et la Bête* de Cocteau. Jacques perfectionne le cinéma aux Marquises, poussant le maire, le ferme Guy Rauzy, à construire un mur-écran près du terrain de football. Jacques propose des films sans trop de rayures et, gros avantage, commençant par la première et finissant par la dernière bobine. Le 8 octobre 1976, Jacques écrit à Lelouch :

« Cher Claude,
Je croyais faire un saut jusqu'à l'Europe mais le courage me manque d'aller au gris.

Alors, de loin, ce mot pour te dire que la vie est toujours belle et qu'elle ne finit pas de débuter !

Quoi de mieux ?

Je t'espère en forme explosive et joyeuse.

Et je viens, sans honte, te demander conseil.

Je vis sur une île de ± 3 000 habitants : ils n'ont rien. Ni télé. Ni journaux. Ni radio (Tahiti est trop loin). »

Le maire d'Atuona rêvait d'atteindre les quinze cents habitants en 1983, pour obtenir d'autres subventions.

« Seul le cinéma peut les aider à rêver.

En 16 m/m il n'y a que des navets ignobles. Donc je veux leur filer une salle de 35m/m.

Peux-tu me dire où s'adresser pour les 2 projecteurs et l'installation et peut-être les films (les prix !)

Je te remercie de loin et à l'avance.

Mais vraiment, on ne peut pas laisser ces gens crever idiots !

Je t'embrasse comme un frère.

    à bientôt.

      Brel »

Face à ce projecteur 35 mm de Brel, le cinéma des prêtres ne garde pas ses clients. Contribution de Brel à la laïcisation de l'île ? Pas vraiment. L'apparition d'un poste de retransmission locale de programmes de télévision et surtout l'arrivée des magnétoscopes tueront, eux, le cinéma à Atuona.

Dans une chanson dont il cherche la musique sur une boîte à rythmes qui donne des airs de valse, de musette, de tango, de bossanova, Brel, pensant surtout à l'accordéon, écrit :

> Toi, toi si tu étais l' Bon Dieu
> Tu allumerais des bals
> Pour les gueux
> Toi,
> Toi si tu étais l' Bon Dieu
> Tu ne serais pas économe
> De ciel bleu
>
> Mais tu n'es pas le Bon Dieu
> Toi tu es beaucoup mieux
> Tu es un homme
>
> Tu es un homme
> Tu es un homme [1].

---

1. *Le Bon Dieu*

Retourne-t-il en 1976, à l'inspiration de ses débuts de 1958 ?

> ... Si c'était vrai tout cela
> Je dirais oui
> Oh, sûrement je dirais oui
> Parce que c'est tellement beau tout cela
> Quand on croit que c'est vrai[1].

Parfois Jacques commence une phrase par :
— Si Dieu veut...
Maddly le coupe :
— Mais puisqu'il n'y a pas de Bon Dieu ?
Brel rend régulièrement visite aux religieuses, mère Rose, sœur
Stanislas, sœur Claire, sœur Élisabeth, sœur Maria. Il ne manque
jamais de demander moqueusement à cette dernière, espagnole, des
nouvelles de Franco.
Croisant le père André Darielle en soutane sur la piste de l'île
d'Ua Huka, Brel s'exclame :
— Encore un curé ! Il y a des curés partout ici !
Qui est cet excité ? Le prêtre reconnaît Brel. Ils font connais-
sance. Trouvant le père André sur le chemin de la poste, comme à
l'époque de Jojo, Jacques mime un revolver avec sa main droite :
— Pan, pan, pan !
— Qu'est-ce qui t'arrive ? demande le prêtre.
Aux Marquises, on se tutoie :
— Je mange du curé tous les matins. Je suis Jacques Brel.
De la terrasse de sa maison, Jacques hèle le facteur accompagné,
ce jour-là, d'un civil :
— Salut, les pédés !
Le civil est Mgr Hervé-Marie Le Cléach, évêque des Marquises.
Devant une religieuse, un curé, le gendarme Alain Laffont, Brel
affiche un athéisme brut. Avec André Darielle, qu'il refuse d'appeler
père André, bien sûr, Jacques paraît détendu et très sympathique. Il
pose des questions qui tournent autour de Dieu. Les réponses ne
l'intéressent pas. Ces conversations-là s'arrêtent vite. Jacques parle
du Bonheur, le père André de l'Amour :
— Oh ! L'amour, dit Brel.
Le prêtre ne parvient pas à parler du vrai amour, selon lui,
l'Amour divin. L'idée de Dieu obsède encore Brel, puisque, dans *Le
Bon Dieu*, il revient à l'homme tellement supérieur à Dieu. Jacques
Brel ne peut être Dieu. Il se contente d'aider les religieuses et,
comme à l'époque de la Franche Cordée, de « faire du social » quand

---

1. *Dites, si c'était vrai.*

il achète un avion, en transportant d'une île à l'autre une femme enceinte, un enfant malade, un médecin isolé, en larguant le courrier à Ua Pou. D'habitude, les lettres pour cette île attendent quinze jours à Hiva-Oa.

Brel décide de vendre l'*Askoy*.

Pour garder le contact avec la France rejetée, Brel lit *Le Point* et le *Canard enchaîné*. Jacques n'est plus passionné de politique. Jojo n'est pas là pour le tenir au courant de l'actualité quotidienne et le relancer. Homme de sa génération, Jacques dictant quelques souvenirs à Maddly, écrivant *Jaurès,* ne dérive pas politiquement vers le libéralisme, comme le Pr François Perin à Liège ou tant d'autres. Brel se désintéresse. Il rumine le passé. Il parle de la classe ouvrière d'hier, pas de celle d'aujourd'hui :

> ... On ne peut pas dire qu'ils furent esclaves
> De là à dire qu'ils ont vécu
> Lorsque l'on part aussi vaincu
> C'est dur de sortir de l'enclave
> Et pourtant l'espoir fleurissait
> Dans les rêves qui montaient aux yeux
> Des quelques ceux qui refusaient
> De ramper jusqu'à la vieillesse
> Oui not'bon Maître ou not'Monsieur
> Pourquoi ont-ils tué Jaurès ?
> Pourquoi ont-ils tué Jaurès[1] ?...

Il commande des livres à la librairie Hachette de Tahiti, lit, relit, forme Maddly, lui proposant Daudet pour le style, Maupassant pour le vocabulaire et La Bruyère pour les idées[2].

Il consacre beaucoup de temps à la cuisine, qui devient une obsession. Brel invite à dîner, insiste sur le rituel plus encore qu'autrefois à Bruxelles. A sa façon, il instaure le système du grand repas polynésien, le *tamaara,* mais Jacques n'invite pas vingt personnes. Parfois, pour recevoir, il se coule dans un smoking rouge et noir. On pense à ce personnage de Somerset Maugham dans *The Outstation* qui, au fond de la jungle, s'habille pour dîner seul et lire son *Times.*

A Atuona, Jacques n'est pas solitaire. Il a trois cercles de connaissances et d'amis. D'abord les habitants de l'île qu'il aime de loin : le maire, Guy Rauzy, le facteur, Michel l'épicier, assis devant ses stocks de conserves, de poêles, entouré par les désœuvrés du

---

1. *Jaurès.*
2. *Tu leur diras.*

village, les petits fonctionnaires auxquels Jacques s'adresse et, surtout, Matira, femme de ménage et de confiance, gardienne de la maison. Avec certains Marquisiens, Brel a un lien presque physique. Il aime leur naturel — un peu trop légendaire ? Il est furieux quand certains d'entre eux cherchent à l'exploiter parce qu'il a de l'argent. Il passe par les cycles des Européens installés dans un pays exotique, sur l'équateur et sous les tropiques. Les Européens adorent les indigènes, puis leur rythme de vie exaspèrent les hommes habitués aux cadences occidentales. A l'époque, les Marquisiens possèdent rarement une montre. Jacques, qui en porte toujours une, apprécie l'exactitude des villageois d'Atuona qui ne pratiquent pas, eux le « quart d'heure polynésien », souvent de soixante minutes. Ces Marquisiens arrivent à l'heure.

Quant aux *Popaa,* deuxième cercle, Jacques est sélectif. Comme en Europe, il a ses têtes, aux Marquises. Dans certains cas, on le comprend. Un toubib surnommé « Contreplaqué » l'aborde :

— Alors, Brel, vous avez eu un cancer ? Vous faites du rabe.

Certains professeurs ou tel médecin veulent faire la connaissance du chanteur. Ils l'invitent. Refus plus que ferme.

Marc Bastard, centre du troisième cercle, sera l'ami le plus intime de Jacques à Hiva-Oa. Quelques jours après l'arrivée de l'*Askoy* devant Atuona, Bastard pêchait avec son fils Paulo et deux jeunes Marquisiennes. Un ketch avec un pavillon belge ? C'était rare à l'époque. Le gendarme Laffont hèle Bastard :

— Jacques Brel vous invite à prendre un pot à bord de son bateau.

Brel ouvre un magnum de son whisky préféré, à ses initiales, J & B. Maddly offre une montre à une des petites Marquisiennes.

Bastard joue au tennis chaque jour, passant devant la baie où mouille l'*Askoy.*

— Klaxonnez, dit Brel. Je viens vous chercher avec le dinghy.

Marc et Jacques se voient beaucoup, parfois chaque jour de la semaine, ensuite plus de dix fois par mois.

Tête ronde, grand front dégagé, chaleureux, cultivé, né à Paris en 1919 — dix ans de plus que Brel —, Bastard est longtemps le seul résident d'Hiva-Oa qui puisse poursuivre avec Brel une conversation soutenue. Bastard a travaillé pour André Labarthe à *Constellation* écrit des romans policiers sous le pseudonyme de Marc Audran, des scénarios de films, servi le SDECE au passage. Après quinze ans dans la Royale, il se considère comme un marin perdu. En 1964, Marc installe la télévision à Papeete. Le gouverneur — il n'y a pas encore un haut commissaire — estime, tradition bien française, que la télévision est une extension du pouvoir. Bastard n'accepte pas les ukases du gouverneur. Il est renvoyé et expulsé du territoire. Tous les départements français sont égaux, mais certains moins que d'autres.

Bastard traverse une mauvaise passe entre 1967 et 1968, connaît le chômage. En 1969, il travaille aux ventes d'armes à Paris. Son patron est licencié par de Gaulle quand les vedettes israéliennes s'échappent de Cherbourg. Par solidarité, Bastard démissionne avec le grade de capitaine de corvette. En 1964, il a visité la Polynésie. Son frère cadet, le capitaine de vaisseau Pierre Bastard, commande la division des avisos escorteurs à Tahiti. Marc cherche un emploi. Justement, un des professeurs de l'école des sœurs à Atuona quitte son poste. Marc arrive à Hiva-Oa en 1970, ayant fait le voyage de Marseille à Tahiti sur un des derniers paquebots. Bastard enseigne l'anglais, puis se recycle en mathématiques pour les classes du secondaire. Il épouse une jeune Polynésienne. Brel adore Paulo, le fils de Marc. Encore et toujours, Jacques s'intéresse plus aux enfants des autres qu'aux siens. Au cours d'un voyage de Bastard en Europe, sa jeune femme l'abandonne.

> ... Bien sûr il y a nos défaites
> Et puis la mort qui est tout au bout
> Le corps incline déjà la tête
> Etonné d'être encore debout
> Bien sûr les femmes infidèles
> Et les oiseaux assassinés
> Bien sûr nos cœurs perdent leurs ailes
> Mais, voir un ami pleurer[1]...

Bastard reste seul avec Paulo. Comment élever ce garçon? Doit-il rester « demi », à moitié européen et à moitié polynésien? Faut-il l'emmener en Europe? A Marc, Brel explique qu'il ne faut pas se faire trop d'illusions sur les enfants. Jacques passe facilement du particulier, le sien, au général. A Bastard il ne parle jamais de Miche, à peine de ses filles. Il affirme que Chantal est venue le voir à l'hôpital en 1974. Elle lui aurait dit : « Ça va? » Il aurait répondu : « Oui. » Elle l'aurait salué : « Au revoir. » C'est ainsi que Jacques, par moments, vit ou veut vivre ses enfants. Chantal, elle, se souvient d'être arrivée avec un bouquet de roses et d'avoir bavardé une heure avec son père.

Brel invite souvent Bastard à dîner :

— Commande-moi un plat.

— Un poulet à la Néva, suggère Marc Bastard.

— C'est compliqué, mais j'ai du foie gras.

---

1. *Voir un ami pleurer.*

Jacques s'en prend à l'administration. Loin, là-bas, à Papeete, dans les services du gouverneur, ou à Taiohae, dans les bureaux de l'administrateur des Marquises, elle ne se penche pas assez sur les problèmes d'Hiva-Oa ou d'autres îles. Pourquoi les habitants de Fatu Hiva ne reçoivent-ils leur courrier qu'une fois par mois? Lui, Jacques Brel, avec son avion, parachutera le courrier une fois par semaine. Projet...

A Bastard, Brel parle des clairs de lune, tout là-haut, sur le terrain d'aviation. Jacques s'y promène la nuit avec Maddly, relevant les températures. Très brélien, ce mélange de précision scientifique et de poésie. Jacques discute volontiers des auteurs de sa bibliothèque[1], de Molière à Malraux, de Kipling à Joyce. On y trouve aussi bien les *Choses vues* de Hugo que *Le Bruit et la Fureur* de Faulkner, *Nadja* d'André Breton, le *Napoléon III* de Castelot. Plus étrangement, *L'ABC de la lecture* d'Ezra Pound, ou *Le Principe de la philosophie du droit* de Hegel. Deux romans aimés, *L'Ile au trésor* de Robert-Louis Stevenson et *L'Ile* de Robert Merle, relus plusieurs fois. A y bien regarder, les *Péritani,* les Britanniques de Merle et leurs compagnons tahitiens du XVIIIe siècle ressemblent aux *Frani,* aux Français et aux *Popaa* du XXe. Les habitants d'Hiva-Oa, surtout dans les hameaux, tuent un cochon sauvage quand ils en ont besoin. Aujourd'hui comme hier, les Blancs font de grandes chasses, massacrent des animaux. Les chasseurs polynésiens d'Atuona ont cette maladie contagieuse. Jacques se passionne pour Henry Miller.

A propos de son métier, même devant Marc, Jacques se montre d'une infinie pudeur.

Ils parlent des Marquises :

— J'ai l'impression que ça ne t'inspire pas, dit Marc.

Jacques écrit une chanson, *Les Marquises,* en évitant l'erreur majeure, plaquer dessus une musique marquisienne :

... La pluie est traversière elle bat de grain en grain
Quelques vieux chevaux blancs qui fredonnent Gauguin

Et par manque de brise le temps s'immobilise
Aux Marquises...
Et puis plus loin des chiens des chants de repentance
Et quelques pas de deux et quelques pas de danse

Et la nuit est soumise et l'alizé se brise
Aux Marquises[2]

---

1. Voir Annexes, p. 420.
2. *Les Marquises.*

Histoire vraie, presque trop belle, une jeune aveugle, Marie-Henriette, revient de l'institut des Quinze-Vingts à Paris où elle a écouté des chansons de Brel. Elle demande à Marc de rencontrer le chanteur. A la guitare, Jacques lui joue cette célèbre chanson.

Jacques confie à Marc qu'il dort mal. Il parle de la mort, montre à Bastard le livre de Léon Schwartzenberg et Pierre Viansson-Ponté, *Changer la mort.*

— Tu vois, j'apprends à mourir...

Dans sa chanson, Brel glisse :

... Veux-tu que je te dise gémir n'est pas de mise
Aux Marquises [1]...

Jacques se lance dans des tirades antimilitaristes. Le *Trieux*, landing craft de la marine nationale, fait escale à Hiva-Oa. Invité à bord, Bastard propose à Brel de l'accompagner. Les marins lui font fête. Brel est heureux. Comme toujours, il déteste l'institution, la marine de guerre, mais aime ses hommes. Il correspond avec un officier d'équipage d'une gabare et, sur ce bateau de servitude, Maddly et Jacques feront un tour dans les îles du groupe nord des Marquises, Hatutu, Eiao.

Avec Marc aussi, Jacques effleure l'éternel problème, Dieu :

— Il n'y a rien derrière, affirme Jacques.

Pour Bastard, Brel se pose toujours la question. Brel déteste la religion et surtout l'usage qu'en font les hommes, la manière dont, en Polynésie, prêtres et pasteurs ont attiré les indigènes vers la foi chrétienne, profitant de leur amour du chant. Ça n'est pas grave. Ici, les religieux ont apporté les sacrements, pas la foi. Les Marquisiens continuent à croire à leurs revenants.

Bastard est émerveillé par le couple que forment Maddly et Jacques. Il n'a jamais vu deux êtres s'aimant autant. Déambulant dans les rues d'Atuona, Maddly et Jacques se tiennent par la main. Si Maddly n'est pas là, Jacques paraît perdu. Le temps lui semble long lorsqu'elle va chercher leurs colis à l'arrivée de la goélette, grand événement à Hiva-Oa. Le déchargement est long, le maire n'a pas encore fait construire un quai. On doit transborder les marchandises sur des baleinières. Pourquoi Maddly, aujourd'hui, met-elle si longtemps à revenir ?

Marc et Jacques se trouvent des amis communs, dont le fantaisiste Jean Rigaux. Si on le faisait venir aux Marquises ? L'Olympia à Hiva-Oa ! Maddly assiste aux conversations sans beaucoup y participer, fait les lectures que Jacques lui suggère, dessine.

---

1. *Les Marquises.*

Parfois Jacques emmène Marc faire une promenade en avion. Les pilotes n'aiment pas l'aéroport d'Ua Pou. Au bout de cette piste se dresse une barrière montagneuse. On ne peut rater son atterrissage ici. En approche, Jacques s'exclame :

— Merde ! Il y a un cheval sur la piste.

Brel parvient à faire virer son avion.

Jacques passe à l'école Sainte-Anne et hèle les sœurs quand elles remontent la piste devant sa maison, leur prête sa « stéréo », puis les aide à en faire venir une à l'école. Les sœurs parlent de la compagne de Brel, murmurent... Brel ne fait guère d'allusions à sa famille en Europe. Classée archives ?

Brel plaisante encore avec sœur Maria, d'origine espagnole :

— Vous savez comment Salazar est mort ? Les Espagnols ont cru qu'il s'agissait d'un cancer et ils ont dit : « Pauvre cancer ! » Quand ils ont vu que Salazar s'était cassé un fémur en tombant d'une chaise, ils ont crié : « Passe-nous la chaise ! »

Il invite aussi ses religieuses, mère Rose, sœur Stanislas et sœur Élisabeth à déjeuner. Pour les sœurs, confites en Brel, Jacques est un homme droit qui cache son angoisse. Pour certaines — prenant leur désir pour la réalité ? — Jacques est un croyant qui s'ignore.

Michel Gauthier, simple, direct, pilote d'Air Polynésie assure la liaison Faaa-Atuona. Il rencontre Jacques Brel sur l'aéroport de Tahiti, Faaa, le 31 juin 1976. Alors, la ligne régulière reliant la grande aux petites îles de la Polynésie française utilise des Twin Otter transportant dix-neuf passagers.

Une nuée de journalistes bourdonne autour de l'appareil. Gauthier sait que Brel est une vedette. Il connaît quelques-unes de ses chansons, sans savoir que Jacques en est l'auteur.

— Vous voulez que je les éloigne ?

— Ça serait sympa, dit Jacques.

Gauthier et Brel font connaissance à l'escale de Takapoto sur l'archipel des Tuamotu. Plus tard, les Fokkers d'Air Polynésie s'arrêteront à Terre Déserte, l'aéroport de Nuku Hiva. En vol, les deux hommes bavardent :

— Vous avez l'air de vous y connaître. Vous pilotez ? demande Gauthier.

— Non, c'est terminé, dit Jacques.

— Je vais vous faire piloter... Faut repasser ta licence.

Jacques achète son avion, un Twin Bonanza, dérive jaune, trois places à l'avant, cinq à l'arrière.

Il baptise cet avion *Jojo*. Brel souffre de la chaleur, du manque d'air, et installe un petit ventilateur. Le *Jojo* est un Beechcraft modèle D 50 datant de 1956, disponible à Tahiti. Jacques n'a donc pas eu besoin d'en acheter un aux Etats-Unis ou en France. Gauthier entraîne Jacques. Les radios de Polynésie entendent souvent sa chanson FODBU.

— Ici *fox oscar delta bravo uniforme.*

Cet avion correspond aux besoins de Brel. Quand le Beechcraft a été mis sur le marché américain, les avions exigeaient une bonne autonomie de vol, les aéroports étaient moins nombreux qu'aujourd'hui. Son plein fait, le *Jojo* peut voler six heures et demie.

Jean-François Lejeune, vingt-neuf ans, fils de Mᵉ Lejeune, rencontre également Brel en 1976. Bronzé, américanisé, il a fait ses études à la Business School de Mellow Park. Président et chef pilote d'Air Tahiti, qui dispose d'une petite flotte de Piper Aztec, il entraîne aussi Jacques. En compagnie de Henri Salvador qui vient de perdre sa femme, ils se posent à Tupai, l'atoll de rêve appartenant à Mᵉ Lejeune. Ils atterrissent aux Tuamotu du Nord, aux îles sous le Vent, font de l'entraînement de nuit à Faaa. Les problèmes, là, sont ceux qu'un pilote affronte à Roissy ou à Los Angeles.

D'abord copains, Gauthier et Lejeune deviennent vite amis de Brel. Quand les pilotes arrivent sur l'aéroport d'Atuona, Jacques vient parfois les chercher.

— Salut, les pédés !

Il leur fait la fête. Quelquefois il se confie à eux.

— Ça va la santé ? demande Gauthier.

— Tu sais, en tout cas, moi je suis foutu. J'en ai pour deux ou trois ans, dit Jacques.

— Mais non, ça va.

Jacques coupe :

— Oui, t'en fais pas ! Mort aux cons !

... Jojo
Tu me donnes en riant
Des nouvelles d'en bas
Je te dis mort aux cons
Bien plus cons que toi
Mais qui sont mieux portants[1]...

Pour Jean-François et Michel, Jacques est un très bon pilote, adroit, rigoureux. Bien sûr, il n'a pas volé vingt ans comme pilote de ligne ! L'administration de l'aviation civile à Tahiti accepte son brevet suisse par dérogation.

Michel, Jean-François et Jacques se voient souvent. Ils parlent surtout d'aviation. Michel raconte ses aventures et mésaventures au

---

1. *Jojo.*

Gabon ou au Congo. Jacques découvre une autre institution à dénoncer, cette administration de l'aviation civile. Partout dans le monde, Brel trouve une institution à laquelle il peut accrocher ses vitupérations.

Entre Hiva-Oa et Tahiti les vols ne sont pas faciles. Le *Jojo* vole à cent soixante nœuds, trois cents kilomètres à l'heure. Cinq heures aux commandes, c'est long, d'autant que le pilote automatique du *Jojo* ne fonctionne jamais. En partant de Tahiti, on doit faire une escale. Pendant les saisons des pluies, la petite en juin, juillet et août, la grande en novembre, décembre, janvier, ça crachote autour du *Jojo*. Pour gagner Tahiti, on peut se passer d'escale. Sur le *Jojo*, Jacques dispose de radios, deux postes VHF à portée optique et deux postes HF. En cas de mauvais temps, des aéroports de secours permettent de se dérouter. Mais les renseignements météo ne sont pas fréquents ou précis. Les pilotes ne disposent pas d'un radioguidage comme entre Marseille et Paris ou Paris et New York. On se lance dans une longue randonnée de sept cent cinquante miles nautiques à parcourir, seul, à quatre mille mètres d'altitude au maximum.

La balise d'Atuona porte à cinquante kilomè*res. Il ne faut pas la rater. A Maddly, Jacques apprend à tenir le manche. En cas de défaillance de Jacques, saurait-elle vraiment atterrir ? A Genève sans doute. Moins à Atuona ? La piste qui sert d'aéroport ressemble à la surface gondolée d'un porte-avions. Dans ces espaces immenses du Pacifique, on peut voler sur des milliers de kilomètres sans croiser un avion ou survoler un navire.

Lorsqu'il reçoit ses amis pilotes, qui ont rempli sa glacière de vivres à Tahiti, Jacques est blagueur, décontracté, timide, pudique, moqueur. Aux yeux de Jean-François et de Michel, Jacques et Maddly forment un couple adorable, bouleversant. En Jacques, Jean-François voit presque un père-maître.

Jean-Michel Deligny, énorme, arborant volontiers des salopettes roses, a été guitariste et maquettiste dans l'édition, avant de travailler à RFO[1] à Papeete. Depuis 1970, il est animateur et producteur de radio. En 1976, le chanteur Carlos, un de ses amis d'enfance, est alité dans une clinique de Tahiti. Deligny lui rend visite :

— Brel m'a amené des huîtres hier, dit Carlos. Il va passer tout à l'heure.

Maddly et Jacques arrivent. Ils dînent tous de pizzas et de huit bouteilles de vin. Jacques et Jean-Michel sympathisent. Brel défend ses Marquises et ses goûts musicaux :

---

1. Radio France Outre-mer.

— Balance-nous de temps en temps du Schubert à l'antenne !

Pendant quelques mois, l'émission de Deligny passe du Schubert. Quelquefois, l'animateur annonce :

— Pour Jacquot.

Ce Schubert des Marquises intrigue les auditeurs. Deligny monte un canular qui ravit Brel. Il répand le bruit que Schubert a composé *La Truite* en passant aux Marquises. Le canular prend.

Jacques vend l'*Askoy* pour sept millions de francs polynésiens, trois cent cinquante mille nouveaux francs français. Quelque temps après, Michel Gauthier achète un bateau :

— T'es con, dit Jacques, si tu me l'avais dit, je t'aurais donné le mien ! D'ailleurs, t'es *vraiment* con, on se fait chier sur l'eau.

Jacques Brel n'a plus envie de naviguer. Là aussi, il a été voir « ailleurs ». Il a vu la scène, l'Océan :

> ... T'as voulu voir Hambourg
> Et on a vu Hambourg
> J'ai voulu voir Anvers
> On a revu Hambourg...
> Mais je te le dis
> Je n'irai pas plus loin
> Mais je te préviens
> J'irai pas à Paris [1]...

En 1976, Jacques se rend en Europe, à Paris et deux fois à Bruxelles pour un contrôle médical. Miche et Jacques déjeunent ensemble au *Churchill*. Brel offre une chaîne en or à Mme Jacques Brel. Radios du thorax, tomographie, bronchoscopie, frottis bronchiques. Le chirurgien Charles Nemry constate qu'il n'y a pas de récidive du cancer. Maddly demande à Arthur ce qu'il en pense. Comme avec Jacques, Arthur biaise amicalement. Avec Nemry, il insiste sur la nécessité des contrôles. Jacques doit en subir un tous les six mois — mais Jacques Brel s'y refusera.

Brel ne joue pas sa vie à pile ou face. Que pense-t-il ? Qu'il va bien ? Qu'il a tiré son dernier chèque sur la vie ? Que la médecine est impuissante ? Brélien, il met en place tous les malentendus possibles entre ceux qui l'ont soigné et ceux qui le soigneront. Face à Gelin, ami et chirurgien, il doit se sentir reconnaissant de l'avoir opéré et plein de reproches parce que ni Gelin ni Nemry n'ont découvert le médicament qui, peut-être, triomphera du cancer. « Découvrir que le médecin n'est pas un dieu fait souffrir, car nous ne parvenons pas à

---

1. *Vesoul.*

abandonner l'idée d'un dieu guérisseur au-dessus de nous », écrit Guido Ceronetti [1].

France trouve son père à la clinique, arrive avec un gâteau et une rose. Jacques donne à Maddly sa version de la rencontre :

— France m'a dit : « Je savais bien qu'on se reverrait. » Je ne lui ai même pas dit de s'asseoir.

France ne se souvient pas de cette phrase. En effet, son père ne lui a pas proposé de s'asseoir. Elle est frappée par la nouvelle moustache de Jacques et par son visage arrondi.

Pèlerinage sur les lieux de son enfance et dans la région où il a tourné *Franz*, Jacques surgit un soir de pluie chez Franz et Zozo à Knokke. Il ne fume plus, ne boit plus. Son humeur sombre frappe Franz et Zozo. Jacques leur propose de venir s'installer aux Marquises. Si je ne vais pas à mes anciens amis, qu'ils viennent à moi !

— Vous êtes des cons. Vendez tout !

Zozo accepterait volontiers. Pas Franz qui tient trop à sa télévision devant laquelle il passe de longues heures. Zozo ne quittera jamais Franz. De plus, Franz n'aime guère l'idée de se coucher avec les poules, comme Jacques aux Marquises.

A Paris, chez Charley Marouani, Jacques Brel rencontre Édouard Molinaro. Ils marchent dans la rue. Un taxi s'arrête devant eux. Le chauffeur sort de sa voiture, abandonne son client et aborde Jacques :

— Monsieur Brel, je vous aime. Je vous admire tant. Quand est-ce qu'on vous revoit sur les planches ?

— En fait de planches, répond Jacques souriant, je crois qu'on m'en prépare d'autres.

Molinaro a le sentiment que Brel joue avec l'idée de la mort. Ils en parlent. Selon Molinaro, Jacques veut donner l'image d'un homme qui sait qu'il va mourir, il a décidé d'afficher sa bonne humeur, de plaisanter. Sa théâtralité est là. Ça l'amuse de voir la tête des gens dans ces circonstances. Le cancéreux dispose d'une arme redoutable imparable pour les bien-portants, sa maladie.

En 1976, Jacques Brel demande à Paul Mercelis, conseiller financier, de s'occuper de ses affaires à Bruxelles, dépossédant Miche de ses droits et devoirs d'un quart de siècle. Brel trouve que tout le monde profite de lui. Il se convainc qu'il va manquer d'argent. A l'évidence, c'est faux. Il sublime, si l'on peut dire, ses rancœurs et rancunes à l'endroit des femmes et de Miche dans une chanson violente et enlevée :

---

1. *Le Silence du corps*, traduit par André Maugé, Albin Michel, 1984

Madame promène son cul sur les remparts de Varsovie
Madame promène son cœur sur les ringards de sa folie
Madame promène son ombre sur les grand-places de l'Italie

Je trouve que Madame vit sa vie
Madame promène à l'aube les preuves de ses insomnies
Madame promène à cheval ses états d'âme et ses lubies
Madame promène un con qui assure que Madame est jolie
Je trouve que Madame est servie

Tandis que moi tous les soirs
Je suis vestiaire à l'Alcazar [1]...

A Paris, Jacques et Maddly rendent visite à l'amiral Bastard, villa Scheffer dans le XVIe arrondissement. Marc a donné à Brel l'adresse de son frère Pierre et de sa belle-sœur, la comtesse Ginette. Jacques explique que pour fuir les photographes, Maddly et lui ont dû changer trois fois de taxi. Une photo de Brel vaut cher ces jours-ci. Depuis son opération, en somme, Jacques réussit assez bien à se protéger de la presse.

Brel déteste Paris :

... Bien sûr ces villes épuisées
Par ces enfants de cinquante ans
Notre impuissance à les aider
Et nos amours qui ont mal aux dents
Bien sûr le temps qui va trop vite
Ces métros remplis de noyés
La vérité qui nous évite
Mais, mais voir un ami pleurer [2]...

L'amiral demande des nouvelles de son frère Marc. Jacques plaisante :

— Marc croit qu'il élève son fils, et il croit qu'il lui parle.

De retour aux Marquises, Jacques reste à l'affût de nouvelles amitiés, comme si, séparé de ses proches en Europe, il devait se reconstituer un réseau.

Marc invite aux Marquises un ami des Bastard, Raymond Roblot, vigneron bourguignon, homme massif et truculent qui n'a jamais entendu parler de Miller ou de Hegel. Jacques l'adore. Raymond parle vins. Roblot a une gouvernante-maîtresse, Suzanne, qu'il n'a pas conviée aux Marquises. De la poste d'Atuona, Jacques et Marc expédient à Roblot un télégramme annonçant l'arrivée de

---

1. *Les Remparts de Varsovie.*
2. *Voir un ami pleurer.*

Suzanne. Le gros homme éclate de rage. Brel est ravi. A Raymond, Jacques explique comment il réussit à faire pousser des navets sur la terre d'Hiva-Oa. Tout cela n'empêche pas les altercations et même les engueulades. Roblot se déchaîne entre les « bougnoules » qui, selon lui, infestent Dijon et « nous font chier ».

Lorsqu'il reçoit Marc ou d'autres invités, Jacques prépare solennellement la soupe du président : Bocuse la mijota pour Giscard recevant les grands chefs français à l'Élysée. Un double consommé de canard ; d'un consommé, on en extrait un autre ; en terrine, on prépare une pâte levée avec des truffes entières ; on casse la pâte en portions individuelles dans le potage. Voilà pourquoi Jacques insiste tellement sur les envois de truffes. Il faut goûter les choses de la vie et les faire goûter aux autres, jusqu'à la fin. Touchant, un peu ridicule, cette cuisine quasi métaphysique d'un Jacques Brel passant des heures devant ses casseroles en cuivre et ses sauces. Manger, c'est prouver que l'on vit..

Brel ne veut pas...

> ... Mourir couvert d'honneur
> Et ruisselant d'argent
> Asphyxié sous les fleurs
> Mourir en monument...
> Mourir insignifiant
> Au fond d'une tisane
> Entre un médicament
> Et un fruit qui se fane[1]...

Les journées s'étirent dans la chaleur, la langueur moite, le soleil et la création. Brel rend le climat de son île, la magie de la pluie et les psaumes des Marquisiens :

> ... Du soir montent des feux et des points de silence
> Qui vont s'élargissant et la lune s'avance
>
> Et la mer se déchire infiniment brisée
> Par des rochers qui prirent des prénoms affolés[2]...

Malgré les prévisions pessimistes de Jacques, Michel Gauthier reste persuadé que le chanteur va s'en sortir. Il souffre mais fait des projets. Jacques est conscient d'une cause de sa maladie. A Michel Gauthier il dit :

— Pendant vingt ans, j'ai fumé quatre paquets de cigarettes par nuit.

---

1. *Vieillir.*
2. *Les Marquises.*

Quand ils passent à Papeete, Jacques et Maddly rendent visite à Jean-François Lejeune, Michel Gauthier et Jean-Michel Deligny. Ils se moquent de ce dernier qui adore les grosses voitures :

— Tu t' rends compte, dit Jacques à Maddly, ce p'tit con a une Mercedes 280 SL. Moi, je n'ai jamais eu qu'une Thunderbird.

Jacques, simplifiant sa vie comme un philologue normalise un texte pour débutants, oublie qu'il a possédé une Jaguar...

Avec Deligny, Jacques est laconique quant à sa famille bruxelloise :

— Sont des cons.

Brel a confiance en Jean-Michel. Deligny compartimente son métier et ses amitiés. Il ne met pas des journalistes et surtout pas des photographes sur la piste de Jacques Brel.

Consciemment ou inconsciemment, Maddly pousse-t-elle Jacques à la rupture avec sa famille bruxelloise ? A-t-elle les réactions courantes de la maîtresse face à la famille légitime ? Les enfants de l'homme qu'on aime sont encore plus dangereux que l'épouse légitime. Maddly dit que tout s'arrangera. Il est heureux avec elle, elle avec lui. Pourquoi compliquer la vie de ce sursitaire ? Maddly dédramatise les rapports hommes-femmes. Maîtresse, de fait et en titre, la dernière et la seule maintenant, elle considère que Mme Jacques Brel, c'est elle. Infirmière, mécano, un peu copilote, copain, elle a pu expliquer et démontrer à Jacques qu'une femme n'est pas si compliquée, si méchante, si diabolique qu'il le pense ou le chanta.

— La famille de Jacques ne l'a jamais compris, répète volontiers Maddly.

Brel a tout fait pour en convaincre Maddly. Pour la famille à Bruxelles, qui respecte la volonté de Jacques — garder ses distances — Maddly est l'amante et la mante. Elle protège Jacques mais se protège aussi. On peut comprendre l'entêtement de Brel, sa silencieuse agressivité, face à sa femme légitime et ses filles. Pourtant, malgré sa hantise pudique de la mort, malgré l'insistance de certains, il ne retouche pas son testament. Son farouche désir de coupure va loin. Sa plus jeune fille, Isabelle, avait quatorze ans en 1974 quand il quitta Anvers sur l'*Askoy*. Brel lui a envoyé une fois des souhaits d'anniversaire. Jamais il n'a répondu à la dizaine de lettres écrites par l'adolescente. A-t-il reçu ces missives ?

Il écrit le 3 mars 1976 à sa fille Chantal qui fait un tour du monde avec son mari Michel : « Chantal, ma fille, je suis heureux de te sentir " bien dans ta peau ". Je suis heureux aussi de voir que tu commences à " respirer " le monde. Et tu me dis par deux lettres des choses gentilles. Alors... Les voyages te vont bien et je crois que ton homme est un homme bien puisqu'il faut que tu voyages. Je sais que Miche doit aller vous voir tous les deux. J'espère qu'elle vous trouvera en pleine forme. Et qui sait, un jour, peut-être nos routes se croiseront-elles ? Ce serait drôle de se revoir à l'autre bout de leur monde. Je t'embrasse ma belle, sois belle et jeune et heureuse. Ton vieux. »

En somme, il efface la scène qui l'a opposé à son aînée sur l'*Askoy* avant son départ d'Anvers. Il se réconcilie ainsi avec une certaine image, à géométrie variable, qu'il se fait de lui-même.

Jacques Brel est de plus en plus fatigué, partagé entre l'idée qu'il peut mourir et qu'il veut vivre. Il achète « à vie » un terrain au père de Guy Rauzy et se prépare à y faire construire une superbe maison. Sur une hauteur, près de l'aéroport, la vue à cent quatre-vingts degrés est magnifique. On aperçoit toute la baie et la plage devant Atuona et, comme un gros sous-marin en rocher, l'îlot de Motu Anakee. Ici, à cette altitude, au milieu de la végétation exubérante, des pandanus et des fougères, Jacques pourrait profiter de chaque souffle de vent. Il montre son terrain à Michel Gauthier, les grands sapins tout autour :

— C'est pas merveilleux, le vent, dans ces arbres ?

Brel respire difficilement. Il est *très* fatigué.

Il s'installe dans sa troisième vie quasi conjugale, demande à devenir résident permanent d'Hiva-Oa en 1977. Après une virée en Europe, Jacques écrit à Jean-François Lejeune :

« ... Merci pour ta lettre.

Hélas, je suis beaucoup trop con pour que pouvoir démonter les 2 VHF. Alors, comme Michel Gauthier vient bientôt ici en vacances, je lui demanderai de le faire et de te les donner. Cela dit je pense qu'ils sont de très bonnes qualités et qu'il ne serait pas mauvais de prévoir l'achat de 1 VHF de qualité supérieure.

L'avion va toujours bien (sauf les jauges — a changer dès que possible et une petite fuite d'huile radiateur moteur droit). »

Le père de Jean-François est un des rares notaires en Polynésie.

« ... Pour le terrain, il m'est presqu'impossible de téléphoner à ton père (trop de monde à la Poste). Mais j'espère venir en Mai à Papeete et je le verrai à ce moment la.

Voilà je t'espère en pleine forme et avec plein d'avions dans la tête. Ici la vie est toujours paisible...

A tout à l'heure.

Jacques. »

Pour ses jeunes amis, Jacques Brel n'est pas « le Vieux »...

Maintenant, Brel termine souvent ainsi ses lettres : *à tout à l'heure*, comme si années, mois, semaines, jours et heures lui étaient comptés, pour faire sentir aussi à ses correspondants qu'il est proche d'eux.

Les Marquises où Jacques veut se fixer comptent beaucoup pour Jacques Brel. Il n'a guère d'importance aux yeux des Marquisiens qui ne connaissent pas ses chansons et n'aiment pas sa musique. Les élèves des écoles ont lu ses textes dans leurs manuels, et surtout *Le Plat Pays*.

Arthur Gelin rend visite à Jacques en février 1977. Royal dans la courtoisie et l'amitié, Jacques va chercher le chirurgien avec son avion, une bouteille de champagne et du foie gras à Nuku-Hiva, dernière étape avant Hiva-Oa.

La fête, pour Brel, c'est la cuisine. Dans ses congélateurs, de plusieurs centaines de litres, face à ses deux cuisinières, sous son ventilateur, il est fasciné par ce qu'il prépare. Il propose une carte de grand restaurant, perdreaux sur canapés, bœuf en gelée, pâtes fraîches ; le matin, croissants et petits pains. Il annonce les plats en cuisine mais demande qu'on vienne les chercher. Sa première réaction, c'est toujours le doute :

— Ce n'est pas bon ?

Le mercredi, Jacques exige qu'on sorte la nappe de dentelle et qu'on dîne aux bougies.

> ... Quitte à s'inventer à tue-tête
> Des fêtes qui n'existaient pas[1]...

Brel rit, danse, fait le clown, se laisse vivre, promène son ami en jeep, l'emmène pique-niquer avec Maddly le dimanche. Jacques paraît serein, souriant, heureux.

Arthur examine Jacques avec les moyens du bord, palpé costal, observation des ganglions... Jacques refuse même de se rendre à Los Angeles pour des examens plus poussés et nécessaires. Résignation ? Optimisme ? Conviction que lui, Brel, vivra ? Certitude qu'au fond il n'y a pas grand-chose à faire ? Jacques grommelle, fait de l'automédecine, prend des sirops.

Arthur regagne l'Europe. Jacques lui écrit :

« Avril 1977

Après ton départ, nous avions le cœur bien gros... Il est urgent de ne fréquenter que les femmes rieuses et les seigneurs sans argent... Tu sais, il y a trente ans que je chante pour ne plus entendre... Ma maison ou ma case ou mon faré ou ma cabane sera toujours la tienne et même vieux, malades, démunis, nous pourrons toujours y rire des imbéciles multiples... »

---

1. *L'Amour est mort.*

Toujours convaincu que la femme exploite l'homme, encore à Arthur, le 30 mai 1977 :

« Oui, je crois qu'il faut envoyer promener ces greluches emmerdatoires et vaniteuses qui tournent autour de leur cul... Ici c'est toujours la paix, nous sommes heureux et vigilants, j'écris beaucoup, je ne sais trop ce que cela mérite mais j'écris... »

Jacques Brel travaille des chansons. Il a d'abord fait venir un instrument à deux octaves, puis d'autres « boîtes à musique », dont un Cantorum 44 qui donne des rythmes très variés, valse, tango, polka, swing, slow, slow-rock, shake, rumba, tcha-tcha, bossanova. Brel envisage aussi d'écrire un livre. A Maddly, il dit :

— Le titre serait : *Comment Écrire Une Chanson.* Mais je ne parlerai jamais ni de musique, ni de music-hall, ni de chansons. Ce serait une dizaine de nouvelles d'après ma vie, des choses que j'ai faites. Ce serait la vie [1]...

Autrefois, il parlait d'un roman. Il se contentera de nouvelles.

A Arthur, Jacques expédie une cassette avec quelques chansons du dernier 33 tours à venir.

Le 30 mai 1977, Brel à Gérard Jouannest :

« Bien sûr comme je ne veux pas crever tout de suite, il se dégage de mon vieux corps une certaine activité, donc je vais (peut-être) enregistrer quelques bêtises dont j'ai le secret. Il est certain que cela n'a pas grand intérêt et que j'ai le plus grand urgent besoin de tes soins. Je serai en Europe durant le mois de septembre pour répéter, avec toi si c'est possible, quelques jours et le plus possible et en octobre pour enregistrer. Il ne faut pas que cela bouscule ta vie. Peux-tu contacter Charley et m'envoyer un mot pour me dire si tu peux travailler avec moi durant cette époque. Je t'embrasse et à tout à l'heure. Le vieux Brel. »

Jacques écrit des chansons réalistes à la Brel :

> ... Et mon cheval qui boit
> Et moi qui le regarde
> Et ma soif qui prend garde
> Qu'elle ne se voie pas
> Et la fontaine chante
> Et la fatigue plante
>
> Son couteau dans mes reins
> Et je fais celui-là
> Qui est son souverain

---

1. *Tu leur diras*

On m'attend quelque part
Comme on attend le roi
Mais on ne m'attend point
Je sais depuis déjà
Que l'on meurt de hasard
En allongeant le pas [1]...

En juin, nouvelle lettre à Arthur :

« Ici la vie est toujours heureuse sous une pluie qui dure depuis près d'un mois. la Doudou taille des robes et moi j'ose commettre des chansons qui parlent des Flamand, et qui devraient me conduire à la prison de St Gilles (*à Bruxelles*) dans les plus brefs délais. Des oranges, des oranges, des oranges, merci. On t'embrasse avec force et tendresse. »

Les indigènes des Marquises ont leurs revenants, maléfiques, ces fameux *Tupapau*. Jacques a ses revenants amicaux. Il n'oublie pas les vieux amis de ses débuts, mêmes les plus obscurs. Le 15 juillet 1977, il écrit à Céel, qu'il a connu au début des années cinquante, à Bruxelles. Cette lettre est à la fois pessimiste et optimiste, franche et mensongère par délicatesse. Jacques sait qu'il va se rendre en Europe, mais il a décidé qu'il ne passerait pas par la Belgique. Donc il ne veut pas décevoir Céel :

« Cher Charles,
C'est une douce joie de recevoir ta lettre et de tes nouvelles et de constater que ta plume est toujours nerveuse.
Et que l'esprit est toujours vigilant. Ma foi, je trouve cela un fort bon signe et moi aussi je te dis " pourquoi pas 100 ans ? ".
Pour moi, cela va.
Bien sûr j'ai pris un très grand coup de vieux et je survis comme un homme très abîmé.
Mais dans ces îles où la solitude est totale j'ai trouvé une sorte de paix
J'habite une toute petite maison en bois au milieu des fleurs et je lis et j'écris.
Je pense bien souvent a toi et bien sûr, cher Charles, je t'avertirai si jamais je passais par la Belgique
De loin je t'embrasse très tendrement
    Ton viel ami
        Jacques...
PS. tu sais, ta croix de guerre est toujours la, juste devant moi. »

---

1 *La Ville s'endormait*

Aux Marquises, Jacques a quelques souvenirs d'Europe dont cette décoration de Céel, et un petit éléphant d'ivoire qui appartenait à son père, Romain Brel.

Malgré ses doutes quant à ce qu'il a écrit, Jacques a choisi une date pour enregistrer les chansons composées en partie, en tout cas achevées, aux Marquises. Télégramme de juillet à Arthur :

« Mort aux cons ! Je t'embrasse. Septembre n'es pas loin. »
Signé : « Les Doudou ».

A Hiva-Oa, Jacques Brel ferme sa boucle, retourne ou recrée son enfance. Les religieuses de l'école Sainte-Anne rappellent celles qu'il a vues, jeune enfant, à Bruxelles. Ses contacts avec les prêtres parodient presque les rapports du *ketje* Jacky avec les professeurs de l'institut Saint-Louis. Quand il pilote le *Jojo,* il retrouve le Saint-Exupéry de la *Franche Cordée.* Son Far West est un Far East.

Il est sincère et comédien, avec ce formidable alibi de la maladie. Il sent comment on peut pratiquer avec soi-même et les autres le mentir-vrai. Il parle à Maddly d'une comédie musicale. Avec Jacques, on peut être certain que c'eût été une tragédie. S'il n'était pas mort, après les représentations bruxelloises de *L'Homme de la Mancha,* la vedette en aurait été Dario Moreno. Jacques dit, selon Maddly : « Le titre n'aurait sans doute pas été *Les Vieux.* Je pensais à des gens qui sont vieux et qui réinventent leur vie, n'est-ce pas ? Parce que le vieux ment comme un fou. Il se réinvente sa jeunesse enfin, il se réinvente ses choses. Il ne ment pas, il réinvente, il arrange... [1] »

Jacques Brel se sent vieux et usé et abîmé. Quand a-t-il menti, arrangé, réinventé ? Aux Marquises, travaillant, il a joué et rejoué son enfance et sa vie :

> ... L'enfance,
> Qui se dépose sur nos rides
> Pour faire de nous de vieux enfants
> Nous revoilà jeunes amants
> Le cœur est plein, la tête est vide.
> L'enfance, l'enfance [2]...

Créant, il résume en dix-sept chansons — au moins — toute son existence. Dans ce décor exotique, Maddly aussi a retrouvé son enfance guadeloupéenne.

Brel, prêt à repartir, annonce son arrivée à Gérard Jouannest, François Rauber, Eddie Barclay, Charley Marouani, Marcel Azzola :

---

1. *Tu leur diras.*
2. *L'Enfance.*

... J'arrive, bien sûr j'arrive
N'ai-je jamais rien fait d'autre qu'arriver [1]...

A Maddly, Jacques dit à propos de ce qu'il va enregistrer :

— Il y a des choses qui me trottent dans la tête depuis quinze ans [2].

Ces « choses » : ses thèmes, l'amour, l'amitié, la Belgique, les regrets, la guerre de 1939, la condition ouvrière, la séparation, le temps qui passe, Dieu qui devrait mieux servir les hommes, la vieillesse, envahissent Jacques Brel et il va le montrer, le démontrer avec sa surhumaine énergie.

Jacques Brel a vieilli. L'homme est usé. Mais Brel le chanteur n'est pas, comme on dit dans le métier, fini.

---

1. *J'arrive.*
2. Entretien avec l'auteur à Atuona, 18-19 octobre 1983.

XIV.

Un dernier 33 tours

Aux États-Unis, en mars 1977, on décerne à Jacques Brel le disque d'or, pour la chanson *Le Moribond*. On lui avait déjà attribué un disque d'or pour *Ne me quitte pas*. Pour les prix et la reconnaissance internationale, Brel est blasé, pas comblé. Certains murmurent que ce grand malade solitaire n'en finit pas de mourir aux Marquises. Nombreux sont ceux qui imaginent Hiva-Oa comme une sorte de Tahiti, gaie, riante. Peu de gens savent à quel point Hiva-Oa est isolée et, souvent, d'une sublime tristesse.

Jacques Brel va leur montrer que le grand Jacques, vieilli ou pas, existe toujours. Dans sa maison d'Atuona, Jacques fait écouter sa cassette de travail à Michel Gauthier :

— Tu veux entendre Brel ? OK. Tu me dis ce que tu en penses. OK.

Michel est émerveillé :

— Tu laisses ça comme ça, hein !

Jacques :

— T'es un con. Tu n'y connais rien. Il faut mettre un orchestre là-dessus.

A Papeete, Jacques soumet sa cassette à Deligny. Jean-Michel, friand de rock, n'est pas un amateur inconditionnel de Brel.

— Pourquoi diable Jacques consacre-t-il une chanson à Jaurès ? demande Jean-Michel.

— Pourquoi pas ? répond Brel.

A Jean Liardon, Brel annonce son arrivée d'une manière obscure :

— J'ai trouvé un pianiste.

Brel prend le chemin de l'Europe. A travers des cartes postales, il exprime la nostalgie de son île. Le 17 août, à Marc Bastard, sur un ton ironique, de Los Angeles :

« Tu vois comme on peut regretter déjà Hiva-Oa. Le policier de l'hôtel vient de me dire qu'il fallait pas que je laisse ma porte ouverte, quelqu'un pourrait y entrer avec un pistolet. Du coup, attendant des beverages, ça m'a coupé la soif.

On t'embrasse. »

Quelques jours plus tard, de la Martinique, Jacques s'adresse à Jean-François Lejeune :

« Bonjour
Je t'espère en pleine forme
Je vais lentement (le plus lentement possible) vers l'Europe
A tout à l'heure
    Jacques le Brel. »

D'avance, le Brel se méfie de l'Europe.

A Paris, Jacques se cache dans un petit hôtel près de l'Étoile, rue Chalgrin. Il arrive avec sa cassette chez François Rauber, rue Leroux, à quelques centaines de mètres de l'Arc de Triomphe. François, Gérard Jouannest, Charley Marouani, écoutent ces nouvelles chansons avec Maddly et Jacques. Anxieux, Brel aime ce qu'il a écrit mais ne sait quelles chansons il faut conserver pour son disque. Au départ, Gérard trouve les mélodies monotones. François Robert peut habiller tout cela. Quand on compare la cassette de Jacques et l'enregistrement final, on constate à quel point Gérard et François ont aidé Brel, ce qui n'enlève rien à son talent.

La voix de Jacques a baissé. Les cordes vocales sont un muscle. Plus on s'en sert, plus on en tire d'effets. Un chanteur s'arrête, et il perd quelques qualités. A force de rechanter, même en huit jours, sa voix remonte.

François prépare ses orchestrations. Gérard travaille avec Jacques chez Juliette Gréco, rue de Verneuil, dans le VIᵉ arrondissement. Une chanson, *Vieillir*, n'a pas de musique, même ébauchée :

            ... Mourir de frissonner
        Mourir de se dissoudre
        De se racrapoter
        Mourir de se découdre

        Ou terminer sa course
        La nuit de ses cent ans
        Vieillard tonitruant
        Soulevé par quelques femmes
        Cloué à la Grande Ourse

Cracher sa dernière dent
En chantant « Amsterdam »
Mourir cela n'est rien
Mourir la belle affaire
Mais vieillir... ô vieillir !...

D'autres, *Les Marquises, Jaurès, La ville s'endormait*, sont présentées sur la cassette de travail avec un accompagnement de guitare. Elles exigent moins de travail.

Personne ne sait que Jacques répète chez Gréco, sauf Arthur Gelin. Jacques surgit en courant le matin à 8 heures et repart de même. Pendant trois jours, Gréco, la « mec », n'apparaît pas. Jacques répète, accompagné par Gérard sur le piano Steinway.

— Où est Gréco ? demande Jacques.

Juliette apparaît avec une bouteille. Inutile, Jacques a son bordeaux. Juliette trouve Jacques pâle et bouffi. Pour *Les F...*, Jacques se sert d'une samba de Joe Donato, musicien sud-américain. Il fait cadeau de *Voir un ami pleurer* à Gréco. Il veut qu'elle l'enregistre avant lui en vue du disque qu'elle prépare.

Jacques continue à mener sa vie au rythme polynésien et fait aussi commencer à 8 heures les séances du matin au studio. Charley assiste aux enregistrements. Pourtant, devant Liardon, Brel dit de Marouani :

— Charley n'assume plus.

Eddie Barclay a bloqué un studio, avenue Hoche, pour deux mois. Le climat entre Barclay et Brel est mauvais. Au départ, Brel voulait répéter en Suisse. Eddie n'assiste qu'à un seul enregistrement :

— Tu travailles trop tôt, dit Barclay.

— Viens avant de te coucher, réplique Jacques.

On affecte à Brel le studio B. Plus spacieux, le A est occupé. Isabelle Aubret y fignole un play-back. Jacques travaille le matin avec l'orchestre dirigé par Rauber.

Brel n'enregistre pas plus de deux chansons par séance. Cet homme n'a qu'un poumon pour respirer. Pourtant, comme avant, il faut rarement plus de trois prises. Combien de chanteurs peuvent en dire autant ? Parfois, avec Brel, la première est bonne. Brel ne peut chanter plus de trois heures Tout le monde le sait, les musiciens, comme les hommes du son, Barbara, Jean Liardon et Raymond Roblot qui, stupéfait, regarde son ami vedette au travail. La chanson *Les Marquises* est prête, parfaite dès la première prise.

Jacques est conscient du malaise, amical bien sûr, qui règne. Il tente de détendre l'atmosphère avec ses boutades, dans le style allez-y-doucement-les-gars-vous-savez-ce-qui-m'est-arrivé. La situation est presque irréelle.

Jacques peut toujours faire rire. Marcel Azzola, un des trois accordéonistes — il travaille avec Baselli et Roussel sur deux chansons — retrouve un Brel empâté, mais n'ayant rien perdu de son talent d'interprète et de comique :

On recommence, dit Brel, après la première prise de *Knokke-le-Zoute,* mais une fois seulement. Les gars, excusez-moi, je n'ai qu'un seul soufflet.

Pas facile de le suivre sans émotion quand il chante la septième strophe de *Vieillir :*

> ... Mourir de faire le pitre
> Pour dérider le désert
> Mourir face au cancer
> Par arrêt de l'arbitre...

Brel furète sous le piano à queue :

— Vous n'avez pas vu un poumon ?

Jacques garde toujours ses distances avec Miche et ses filles. Il a beaucoup de travail. Il ne restera pas longtemps à Paris et refuse de les voir. François Rauber tente de pousser Jacques vers Bruxelles. Brel demeure inflexible. Miche et France écrivent à Jacques. Leurs lettres lui sont-elles parvenues ? Brel préserve le difficile équilibre qui le maintient debout. Il éprouve sans doute une terrible angoisse, une formidable détresse. Craint-il de faiblir ? La Belgique, ce n'est pas que la famille. Trop de souvenirs y rôdent. Il n'en veut plus à Chantal puisqu'il lui a envoyé un mot : « Je sais je suis un con, je sais, bien sûr, bien sûr, je suis un con. » Même lorsque la bonne Clairette Oddera téléphone de Montréal, elle obtient François Rauber au bout du fil :

— Vous n'avez pas de chance. Il vous donne de grosses, grosses bises. Il vous embrasse bien fort. Il vous écrira.

Chez les Rauber, Brel fait des numéros insensés de drôleries. Brel accepte de recevoir Arthur Gelin chez Gréco et ailleurs. Ils dînent avec Maddly. Ils sont reçus au *Grand Véfour* et finissent la soirée dans une boîte de nuit. Le champagne coule à flots. Longue robe de dentelle blanche, Maddly éclate de beauté.

Même à Arthur, Jacques refuse de donner son adresse. Si le chirurgien sait où Jacques vit à Paris, il sera tenté de la communiquer à Miche et aux filles. Si quelqu'un découvrait où Brel se cache, Jacques ne veut pas penser que cette fuite pourrait être due à son ami. Arthur insiste pour que Jacques subisse un contrôle médical sérieux. Brel refuse. Il a souvent demandé à Arthur quelles étaient ses chances de survivre à une récidive.

Fidèle à sa politique, Gelin dit :

— Une chance sur deux. Mais si tu as cette chance, c'est cent pour cent de chance.

Malgré la fatigue du chanteur de nouveau en piste, Jacques et Maddly sortent dans Paris. Jacques refuse de rencontrer Michel Sardou, accepte de voir Serge Reggiani. Il l'invite dans un grand restaurant. A Paris comme à Atuona, Jacques compose d'avance un somptueux repas. Reggiani déclare :

— Je ne bois plus. Je mange peu. Pour moi, ce sera des nouilles et de l'eau.

Jacques est navré. Reggiani le déroute parce qu'il parle surtout de Reggiani, affirme Brel.

Brel rencontre Brassens chez Ventura. Georges et Jacques évoquent l'idée de la mort, trop au goût de Lino, fort superstitieux :

— Ne parlez pas de tout ça, vous allez nous foutre la scoumoune.

Jacques et Maddly dînent chez la comtesse et l'amiral Pierre Bastard dans son hôtel particulier. Feutre et lunettes noires, Jacques arrive déguisé. Maddly est accompagnée de sa mère, Madou, et de sa sœur, Evelyne. Raymond Roblot est là. La comtesse, Ginette Bastard, a commandé un repas chinois. Il sera raté. Jacques et Maddly sont éméchés, ronds comme des queues de pelle. Jacques a de quoi célébrer. Ce jour-même, il a terminé d'enregistrer la dernière chanson de son dernier disque :

— Jamais ma voix n'a été aussi belle, dit-il.

A ses hôtes, il paraît en très bonne forme. Sombre, un instant :

— Pour la première fois aujourd'hui, on m'a proposé quelque chose de malhonnête...

Maddly le coupe :

— Ne parlons pas de cela...

S'agit-il du lancement de son disque ? De quelques désaccords avec ses collaborateurs ? Jacques parle peu de son métier à des gens qu'il connaît mal. Il est content et il y a de quoi.

Jacques a éliminé cinq chansons, *Mai 40*, *Avec élégance*, *Sans exigence*, *L'Amour est mort*, *La Cathédrale*, et deux histoires, *Le Docteur* et *Histoire française*. N'est-ce pas un retour à ses débuts de « fantaisiste » qui, avant 1953, chantait et racontait des blagues, que ces deux pochades parlées ? La seconde se moque des Français, des Belges et de Jacques chantant *Les Bonbons* :

Hé, justement, tiens...

Ça me rappelle une savoureuse histoire française... C'est un... c'est une histoire qui est arrivée à un (rire) à un Parisien. Euh, il

arrive comme cela, sur... près des Champs-Élysées, hé... il avait
rendez-vous avec une fille et il dit, c'est savoureux, il lui dit
« Mademoiselle, je, je, je, je, je vous avais apporté des bonbons... »
(rire) et alors il lui dit « parce que j'ai, j'ai préféré ça que de vous
apporter des fleurs, parce que... ha..., les fleurs c'est périssable »
(rire)... et alors (rire)... j'adore, j'adore les histoires françaises,
hein [1]...

Jacques et Maddly se reposent en Sicile après les mixages. Le
15 octobre, de la Villa Igiea à Palerme, Brel écrit à Gérard
Jouannest :

« Cher Gérard, je viens de ce mot te dire merci pour ton souci du
vieux. Tu me fut précieux et souriant. Cela est trop rare pour n'être
pas salué bien bas. C'est à cause d'hommes comme toi et de femmes
comme Juliette qu'il me semblerait mal élevé de mourir trop tôt. Je
vous embrasse tous les deux. Le Brel. »

Brel revient à Paris fin octobre. Jacques déteste son séjour dans
la capitale. Est-ce seulement parce que, comme il le dit dans une carte
postale à Marc, il a « les journalistes aux fesses » ? Était-il en paix
avec lui-même ? Toujours professionnel, s'interroge-t-il sur la qualité
de son travail ? Revenu avec seize chansons et deux histoires, il n'a
pas eu de quoi faire un double album. Jacques dit à Barclay qu'il
reviendra enregistrer un autre disque. Il porte beaucoup de chansons
en lui, assure-t-il.

Ce dernier disque déploie une magnifique violence et une
extrême tendresse.

Brel écoute le souple, l'épreuve finale avant impression. Ça va,
ça va bien, ça va très bien. Fuyant Paris, Jacques fuit Brel l'ancien,
comme le show-business et les photographes. Il veut regagner son île.
Au début de son séjour parisien, on l'a laissé en paix. Sur une carte
postale, Maddly écrit à Marc :

« On a encore la tranquillité, comme montre encore cette vieille
photo. Plus tard, plus triste, comme on dit chez moi. On t'embrasse.
Maddly. »

Jacques ajoute :

« Je deviens doucement fou. A tout à l'heure. Jacques. »

Dans ses premières lettres de Paris à Miche en 1953, Jacques
Brel parlait aussi de folie. Les reporters, les photographes surtout
sont sur sa piste. Brel, enregistrant avenue Hoche, ne pouvait passer
inaperçu.

---

1. *Histoire française.*

A Marc encore :

« Ouf. Le disque est terminé. Nous sommes au repos pour quelques jours avant de commencer le voyage de retour. Avec les journalistes aux fesses ! C'est agréable. Je compte les jours qui nous séparent d'Hiva-Oa. A tout à l'heure. On t'embrasse. Jacques et Doudou. »

Jacques et Maddly se rendent en Suisse, puis en Bourgogne chez Roblot avec un Lear Jet et Jean Liardon aux commandes. En compagnie d'un homme simple, Roblot, et sa gouvernante-maîtresse, Brel retrouve sa joie de vivre. Gueuleton de cinq heures, commençant par trois douzaines d'escargots pour chaque convive.

« Salut Marc. Je suis ici, écrit Jacques de Bourgogne, avec le gros Pédé Raymond et Madame Suzanne. Il faut que tu saches que Raymond est de plus en plus con. Enfin, on arrive. »

En Suisse, Jacques fait écouter son disque à Jean Liardon et il lui donne une recette :

— Pour savoir si une chanson est bonne, tu dois l'écouter tout le temps. Si elle te lasse, elle n'est pas bonne.

— Quelles chansons de ce disque aimes-tu, toi ? demande Liardon.

Jacques ne répond pas. Il précise que *La Cathédrale,* une chanson, et *Le Docteur,* une blague parlée, sont « bien ». Mais « pas au point ». Vraiment pas.

— Pourtant, aux Marquises, *La Cathédrale* me paraissait réussie.

Brel ajoute à propos des chansons inédites :

— Ces enfoirés ! Dès que je serai mort, elles seront disponibles.

A Liardon il dit que, selon lui, la plupart de ces inédits ne sont pas prêts. Pour les douze chansons enregistrées, Jacques ajoute :

— C'est un tout.

Puis, curieusement :

— Y' a l'aviation, y' a la maladie...

La maladie est bien dans *Vieillir.* Mais l'aviation ?

Pour voir comment il tient le coup, Brel fait de la voltige, comme Maddly, avec le père de Jean Liardon. Quelques acrobaties, loopings, renversements, vols sur le dos, vrilles, jusqu'au Himmelman, un demi-looping suivi d'un demi-tonneau, spécialité des pilotes de chasse pendant la guerre de 1914. Solide, Jacques Brel.

Jeanine Liardon est élue conseillère communale à Nyon, sous l'étiquette du Parti libéral qui ne serait sûrement pas celle de Jacques. On l'imagine plutôt votant pour un Jean Ziegler, socialiste de gauche et tiers-mondiste. Jacques offre à Jeanine une grosse tourte avec, au milieu, un cœur rouge : « Je vote libéral. »

Jacques repasse ses licences, refait du jet. Brel espère être de retour à Papeete le 20 novembre. Il demande à Jean-François Lejeune que son avion, le *Jojo,* soit « bon pour cinquante heures ».

Jacques et Maddly décident de rentrer par la route des Indes, passent quelques jours en Tunisie. Jacques n'oublie pas ses collaborateurs européens. De La Marsa, le 27 octobre, à Marcel Azzola :

« ... J'ai enfin le temps de te dire merci pour le superbe travail que tu as bien voulu m'offrir. J'espère avoir encore la joie d'enregistrer avec toi. Très sincèrement. J. Brel. »

Chauffe, Marcel, réchauffe-toi. Jacques sait être aussi doux et délicat que dur et brutal.

Jacques, n'a jamais aimé le tourisme. Après sa vie calme et régulière au village d'Atuona, les grandes villes le fatiguent, surtout Bangkok, magma monstrueux à la circulation chaotique. Pour apprécier la Thaïlande, il faut s'éloigner de la capitale. Dans l'avion qui le mène à Hong Kong, Jacques écrit à Marc Bastard :

« ... Il faut te dire que notre séjour à Paris, et en France en général, fut d'une grande tristesse. »

Puis, en verve, tout à la joie de retrouver son île, les religieuses, le maire Rauzy, ou le souvenir du père Gabriel décédé, Brel poursuit en vers :

« ... S'il est vrai que toujours, la pluie est traversière,
Les mauvais souvenirs que je rencontrais hier
Resteront au vestiaire parmi quelques nanas
Dès que mes premiers pas feront d'Atuona
Ma piste cavalière qui pleure son Gabriel,
C'est un peu comme si j'avais perdu mon L.
Atuona sans Dieu Atuona sans prêtre
Dieu n'est plus impavide, il est en Rauzy le Traître
Mais parlons d'autre chose,...
Puisque sans maisons closes, pour nous soigner le cœur
Il nous reste les sœurs et le sourire qu'impose
la *(un mot illisible)* en fleur, qui de son corps dispose.
Et qu'un amour dépose. Peut-être à la lueur
D'un diable déguisé en accent bourguignon
Qui nous ferait hurler : Merde. Elle est chez Raymond...
Déjà l'ancien s'incline, l'océan fait des dunes...
Sous bientôt, je serai à Hong Kong comme la lune... »

Hong Kong ne séduit pas plus Jacques que Bangkok. A Arthur Gelin, le 24 novembre :

« ... Nom de Dieu de nom de Dieu de nom de Dieu, Arthur, la terre est ronde, rien de plus. Il y a mille grandes villes pour un frisson. »

Horribles gratte-ciel de Hong Kong! Du Mandarin, Brel écrit aussi à Miche. Une lettre le 22 novembre :

« Ce petit mot déjà " Pacifique " pour te dire que je rentre doucement vers Hiva-Oa.

j'y serai dans 3 ou 4 mois car, pour une fois, je visite.

je t'espère en pleine forme et sans trop de soucis.

ai reçu une lettre compliquée de Chantal... Enfin, je suis bien content qu'elle s'offre un môme : ce sera un garçon !

La situation financière devrait s'arranger ces jours-ci.

Je suis très fatigué par le disque et j'espère pouvoir dormir quelques mois

je vous embrasse toutes les quatre

Le vieux Brel. »

Puis, le surlendemain, une carte postale à Miche :

« ... pour te dire que je pense bien souvent à toi. Et que de loin je t'embrasse... »

Il n'a pas voulu « embrasser » Miche et ses « enfants » à Paris ou à Bruxelles. Pourquoi? A certains moments, quand l'avenir est bouché et le présent triste, le passé semble trop lourd à porter. Silence incompréhensible quand il était en Europe, suivi de ces bouffées d'affection et d'attention.

De retour en Polynésie, Jacques offre à ses amis pilotes un dîner de viande des Grisons rapportée d'Europe.

Pour Jacques, la sortie du dernier disque se passe mal. Il n'aime pas la pochette réalisée par la firme Barclay et due à Alain Marouani : quatre lettres, B R E L, sur fond de ciel bleu nuageux. A Rauber, Jacques dédicaça un exemplaire du disque : « Pour toi, François, fièrement, humblement, tendrement. » Brel ne sera pas tendre quand le dernier disque sort.

Avant de quitter Paris, Jacques a dit à Barclay :

— Promets-moi de ne pas faire d'avantages à des disquaires, aux grandes surfaces, à certains journalistes ou certaines stations de radio.

Brel n'a pas accordé d'interviews. Presque malgré lui, il aide à créer une atmosphère de mystère autour du disque. Barclay et son état-major commercial se sont réunis. Problème presque insoluble, comment les acheteurs peuvent-ils trouver le même disque, à la même heure, partout en France ? Comment servir en même temps tous les journalistes ? Barclay fait une légère entorse au contrat moral passé avec Brel. Les hebdomadaires doivent pouvoir parler du disque. Ils ont des impératifs de bouclage, surtout avec la partie magazine qui rend compte des spectacles. Certains seront admis à l'écoute sacrée. Les barclaysiens ont probablement vu les juteuses possibilités publicitaires des conditions posées par Jacques. Quand une vedette de réputation internationale dit : « Pas un mot », son silence acquiert une prodigieuse sonorité. Les barclaysiens élaborent un plan. Ils empilent les disques dans des containers aux cadenas chiffrés. La firme expédie ces containers à travers la France et engage une douzaine de téléphonistes temporaires. Ce jeudi 17 novembre 1977, à 12 heures 51, chrono en main, jure Barclay, croix de bois croix de fer, le disque est remis aux stations de radio. Les téléphonistes communiquent aux magasins le chiffre. Les ventes se feront surtout le lendemain. Ce climat, certains disent ce truc, donne une assez bonne précommande, un million de disques avant la mise sur le marché. A l'époque, le record semble être de neuf cent quatre-vingt-dix mille pour le 33 tours des Pink Floyd, mais sur tout le territoire des États-Unis.

Barclay n'a pas imprimé d'affiches ou tiré de lithos, il ne dépense pas un centime de publicité. On l'accuse — Jacques Brel en tête — de réaliser un des plus beaux coups publicitaires de l'histoire du disque. Barclay n'a pas la candeur d'une religieuse d'Atuona. Il fait son métier dans le show-biz.

Jacques, à Atuona, peut entendre les émissions françaises. Il fulmine. Pourquoi un million d'exemplaires, demande-t-il à Maddly, pourquoi pas trois cent mille ? De plus, on raconte, ce qui est faux, que Brel a donné un milliard à la Recherche sur le cancer.

Par ses exigences compréhensibles, Jacques ne s'est-il pas piégé ? Il ne voulait pas de tapage. A Hiva-Oa, il reçoit les boomerangs de la sortie du disque. Qu'on l'aime ou pas, nous sommes à l'âge de la publicité, Barclay a provoqué ou profité d'un magnifique *teasing,* le taquinage, l'appât du consommateur qui est souvent un admirateur avec Brel.

Eddie offre à Jacques un petit poste de radio dont Brel se plaint. On ne peut même pas capter la France avec ce poste. Les rapports entre Jacques Brel et Barclay — contrat « à vie » ou pas — seront désormais mauvais. Jacques se répand en furieuses *rotes* contre Barclay et en petites contre son imprésario, Charley Marouani. Charley a eu le malheur d'accepter la pochette du disque conçue par Alain, membre de la tribu Marouani. Pourtant, Brel a vu la pochette à Paris et en a refusé une autre, noire celle-là. Jamais à court de formules, Jacques dira à Barclay :

— Tu diras à Alain Marouani qu'il n'a pas l'exclusivité du ciel.

Brel n'a pas non plus digéré la photo à l'intérieur de la pochette, un gros plan de lui souriant dans sa barbe. Il aurait voulu une photographie prise par Jean-Michel Deligny, son copain de Papeete.

Le ton des lettres de Jacques est grave. De Hiva-Oa, le 23 décembre 1977 au vieux Céel :

« Cher Charles, Voilà que je rentre d'Europe et je trouve ta lettre de Juillet... Tu sais, moi aussi je pense bien souvent à toi. Au fond, je suis pas si loin que ça ! De France, j'espérais faire un saut en Belgique, mais avec les journalistes aux fesses, ce ne me fut pas possible. Il me semble avoir croisé une Europe dominée par l'argent et la crainte ! J'aimerais être sûr de me tromper. Cher Charles, j'aurais tant aimer te serrer sur mon cœur, tout bêtement. Il y a toujours de la lumière dans tes lettres et, crois-moi, je la salue.

A tout à l'heure. Je t'embrasse.

en Amitié, Jacques. »

A Atuona, Jacques retrouve autant sa gaieté que sa tristesse. Il travaille, écrit et lit beaucoup. Dans un des derniers livres qu'il ait parcouru avec soin, *Virages à 80* de Henry Miller [1], certains passages sont cochés. Par Brel lui-même ? Il n'avait pas l'habitude de gribouiller, même délicatement, sur ses livres. En tout cas, par quelqu'un qui connaissait fort bien Jacques. On le retrouve, et il doit se retrouver à cette heure de sa vie, dans ces phrases cochées :

« ... L'avenir qui me reste, c'est mon passé qui l'a fait... Dis-moi qui tu hantes, je te dirai qui tu es. Toute ma vie, j'ai eu pour amis des personnages appartenant à des mondes largement différents. J'ai eu, et j'ai encore, des amis qui ne sont rien du tout, et je dois avouer que je les compte parmi les meilleurs. J'ai eu des liens d'amitié avec des criminels, et avec de ces riches que l'on méprise tant. Ce sont mes amis qui m'ont gardé en vie, qui m'ont donné le courage de poursuivre, et qui m'ont souvent aussi assommé à en pleurer... »

Voilà pour les amis et connaissances.

« ... Le pouvoir d'être ami avec une femme, et singulièrement avec celle qu'on aime, constitue pour moi une absolue perfection. Amour et amitié vont rarement ensemble... »

Hommage à Maddly et à d'autres ?

« ... le véritable sage — et même le saint — n'a que faire de la

---

1. Traduction Georges Belmont et Hortense Chabrier, Stock-Chêne, 1973

morale. Il est au-dessus et au-delà de ce genre de considération. C'est un esprit libre... »

Jacques se veut libre.

« Peut-être l'art est-il thérapeutique, comme le disait Nietzsche, mais alors indirectement, sans plus... »

Quelle superbe thérapeutique que ce dernier disque !

« ... Les vrais décrépits, les vrais cadavres vivants, pour ainsi dire, ce sont les hommes et les femmes d'âge moyen, de classe moyenne, qui piétinent dans le confort de leurs ornières en se figurant que le statu quo durera éternellement, ou qui ont si peur du contraire, qu'ils se sont réfugiés dans leur abri antiatomique mental en attendant que ça passe... »

Mort aux petits et grands bourgeois !

« ... Être capable de révérer les autres, sans leur emboîter nécessairement le pas, me paraît capital... »

Brel n'a pas eu de maître.

« ... Ce que l'on nomme éducation n'est pour moi que totale absurdité nocive au développement... »

Jacques Brel est toujours excessif.

« ... Une vie courte et joyeuse est infiniment préférable à une vie longue et qui se nourrit de peur, de prudence et de surveillance médicale constante. »

On ne saurait faire ces reproches à Jacques.

« ... Qui se prend au sérieux signe son arrêt de mort. »

Malgré son sens du comique, Brel s'est souvent pris au sérieux.

Les vagues du dernier disque atteignent la Belgique avec une chanson incendiaire, à l'attaque brutale : *Les F...*

Messieurs les Flamingants, j'ai deux mots à vous rire
Il y a trop longtemps que vous me faites frire
A vous souffler dans le cul pour devenir autobus
Vous voilà acrobates mais vraiment rien de plus
Nazis durant les guerres et catholiques entre elles
Vous oscillez sans cesse du fusil au missel
Vos regards sont lointains votre humour est exsangue
Bien qu'il y ait des rues à Gand qui pissent dans les deux langues
Tu vois quand je pense à vous j'aime que rien ne se perde
Messieurs les Flamingants je vous emmerde...

Des étudiants flamands portent plainte. On interpelle le gouvernement à la Chambre. Pourquoi Jacques n'a-t-il pas voulu donner son titre complet à cette diatribe sur un rythme de samba ? Le titre aurait dû être *Les Flamingants*. Si on le lui demande, hautain, Brel répond :

— On ne dit pas de grossièretés.

« Flamingant » serait donc un mot obscène ? La haine de Brel pour les Flamingants devient paroxystique. Avec un talent d'interprète incontestable, il passe à l'outrancier. Une fois encore, le nationalisme flamand ne peut être réduit à l'extrémisme flamingant. Certains, même parmi les proches de Brel, en Europe, trouvent qu'il est trop facile de tirer ainsi, des Marquises, à coup de « merde », de « cul », de « con » et de « roubignoles » sur ses ennemis. Il est vrai que les lois concernant l'enseignement des langues en Belgique, le flamand ici, le français là, l'allemand dans une enclave, sont au mieux déconcertantes, au pis absurdes. Mais la langue flamande, avec ses rugueuses sonorités et riches tonalités, n'est pas un aboiement ou un éructement. Dans les années soixante-dix comme pendant sa jeunesse, Brel oublie l'histoire des Flandres. Il n'y a plus d'université francophone à Gand. On peut le regretter. On devrait pourtant situer le flamingantisme dans sa perspective historique. On trouve en Belgique des Flamingants fascisants, c'est vrai. On peut aussi rencontrer, ailleurs, des Wallingants qui, à voix basse ou haute, méprisent les Flamands. Socialement et économiquement, ceux-ci furent opprimés chez eux, même si aujourd'hui ils prennent une lourde revanche économique et démographique. Le problème du nationalisme flamand, d'une culture qui a failli mourir, ne peut être simplifié à ce point par une chanson, aussi entraînante soit-elle. Quand on lui reproche ce puissant pamphlet chanté, Jacques se contente de sourire ou de rire :

— J'ai raison.

Brel fait penser à ce chef communiste, Laurent Casanova, hurlant autrefois au Vel' d'Hiv', à Paris :

— C'est vrai parce que je vous le dis.

Après tout, *Les F...* ce n'est qu'une chanson. Brel n'est qu'un chanteur de variétés. Il veut encore provoquer, épater. Il y réussit, ô combien ! A Atuona, les échos arrivent. Ça fait du bruit, hein ? Pas fini, Brel ! Même avec Marc Bastard, Jacques ne peut examiner d'une manière rationnelle, le problème belge. Au fond, il lui reste ce sentiment de supériorité qu'éprouvent certains Bruxellois, et pas seulement devant les habitants de Nieuport, d'Ostende ou de Bruges, mais aussi face à ceux de Tournai, de Charleroi ou de Liège.

Comme il est loin de l'Europe alors, et même de Tahiti, Jacques Brel. De Hiva-Oa, le 27 janvier 1978, quand les querelles autour de son disque s'apaisent, Brel, serein, écrit à Jean-François Lejeune :

« Une chose me semble d'une certaine évidence. Je veux dire ceci : Aux Marquises ton corps semble dénoué et ton esprit plus libre qu'à Papeete. Alors il faut que tu saches cela : si tu veux, si t'en vient l'envie, ou le besoin, ou d'autres bonnes ou mauvaises raisons, tu seras toujours chez toi ici. Ici : c'est ma cabane douce avec la Doudou et Mozart qui murmure. Mais plane sur notre maison une certaine tendresse.

Et si, cela arrive, Tu cherches un rien de paix ou simplement du recul, saches que notre maison t'est ouverte. Sincèrement. J. Brel. »

Quelle tendresse pour ses nouveaux amis, que de rancune ou de haine pour certains en Europe ! Quel acharnement sur une partie de lui-même, la Flandre. Il a tant dit et prouvé qu'il aimait ce pays. Face aux Flamands, Jacques Brel se voyait volontiers en Uilenspiegel, comme en Don Quichotte ailleurs. Il oublie que le premier, né à Damme, prenait la défense de *tous* les gueux. Il chantait :

> Debout ! disent ceux de Bruxelles
> Debout ! disent ceux de Gand
> Et le populaire belgique
> On vous veut, pauvres hommes
> Écraser entre le roi
> Et le pape qui lance
> La croisade contre Flandre [1].

Jacques ne comprenait-il pas certains sentiments populaires ? Sous l'extrémisme flamingant, discernait-il les revendications, souvent justifiées, des Flamands ? Il a verrouillé ses opinions et ses sentiments. L'excès avec lui serait-il toujours une des conditions du talent ? Brel reprend sa vie provinciale et polynésienne.

En janvier 1978, à bord d'un patrouilleur de la marine nationale, ancré dans la baie d'Atuona, Jacques et Maddly, notables de Hiva-Oa, rencontrent Paul Cousseran, haut commissaire en Polynésie française. Avec son prédécesseur, Jacques était en mauvais termes. Jacques et Maddly sont revêtus de gandouras blanches. Cousseran et Brel s'entendent bien, se tutoient vite. Le haut commissaire va se rendre sur la tombe de Gauguin, et il propose de voir Brel chez lui, en revenant du cimetière. Brel se fait vite le critique de l'administration. Il ne sait si l'on a eu raison ou tort d'accorder une certaine autonomie aux îles. Pour le moment, la Polynésie, les Marquises sont françaises. L'administration ne s'occupe pas assez de Hiva-Oa. Mais là-bas, insiste Brel, à Tahiti, on oublie toujours les îliens. Brel déroule les plaintes et complaintes habituelles, pas assez de communications, difficultés d'approvisionnement... Il remarque que peu d'enfants sur l'île portent des lunettes. Ce n'est pas normal ! Ailleurs, vingt ou

---

1. *La Légende d'Uilenspiegel*, éd. établie par Joseph Hanse, La Renaissance du Livre, Bruxelles, 1979

trente pour cent des gosses portent des lunettes. Alors, monsieur le haut commissaire, il faudrait envoyer un ophtalmologue. Et regardez un peu les dents des petites filles ! On a aussi besoin d'un prothésiste. Jetez un coup d'œil sur les classes mal éclairées. Cousseran constate que Brel a raison. Jacques ne suit pas les labyrinthes de la politique polynésienne, ne s'attache pas aux détails de l'histoire de Hiva-Oa, mais il a ses préoccupations culturelles. De plaintes en complaintes, insistant sur la nécessité d'exploiter l'audio-visuel — lui, Brel, a déjà « donné » pour le cinéma —, Jacques pousse Cousseran à se servir de la télévision. Et si on installait un petit émetteur à Atuona ? Quand les habitants auront des magnétoscopes, il suffira d'envoyer régulièrement les cassettes d'actualités de RFO Tahiti.

Ce qui sera fait l'année suivante. Au nom de l'autonomie, la plupart des élus marquisiens protestent ou se méfient. Pas Guy Rauzy, omnipuissant maire d'Atuona, également délégué au Conseil de gouvernement qui siège à Tahiti. Brel ne verra pas son idée appliquée. Aujourd'hui, les cassettes pour magnétoscopes, légales ou piratées, se répandent dans le village, pas dans les hameaux de Hiva-Oa.

Jacques continue d'aller une fois tous les trois mois à Tahiti. Quand il vole avec le *Jojo* vers Papeete, en fin d'après-midi, dans la solitude du ciel, un éclatant soleil orange sur sa droite, il passe à travers des paquets de nuages. Souvent il fait escale sur l'atoll de Rangiroa.

A Tahiti, qu'il n'aime guère, Brel retrouve ses amis. Lui, si peu mondain en France, assiste même à des réunions officielles, évitant cependant de fréquenter des spécialistes locaux connus du cocktail pour vedettes. Lorsque le secrétaire d'État aux DOM-TOM, Paul Dijoud, reçoit chez le haut commissaire, Jacques et Maddly errent sur la pelouse. Jacques accepte aussi un dîner chez Cousseran. Il le tance parce qu'il fume. Le sermon porte, le haut commissaire abandonne la cigarette.

Sans jamais l'avouer, Jacques s'ennuie-t-il un peu à Hiva-Oa ? Son cocon est tissé de solitude et d'intensité dans les rapports humains. Il saisit tous les prétextes pour rencontrer de nouvelles têtes, pour « aller voir ailleurs ». Bien sûr, il aime l'atmosphère villageoise, le chant des coqs, les aboiements des chiens, les passages rapides dans la végétation luxuriante de ces merles des Moluques au bec rouge. Est-il pris au piège de l'îlien ? D'une image de Jacques Brel ? Quand il a cessé de chanter sur scène, en 1967, il a déclaré partout qu'il prenait cette décision, justement pour ne pas revenir dessus. Pourrait-il quitter les Marquises sans se déjuger puisqu'il affirme y être si heureux ?

Mélange de féminité et de virilité, Maddly a facilité l'insertion de Brel dans le village, qu'elle a quadrillé de connaissances et d'amis. Elle vient d'une autre île, la Guadeloupe, et sait que dans un village, sur une île, on doit respecter des codes. Un faux pas, et la vie peut devenir difficile. De plus, Jacques, très attaché à elle, craint-il parfois qu'elle ne le quitte ? Que deviendrait-il sans elle ? Elle boude quelquefois, claquant la porte derrière elle. Maddly, volontairement ou non, coupe Jacques Brel de ses racines. Sans doute n'est-elle pas étrangère à l'éloignement de Jacques face à ses filles et Miche. Au-delà de leur amour, de leur amitié, de leur dévouement, on trouve certaines maîtresses aussi excessives que des épouses ou des veuves.

Le 2 février 1978, Jacques écrit à Miche, comme s'il n'avait pas « oublié » de voir la famille à Bruxelles, comme s'il était un peu en retard dans sa correspondance : « Cette lettre espère te trouver en forme et point trop gelée par un froid redoutable dont j'entends parler de loin. J'espère que les filles vont aussi... »

Jacques parle d'argent, d'impôts et de l'avenir financier de tous :

« ... De toutes façons, après ma mort, c'est toi qui aura mes quelques biens immobiliers et les droits à venir. Toi et les filles, bien sûr... »

Brel se plaint, au passage de payer... le téléphone à Bruxelles. Puis de nouveau, il revient sur l'avenir :

« ... Grâce au dernier disque (Bon sang, on ne pouvait pas le vendre plus bêtement) toi et les enfants, ne risquez pas la misère avant quelques années

je vous embrasse toutes les quatre

et à te lire

Le Vieux. »

En apparence détaché de l'Europe, Jacques, écoutant la radio et lisant quelques hebdomadaires suit les événements politiques, ne renonce pas à l'idée de faire un autre disque. Le 28 mars 1978, à Gérard Jouannest :

« ... Alors, comment vas-tu, jeune crapule ? Tu as vu le bordel que ce con de Barclay a réussi à faire avec la sortie du disque ? C'est honteux. J'ai pris ma plume la plus méchante et je lui ai expliqué ce qu'il ne fallait pas faire. Je t'écris pour te dire que j'attends toujours de toi quelques musiques, des nerveuses, des huit pieds et autres, de manière à pouvoir répandre mon génie fatigant sur les foules ahuries. Car j'écris encore quelques litanies sincères. »

La gauche française vient de perdre les élections législatives :

« A propos, bravo pour la gauche, sincèrement bravo. Enfin la

France devient belge ! Je t'embrasse et la Gréco et tous ceux que tu aimes. A tout à l'heure. »

Jacques, cœur et tripes toujours à gauche, dans une première version de *Jaurès*, parlait de François Mitterrand. Il y avait aussi deux vers trop actualisés que Brel supprima :

> J'étais pour Blum et pour Mendès
> Pourquoi ont-ils tué Jaurès ?

Maître de son talent, il a gommé ces lignes, sachant que l'immédiat frôle l'éphémère. Situation piquante, Jacques vit avec Maddly, qu'on aperçut dans l'entourage de Valéry Giscard d'Estaing en 1974, et son meilleur ami, Marc, s'affirme tranquillement de droite. Pour Brel, les personnes passent avant leurs opinions.

Il reste sensible aux messages de félicitation et à la fidélité de ses inconditionnels à travers le monde. Dernières lignes de Jacques à Clairette, le 17 avril 1978 :

« Très chère Clairette,

Quelle joie que ta lettre ! Je suis bien heureux de te sentir en forme et heureux aussi de savoir que tu aimes mon dernier disque. Et surtout Jojo.

Je pense à toi, encore dans la neige, alors qu'ici il y a 31° à l'ombre. Je vis de plus en plus isolé du monde avec ma gentille Doudou. L'Europe ne me manque pas. J'ai eu le bonheur de retrouver François Rauber et Gérard Jouannest. J'avoue avoir rencontré des tas de gens idiots et médiocres. J'ai vu trop de petits voleurs, trop de petits méchants... Me voilà heureux aussi de savoir que Danièle *(la sœur de Clairette)* est bien dans sa peau avec son mari. Tu sais, j'aimerais bien vous revoir à Montréal. Et avec moi, rien n'est impossible...

Au revoir, Clairette, je t'embrasse, et ceux que tu aimes. Je t'embrasse très fort et à tout à l'heure... Ton vieux Jacques. »

Le compagnon des débuts de Brel, Édouard Caillau, perd sa mère. Caillau est raconteur d'histoires et présentateur du cabaret *Au Gaity*, à Bruxelles, entre le théâtre de la Monnaie et la place de Brouckère. Jacques se souvient-il des longues soirées qu'il passait au *Gaity* lorsqu'il se trouvait dans la capitale belge ? Au gentil Caillau, le 13 juin, Brel le chaleureux :

« Je devine ton chagrin causé par la mort de ta Maman. Je me souviens fort bien d'elle et tu as raison de dire qu'elle n'était qu'Amour. Cela se lisait sur son visage.

L'Amour dansait dans sa voix, je me souviens de cela aussi.

Alors, bien sûr, Bruxelles doit être bien gris, bien triste. C'est des jours comme ça que j'aimerais y être...

Enfin, je suis heureux de savoir que tu vois Arthur et puis Ceel et les autres... Et puis, peut-être que je vais faire un saut en Europe un de ces jours et avoir ainsi la joie de te serrer contre moi.

Je rêve un peu, mais pas tout à fait
Je t'embrasse fort et je pense bien à toi
A tout à l'heure
En amitié
Ton vieux frère
Jacques. »

Jacques Brel, dans une chanson enregistrée qui ne figure pas sur le dernier disque, disait ·

... Ils savent qu'ils ont toujours eu peur
Ils savent leur poids de lâcheté
Ils peuvent se passer de bonheur
Ils savent ne plus se pardonner
Et
Ils n'ont plus grand-chose à rêver
Mais ils écoutent leur cœur qui danse
Ils sont désespérés
Mais avec élégance [1].

Quand un visiteur, qui connaît les unes et les autres, bavarde tête à tête avec Jacques, à Atuona, il constate que Brel, pour reprendre une de ses expressions préférées, a encore mal à ses filles. Il n'arrête pas d'en parler.

Chantal et Michel Camerman-Brel ont un premier enfant, une fille. Chantal écrit à son père pour lui annoncer la nouvelle. Jacques répond le 15 juin :

« Chère Chantal,

Me voilà donc bien content de vous sentir tous contents et tant mieux si Mélanie est une fête, et si la campagne est douce et belle... Et tant mieux encore si la petite ressemble aux femmes car de mon côté, je n'avais que bien peu de choses agréables à lui offrir... Je te souhaite d'être heureuse, je t'embrasse et ceux que tu aimes... »

Ceux que tu aimes? Qui? Les autres membres de la famille? Jacques, conformiste à sa façon, garde le sens de la famille. Il est grand-père. Malgré l'insistance de certains, il n'ajoute aucun codicille à son testament, au détriment de sa famille légale. Il a des projets, envisage de voyager.

En juillet, il se sent si mal qu'il doit rejoindre Papeete. Jacques et Maddly descendent dans leur vieil hôtel préféré, le *Tahiti*. Jean-

---

1. *Avec élégance.*

François Lejeune accourt. Brel, entre deux terribles quintes de toux, lui dit :

— Tu vois, c'est foutu. Tu mets l'avion en vente.

Brel téléphone à Jean-Michel Deligny pour s'excuser de ne pas le recevoir. Le médecin général Henri Revil, commandant le service de santé, vient en consultation. Il appelle le Dr Lucien Israël, cancérologue, en vacances à Tahiti. Essoufflé, violacé, Jacques respire mal. Il accepte de se rendre à Paris sur le conseil d'Israël.

Israël dit à Cousseran :

— C'est grave. Le deuxième poumon risque de flamber.

Israël téléphone à ses collaborateurs parisiens. Jacques et Maddly s'embarquent sur l'avion d'UTA. Le haut commissaire donne ses instructions à la police : pas de photographes, pas de journalistes. Une photo paraît pourtant dans *Paris-Match,* deux doubles pages sur le départ de Jacques. Qui a pris cette photo ? Un chiffreur contractuel du haut commissariat. Le chiffreur est congédié par Cousseran. A Papeete et Paris, les journalistes disent :

— Ça doit valoir une brique une photo comme ça.

Le 28 juillet, Jacques Brel et sa compagne arrivent à Roissy. Ils se rendent à l'hôtel *George V.*

Avertie par la presse, Chantal tente de rencontrer son père. Elle téléphone à l'hôtel : « Il n'y a pas de M. Brel chez nous. »

— Rendez-vous compte, dit Chantal à la téléphoniste, je suis sa fille !

Infirmière, Chantal pense : « Opéré il y a trois ans, s'il revient c'est fini. »

— Pourquoi me dites-vous qu'il n'est pas là ? Je ne donnerai jamais votre nom.

La téléphoniste hésite :

— Je vous le dis, mais je raccroche. Jacques Brel est chez nous.

Chantal prend le train pour Paris. Au George V, elle se heurte à la réserve du réceptionniste : « Pas de M. Brel ici. » Elle comprend qu'elle ne reverra pas son père et rentre à Bruxelles.

Brel subit des examens dans le service d'oncologie [1] de l'hôpital franco-musulman de Bobigny. On découvre une récidive locale, de la grosseur d'un pamplemousse. Brel n'a pas subi de contrôle médical depuis 1976. Il aurait dû faire prendre un cliché tous les six mois. S'il avait accepté de se faire examiner, la récidive aurait été repérée plus tôt. Jacques ne peut joindre Arthur Gelin qui voyage en Espagne. Israël propose de commencer une radiothérapie afin de réduire cette

---

1. Euphémisme pour service traitant les tumeurs, avant tout les cancers.

masse cancéreuse. Brel entre à la clinique Hartmann à Neuilly. Jacques est pourtant cerné par la presse, et avant tout, par les photographes, qui se passionnent pour ce genre d'affaire. Brel en a une peur panique. A Bobigny, ils rôdent partout, tentent de soudoyer les infirmières, empruntent des blouses blanches, entrent dans les chambres des malades, se juchent sur les arbres. Un reporter se déguise en curé. Catherine Adonis, surveillante générale des hôpitaux qui assiste Israël, fait barrage avec le personnel du service quand Brel vient à Bobigny. Même le plus mal payé des balayeurs de l'hôpital ne tentera pas de photographier Jacques.

— Les journalistes veulent la photo de mon cadavre, dit Brel.

Brel a intenté plusieurs procès à *Paris-Match*. Finie l'époque où Jacques était le copain de Daniel Filipacchi, ancien animateur à Europe 1, maintenant à la tête d'un puissant groupe, Cogedipresse, dont *Paris-Match* dépend.

En septembre 1977, *Match* a publié quatre pages avec trois photos de Brel. L'une montre Jacques en pantalon et veste de velours, barbu, lunettes sur le nez, une boîte à guitare à la main gauche. Derrière lui, François Rauber et Gérard Jouannest, petite moustache à la David Niven.

Dans un numéro d'octobre 1977, quatre pages encore sur Jacques. Maddly apparaît sur les photos, en veste de fourrure ou en longue robe et châle blanc. Photo de Jacques et de Maddly de dos, déjeunant à la Brasserie La Lorraine. Jacques s'en prend vivement à un photographe.

Rien de très offensant, me semble-t-il, dans ces numéros-là.

Le 11 août 1978, quatre pages encore sur Brel. Au départ de Faaí, à Tahití, Brel embrasse Cousseran : la photo prise par le chiffreur. Commentaires : « Brel s'appuie sur une canne pour marcher. Il ne quitte plus son hôtel. Il ne veut pas dire qu'il est revenu se soigner... » « Il a pu vivre loin de tout des années de bonheur tranquille avec sa femme Maddly. Leur maison : une simple case avec pour seul luxe l'eau courante... » Brel est agacé.

Un mois et demi plus tard, dans le numéro daté du 29 septembre, *Match* publie quatre pages sur Brel dont une photo sur deux pages. Le cliché est de mauvaise qualité, flou et granuleux. A droite, une tête entourée de pansements blancs. Titre : « Cet homme invisible Jacques Brel. » Pages suivantes : Jacques se dissimulant derrière une canadienne, le visage entouré de bandelettes, en blouse blanche au bras d'un infirmier. Titre : « Il a la pudeur de son grand courage. » Le texte fait dire à Brel — ce serait une confidence à un ami : « Oui, j'ai un cancer. »

Jacques devient ivre de rage. Il demande à son avocat,

Mᵉ Thierry Lévy, de se montrer aussi dur que possible. Les procès précédents auront des conclusions diverses. Ici, les héritières de Brel, sa femme et ses enfants, comme Maddly Bamy, l'emporteront devant la justice, avec dommages et intérêts agrémentés d'insertions du jugement dans cinq journaux. Là, elles seront déboutées.

Pour ce numéro du 29 septembre, Mᵉ Lévy obtient la saisie d'un juge qui avait, précédemment, tranché contre Jacques Brel. Ce juge, Pierre Drai, estime qu'il y a « intrusion revêtant l'aspect d'une persécution... Ces documents sont de nature à provoquer un afflux de curieux... » Il y a, selon le juge, « une atteinte insupportable et réitérée à la vie d'une personne malade ».

Saisie théorique. *Match* diffuse cinq cent soixante mille exemplaires en province et soixante mille à Paris. Jacques Morin, l'huissier commis, se rend aux messageries qui distribuent *Match,* les NMPP. Les messageries envoient bien une circulaire aux dépositaires, qui la transmettent aux marchands. Pour que la saisie fût efficace, il aurait fallu mobiliser trois cents huissiers. Brel a voulu mener l'affaire jusqu'au bout parce qu'un de ses litiges avec l'hebdomadaire s'était soldé par une transaction : *Match* s'était engagé à « tenir compte à l'avenir du désir de Jacques Brel de voir strictement respectée sa vie privée ».

Match — numéro daté du 6 octobre — présente sa défense dans un éditorial non signé. Cet éditorial sent le travail des têtes pensantes et rédactionnelles de cet hebdomadaire. En somme, c'est un riche éditorial « pizza reine » : pâte de Roger Thérond, quelques champignons à la Jean Cau et sauce tomate de l'avocat communiste du magazine, Léo Matarasso ?

« ... La vertu de ceux qui nous adressent des critiques, dit l'éditorial, se veut drapée d'une apparente sérénité, c'est à des juges qu'ils nous montrent du doigt et à des tribunaux qu'ils nous demandent de définir une éthique de la presse libre... Non seulement cette photo qui n'a pas été prise au téléobjectif n'est pas " scandaleuse ", mais elle résume admirablement un moment de vie, de lutte et de grandeur... Elle va plus loin que l'instant, elle incite à la réflexion. Jacques Brel, d'autre part, n'est pas, qu'il le veuille ou non, un homme comme les autres. »

Selon l'éditorial, aucun sujet n'est tabou. L'affaire du Watergate aux États-Unis ne l'a-t-elle pas montré ? « Dans le cas plus modeste qui nous occupe, ne doit-on parler d'un chanteur que lorsqu'il sort un disque, d'un acteur que lorsqu'il apparaît dans un film ? Nous ne le pensons pas... » Le long éditorial argumente. La saisie du numéro de l'hebdomadaire a privé ses lecteurs de deux interviews, celle de Sadate et Begin par la célèbre Américaine Barbara Walters, une autre de Gaston Defferre. Bref, pour *Paris-Match* c'est « le triomphe de nos censeurs »...

Au-delà de leurs péripéties, ces affaires concernant Jacques Brel posent un problème moral et légal : dans quelle mesure la protection que le droit accorde à chacun peut-elle être étendu à ceux dont le métier est d'apparaître en public ? Où sont les frontières délimitant « vie publique » et « vie privée » ? La notion de consentement implicite à la publicité n'est pas toujours précise. Les personnalités politiques et les artistes recherchent la publicité. Dans certains cas, ils se « repentent », ils ne veulent plus qu'on parle d'eux. Souvent, les procès aboutissent à des transactions. Pour le public, les idées de publicité et de moralité finissent par se confondre. Certains lecteurs pensent qu'il est beau, merveilleux, bon d'apparaître dans un journal. La publicité dispense presque la vertu. Politiques ou artistes, ici, sont comme les criminels : ils ont droit aux grandes photographies à la une des journaux. Il est facile de s'indigner au nom du droit à son image, tentant, aussi, de se retrancher derrière le droit à l'information.

Les juges, eux, trouvent plus difficile de trancher.

Dans l'atmosphère de chasse au chanteur qui entoure Brel, comment protéger l'homme qui subit six semaines de chimio et de radiothérapie ? Pour Israël, on obtient un bon résultat :

— La réduction de quatre-vingt-dix pour cent de cette masse récidivée.

Le pamplemousse aurait maintenant la « taille d'un marron ». Traqué, sous divers déguisements, Jacques Brel, va et vient entre l'hôpital et la clinique. Il respire, se déplace, peste contre Barclay mais — écrivain rentré toujours — prend des notes. A Israël, Brel confie qu'il aimerait raconter son expérience de malade. Il veut écrire, pas transformer son cancer en chanson. D'ailleurs, ce cancer est *écrit* sur le dernier disque. En somme, dernière boucle, à quarante-neuf comme à seize ans, Jacques Brel veut rédiger une espèce de nouvelle.

Brel se prépare à subir une chimiothérapie de deux ans. Selon Lucien Israël, dans ce genre de cas, on gagne quelquefois deux, trois ou quatre ans. Si, pendant ces années-là, se produit une percée thérapeutique, on peut espérer plus. A Israël, Jacques semble euphorique. Il reprend des forces, il peut circuler. On ne peut suivre un traitement chimiothérapique en Polynésie. Peut-être se dit-il qu'il va *devoir* rester en Europe.

Jacques et Maddly surgissent chez Prunier. Claude Lelouch et Robert Hossein sont à une autre table. Ils parlent déjà de la saga des *Uns et des autres*. Lelouch n'a pas vu Brel depuis longtemps. Barbu, visage gonflé, traits tirés, Jacques se dirige vers la table de Lelouch :

— Claude !

— Jacques !

Brel se rend compte de l'étonnement du cinéaste. Brel sait combien il est transformé physiquement :

— La vie est belle ! dit-il.

Israël souhaite que Jacques demeure à Paris. Le cancérologue craint une infection ou une embolie pulmonaire. Mais Brel veut fuir Paris. Jacques a renoncé à piloter son *Jojo*. Dans une lettre écrite à Jean-François Lejeune par Maddly le 29 août 1978, la compagne de Jacques explique qu'il va beaucoup mieux et qu'on ne saurait imaginer son appétit. Jacques ajoute trois lignes :

« Grand merci pour l'avion. Ici c'est l'épouvantable Paris avec ses journalistes et ses inutiles. Je suis un peu fatigué, mais cela va encore. Je t'embrasse. Jacques. »

Maddly demande à Jean-François d'expédier les lunettes de soleil et de vue à double foyer que Jacques a oubliées, sans doute dans la poche gauche du *Jojo*. Maddly et Jacques espèrent que leur avion ne moisira pas sans acquéreur. Se débarrassant de son avion, Jacques envisage donc de rester en Europe. On imagine mal cet homme toujours mobile cloué à Hiva-Oa, à la merci d'un vol hebdomadaire vers Tahiti.

Il déclare qu'il va se reposer trois semaines en Suisse. Jean Liardon arrive de Genève avec un avion. Pour échapper aux photographes, Jacques se cache deux heures dans les toilettes de la Transair au Bourget. De quoi prendre froid, cette aube dans un aéroport.

— C'est un miracle que je sois en vie, dit-il à Liardon.

Grâce à des complicités dans le monde des tours de contrôle, Liardon peut établir un plan de vol camouflé. On répand le bruit que Brel se rend à Milan. Des journalistes retrouvent quand même Brel en Suisse.

Toujours pourchassé, alors qu'il réside à l'hôtel *Beau Rivage*, Jacques perd-il le sens des priorités ? Obsédé par les photographes, il cesse de prendre ses médicaments anti-infectieux et anticoagulants. Erreur tragique ? Et pourquoi ? Jacques a toujours entretenu un scepticisme médicamenteux, sauf face aux rages de dents. Pourquoi Maddly ne l'a-t-elle pas contraint à avaler ses médicaments ? Ils avaient mauvais goût, dit-elle. Mais ces médicaments auraient-ils été efficaces au stade de la maladie de Brel ?

N'y a-t-il pas en lui, depuis longtemps, une force autodestructrice, surtout depuis la traversée de l'Atlantique ? Thanatos ! La vie est belle, Éros ! Mais il en a tellement vu, ici et ailleurs ! A-t-il fait le tour des choses, des gens, de lui-même ? Il n'y a plus d' « ailleurs » pour lui. Dans cet « oubli » des médicaments, certains voient presque un suicide. Le Vieux est plus usé, plus abîmé que jamais. Mourir ce n'est rien, mais vieillir... Vivre, survivre, repartir. Le 24 septembre, à Genève, Brel loue un Lear Jet que pilote Liardon. Avec Maddly, ils atterrissent près d'Avignon et passent une journée, en voiture, à visiter une demi-douzaine de maisons dans le Vaucluse.

— J'aurais une maison à moi ! dit Brel.

Parfois Jacques veut — peut-être ? — mourir. Souvent il veut vivre, double attitude fréquente chez les grands malades. Au Dr France qui l'a examiné en 1974, Jacques donne l'impression qu'il se sait « foutu ».

Ne plus pouvoir piloter un avion quand on est Jacques Brel ! Jacques est tout sauf un imbécile et un ignorant. Au tréfonds de lui-même, il se sait encore en sursis — pour combien de temps ?

Jacques tousse, halète, délire. Liardon, à qui Maddly téléphone à 3 heures du matin, refuse de convoyer Jacques sans autorisation médicale. Jacques se calme. En catastrophe, le 7 octobre au début de l'après-midi, il regagne Paris. Dans l'avion, il bavarde avec le médecin. A Liardon, avant de s'allonger dans l'ambulance qui l'attend au Bourget, Jacques dit :

— Promets-moi de ne jamais être malade.

Dans quelle pièce ou quel roman veut-il encore jouer ?

— Il est arrivé trop tard, dit Lucien Israël, avec tous les signes — aux radios, à l'électrocardiogramme — d'une embolie pulmonaire massive.

Maddly monte la garde. Charley Marouani filtre les coups de téléphone. Brel a la sérénité de celui qui défend ses chances et n'en demande pas plus. Sous oxygène, avec des perfusions d'héparine, un demi-poumon en moins, un poumon à demi irradié..., le Vieux, le grand, l'énergique Jacques Brel paraît concentré sur la possibilité de passer ce cap. Maddly veille. Charley Marouani passe dans l'après-midi. Les photographes ne sont pas parvenus à la chambre de Brel. Un homme qui n'aurait pas dû être là réussit à approcher Brel le dimanche autour de 6 h 15 du matin, Roger F..., un admirateur. Il écrit en 1983 :

« ... Le procédé n'est pas très joli, mais il s'agissait d'un ami qui se mourait... Il a eu pour nous un sourire qui était plus un rictus qu'un message. Son visage était gonflé comme s'il avait été traité à la cortisone. Je ne reconnaissais pas en cet instant celui que j'avais approché et félicité dans sa loge à l'Olympia quelques années plus tôt. Je ne saurais vous dire s'il souffrait, son courage était immense. Une chose m'est apparue, je crois qu'il se refusait à franchir le cap final. Bien qu'il ait souvent crié que la mort n'était qu'une chose naturelle, en cet instant, il la repoussait de toutes ses forces, plus pour les siens que pour lui-même. Je lui ai tapoté la main en lui lançant une boutade amicale. J'ai eu droit à un sourire. Je ne suis resté qu'une minute environ... [1] »

Un admirateur parmi des millions d'anonymes.

Quand, sans masque à oxygène, il peut parler, Jacques Brel demande à Catherine Adonis un Coca-Cola. Dans un moment d'autodérision, il lui dit :

— Je ne vous quitterai pas.

A 3 heures du matin, syncope mortelle. Jacques Brel meurt le 9 octobre dans la chambre 305.

En France comme en Belgique, presse, radio, télévision présentent des documents et des témoignages. Georges Brassens déclare :

— Je ne crois pas qu'il soit mort. Quand on aime les gens, ils meurent, bien sûr, c'est-à-dire qu'ils s'absentent un petit peu. Jamais personne de ceux que j'ai aimés n'est mort. Brel, il sera facile pour moi et pour ses amis de le faire revivre. Il n'y aura qu'à écouter ses disques.

On parle plus de la mort de Jacques que de celle du clown Victor Fratellini, le lendemain. Serge Reggiani, moins sentimental que le grand Georges, résume la pensée de beaucoup de gens du show-biz, onze ans après que Brel eut quitté la scène :

— ... C'était l'image de ce qu'on faisait de mieux au music-hall, il était le plus grand d'entre nous.

Dans l'émission de télévision, « Cartes sur table », le soir de ce lundi 9 octobre, François Mitterrand, premier secrétaire du Parti socialiste, estime que l'élection présidentielle n'est pas d'actualité. Il parle de cette victoire de la gauche française que Brel souhaitait encore sur son île.

— La victoire n'est possible, dit Mitterrand, que si le PS est le grand parti de la gauche, car les Français ne sont pas disposés à se donner aux communistes...

Jacques Brel fait partie du patrimoine culturel français. Tout le monde ne pleure pas le chanteur. Quelques heures après sa mort, un inconnu, sous un pont, entre Liège et Bruxelles, dans une région flamande, inscrit :

— *Brel is dood, hourrah !*

Brel est mort. Ceux qui le regrettent sont plus nombreux que ceux qui proclament ainsi leur morbide satisfaction et leur rancune.

---

1. Archives Fondation Brel.

Entre le 5 et le 11 octobre, des milliers de cancérologues conclavent dans un congrès international à Buenos Aires. La tonalité générale est pessimiste. Jacques Brel est mort d'un cancer du poumon et les statistiques montrent que le nombre des tumeurs du poumon ne cesse de croître, surtout par extension du tabagisme. Malgré l'arsenal de thérapeutiques déployées, le taux de survies à cinq ans de ce cancer a progressé de moins de cinq pour cent depuis 1950. Face à son cancer, Jacques Brel est un homme moyen.

La famille est prévenue. La femme d'Arthur Gelin téléphone à la fille aînée de Jacques, à 6 heures du matin le 9 octobre. Chantal a passé un week-end chez des amis en Hollande. Elle se rend chez Miche. On joint Isabelle dans les environs de Bruxelles et France dans le chalet à Saint-Pierre-de-Chartreuse. Le frère de Jacques, Pierre Brel, apprend la nouvelle par la radio. Pierre ne se rend pas à l'usine. Il dicte un avis qu'on distribue dans la cartonnerie Vanneste et Brel : « Jacques est mort. Pour votre facilité et la mienne, passons ces journées comme si de rien n'était. »

La levée du corps a lieu à l'hôpital franco-musulman. Le visage est reposé, avec une espèce de sourire détendu comme celui de beaucoup de morts. Il semble dire à certains : « Maintenant je vous ai eus. » A d'autres : « Je m'en vais sans être tout à fait malheureux. » Ou : « Je vous adresse un dernier sourire. » Ou : « Ce n'est pas si dur de mourir à l'automne. »

Photographes et journalistes grouillent. La situation est logique et atroce pour les proches de Brel. Dans la bibliothèque, d'un côté Miche, ses filles, quelques amis. De l'autre, Maddly, Barbara, Salvador... Échappant à la presse, parents, proches, amis circulent dans les couloirs et les sous-sols de l'hôpital pour se recueillir dans la chapelle ardente où se trouve le cercueil encore ouvert.

Certains remarquent que France ne pleure pas :

— Il est plus heureux là où il est maintenant, dit-elle.

Avant la fermeture du cercueil, Maddly demande que tout le monde sorte. On lui obéit :

On prend un cliché de Maddly et Miche s'embrassant — dehors.

Le Pr Israël, en blouse blanche, devant les journalistes, déclare que si Jacques avait été soigné plus tôt, il aurait eu une chance de survivre plus longtemps. Face aux statistiques, est-ce une affirmation recevable, imprudente ou très osée ?

En 1974, avant son opération à Bruxelles, Jacques avait laissé des instructions. Alors, il voulait être incinéré et souhaitait qu'on jette ses cendres à la mer ou sur un terrain d'aviation. Charley Marouani, comme Maddly Bamy, disent que Jacques souhaitait retourner aux Marquises. Miche et ses filles ne s'y opposent pas.

Pas de cérémonie religieuse malgré le souhait de Pierre et France Brel. Partant du Bourget, Maddly et Charley accompagnent le cercueil jusqu'à Atuona. On a prévenu Michel Gauthier à Papeete, la veille, de l'arrivée du cercueil sur l'avion régulier d'UTA :

— C'était ton ami, tu y vas ?

— Bien sûr.

Michel Gauthier sera le pilote du dernier avion de Brel.

Avant que le corps de Jacques n'arrive à Tahiti, Gauthier reçoit des coups de téléphone d'hebdomadaires et de stations de radio. On lui propose beaucoup d'argent pour faire quelques photos de l'enterrement. Il refuse. Air-Tahiti n'accepte pas de louer des avions à la presse pour gagner Hiva-Oa. On prendra pourtant quelques clichés pendant l'enterrement. Morte ou vive, la vedette vaut cher.

Marc Bastard remet des cassettes à Charley Marouani.

— Jacques m'a dit qu'elles étaient pour toi. Maddly n'est pas au courant.

Où sont ces cassettes ?

Dans les années soixante, Jacques Brel disait à son moniteur d'aviation, Paul Lepanse :

— Tout cela se terminera dans le Zuiderzee, avec la grande pèlerine, le bâton et le chien, et personne à l'horizon.

Entre ciel et moulin ?

> ... Regarde bien petit, regarde bien
> Sur la plaine là-bas
> A hauteur des roseaux
> Entre ciel et moulin
> Y a un homme qui part
> Que nous ne saurons pas
> Regarde bien, petit, regarde bien
> Il faut sécher tes larmes
> Y a un homme qui part
> Que nous ne saurons pas
> Tu peux ranger les armes [1].

Ça se termine au cimetière pittoresque mais sinistre d'Atuona, sous les frangipaniers, pas loin de l'autre tombe célèbre, celle de Paul Gauguin, qui mit, lui aussi, plus de deux ans à mourir sur cette île, trois quarts de siècle avant. Brel et Gauguin sont sur la même rangée, en contrebas des tombes de missionnaires entourées de fer forgé rouillé, bousculées par le temps, ravagées par les pluies. Le chanteur eut ici des amis curés et gendarmes, pas le peintre.

---

1. *Regarde bien, petit.*

Sur la tombe de Brel, une des sépultures entretenues, Maddly fait placer un grand médaillon brun. Maddly y figure avec Jacques. Leurs visages sont déformés, avec des traits épais, qui ne leur rendent guère justice.

XV.

Traces

Tout homme, surtout un personnage et un créateur comme Jacques Brel, laisse derrière lui des traces, heureuses ou malheureuses.

Toujours belle, Maddly séjourne une partie de l'année à Atuona, dans la même maison, près du cimetière. Elle s'installe aussi à Neuilly.

Chaque 9 octobre, elle organise une fête sur la tombe de Brel. A Maddly, comme à Marianne ou Sophie, Jacques dictait des notes. Maddly a composé un livre de souvenirs. Dans cet ouvrage, parfois elle semble utiliser des embryons de chansons. Jacques Brel lui faisait « quelques confidences au bout d'une nuit » pour lui dire[1] :

« ... Et j'ai quinze ans et je me meurs ; Je n'ai pas eu le temps d'avoir le temps ; Je n'ai pas eu le temps d'avoir d'enfants ; Et déjà plus passé que passant de trépassé à trépassant, il ne me restera plus le temps d'avoir seize ans : J'ai mon ami qui est en place ; Il a emprunté le whisky et emporté la glace ; Et lui qui devrait être ici ; Et puis c'est moi qui serai là : C'est évident, c'est évident ; et épuisant ; d'être coiffé de cheveux blancs ; Et de se mourir à quinze ans[2]. »

On pense presque à une ébauche de chanson, à ce que Brel appelait « un monstre » :

> Et j'ai quinze ans et je me meurs
> Je n'ai pas eu le temps d'avoir le temps
> Je n'ai pas eu le temps d'avoir d'enfants

---

1. *Tu leur diras.*
2. *Ibid.*

Et déjà plus passé que passant
De trépassé à trépassant
Il ne me restera plus le temps
D'avoir seize ans
J'ai mon ami qui est en place
Il a emprunté le whisky et la glace
Et lui qui devrait être ici
Et puis c'est moi qui serai là
C'est évident, c'est évident et épuisant
D'être coiffé de cheveux blancs
Et de se mourir à quinze ans

Maddly n'est ni pratiquante ni croyante. Lorsqu'elle accompagnait sa mère à la messe d'Atuona, sur les ordres de Jacques, c'était par gentillesse et politesse. Maddly croit en un au-delà qui n'est pas précisément chrétien. Elle fait tourner des tables, s'intéresse aux « communications par incorporation ». Elle communique, dit-elle, avec Jacques. Souvent. En 1984, elle terminait un deuxième livre. Maddly rédige aussi de touchantes chansons. Les plus jolies, dans une veine mineure, s'inspirent, jusqu'au vocabulaire, de sa vie avec Brel. Avec *Un avion,* Maddly chante :

... Il laisse monter de la tendresse comme une sève
Mais je veux croire que ce cadeau va m'arriver...

Dans *Bateau tango :*

Il chante le tango
Comme un Argentino
Je deviens son Argentina...
Le tango déraisonne mon corps[1].

A Bruxelles, Miche, encore amoureuse de lui, à sa manière, tranquille, méthodique, retrouve la paix. Elle gère l'héritage qu'il lui a laissé, toute son œuvre. Elle s'initie à l'informatique. Elle voyage beaucoup. Jacques, lui ayant donné le virus des voyages, aimait et détestait ses croisières. Miche continue de découvrir non pas l'homme mais le créateur que fut son mari. Elle sort, suit l'actualité littéraire, cinématographique, musicale. Miche a six petits-enfants.

Chantal accumule les spécialisations. Elle se prépare à former des infirmières, vit le plus souvent en Ardèche, avec de fréquents passages à Bruxelles, Louvain-la-Neuve, au Sri Lanka. Elle regrette

---

1. Disques Context.

maintenant de ne pas avoir rendu visite à son père aux Marquises.

Après avoir enseigné à l'école Berlitz, accompagné la troupe de Michel Fugain, France est administratrice déléguée de la Fondation Brel, qu'elle a créée, et en grande partie financée. La Fondation accumule les documents audio-visuels et bibliographiques. France jure qu'elle abandonnera bientôt la direction de la fondation. Certains reprochent à la deuxième fille de Jacques Brel d'être hypnotisée par ce père, de vivre par procuration à travers lui. Elle cherche sa voie. Comme ses sœurs, elle se libère de celui qu'elles appellent, toutes, maintenant « Jacques ».

Isabelle écoute de plus en plus les chansons de son père. Elle dirige un manège à Seneffe, dans la campagne au sud de Bruxelles.

Les filles de Jacques Brel lui ressemblent par leur visages mobiles, énergiques, volontaires, leurs fortes mâchoires, leurs yeux rieurs. Toutes sont réconciliées avec la personne et le personnage, avec Jacques et leur père.

Suzanne Gabriello travaille toujours dans le show-biz.

Sophie s'est remise lentement de ses épreuves. Elle a beaucoup donné à Jacques Brel. Il l'a profondément blessée.

Jacques Brel savait que certains ne pourraient effacer :

> ... Ni ces jamais, ni ces toujours
> Ni ces je t'aime, ni ces amours
> Que l'on poursuit à travers cœurs
> De gris en gris, de pleurs en pleurs
> Ni ces bras blancs d'une seule nuit
> Collier de femme pour notre ennui
> Que l'on dénoue au petit jour
> Par des promesses de retour [1]...

Marianne s'occupe de son fils et travaille avec des handicapés. Elle a appris que la vie ne fait pas de cadeau. Souriante, elle se souvient de l'homme, de leurs rencontres, de beaucoup de chansons — et d'une dernière rencontre avec Jacques dans une aérogare :

> ... Et puis il disparaît
> Bouffé par l'escalier
> Et elle, elle reste là
> Cœur en croix, bouche ouverte
> Sans un cri sans un mot
> Elle connaît sa mort

---

1. *On n'oublie rien.*

> Elle vient de la croiser
> Voilà qu'elle se retourne
> Et se retourne encore
> Ses bras vont jusqu'à terre [1]...

Quelques jours avant de mourir, Brel s'intéressa à un film *Voltige mon rêve* tourné en Suisse par le père de Jean Liardon. A Gérard Jouannest, Brel avait dit au téléphone, de Genève, qu'il aimerait composer une musique sur ces acrobaties aériennes :

— Tu y penses, on va se revoir bientôt. Je te rappelle.

Jacques disposait d'une mélodie qu'il voulait traiter à la Pink Floyd. Après, Gérard n'a plus revu Jacques. La première projection de ce court métrage eut lieu le jour de la mort de Brel. Gérard et François Rauber ont composé la musique sur les thèmes de Jacques. Au générique, on lit : « Musique de Jacques Brel. »

Gérard vit avec Juliette Gréco. Il l'accompagne au piano à travers le monde.

François continue d'orchestrer et compose.

Jean Corti vit dans le Midi de la France. Il joue encore de l'accordéon, comme Marcel Azzola qui suit Juliette Gréco et Yves Montand. Chaque nuit, Édouard Caillau présente le spectacle *Au Gaîty* à Bruxelles. Alice Pasquier tient un petit hôtel dans la région de Rambouillet. Dès la fin de l'après-midi, on trouve Franz Jacobs et Zozo dans leur bar, à Knokke. Franz se retire tôt, rentre chez lui, regarde la télévision. Il peut même regarder les films de guerre ou les westerns des chaînes britanniques. Sur la côte belge, on les capte. Comme tant d'amis de Brel, Franz pleure quand il parle de Jacques. Puis il raconte leurs bons moments.

> Ami, remplis mon verre
> Encore un et je vas
> Encore un et je vais
> Non je ne pleure pas
> Je chante et je suis gai
> Mais j'ai mal d'être moi
> Ami, remplis mon verre
> Ami, remplis mon verre [2]...

En 1983, Céel est mort, comme Dessart, le parrain de Jacques.

Maddly a remis à Michel Gauthier une bouteille numérotée d'armagnac 1939 :

— Tiens, Jacques voulait t'en faire cadeau.

---

1. *Orly.*
2. *L'Ivrogne.*

Aujourd'hui à Zandvoorde, deux vieux de la famille Brel, Marthe et Roger, ont fermé leur café. Ils vont vendre ses meubles, dont une superbe pompe à bière en porcelaine. Marthe se souvient très bien du grand-père de Jacques Brel, Louis :

— Il chantait. On chante bien, on chante beaucoup dans la famille.

Aujourd'hui à Zandvoorde toutes les notices administratives sont rédigées en flamand. Avec moins de huit cents habitants, le village qui sommeille est rattaché à un ensemble communal plus vaste.

Ce plat pays là s'écartèle entre le beffroi d'Ypres et les cheminées de Tournai. En mai la plaine fume encore lorsque les paysans ont enlevé les bâches de plastique blanc et les pneus qui, en hiver, protègent le fumier. Ici et là, son odeur chaude est recouverte par celles des produits chimiques.

Le vigneron Raymond Roblot, mort noyé devant Atuona, est enterré près de Gauguin et de Brel.

Un procès à propos d'un article et des photos concernant Brel traînait encore au début de 1984 devant la cour d'appel d'Angers.

En 1974, la veille de son opération, Jacques écrivit plusieurs lettres. Un mois après la mort de son père, France Brel reçut celle qui lui était destinée :

« PS Embrasse Vic pour moi et tente de rester en contact avec Maddly.

Merci ! »

« Bruxelles le 14 Novembre

Ma France,
Je te remercie pour ta présence et ta tendresse
Tu as posé plein de soleil sur ton père durant ces derniers mois
J'espère t'avoir fait entrevoir une manière de vivre bien différente de celle de ton enfance mais assez belle je pense.
Que la vie te sois douce et belle.
Je t'embrasse longuement, tendrement
Merci

Jacques »

Charley Marouani ramena cette lettre de Hiva-Oa après l'enterrement.

Jacques Brel pose — *infiniment* — de tendresse et de soleil sur ceux qui l'écoutent. Son œuvre n'est pas oubliée. Beaucoup de chanteurs interprètent Brel. En France, Barbara, Juliette Gréco, Simone Langlois furent les premières à croire en lui. Après vinrent Julien Clerc, Claude Nougaro, Pétula Clark, Serge Lama, Isabelle

Aubret, Jean-Claude Pascal, Nicole Croisille, même Montand un moment. Pas longtemps, le grand Yves se plaque mal sur le grand Jacques. Dans le monde anglo-saxon, surtout aux États-Unis, point de passage obligé pour la chanson de variétés : Frank Sinatra, Ray Charles, Neil Diamond, Shirley Bassey, Andy Williams, Nina Simone, Judy Collins, Joan Baez, Tom Jones, misèrent sur Brel. Jusqu'à David Bowie qui, pour Brel, abandonne un instant le rock. Au Canada, celle qui chante le mieux Jacques reste Fabienne Thibault. En Allemagne fédérale, Michael Heltau et Klaus Hoffman, un jeune acteur interprète, qui dit un peu vite :

— Pour moi, Brel est l'un des plus grands socialistes européens. Son arme n'était pas le fusil, c'était l'amour[1].

En Italie, on « brele » avec Herbert Pagani, Bruno Lauzi Giogio Gaber et d'autres, en Grèce avec Georges Chakiris, en Catalogne avec Ramon Muns. Qu'on me permette d'avouer ma faiblesse pour les interprétations de la Hollandaise Lisbeth List. Peut-être retrouve-t-on dans sa voix, plus qu'ailleurs, la chaleur et la tendresse bréliennes.

Que réserve la postérité à Jacques Brel ? Je ne sais. Peut-on contester que, à travers le monde francophone, dans son triple rôle d'interprète, de parolier, de musicien, il fut parmi les meilleurs avec Barbara, Brassens, Béart, Ferré, Leclerc, Vian, Vignault ?

Brel n'atteint pas les « tirages » de certains chanteurs américains qui souvent ne sont pas des créateurs. Mais le public et même des jeunes qui ne l'ont jamais vu en scène sont fidèles à Brel.

Ces fidèles, ces amateurs de Brel se demandent souvent si les « inédites » vont un jour « sortir ». Elles ont été enregistrées à Paris en 1977. Il s'agit de cinq chansons, *Mai 40, Avec élégance, Sans exigences, L'Amour est mort, La Cathédrale,* et les deux textes parlés avec l'accent bruxellois, *Le Docteur* et *Histoire française*[2].

La tonalité des chansons est sombre, souvent désespérée Terminées à Hiva-Oa, elles constratent avec la bonne humeur, la gaieté que Jacques Brel déployait là-bas devant ses amis. Comme toujours, il était plus grave par écrit, dans ses chansons et ses lettres, que dans la vie quotidienne.

Certains de ces textes, et des mélodies qui les accompagnent, sont déchirants. De haut et de loin, Jacques semble résumer les périodes les plus sombres d'une vie — sa vie ?

---

1. *Paroles et Musique*, n° 21, 21 août 1982 Excellent numéro conçu par Pierre Vassal.

2. Les textes figurent dans l'*Œuvre intégrale*, Robert Laffont, 1982.

> ... Ils sentent la pente plus glissante
> Qu'au temps où leur corps était mince
> Lisent dans les yeux des ravissantes
> Que cinquante ans c'est la province
> Et
> Ils brûlent leur jeunesse mourante
> Mais ils font ceux qui s'en dispensent
> Ils sont désespérés
> Mais avec élégance [1]...

De nouveau, il invoque la femme maléfique — et tire sa révérence à Dieu :

> ... De mal à seul, j'eus mal à deux
> J'en suis venu à prier Dieu
> Mais on sait bien qu'il est trop vieux
> Et qu'il n'est plus maître de rien
> Il eût fallu que j'arrogance
> Alors que tremblant d'indulgence
> Mon cœur n'osât lever la main
> Et me voyant sans exigences
> Elle me croyait sans besoins [2]...

Il est possible aussi que d'autres chansons, textes ou musiques, textes et musiques, demeurent chez certaines compagnes de Brel, sur des cahiers ou des cassettes.

Pour les cinq inédites mentionnées, et les deux histoires, Mme Jacques Brel et ses filles pensent que les admirateurs de Jacques ont le droit de les entendre. Donc qu'elles devraient être commercialisées. De plus, disent les Brel, Jacques pouvait facilement changer d'avis. François Rauber, Gérard Jouannest et Charley Marouani, comme Maddly Bamy, estiment que pour Jacques elles n'étaient pas terminées. Il ne voulait pas, selon eux, qu'elles soient mises en circulation. Une exception : *Sans exigences* qui, sur le dernier disque, faillit remplacer *Les Marquises*.

Dans des proportions différentes, les droits musicaux appartiennent aux uns et aux autres. Il y a un problème juridique et surtout un problème affectif. Chacun défend son Jacques Brel, et ce qu'il pense être la dernière volonté du chanteur. Ni d'un côté ni de l'autre, il n'est d'abord question d'argent. Les Brel n'ont pas besoin de ces éventuels revenus pour vivre. Gérard Jouannest et François Rauber refusent de laisser sortir les chansons sur lesquelles ils ont des droits, ou des parts

---

1. *Avec élégance.*
2 *Sans exigences.*

de droits, par principe : ils sont sincèrement persuadés que toutes ne sont pas au point. Chaque partie est de bonne foi. Une solution consisterait à éditer un nombre de disques limité pour des médiathèques, en les mettant à la disposition des chercheurs, comme documents. A l'heure des pirates, ce serait les livrer à l'industrie parallèle et au marché noir de la cassette[1].

Au-delà des différences d'appréciation quant à la qualité, la finition des chansons, au-delà des interprétations de la volonté de Brel si changeante, cette affaire pose la question des œuvres posthumes, journaux intimes, lettres, fragments, toiles, dessins inachevés... Quelle est la volonté profonde du créateur? Doit-elle être respectée lorsqu'elle éclaire son œuvre? Faut-il s'imposer un délai avant de livrer des ébauches, des œuvres achevées ou inachevées, dont la publication est contestée par des proches? La légalité n'épuise ni la moralité, ni la curiosité, ni les droits de la recherche.

En tout cas, ces cinq chansons, dont plusieurs me semblent magnifiques, même si certaines ont quelques imperfections aux oreilles de tel ou tel musicologue, jettent sur les dernières compositions de Jacques Brel une lumière d'un terrible pessimisme. Est-ce le dernier message sur lui-même que Brel lance ici :

> ... Savoir qu'on a toujours eu peur
> Savoir son poids de lâcheté
> Pouvoir se passer de bonheur
> Savoir ne plus se pardonner
>   Et
> N'avoir plus grand-chose à rêver[2]...

Brel laisse derrière lui de bons souvenirs et de mauvaises cicatrices. Il charmait ou fascinait ses proches, comme ses admirateurs anonymes. Naïf et retors, séduisant et agressif, modeste et orgueilleux, bourré de contrariétés comme on disait au xviiie siècle, Jacques se mentait, comme aux autres, avec des sincérités successives et simultanées. Parfois, même pour les siens, Jacques Brel est un personnage mythique. Ici, il se projette dans certains personnages inoubliables. Là, il chante ce qu'il aurait voulu être.

---

1. Autre exemple des déclarations ou comportements changeants de Brel, proche de sa fin : devant François et Françoise Rauber, il dit que les droits du disque *Les Marquises* doivent revenir à Maddly. Mais il écrit le contraire dans une lettre à Miche (citée p. 382), et, à la clinique Hartmann, Brel refuse de voir un notaire pour amender en ce sens son testament. Miche Brel dit : « S'il avait seulement griffonné ce souhait sur un morceau de papier, sans acte notarial, j'en aurais tenu compte. » Bien entendu, Brel n'a laissé personne « dans le besoin ».

2. *Avec élégance.*

Il aima sans aucun doute. Cet éternel adolescent qui ne parvint jamais à devenir un libertin ou un pratiquant désinvolte de l'amour libre, ce passionné, fut-il jamais vraiment amoureux ? Peut-être de sa première femme, à l'âge où l'amour paraît simple ? « L'amour est un esprit familier ; l'amour est un diable : le seul ange malfaisant, c'est l'Amour », dit Shakespeare.

Homme des extrêmes, puisant son inspiration au fond de ses bonheurs et de ses malheurs, cow-boy et indien à l'âge de l'avion, Jacques Brel toute sa vie se sauva par le travail. Jamais il n'a vaincu son manichéisme, ni assumé sa condition d'adulte. On doit s'en réjouir. Le talent de Brel n'était pas adulte. Redresseur de torts avec lyrisme et panache, il oscille entre d'Artagnan, Cyrano, Gavroche, même s'il se voit, lui, avant tout en Don Quichotte.

Une de ses chansons d'entrée en scène fut longtemps *Madeleine*, puis, elle viendra en fin de « tour ». Peut-on en tirer une leçon quant à l'homme Brel ? Cette romance réaliste décrit un éternel cocufié de sa vie ratée. Même battu, j'y retourne !

> ... Ce soir j'attendais Madeleine
> Mais j'ai jeté mes lilas
> Je les ai jetés comme toutes les semaines
> Madeleine ne viendra pas
> Ce soir j'attendais Madeleine
> C'est fichu pour le cinéma
> Je reste avec mes « je t'aime »
> Madeleine ne viendra pas
> Madeleine c'est mon espoir
> C'est mon Amérique à moi
> Sûr qu'elle est trop bien pour moi
> Comme dit son cousin Gaspard
> Ce soir j'attendais Madeleine
> Tiens le dernier tram s'en va
> On doit fermer chez Eugène
> Madeleine ne viendra pas...

Bien portant ou « usé », inconnu ou célèbre, Brel repart toujours vers un introuvable Far West, son espoir, un dernier amour, son avion, un bar de Liège, un bordel, une discussion, un parti pris, une blague, un rêve, une illusion, une folie, une rencontre, un regard. Qui revécut autant sa vie réelle et imaginaire, devenant réelle parce qu'imaginaire ?

Avec fougue, avec une furia flamande, pris par ses métiers, Jacques Brel a aussi joué un personnage. Dans le show-biz, la chanson surtout, un parolier ne sait plus à la longue si c'est lui ou un autre qui parle. Clamant que « tout ça ne sert à rien », Brel se donnait la comédie. Il se savait *commediante* et *tragediante*. Il enlevait aussi ses masques. Il a une dimension pathétique. Il haïssait la médiocrité, croyait à la volonté et à l'espoir autant qu'au désespoir. Voilà pourquoi il crevait la scène et, quelquefois, le grand écran.

Sans y parvenir, il voulait casser les conformismes et les pesanteurs sociales. Il avait un frénétique besoin de sortir de sa peau et de rester dedans. Il souhaitait être et resta libre. Mais il tient à conserver aussi l'auréole du père de famille, à défendre des valeurs traditionnelles. Il dénonça les bourgeois, en effet. Quoi qu'il fît, il demeura fils de bourgeois. Bien sûr, il casse tout, il part jusqu'à Hiva-Oa. Mais au fond de lui demeure toujours quelque chose de Schaerbeek. Avec puérilité avant 1953, avec désenchantement après. Brel voulait que la générosité soit de ce monde — généreux avec les uns, il fut parcimonieux de tendresse avec d'autres. Il connaissait ses défauts. Il essayait de les combattre, voulait s'en guérir, comme d'une maladie. Jacques c'est aussi Candide. Brel, homme de spectacle, s'offre son plus beau show avec sa vie. Vite, il démontra qu'il était un artisan et un artiste exceptionnels. Son intelligence n'était pas rationnelle ou raisonnable. Souvent son talent dépasse sa personne. Romantique et baroque, il ne se voulait ni d'avant ni d'arrière-garde.

Mieux secondé, et s'il n'était tombé si gravement malade, à quarante-cinq ans, Brel serait peut-être devenu un grand cinéaste. En France on ne projette pas assez *Franz*. Jacques Brel fut avant tout un interprète fulgurant puis un auteur de chansons, enfin un musicien. Original et curieux musicologue, aidé, encouragé, si bien servi par quelques hommes moins célèbres que lui. Dans la jungle des variétés, un orchestrateur ou un pianiste ressemblent au cameraman ou à l'ingénieur du son face au réalisateur de cinéma ou de télévision. Connus dans leur milieu professionnel, ils ne sont pas assez reconnus par les consommateurs, spectateurs ou auditeurs. L'accordéoniste, sauf s'il se trouve sur la scène avec la vedette — et encore —, on lui accorde à peine les mérites de l'éclairagiste. Hasard et accident, Brel rencontra plusieurs professionnels qui marquèrent sa carrière. Il sut se les attacher, jusque dans l'amitié, au-delà des malentendus et des mesquineries, jusqu'à sa mort. Aujourd'hui, à Pékin, on réclame un spectacle illustrant sa vie : ce Jacques Brel, le plus important, l'artiste, se porte bien.

A travers le monde, une partie du grand public, masse souvent indécise, imprévisible, manipulée, mais aussi sensible, romantique et enthousiaste, retient les noms de trois Belges, Simenon, Brel et Hergé. Eddy Merckx disparaît dans les consciences collectives. Le cyclisme incarne moins le xxᵉ siècle que le roman policier de qualité, la chanson de variété magnifiée par la radio et la télévision ou la bande dessinée.

Sur la ligne 3 du métro de Bruxelles, on peut descendre à la station Jacques-Brel. Sans doute attendra-t-on plus longtemps l'arrêt Magritte. On inaugurera plus vite Georges-Simenon que Henri-Michaux. Les valeurs de l'intelligentsia ne sont pas celles du grand public populaire.

Reconnaissance et respect, au début des années soixante-dix, Brel figure dans les manuels scolaires. On le trouve dans un sujet du bac en France. Il accède au Petit Larousse en mars 1969.

Rejet et agacement, un *Alphabet des lettres belges de langue française,* publié en 1982[1], accorde à Brel Jacques quelques allusions. Compte-t-il moins que Melot du Dy? Les chanteurs ne passeront pas! Même ceux qui font vibrer certains professeurs d'université autant que des mineurs, des métallurgistes, des marins, des fermiers. Les intellectuels se méfient du tapage publicitaire qui embrase ou emprisonne tant de vedettes. Par ses éclats politiques absurdes, provocateur susceptible, Brel n'arrangea pas ses affaires.

Rares sont les écrivains qui, comme Pierre Mac Orlan, Boris Vian ou Jean-Paul Sartre montent en ligne pour défendre d'abord la chanson, ensuite des chanteurs. Si Raymond Queneau, Jacques Lanzmann, Rezvani, Françoise Mallet-Joris écrivent et offrent des chansons à Juliette Gréco, Jacques Dutronc, Jeanne Moreau ou Marie-Paule Belle, des lecteurs avertis — pour beaucoup d'intello-crates, la culture c'est avant tout la lecture — voient là une distraction, presque un snobisme. Au pis, des manœuvres alimen-taires. Avec ces combines, pardon, ces arrangements, entre chaînes de radio, producteurs d'émission de télévision et industriels du disque, de la cassette, du spectacle, le commerce du show-biz sent souvent mauvais. Comment déceler le succès mérité de la réussite imposée?

Plus grand seigneur que d'autres, Brel conquit et traversa ce monde, lançant quelquefois contre lui des imprécations injustes. Il ne rata pas sa sortie. Il chanta l'amitié sur un ton, les femmes sur plusieurs, la tendresse, la mort, les vieux, les enfants.

Pour apprécier pleinement Jacques Brel, que l'on aime ou non ses textes et sa musique, il faut l'avoir vu en scène. Personne dans le monde francophone ne se donna sur les planches autant que lui. En un sens, il est mort debout. Que sont quelques semaines d'hôpital et de clinique après tant d'années de frénétique mobilité, de fureur

---

1. Association pour la promotion des lettres belges de langue française, Bruxelles, 1982.

sauvage et d'énergie professionnelle ? Qui fut, en vingt-cinq ans seulement, avec autant d'intensité, chanteur, cinéaste, navigateur, pilote ? Dans sa vie privée, Brel proposa toutes les sincérités de sa mauvaise foi. Il hurla que les hommes prudents et immobiles sont des infirmes. Ses imprudences déployèrent quelques ruses et ses forces quelques faiblesses. Il accepta des compromis. Qui n'en a point à son débit ?

Derrière lui, Brel laisse un dernier canular public. Sur la deuxième face de la cassette (ou du disque) *Les Marquises,* à la fin de l'étiquette on lit : « 1. 2. 3. extrait de la comédie musicale *Vilebrequin.* » On attend. On écoute. Rien ne vient. Interrogé sur ce trou, Barclay répondait :

— Oui... euh... ce sera une comédie musicale que Brel fera avec Barbra Streisand.

De fait, c'est la dernière énorme blague publique de Jacques qui disait :

— On va voir combien de gens savent épeler « Vilebrequin ». Avec un ou deux *l...* ?

Ce silencieux sourire d'outre-tombe rejoint les éclats de rires du grand Jacques montrant son cul ou fumant une cigarette dans une église. Il veut qu'on rie, il veut qu'on danse, quand c'est qu'on l' mettra dans l' trou. Je ne suis qu'un chanteur, un pitre. Je veux vous faire rire en pleurant.

Brel ne fréquenta pas assidûment les musées, mais il reste imprégné des paysages de son enfance. Il rejoint la sensibilité picturale flamande et hollandaise. Portraitiste, il évoque toute une école. Marieke, Jef, Mathilde, Fernand, Madeleine, l'Ostendaise, les Vieux, on les imagine dans un tableau de Bruegel l'Ancien ou de James Ensor. Le Moribond préside la table de la « noce villageoise » avec le vieillard de *Mon oncle Benjamin.* Paysagiste, à tous les Belges, Brel rappelle Jacob Ruysdael.

A Jacques Martin, Brel disait :

— Si j'avais été poète, j'aurais été Rimbaud. Compositeur, j'aurais été Mozart. Je ne suis ni l'un ni l'autre, je suis chanteur.

Pour ses anciens et ses nouveaux publics, Brel reste d'abord le chanteur qu'il voulut et sut devenir.

... Et nous voilà ce soir[1].

Nous voilà donc, nous, écoutant Brel, marchant avec un walkman à l'aube, l'entrevoyant à la télévision l'après-midi, l'entendant tard cette nuit à la radio, ou passant ses disques, repassant ses

---

1. *Mon enfance.*

cassettes à notre convenance. Nous — qui ? Des adolescents, des hommes et des femmes de toutes les classes sociales. Brel veut chanter pour tous et peut parler à chacun. Touchant la plupart de ses auditeurs, tendant vers l'universel, Jacques Brel fut un génie populaire.

— Je suis une aspirine, disait-il pour ne pas définir pompeusement la thérapeutique de ses mots alliés à ses mélodies, l'union étrange d'un texte et d'une musique.

Qui peut dire, sans aussitôt se reprendre : « Ma chanson préférée, c'est *La Chanson des vieux amants, Le Plat Pays, Le Tango funèbre, L'Enfance* » — ou telle autre ? On aime celle-ci pour sa mélancolie, on a faim de celle-là pour son humour, on attend la suivante parce qu'elle rend un peu, beaucoup ou passionnément un de nos échecs, une autre encore parce qu'elle prolonge une joie ou l'appelle. Lentes ou frénétiques, lyriques ou réalistes, vivantes toujours, chaudes, tendres, dures, émouvantes, sensuelles, sceptiques, ses chansons insinuent en chacun l'amour, réussi ou raté, l'amitié, la colère, la solitude, l'inquiétude face à l'habitude, la bruine de la solitude, le soleil de la mort. Les textes de Brel, pudiques ou « putains », originaux ou jouant la rengaine et le refrain, nous offrent les miroirs de nos défaites, de nos regrets, de nos espoirs. Ils immobilisent le temps qui vieillit moins vite que nous, font trembler les souvenirs et les remords d'un Dieu qui trouble et exaspèrent les théologiens mais renvoient à l'ennui, et à la peur, aux regrets, aux souhaits et désespoirs de chacun. Brel écrit des strophes pour toutes les saisons du cœur. Il y a une heure pour Mozart, une pour Rimbaud, une pour Brel, comme un jour pour Cioran, un pour Tolstoï, un autre pour le dernier « polar » américain. Exprimant une peine, Brel l'adoucit, et il amplifie une joie. Il donne envie de rire dans la tristesse et de pleurer dans la gaieté. Quoi qu'il fasse dans sa vie et dans son œuvre, l'adulte finit par percer sous l'enfant, chez Brel, ce vieil adolescent.

Se livrant à lui, qui parvient si bien à nous prendre aux premières mesures de ses chansons, il faut l'imaginer agitant ses bras, transpirant sur scène, au fond d'un studio. On peut acheter ou louer ces jours-ci plusieurs de ses films dans les vidéothèques, nouveaux temples des années quatre-vingts. Quand commercialisera-t-on *Brel à l'Olympia* et le *Palmarès des Chansons* ? En noir et blanc, ces deux films sont les meilleurs témoignages de sa puissance d'interprète, de ses dignités de professionnel. Qu'on les lance dans les circuits et qu'ils courent ainsi d'âge en âge ! Ceux qui n'ont pas eu la chance de suivre Brel en scène verront un homme qui travaillait autant avec son corps qu'avec sa voix et ses mots. Le regardant sur grand ou petit écran, on comprend un de ses paradoxes : sa vitalité d'homme du Nord descendant vers le sud, naissant en Belgique, se mourant en Polynésie, réchauffe l'esprit par le cœur, persuade un instant qu'on peut « pécher des étoiles ». Quant aux talents divers qui construisirent ce génie populaire, il faut l'admettre, là on bute sur un élément irréductible. Expliquez-moi la Belgique, expliquez-moi les fraises ! me disait Jacques Brel en 1967. On parvient à les décrire, non à les expliquer. On ne peut entièrement expliquer Brel. Contentons-nous de comprendre ses tentations d'homme, ses tentatives d'artiste. Retenons l'essentiel, aimons en premier son œuvre. On doit avant tout se souvenir du créateur. Jacques Brel laisse, profondes encore, ces traces, certaines des plus belles, des plus prenantes chansons en langue française, nos plaisirs. La musique, les mélodies du chanteur ne sont pas modernes ? Tant mieux, les modes passent plus vite que certains airs.

Comme malgré lui, l'homme Brel s'ancre dans son époque. Plus joyeux qu'heureux, convaincu de l'absurdité de la vie, il ne cessa de vouloir lui donner un sens. Là, Jacques Brel est homme du xxᵉ siècle.

Un ami, écrivain belge, me disait :

— Pourquoi tenter de rédiger une biographie de Brel ? Fais-en un roman.

Un personnage de fiction aussi démesuré, inspiré de Jacques Brel, aurait-on pu y croire ?

Remerciements

Pour leur aide, en Belgique, en France, en Suisse, au Canada et en Polynésie française, je remercie sincèrement : Catherine Adonis, Dominique Arban, Marcel Azzola, Bernadette Baillieux, Maddly Bamy, Madou Bamy, Eddie Barclay, Marc Bastard (& Paulo), Pierre Bastard, Ginette Bastard, Philippe Bataillard, Chantal Brel, France Brel, Isabelle Brel, Pierre Brel, Thérèse (Miche) Brel, Guy Bruyndonckx, Jeanne Bruyndonckx, Édouard Caillau, Michel Camerman, Jacques Canetti, Chantal Charpentier, Hugo Claus, Jean Corti, Paul Cousseran, Jean-Marie Dallet, Jacques Danois, André Darielle, Jean Dechamps, Jacques Delcroix, Jean-Michel Deligny, Paul Deliens, Bernard Delvaille, Philippe Desmet, Raymond Devos, Florence Delay, Paolo Doss, Ivan Elskens, Louis-Henri France, Rosa Freda, Suzanne Gabriello, Michel Gauthier, Arthur Gelin, Pierre Gordinne, Marie-Hélène Goré, Jean-Pierre Grafé, Juliette Gréco, Angèle Guller, Edmond Hamels, Rogatien Heitaa, Odette Hermans, Jean Heuvelmans, Danièle Heymann, Lucien Israël, Franz Jacobs, Christian Jelen, Gérard Jouannest, Robert Kaufmann, Bertrand Labes, Sylviane Labes, Roger Lallemand, Alain Lavianne, Suzy Lebrun, Jean-François Lejeune, Marcel Lejeune, Claude Lelouch, Paul Lepanse, Alain Levent, Thierry Lévy, Jean Liardon, Arlette Lindon, Thierry Maertens, Martine Marcowith, « Marianne », Jacques Martin, Jean Meerts, Pierre Mertens, Édouard Molinaro, Janine Montes, Jacques Nellens, Charles Nemry, Louis Nucéra, Clairette Oddera, Georges Olivier, Alice Pasquier, François Perin, Michel Perregaux, François Rauber, Françoise Rauber, Guy Rauzy, Daniel-Charles Richon, Catherine Sauvage, Françoise Sodter, Sœurs Stanislas, Maria, Marie-Claire, Robert Stallenberg, Jacqueline Thiédot, Roger Thérond, Jean-Claude Topart, Yvon Toussaint, Nicolas Tritz, Armand Vanneste, André Versaille, Danielle Vincken, « Zozo », Jacques Zwick.

Annexes

Annexes

Cinq chansons inédites

Les 14 et 21 août 1953, Jacques Brel enregistre des chansons au studio régional du Limbourg de la BRT-Hasselt, Flandre, à trente-cinq kilomètres de la frontière néerlandaise — le plus long de ses premiers enregistrements. Il montre à quel point les Flamands étaient bien disposés à l'endroit de ce chanteur francophone.

L'ANGE DÉCHU

Tous les chemins qui mènent à Rome
Portent les amours des amants déçus   *Refrain*
Tous les chemins qui mènent à Rome
Portent les mensonges des anges déchus.

Amour du matin
Frais comme la rose
Amour qu'on étreint
En étreignant le jour
Tu étais si jolie les lèvres mi-closes
Me penchant vers toi je t'ai dit toujours.

Refrain (Mais...)

Amour de midi
Brûlant de clarté
Amour que l'on vole

Au vol de la vie
Le vent qui jalousait le chant de nos baisers
Nous disait d'être sages et nous en avons ri.

Refrain (Mais...)

Amour de la nuit
Brasier sans lumière
Amour qui espère
L'espoir qu'on attend
Tu avais dans les yeux un bouquet de prières
Je t'ai dit demain, j'ai pensé je mens

Car tous les chemins qui mènent à Rome
Portent les amours de mon cœur déçu
Car tous les chemins qui mènent à Rome
N'ont pu faire de moi qu'un ange déchu.

JE SUIS L'OMBRE DES CHANSONS

Suis l'ombre des chansons
Que tu veux oublier
Pour chanter les leçons
D'un monde fatigué.

Suis l'ombre des chansons
Qui auraient pu jeter
Au fond de ta prison
Un rayon de clarté.

Tout habillé de Noir
Je te suis dans tes rêves
Tes rêves illusoires
Où le jour qui se lève
Sans foi, sans joie s'achève.

Suis l'ombre de l'ami
Dont tu laissas la main
La main qui te servit
A faire tes lendemains.

Suis l'ombre de l'ami
Qui faisait qu'au matin
Pour toi chantait la vie
Et s'ouvraient les chemins.

Tout habillé de noir
Je te suis au désert
Où t'entraîne l'espoir
De conquérir la terre
L'enfant méchant se perd.

Suis l'ombre des amours
Que tu t'es refusé
En refusant toujours
A ton cœur d'espérer.

Suis l'ombre des amours
Que tu as gaspillées
En gaspillant les jours
Qui sont faits pour aimer.

Tout habillé de noir
Je te suis dans la vie
Ta vie où chaque soir
Se désole et vieillit
Ton cœur qui meurt d'ennui.

Suis l'ombre de tout ça
Que tu as rejeté
Au plus profond de toi
Pour ne plus y penser

Suis l'ombre de tout ça
De cette vie passée
Que demain toi et moi
Pourrons recommencer.

A DEUX

Toi
Toi et moi (bis)
A deux, nous bâtirons des cathédrales
Pour y célébrer nos amours
Nous y accrocherons les voiles
Qui nous pousseront vers le jour.

A deux nous offrirons la lune
Aux hommes qui n'ont pas de chance
Et j'irai décrocher Saturne
Nous en ferons nos alliances

Et nous remercierons la vie
D'avoir voulu nous épargner
Nous pourrons la croquer ma mie
Sans jamais devoir la cracher.

A deux nous jetterons sur les rivières
Des ponts faits de notre amitié
Pour tous les hommes de la terre
Afin qu'on puisse les aimer
Et de guérir à la ronde
Tu éclabousseras l'humanité
Moi je pourrai lever le monde
Avant que le monde m'ait couché
Nous partirons chaque matin
A l'aventure d'une journée
Nous avons la vie dans nos mains
Mais il nous faut la dessiner.

A deux nous tracerons dessus la terre
Des chemins pavés de soleil
Nous effacerons les frontières
Car tous les enfants sont pareils
Et les histoires que l'on raconte
Qui font qu'on semble des niais.
A deux nous prouverons au monde
Qu'on peut les faire devenir vrai
Nos cœurs seront pleins d'espérance
Nos chants seront des chants d'amour
Car à deux nous aurons la chance
De croire qu'on en a chaque jour.

A deux nous bâtirons des cathédrales
Pour y célébrer nos amours.

LES ENFANTS DU ROI

Tous les enfants du roi
Même s'ils ont des yeux bleus
Peuvent quand même pleurer
Les dimanches pluvieux
Dans les chambres
Des châteaux de jadis
Où sous le vent tout tremble   } *bis*
La nuit.

Tous les enfants du roi
Même s'ils ont des yeux bleus
Peuvent quand même prier
Les dimanches heureux
Aux chapelles
Prière à la madonne } *bis*
Prière toute belle
Qui s'envole.

Ô madonne
Je ne prie pas pour moi
Mais je prie pour les hommes
Qui ont perdu la foi
Pour eux le ciel est gris
Et lourd et monotone
Et les quatre saisons s'appellent toujours l'automne
Pour eux le ciel est gris
Et lourd et las
Et jamais on ne rit
Et jamais on ne voit
Les nuages s'ouvrir
Pour laisser le soleil
Et jamais il ne passe
Des anges en nos sommeils.

Ô madonne
Je te prie ce soir
Pour les hommes sans foi
Les hommes sans espoir
Ô madonne
Je te prie, aie pitié de moi
Car je suis de ces hommes
Qui ont perdu la foi

Tous les enfants du roi
Même s'ils ont les yeux bleus
Peuvent quand même prier
Aux chapelles
Prière à la madonne } *bis*
Prière toute belle
Qui s'envole.

L'ACCORDÉON DE LA VIE

Vieux Musicien
Fais-moi rêver
Jusqu'au matin
Reste courbé
Sur ton accordéon
Ton accordéon
Tout blanc
Fait rêver, fait valser
Fait tourner mes vingt ans
Vieux musicien
Fais-moi rêver
Aux quatre coins de la vie
Et pour qu'on lui pardonne
La vie met ses cheveux gris
Et pour nous accordéonne.

Vieux musicien
Fais-moi aimer
Jusqu'au matin
Reste courbé
Sur ton accordéon
Ton accordéon
Tout bleu
Fait rêver, fait valser
Nos deux cœurs amoureux
Vieux musicien
Fais-moi aimer
Aux quatre coins de l'amour
Et pour qu'on lui pardonne
La vie vient nous dire bonjour
Et pour nous accordéonne.

Vieux musicien
Fais-moi pleurer
Jusqu'au matin
Reste courbé
Sur ton accordéon
Ton accordéon
Tout noir
Fait pleurer, fait rêver
Nos deux cœurs sans espoir
Vieux musicien
Fais-moi pleurer

Aux quatre coins de la vie
Et pour se venger de nous
La vie met ses cheveux gris
Pour nous dire qu'elle s'en fout.

Les chansons enregistrées en 1953 à Hasselt ont eu plusieurs titres.

Premiers titres	*Derniers titres*
Bourgeois Gentilhomme	Ballade
Le ciel	L'orage
J'aime les pavés	Les pavés
Le fou du roi	Le fou du roi
J'aime la foire	La foire
Sur la place	Sur la place
Il peut pleuvoir	Il peut pleuvoir
J'ai retrouvé	Les deux fauteuils
Tous les enfants du roi	*Inédit* en 1984
Je suis un vieux troubadour	Le troubadour
Derrière la saleté	Il nous faut regarder
Près des puits	C'est comme ça
Toi et moi	*Inédit* en 1984
Si c'était vrai	Dites, si c'était vrai
Belle Jeannette	Les gens
Comme un marin	La haine
Toutes les amitiés	Départs
Ça va (le diable)	Ça va (le diable)
Qu'avons-nous fait	Qu'avons-nous fait bonnes gens
Tous les chemins mènent à Rome	*Inédit* en 1984, L'ange déchu
Les pieds dans le ruisseau	Les pieds dans le ruisseau
Mon ami qui crois	La Bastille
Ce qu'il vous faut, mais c'est de l'amour	Ce qu'il vous faut
Vieux musicien	*Inédit* en 1984, L'accordéon de la vie
Suis l'ombre des chansons	*Inédit* en 1984, Suis l'ombre des chansons

Chansons publiées avec l'autorisation de la famille Brel.

Brel et la musique de films

Avec François Rauber, Jacques Brel a composé la musique de presque tous les films dans lesquels il a joué ou qu'il a réalisés. (A l'exception des *Assassins de l'Ordre*, de *Mont-Dragon* et de *L'Aventure, c'est l'aventure*.)

Pour *Les Risques du métier*, s'intéressant beaucoup à cette époque à la musique de chambre, Brel compose des thèmes de quintettes à cordes. Enregistrés, ils ne devaient pas convenir au metteur en scène, André Cayatte, puisque ce dernier n'en a conservé que quelques éléments. Discrètement déçu, Brel envisagea un moment de retirer toute sa musique.

Dans *La Bande à Bonnot*, pour le thème principal, Brel part de *Nous n'irons plus au bois*. La musique suit et sert bien l'ambiance du film comme les images. Un quarante-cinq tours existe, difficile à trouver.

Suprêmement gaie, la musique de *Mon Oncle Benjamin* chatoie de couleurs et d'allant. Rauber et Brel donnent un grand rôle aux cordes, aux bois, au clavecin, ce qui renforce l'atmosphère XVIIIᵉ siècle du beau film de Molinaro.

Dans *Franz*, Brel réalisateur prouve son amour de la musique, son souci de la marier à l'image. Avec beaucoup de tendresse et de respirations impressionnistes, Rauber habille superbement les mélodies de Brel. On remarque deux valses, une classique, l'autre populaire à l'orgue de Barbarie. Brel insère aussi dans *Franz* l'ouverture du *Lohengrin* de Wagner.

Malgré l'emploi de trente musiciens, rien de frappant dans la musique du *Bar de la Fourche*. En revanche, celle de *Far West* est très soignée. Alors, le symphonique attire Brel. Pour sa partition musicale, somptueuse, il utilise de trente à cinquante musiciens et une chorale d'enfants. Les musiciens qui participent aux séances d'enregistrement sont étonnés par les moyens et la recherche que Brel consacre à la musique de son deuxième film. Le réalisateur sera amer de ne pas trouver dans les critiques une seule ligne à propos de la bande sonore de son film. Plus tard, lorsque *Far West* sera diffusé par la télévision, des compositeurs, des professeurs du conservatoire national et d'autres musicologues, témoigneront de leur surprise, souvent de leur admiration, en écoutant avec attention la musique de *Far West*.

Celle de *L'Emmerdeur* paraît simple, directe, jouant surtout sur deux thèmes pour les deux principaux personnages, le timide et le truand, et leurs obsessions.

François Rauber a écrit la musique du dessin animé tiré de l'album de Hergé, *Le Temple du Soleil*. Ici, Brel est responsable des paroles et de la musique de deux chansons. Comme Jacques l'aurait peut-être dit lui-même, la rencontre des deux célèbres Belges n'est pas « congestionnante d'intérêt ». François Rauber a arrangé une chanson de Brel, *Les Cœurs tendres* (ou *Y'en a qui*) pour le film *Un idiot à Paris*. La musique du film proprement dite n'est ni de Rauber ni de Brel. Jacques Brel a écrit la musique du générique d'un film, *Un roi sans divertissement*.

Aidé, soutenu, poussé et servi par François Rauber, sachant mettre ses mélodies au service de ses images, Jacques Brel « promettait » comme compositeur de musique de films.

Brel et la versification française

« Un bon vers libre est tout sauf libre », affirmait T. S. Eliot.

Dans la chanson, et surtout chez Brel, parce qu'elle est d'abord interprétation, les règles de la versification classique sont contournées, cassées, violées. Lu, découpé, examiné, disséqué sans sa musique d'accompagnement, un texte de Brel choque souvent les poètes purs et en scandalise certains. Beaucoup de chansons de Brel sont « tout sauf » conformes à la métrique traditionnelle. Brel pratique gaiement l'élision et le hiatus. Le chanteur compte ou ne compte pas l' « e » muet. Il n'applique pas les conventions de la métrique. Brel devient un versificateur capricieux, au grand sens : en musique, un caprice est un morceau où l'artiste écrit suivant son inspiration, sans se plier aux cadres ou carcans, des pièces strictement définies, madrigaux, variations, menuets, rondeaux... Brel n'a pas réfléchi sur les problèmes du sonnet, du lai ou de la terza rima, comme certains de ses confrères ou consœurs, ni longuement médité les subtilités de l'enjambement. Il semble moins classique que Brassens qui trouve volontiers la rime riche avant la rime pauvre, même avec un vocabulaire familier :

> ... De vos épurations vos collaborations
> Vos abominations et vos désolations
> De vos plats de choucroute et vos tasses de thé
> Tout le monde s'en fiche à l'unanimité...
>
> *(Les Deux Oncles)*

Brel paraît moins recherché que Ferré qui tire quelques leçons des expériences d'écrivains modernes, clamant :

> ... je sais que jamais je n'irai
> fumer les cours de la Sorbonne
> mais je suis gras comme l'hiver

> comme un hiver surréaliste
> avec la rime au bout du vers
> cassant la graine d'un artiste...

(Les Chants de la fureur)

Pour comprendre et accepter la versification de Brel, il faut écouter son interprétation. Sa prosodie s'accomplit dans son chant, par sa bouche. On ne sent le rythme de la phrase ou du vers brélien qu'en écoutant le chanteur. Brel met des accents partout, sur-accentue, et pour cette raison ses textes sont souvent difficiles à interpréter par d'autres. Sa musique entraîne ses mots et ces mots souvent malmenés sont portés par le rythme de la chanson.

La versification de Brel frappe avant tout par sa sonorité, qu'il joue de la rime pauvre ou riche, de l'assonance ou de l'allitération. Plus il prend du métier, et plus Brel introduit des rimes ou pseudo-rimes intérieures, tout en découpant ses vers avec adresse, mais spontanéité. Lisez *Les Marquises* :

> Ils parlent de la mort/comme tu parles d'un fruit
> Ils regardent la mer/comme tu regardes un puits

> Les femmes sont lasc<u>ives</u>/au soleil redouté
> Et s'il n'y a pas d'hiver/cela n'est pas l'été

> La pluie est traversière/elle bat de grain en grain
> Quelques vieux chevaux blancs/qui fredonnent Gauguin

> Et par manque de br<u>ise</u> le temps s'immob<u>ilise</u>
> Aux Marqu<u>ises</u>

> Du soir montent des feux/et des points de silence
> Qui vont s'élargissant/et la lune s'avance

> Et la mer se déchire/infiniment brisée
> Par des rochers qui prirent/des prénoms affolés

> Et puis plus loin des chiens/des chants de repentance
> Et quelques pas de deux/et quelques pas de danse

> Et la nuit est sou<u>mise</u>/et l'alizé se <u>brise</u>
> Aux Marqu<u>ises</u>...

Dans ses années de maturité, Brel parolier emploie librement le mot-rime, et il sait fort bien passer, dans la même strophe, des rimes régulières aux rimes irrégulières. En oubliant, si vous le pouvez, les lancinements de l'accordéon derrière, voyez *Vesoul* :

T'as voulu voir Vierzon	A
Et on a vu Vierzon	A
T'as voulu voir Vesoul	B
Et on a vu Vesoul	B
T'as voulu voir Honfleur	C
Et on a vu Honfleur	C
T'as voulu voir Hambourg	D
Et on a vu Hambourg	D

J'ai voulu voir Anvers   E
On a revu Hambourg   D
J'ai voulu voir ta sœur   C
Et on a vu ta mère   E
Comme toujours   D

Francophone, Brel maîtrise souvent l'alexandrin **romantique**, le bon vieil alexandrin à plat, de Hugo à Aragon. Brel utilise des vers de cinq ou sept syllabes et d'autres, mais sa force naturelle s'impose surtout avec ceux de six, huit ou douze. Après tout, le vers de dix-huit syllabes des *Vieux* n'est qu'un 12 + 6.

Dans les écoles secondaires belges et françaises des professeurs soumettent souvent des textes de Brel à leurs élèves. Ils mettent en valeur le travail du parolier, peut-être plus inconscient avec Brel que chez d'autres. Deux agrégés de Lettres, Bruno Hongre et Paul Lidsky écrivent :

« A l'intérieur des vers, Brel marque fortement les accents rythmiques — souvent appuyés par les basses de l'accompagnement musical. Le principe d'adéquation règne : dans ces deux vers de *Mathilde,* l'idée de répétition est soulignée par l'accentuation toutes les deux syllabes (*cf.* la diction du chanteur) :

Mon cœur arrêt (e) de répéter

Qu'elle est plus bell (e) qu'avant l'été

C'est le cas aussi dans les premiers vers du *Plat Pays,* dont le rythme évoque le moutonnement indistinct des vagues et des dunes. Dans *Amsterdam* enfin, en reposant sur deux temps bien marqués, l'hexasyllabe donne une impression de tangage sciemment accordée à la vie des marins.

Mais le rythme ne se suffit pas, il doit souligner le jeu des sonorités. Brel ne dédaigne pas les classiques allitérations ou les assonances intérieures, toujours au service d'une volonté d'effet... Des exemples : mise en valeur du « rot » des marins d'Amsterdam :

Et sortent en rotant

Insistance sur le sort pénible des *Vieux :*

Ils ont peur de se perdre et se perdent pourtant

Enfouissement des *Désespérés* dans le fleuve et dans l'oubli :
Et s'oublient en silence ceux qui ont espéré...

... l'emploi du vers court donne de l'importance à la rime, qui vient ainsi ponctuer le rythme. A la limite d'ailleurs, la rime ou les sonorités l'emportent sur la « raison » et s'appellent les unes les autres :

Tu as un vrai divan de roi
Un vrai divan de diva
Du porto qu' tu rapportas
De la Porte des Lilas

(Le Gaz)

« Dans *Titine, Vesoul, Les Timides, La Valse à mille temps,* on voit ainsi le son primer le sens : mais ce libre jeu obéit tout de même à l'*intention de jouer,* de se moquer de personnages ou de thèmes dans des chansons canulardesques. Il n'y a pas de pure gratuité : l'humour est là[1]. »

On peut se livrer à ce type d'exercice, avec la part de subjectivité et d'interprétation qu'il implique utilement, sur de nombreuses œuvres de Brel.

Il est impossible de discerner des influences nettes dans les textes de Brel. Il a sans doute d'abord été sensible aux poèmes des manuels du secondaire belge où figuraient Verhaeren, Verlaine, Baudelaire... et avant tout aux *Modèles français.* Brel a aussi été entraîné — comme un sportif s'entraîne — par les chansons scoutes et les veillées de la *Franche Cordée.* Là, tous les membres de la F.C. chantaient en chœur :

... Vla l' bon vent
Vla l' joli vent.

Pour sa versification, Brel prend dans la poésie ce que la chanson y a toujours trouvé, les rimes, le refrain, le matériel prosodique le plus simple ou le plus pauvre, le bagage de la chanson. Voulant d'abord créer un climat, par ses « vers » répétitifs, litaniques, Brel sécurise son lecteur, avant tout son auditeur.

Aux vers de Jacques Brel on pourrait peut-être appliquer ceux du grand poète flamand Guido Gezelle :

... Marqué du signe du poète
il a, dans toutes ses démarches,
ouvert des yeux admiratifs
sur la seule beauté
pour la rendre sans honte
dans son propre langage [2].

Oui, *son* langage.

---

1. *Profil d'une œuvre, Chanson — Jacques Brel,* Collection dirigée par Georges Décote, Hatier, 1976.
2. Cité par Liliane Wouters dans *Guido Gezelle,* Poètes d'Aujourd'hui, Seghers, 1965.

La bibliothèque de Brel

Avec l'autorisation de Maddly Bamy, j'ai pu relever en 1983 les titres des livres de la bibliothèque de Jacques Brel dans sa maison d'Atuona :

Aragon : La semaine sainte (I et II) ; Le roman inachevé ; Les voyageurs de l'impériale.

D'Astier de la Vigerie : Sur Staline.

Marcel Aymé : La tête des autres.

Nicolas Berdiaev : Les sources et le sens du communisme.

Juan Bergo : Afrika Korps.

Georges Blond : Histoire de la flibuste.

Antoine Blondin : L'Europe buissonnière.

Lucien Bodard : Monsieur le consul ; Le fils du consul.

La Bruyère : Les caractères.

Dino Buzzati : Le K.

André Breton : Manifeste du surréalisme.

Louis Bromfield : La mousson.

Albert Camus : La peste ; Caligula.

Blaise Cendrars : Au cœur du monde.

Alexis Carrel : L'homme cet inconnu.

Céline : Voyage au bout de la nuit.

Cervantès : Don Quichotte.

Gustave Cohen : La grande clarté du Moyen Âge.

Colette : La seconde.

Georges Courteline : Les femmes d'amis.

Jacques Crumin : Un gouverneur de la Rosaie.

Michel Cuzin : Les oiseaux.

Alphonse Daudet : Tartarin de Tarascon ; Les Lettres de mon moulin.

Charles Dickens : David Copperfield.

Diderot : La religieuse.

William Faulkner : Sanctuaire.

Sigmund Freud : Essais de psychanalyse ; Trois essais sur la sexualité.

La Fontaine : Fables.

Romain Gary : Les racines du ciel.

De Gaulle : Mémoires.

André Gide : L'immoraliste.

Jean Giraudoux : Les aventures de Jérôme Bardini ; La menteuse.

Guillominat et Berné : Les princes des années folles.

Sacha Guitry : Mémoires d'un tricheur.

Hegel : Principes de la philosophie du droit.

Ernest Hemingway : En avoir ou pas.

Hermann Hesse : Le loup des steppes.

Jean Hougron : Je reviendrai à Kandara.

Aldous Huxley : Le meilleur des mondes.

Pascal Jardin : La bête à bon Dieu.

Alfred Jarry : Ubu.

Joseph Kessel : L'équipage.

Sören Kierkegaard : Le traité du désespoir.

Armand Lanoux : Les lézards dans l'horloge.

Claude Lévi-Strauss : Tristes tropiques.

Henri Lefebvre : Le langage et la société.

Leprince-Ringuet : Les atomes et les hommes.

Malcolm Lowry : Au-dessus du volcan.
Maurice Maeterlinck : La vie des abeilles.
Malaparte : La peau.
Thomas Mann : Tonio Kröger ; La mort à Venise.
Jacques Massacrié : Savoir revivre.
André Malraux : L'espoir.
Guy de Maupassant : Boule de suif.
Somerset Maugham : Le fil du rasoir.
André Maurois : Les silences du colonel Bramble.
Robert Merle : L'île.
Alfred Métraux : L'île de Pâques.
Henry Miller : Virage à 80 ; Nexus.
Patrick Modiano : Les boulevards de ceinture.
Montaigne : Les essais.
Montesquieu : Les lettres persanes.
Henry de Montherlant : La ville dont le prince est un enfant.
Nietzsche : Ainsi parlait Zarathoustra.
Paul Nizan : Aden-Arabie.
Jean Paulhan : Les incertitudes du langage.
Charles Péguy : Notre jeunesse.
Edgar Poe : Tous les contes.
Pouchkine : Œuvres.
Erich Maria Remarque : Trois camarades
Cardinal de Retz : Mémoires.
Pierre Reverdy : Plupart du temps.
Jean Rostand : L'homme *(trois exemplaires)*.
Jules Roy : Le navigateur.
Bertrand Russell : Science et religion.
Cornelius Ryan : Le jour le plus long.
Antoine de Saint-Exupéry : Terre des hommes.
Jean-Paul Sartre : Les mains sales.
Saint-John Perse : Éloges ; Amers.
Spinoza : L'éthique.
Stendhal : Le rouge et le noir.
Stevenson : L'île au trésor.
Soljenitsyne : L'archipel du Goulag.

Tolstoï : Œuvres.
Henri Troyat : Catherine la Grande.
Paul Valéry : L'âme et la danse ; Dialogue de l'Arbre ; Eupalinos.
Boris Vian : L'arrache-cœur.
Simone Weil : La condition ouvrière.
Virginia Woolf : La traversée des apparences.
Jean Ziegler : Une Suisse au-dessus de tout soupçon ; Sociologie et contestation.
Stephan Zweig : La confusion des sentiments.

L'Odyssée.
Le livre d'or de la poésie française contemporaine (3 volumes).
Grammaire structurale.
L'anglais sans peine.
Marcel Pagnol (Seghers).
La chanson française, de Charpentreau.
Les vingt meilleures nouvelles françaises (coll. Alain Bosquet).
La Renaissance.
Encyclopédie du jardinage.
L'électricité pour tous.
L'astronomie.
Le yachting.
Les poissons.
Les oiseaux de mer.
Le comportement des oiseaux.
Larousse de poche.
Les migrations animales.
Les deux scandales de Panama.
Blaise Cendrars (Collection du Monde entier).
Dictionnaire des cinéastes.
Mystique de l'aviation.
L'Amérique latine.
Tristan et Iseult.
Dictionnaire médical.
Histoire du Far West.
Instructions nautiques *(une dizaine de volumes)*.

Maddly Bamy m'a communiqué une liste d'ouvrages que Jacques Brel avait laissés ou rapportés à Paris entre 1974 et 1978 :

Louis Aragon : Les communistes.
Raymond Aron : Plaidoyer pour l'Europe décadente.
Marcel Aymé : La Table-aux-crevés ; Le Passe-Muraille ; La Jument verte.

Simone de Beauvoir : La Force des choses.
André Breton : Nadja.
Albert Camus : L'Homme révolté ; L'Étranger.
André Castelot : Napoléon III.

Aimé Césaire : Les Armes miraculeuses.
René Char : Les Matinaux.
Joseph Conrad : Typhon.
René Descartes : Les Passions de l'âme.
Robert Desnos : Corps et biens.
Charles Dickens : Les Aventures d'Oliver Twist.
John Dos Passos : Manhattan Transfer.
Maurice Duverger : Introduction à la politique.
William Faulkner : Le Bruit et la Fureur.
Gheerbrant : Expédition Orénoque-Amazone.
André Gide : L'Immoraliste ; Les Caves du Vatican ; La Porte étroite.
Jean Giono : Le Chant du monde.
Günter Grass : Les Années de chien.
Hegel : Principe de la philosophie du droit.
Victor Hugo : Choses vues.
Pascal Jardin : Guerre après guerre.
James Joyce : Ulysse.
Franz Kafka : Le Procès ; Le Château.
Joseph Kessel : Belle de jour.
Rudyard Kipling : Le Livre de la jungle.
Jean Lacouture : Léon Blum.
Stéphane Mallarmé : Poésies.
André Malraux : Antimémoires.
Marcel Mauss : Manuel d'ethnographie.
Pierre Mendès France : La Vérité guidait leurs pas.
Robert Merle : Week-end à Zuydcoote ; Un Animal doué de raison ; Derrière la vitre ; L'Île ; La Mort est mon métier.
Henry Miller : Tropique du Cancer.
François Mitterrand : La Paille et le Grain.
Molière : Œuvres.
Montesquieu : L'Esprit des lois.
Henry de Montherlant : Les Célibataires.

Serge Moscovici : Introduction à la psychologie sociale.
Ovide : L'Art d'aimer.
Pascal : Les Pensées.
Ezra Pound : ABC de la lecture.
Jacques Prévert : Paroles.
Marcel Proust : Du côté de Guermantes.
Jean-François Revel : La Tentation totalitaire ; Histoire de la philosophie occidentale.
Dominique Rolin : Le Lit.
Jules Romains : Les Copains.
Jean Rostand : Aux Sources de la biologie.
Jean-Jacques Rousseau : Les Confessions.
Saint-Just : Œuvres choisies.
Jean-Paul Sartre : Les Séquestrés d'Altona ; Les Mots.
Alexandre Soljenitsyne : Le Croyant ; L'Archipel du Goulag ; Le Pavillon des cancéreux.
John Steinbeck : Les Raisins de la colère ; A l'Est d'Éden ; Tortilla Flat ; Des Souris et des Hommes ; Théâtre.
Han Suyin : Le Premier jour du monde.
Rabindranath Tagore : L'Offrande lyrique.
Elsa Triolet : Le premier accroc coûte deux cents francs.
Léon Trotsky : La Révolution permanente
Henri Troyat : Grimbosq.
Paul Valéry : Tel quel ; La Jeune Parque
Boris Vian : L'Écume des jours.
Pierre Viansson-Ponté : Lettre ouverte aux hommes politiques.
Bernard Volker : L'Affaire Schleyer.
Stefan Zweig : Fouché.
Dictionnaire Marabout : La Communication et les Mass Media.

D'autres livres et, surtout, des documents appartenant à Jacques Brel doivent se trouver chez certaines des anciennes compagnes de Brel, et dans des garde-meubles.

Années de composition des chansons

Il est impossible de dater avec précision l'écrasante majorité des textes de Brel. Jacques, le plus souvent, datait encore moins ses textes que ses lettres. On peut seulement, et avec prudence, supposer que ses textes étaient au point à ses yeux quand il en déposait le copyright à la SABAM. On ne peut aucunement en tirer la conclusion que droits déposés ces chansons venaient d'être achevées. Ainsi *Sans exigences* (1977) est en gestation sur un cahier d'avant 1974.

On doit se contenter de supposer que la rédaction de *la plupart* des textes, à quelques mois près, correspond à la prise du copyright. Ce qui donnerait, comme base de travail et de recherches pour 198 chansons :

Accordéon de la vie (l') [1953].
Âge idiot (l') [1965].
Air de la bêtise (l') [1957].
A jeun [1967].
Aldonza [1968].
Allons il faut partir [1970].
Amants de cœur (les) [1964].
Amsterdam [1964].
Amour est mort (l') [1977].
Ange déchu (l') [1953].
Au printemps [1958].
Au suivant [1964].
Avec élégance [1977].
Aventure (l') [1958].

Baleine (la) [1965].
Ballade [1953].
Barbier (le) [1968].
Bastille (la) [1955].
Bergers (les) [1964].
Biches (les) [1962].
Bière (la) [1968].

Bigotes (les) [1962].
Blés (les) [1956].
Bonbons (les) [1964].
Bonbons 67 (les) [1967].
Bon Dieu (le) [1977].
Bourgeois (les) [1962].
Bourrée du célibataire (la) [1957].
Bruxelles (inédite) [1953].
Bruxelles [1962].
Buvons un coup [1970].

C'est comme ça [1953].
Caporal Casse-Pompon (le) [1962].
Casque d'or de Mambrino (le) [1968].
Cathédrale (la) [1977].
Ce qu'il vous faut [1956].
Ces gens-là [1965].
Chacun sa Dulcinéa [1968].
Chanson d'Adélaïde [1970].
Chanson de Christophe [1970].
Chanson de Christophe-Pops-cowboy [1970].

Orly [1977].
Ostendaise (l') [1968].
Ouragan (l') [1965].

Pardons [1956].
Parlote (la) [1962].
Paumés du petit matin (les) [1962].
Pavés (les) [1953].
Pendu (le) [1962].
Pieds dans le ruisseau (les) [1956].
Plat pays (le) [1962].
Porteurs de rapières (les) [1970].
Pourquoi fait-il toutes ces choses ? [1968].
Pourquoi faut-il que les hommes s'ennuient ? [1964].
Prénoms de Paris (les) [1961].
Prière païenne [1957].
Prochain amour (le) [1961].

Qu'avons-nous fait, bonnes gens ? [1956].
Quand maman reviendra [1963].
Quand on n'a que l'amour [1956].
Quête (la) [1968].

Récitatif lunaire [1970].
Regarde bien, petit [1968].
Remparts de Varsovie (les) [1977].
Rosa [1962].

S'il te faut [1955].
Saint-Pierre [1957].
Sans amour [1968].
Sans exigences [1977].
Seul [1959].

Singes (les) [1961].
Sirène (la) [1965].
Statue (la) [1962].
Suis l'ombre des chansons [1953].
Sur la place [1953].

Tango funèbre (le) [1964].
Tendresse (la) [1959].
Timide (les) [1964].
Titine [1964].
Toi et Moi [1953].
Toison d'or (la) [1971].
Toros (les) [1963].
Tous les enfants du Roi [1953].
Troubadour (le) [1953].

Un animal [1968].
Un enfant [1965].
Une île [1962].

Valse à mille temps (la) [1959].
Vesoul [1968].
Vieille [1963].
Vieillir [1977].
Vieux (les) [1963].
Ville s'endormait (la) [1977].
Vivre debout [1961].
Voici [1958].
Voir [1959].
Voir un ami pleurer [1977].
Vraiment je ne pense qu'à lui [1968].

Zangra [1962].

Jacques Brel corrigeait ses textes jusqu'au dernier moment, juste avant l'enregistrement d'une chanson jusque dans les studios mêmes. Cela explique les variantes entre textes publiés et chansons interprétées.

Discographie

Plusieurs discographies de Jacques Brel ont été publiées. Aucune n'est complète.

Il faudra plusieurs années de travail et, au moins, une thèse, ainsi que la collaboration de toutes les sociétés impliquées dans l'édition des textes et la production des disques et des cassettes pour établir cette discographie complète.

Les progrès techniques — 45 tours, 78 tours, 33 tours, microsillon, avancée de la cassette— expliquent et justifient en partie le désordre que devra affronter un chercheur discographique.

Brel enregistre ses chansons sur 33 tours. Philips les sort sur divers 45. Plusieurs versions sont gravées sur ces 45 tours, entre autres : Quand on n'a que l'amour ; La dame patronnesse ; Dites, si c'était vrai ; Sur la place ; Je ne sais pas. Toutes ces versions aujourd'hui sont introuvables. Après avoir enregistré « Quand on n'a que l'amour » (1re version), Brel remporte avec cette chanson le Grand Prix Charles Cros 1957. Jacques Canetti décide de refaire enregistrer ces cinq titres avec une nouvelle orchestration.

Brel règne chez Philips durant sept ans.

Chez Philips il enregistre six 33 tours, diversifiés en 12 séries de 45 tours, et le dernier Olympia 1961, en un 33 tours 30 cm.

Brel signe son long contrat chez Eddie Barclay. Même principe : Brel enregistre des 33 tours qui, après, sont commercialisés en 45 tours. Sur l'un d'entre eux, on trouve aussi les premières versions de : Les Bigotes, La parlote, Quand maman reviendra, Les filles et les chiens réenregistrées sur 33 tours avec nouvelle orchestration.

Brel sort cinq 33 tours 25 cm et trois 33 tours 30 cm. Plus deux autres 30 cm dont « L'Homme de la Mancha », et le réenregistrement en 1972 d'anciennes chansons enregistrées à l'époque chez Philips mais avec une nouvelle orchestration.

Peu de temps après, douze 45 tours simples sont réédités (comprenant une chanson sur chaque face) avec l'Enfance, disque 45 tours paru en 1973.

« Toute » la discographie de Jacques a été rééditée de différentes manières :

cinq 33 tours Philips n°s 1 à 5.
huit 33 tours Barclay n°s 1 à 8.

(Mis à part : L'Homme de la Mancha, Babar, Pierre et le loup.)

1 coffret Barclay regroupe 3 disques (1ᵉʳ coffret)
1 coffret Barclay regroupe 6 disques (2ᵉ coffret)
1 coffret Philips regroupe 5 disques (1954-1962)
1 coffret Philips de luxe de 5 disques (1954-1962).

La plupart de ces disques sont aujourd'hui épuisés.

Depuis la mort de Brel il y a eu de nombreux couplages différents.

On trouve actuellement en Belgique et en France une réédition de « toute » la discographie de Jacques Brel.

Disques Barclay numéroté de 1 à 7.

Couplages différents reprenant : L'Enfance, Quand Maman reviendra.

Philips a sorti une nouvelle série, différente des précédentes. Coffret œuvre intégrale comprenant toute l'œuvre (Philips-Barclay) : 14 disques ou cassettes.

Ce coffret-disques ou coffret-cassettes peut largement satisfaire connaisseurs et amateurs [1].

Nous donnons ci-après la liste des éditeurs des chansons de Jacques Brel. Ils en détiennent l'entier copyright :

Alleluia, Bagatelle, Belvision, Caravelle, Carrousel, Écho Music, Famille Brel, Francis Day, Francobel, Intersong-Tutti, Méridian, Micro, Paris-Mélodies, Patricia, Pouchenel, Pouchenel-Hortensia, Semi, World Music, World Music Vendôme.

_____

1. Avec la collaboration de Philippe Desmet

Bibliographie sélective

ARBAN Dominique, *Cent pages avec Jacques Brel*, Seghers, Paris 1967.

BAMY Maddly, *Tu leur diras*, Grésivaudan, Seyssinet-Pariset 1981.

BARLATIER Pierre, *Jacques Brel*, Solar 1978.

BERRUER Pierre, *Jacques va bien, il dort aux Marquises*, Presses de la Cité, Paris 1983.

BLAU Éric, *Jacques Brel is alive, and well, and living in Paris*, E. P. Duffon & Co, New York 1971.

BREL Jacques, *Chansons*, Coll. Chansons (Le livre de chevet), Tchou, Paris 1967.

BREL Jacques, *Œuvre intégrale*, Laffont, Paris 1982.

CANETTI Jacques, *On cherche jeune homme aimant la musique*, Calmann-Lévy, Paris 1978

CLOUZET Jean, *Jacques Brel — Poésies et chansons*, Coll. Poètes d'aujourd'hui, Seghers, Paris 1964 (Édition augmentée en 1981).

GRÉCO Juliette, *Jujube*, Stock, Paris 1982.

GULLER Angèle, *Le 9ᵉ Art*, Vokaer, Bruxelles 1978.

HANTRAIS Linda, *Le vocabulaire de Brassens, comparé au vocabulaire de J. Brel et de Léo Ferré*, Éditions Klincksieck, Paris 1976.

VAN HELLEPUTTE Franz, *Pour toi Jacques Brel, Quartiers d'ascendance et généalogie*, polycopié Houdeng-Aimeries 1980.

HONGRE Bruno et LIDSKY Paul, *Jacques Brel — Chansons*, Coll. Profil d'une œuvre n° 52, Hatier, Paris 1976.

JAQUE Jean, *Jacques Brel, une vie... une légende*, Coll. Vedettes du xxᵉ siècle, Delville, Paris 1978.

MONESTIER Martin, *Brel — Le livre du souvenir*, Tchou, Paris 1979.

MONSERRAT Joëlle, *Jacques Brel*, Coll. Têtes d'affiches (Francis Le Goulven), Pac, Paris 1982.

PIERRE François, *Jacques Brel, seul mais réconcilié*, Coll. Vie, Amour et Chansons n° 5, Éd. du Foyer de Notre-Dame, Bruxelles 1966.

VANDROMME Pol, *Jacques Brel : l'exil du Far West*, Labor, Bruxelles 1977.

WASSERMAN Dale, Darion Joe, Leigh Mitch, *Man of La Mancha*, Random House, New York 1966.

WATRIN Monique, *Dieu et le sens de la vie dans la chanson contemporaine* (Georges Brassens et Jacques Brel), Université de Metz — 1979.

— *La quête du bonheur chez Jacques Brel*, Université de Strasbourg — 1982.

On doit mentionner l'essai « cinématographique » de Frédéric Rossif *Jacques Brel*, Télé-Hachette et Bel-Air.

De nombreux mémoires et thèses ont été consacrés à Brel dans plusieurs pays. Certains sont de qualité. Beaucoup, hélas, reflètent un certain air du temps. Ces essais-là partent d'un principe inavoué : plus un auteur, comme Jacques Brel, est concret ou populaire, plus il faut justifier l'intérêt qu'on lui porte en (pseudo) philosophant. La plupart de ces travaux ignorent somptueusement les rapports d'une œuvre et d'une vie. Leurs pages sont bourrées de « discours », de « mentalité bourgeoise », de « locuteur », de l'éternel tandem « signifiant-signifié », de « déictique », d'« extradiégétique » et d'« intradiégétique », etc. Bien entendu, certaines expressions techniques sont utiles surtout quand elles sont définies — jamais sous la forme terroriste qu'utilisent quelques commentaires, jeunes ou vieux.

Pitié pour Brel, la chanson, la poésie et la critique !

Des milliers d'articles et plusieurs centaines d'émissions de télévision et de radio, de quelques minutes à deux heures, ont traité de Jacques Brel.

Quotidiens, hebdomadaires, périodiques utilisés :

Le Soir — La Libre Belgique — la Dernière Heure — La Cité — Het Laatste Nieuws — La Meuse La Lanterne — Le Peuple — Le Drapeau Rouge — Het Volk — De Standaarc — La Wallonie — Vers l'Avenir — Le Rappel — La Nouvelle Gazette — Gazet Van Antwerpen — Germinal — La Gazette de Liège — La Meuse.

Le Soir Illustré — Pourquoi Pas — Spécial — Knack — Femmes D'Aujourd'hui — Bonnes Soirées — Humoradio — Ciné Revue — Pan — Le Ligueur — Moustique — 'T Pallieterke — Pourquoi.

Le Monde, France-Soir, Le Figaro, Combat, l'Humanité, le Parisien libéré, Le Provençal.

L'Express, France-Observateur, le Nouvel Observateur, Paris-Match, le Point, Elle, Marie-Claire, l'Événement, L'Humanité-Dimanche, La Vie ouvrière, Carrefour, Le Canard enchaîné, le Populaire, Dimanche, Télé-7 jours, Les Lettres françaises, La vie catholique illustrée...

New-York-Times, Washington Post, Los Angeles Times, Newsweek, Time Times, Guardian, Times Literary Supplement.

Le Devoir.

La feuille d'avis de Lausanne.

Émissions de télévision :

R.T.B., B.R.T., O R.T.F., T.F. 1, A 2, I.N A., Télévision suisse romande ..

Émissions de radio :

R T B F France-Inter R T L , Europe 1 B B C .

Index

Table des matières

ANNEXES

Achevé d'imprimer le 7 juin 1984
sur presse CAMERON
dans les ateliers de la S.E.P.C.
à Saint-Amand-Montrond (Cher)
pour le compte des éditions Robert Laffont

Dépôt légal : mai 1984.
N° d'Édition : K.903. N° d'Impression : 1047.